VOLTA AO PODER

VOLTA AO PODER

*A correspondência
entre Getulio Vargas e a filha Alzira*

volume II · 1949 a 1950

organização
Adelina Novaes e Cruz \ Regina da Luz Moreira

FGV Editora \ Ouro sobre Azul
Rio de Janeiro 2018

ÍNDICE

A correspondência
1949 \ 6 a 219 • **1950** \ 220 a 430

Índice de nomes \ 431

Iconografia \ 488

1949

Maneco e Getulio na Fazenda do Itu.
Itaqui, RS, entre 1948 e 1950.

142 \ G · [Estância Santos Reis], 3 de janeiro

Minha querida filha

Recebi tua carta de 29. Creio que ainda não é uma resposta à que mandei pelo Epitacinho. Este pretendia ficar até o dia 1º do ano em São Paulo, com a família.

1949

O novo ano nada me trouxe de bom. Talvez a esperança de melhorar.

Muito interessante tua palestra com o hindu. E as respostas dadas com muita agudeza e acerto.

O caso de São Borja será resolvido com a renúncia do prefeito. Assumirá o presidente da Câmara, que é libertador e terminará o mandato. Está tudo combinado com as partes interessadas.

Quanto ao Rio Grande, ignoro se há algum caso. O Protasio seguiu para Porto Alegre, chamado pela executiva do PSD. Sabes de algum caso? Ele não sabia por que fora chamado.

Isto por aqui está desolador – calor, seca e falta de dinheiro.

O Maneco e o Jango seguiram para Porto Alegre [para] passar o dia 1º. Dei outra mensagem para lá, um pouco mais forte do que a de São Paulo. Aí, segundo me informou o Gurgel, o Pimpinela encarregou-se duma mensagem debochativa, por conta do Chatô.

Recebi a carta do Maciel. Certamente leste. Dize-lhe que julgo interessante a ideia do livro. Tenho alguma cousa alinhavada. Ele pode ir mandando os apontamentos.

A Celina vai para Teresópolis? Recebe com Ernani um abraço do **Getulio**

PS.: E o Salgado, quando vem? As outras visitas que falas não me interessam. Contudo não devo dizer que não venham. Fica a critério deles. Informa como fica minha situação de licença no Senado, com a nova convocação, prazos etc.

[Seguem abaixo anotações feitas por Alzira]
J. Co. S. Paulo
J. C. Ferraz

143 \ **G** · [Estância Santos Reis, entre 4 e 6 de janeiro]

Minha querida filha

1949 Aqui estão o Epitacinho e o Major Newton. Já conversamos bastante e o primeiro será o portador desta.

Dize ao Salgado que aguardo sua próxima vinda para conversarmos e resolver esse assunto de São Paulo que não deve mais ser retardado.

Quanto ao teu receio de uma descarga elétrica, não tenho elementos para negar nem para confirmar. O Ernani, porém, penetrando nos domínios de Marte, poderá apurar algo. Minha impressão é que havendo um pretendente, vindo da mesma pipa do Grão de Bico, colocado em posição-chave, não terá interesse em estragar o brinquedo.

Aguardo o resultado de tua conversa com o Capitão.[1] Recebi uma carta dele muito atrasada. Uma conversa seria mais interessante.

Quanto ao livro, desejo saber: 1º) que foi feito e que falta fazer para publicar; 2º) se já foi reunido todo o material; 3º) por que pensa o José Olympio que a publicação agora não é oportuna; quando será essa oportunidade, qual o critério da mesma?

Recebi as encomendas e uma latinha com charutos. Vieram a tempo. Já estava fumando os mata-ratos que por aqui me deram. E o Chico com as encomendas, até agora não fez qualquer remessa?

Já terminei as injeções de iodo, quatro caixas, e o Viderol está por findar. Estou melhor, mas a perna ainda dói nos músculos da coxa e não posso fazer longas caminhadas. Sobre as mudas, quando houver portador, podes enviar algumas de cambucás.

Diga a Celina que gostei muito da estreia social dela, com retrato numa revista grã--fina.

Saudades a todos e um beijo do teu pai **Getulio**

PS.: E a tua mãe, como vai? Ela está aos cuidados de um bom médico, que é o Barata, e deve seguir o que ele prescrever.

---

1. Muito possivelmente Alberto de Andrade Queiroz. Em *Getulio Vargas, meu pai* (2005), p. 216, Alzira narra como todos os membros da Casa Civil de Vargas em determinado momento se "promoveram" a capitão e assim se designavam.

144 \ G · [Estância Santos Reis], 4 de janeiro

Minha querida filha

Li hoje esse artigo do leproso Chatô. Um tal chantagista, destituído de qualquer sentimento de probidade moral ou intelectual, mente com cinismo descarado.

1949

O aproveitamento das quedas-d'água como força motriz para o desenvolvimento industrial do Rio Grande do Sul surgiu do seguinte: quando ocorreram as últimas grandes enchentes que inundaram Porto Alegre, o Loureiro, então prefeito, foi ao Rio falar-me sobre o assunto. Dessa conversa resultou a ida do Hildebrando Góes, então diretor do Departamento de Saneamento, para estudar o assunto. Desse estudo surgiu o plano de eletrificação do Rio Grande: construção de barragens, retificação de cursos d'água, irrigação, saneamento e eletrificação. O Hildebrando e o Loureiro fizeram em Porto Alegre conferências, expondo o plano. Esse plano, organizado por técnicos, me foi submetido e aprovado. Quando estive no Rio Grande, em 43 ou 44, em reunião com as classes industriais, expus o que ia ser feito pelo governo federal em benefício do Rio Grande. Tudo isso foi amplamente divulgado pela imprensa. Foi consignada verba no orçamento e o serviço foi atacado, três barragens estavam sendo feitas quando deixei o governo. Em princípios de 45, o Jobim, então secretário das Obras Públicas no governo do Ernesto, foi ao Rio falar-me, com o desenvolvimento desse plano, a ser executado pelo estado. Mandei estudar o plano pelo conselho de Águas, que relutou em aprová-lo por o achar deficiente. Aprovou-o, porém, ante a boa vontade por mim demonstrada no sentido dessa aprovação. O Helio[1] fazia parte do Conselho, deve lembrar-se. Isso foi, em linhas gerais, o que ocorreu. Não tenho documentação a respeito.

Tangido por campanha do Chatô! Tem graça! Nunca tive conhecimento de qualquer campanha feita por ele. E se fez foi, naturalmente, louvando a ação do governo, como hoje lambe os pés dos atuais governantes. Mas ele fica assanhado sempre que se ameaça acabar com os monopólios. Ele tem o da opinião pública através dos seus diários assalariados [sic]. Este, sim, foi culpa do meu governo, que o permitiu.

Li essa moxinifada e quis desabafar contigo, para restabelecer a verdade. Infelizmente aí não temos imprensa para para dizer a verdade e desmascarar esses tartufos.

E o Professor, como vai, ainda acredita no que diz?

Saudades a todos e um beijo do teu pai **Getulio**

---

[1]. Helio de Macedo Soares e Silva, que foi menbro do Conselho Nacional de Águas e Energia Elétrica durante o Estado Novo.

145 \ G · [Estância Santos Reis], 6 de janeiro

Minha querida filha

1949   Escrevo-te esta um tanto surpreendido pelas notícias que me chegaram, umas trazidas do Rio pelo *leader*, outras de Porto Alegre pelo Maneco. Essas notícias concluem que o Grão de Bico está francamente articulando a candidatura C. e será ou C.-M. ou C.-J.[1] A dúvida está quanto ao vice.

O Benê e o Chatô agem em São Paulo e Minas. No Rio Grande vai reunir-se a direção do PSD. Seguro o bloco Minas, São Paulo e Rio Grande, o restante será atraído.

E como no Brasil os fatos consumados têm uma grande força de inércia, o povo será embrulhado. Isto é o que me informaram, como resultado das atividades políticas oficiais ou oficiosas. Ou tudo isso são suposições, aliás lógicas e plausíveis, ou tu e o Ernani estão comendo moscas. Não tenho, até agora, qualquer compromisso, nem procuro. Sou apenas um observador que não deseja ser surpreendido.

Afinal choveu e o calor diminuiu um pouco. Se houver oportunidade podes mandar-me umas mudas de cambucá e de pau-brasil.

Saudades a todos e um beijo do teu pai **Getulio**

---

[1]. Refere-se a Canrobert Pereira da Costa, Otávio Mangabeira e Juracy Magalhães.

100 \ A · [Rio de Janeiro], 7 de janeiro

Meu querido Pai

Recebi todas as tuas cartas, a do Epitácio e a do Gurgel agora, porém não vou respondê-las. Meu coco é uma gaveta de sapateiro, devido aos mais diversos casinhos de família.

1949

Mamãe está atravessando uma fase de indecisão total neste período de readaptação de Jandyra. Recorre a mim e eu fico sem saber como ajudá-la, se saindo inteiramente do cenário ou se assumindo de vez a *leaderança* do caso. Qualquer destas atitudes pode dar muito bom resultado e pode dar um desastre total.

Bem lá no fundo, no mais escuso e secreto recanto do meu id, eu sinto que sou um espinho, porque consegui ser independente, e ao mesmo tempo um apoio, porque sou uma esperança. Quero ajudar, mas minha ajuda às vezes atrapalha, pelo simples fato de ser. Está meio Hamlético, mas as coisas do subconsciente são assim.

Hoje em dia posso compreender-te melhor, imaginando as coisas que os egos e superegos dos outros possam ter te feito para ferir. Não me respondas, nem aludas a esta, que é apenas uma explicação de meu silêncio e reservas.

A política está ainda mais confusa que eu, devido à falta de sequência. O Salgado que será o portador desta te dirá melhor.

Amanhã pretendo sair por uns dias do Rio. Ernani está quase em estado de coma, devido ao calor e à falta do que fazer.

Celina ganhou de Natal um cavalo ao qual deu o nome de "picassinho", em homenagem. É de brinquedo, mas devido a um mecanismo especial, anda quando a criança anda.

Bejo foi condenado a cinco meses sem *sursis*. Vai recorrer em abril. Até lá esperará em liberdade.

Hoje não dá mais. Beija-te com todo o carinho tua filha **Alzira**

Veio fechada a carta da Maria. Não li por discrição.

101 \ A ▪ [Rio de Janeiro, entre 7 e 17 de janeiro][1]

Meu querido pai

1949   Napoleão avisou-me em cima da hora de sua partida. Tenho muito para te contar mas não há tempo para falar com calma. Amanhã é domingo e escreverei com calma. Peço-te apenas que me respondas sobre o seguinte: Jesuíno foi chamado pelo Adhemar a São Paulo. Este lhe pediu que fosse até aí em companhia de um seu emissário especial para te propor uma aliança contra o Dutra. Para ganhar tempo aconselhamos o Jesuíno a responder que iria primeiro saber se estavas disposto a tratar do assunto. Entre ir e vir muita coisa se esclarece.

Estás agora o tipo da brasa quente que todo o mundo quer para se aquecer mas ninguém segura com medo de se queimar.

Mando-te as revistas e a promessa de uma longa carta em breve.

Beija-te com todo o carinho tua filha **Alzira**

---

[1]. A data é atestada pela carta de Alzira de 17 de janeiro, que diz: "No bilhete levado pelo Napoleão falei do emissário de Adhemar. Explico agora melhor. Jesuíno foi a S. Paulo [...] e Adhemar mandou chamá-lo. Pediu q. acompanhasse um emissário dele junto a ti [...]."

146 \ G • [Estância Santos Reis], 11 de janeiro

Minha querida filha

Aproveito a estadia do Dinarte por estas plagas para escrever-te mais uma carta. É provável que ele leve mais duas que estavam com o Maneco, aguardando portador.

1949

Li, nos jornais, a decisão do juiz de primeira entrância condenando o Bejo. Se a sentença for proferida nos termos publicados na imprensa o juiz tinha o espírito prevenido ou industriado. É, como tem o hábito de dizer o nosso inefável Dr. Borges, um energúmeno. Enfim ele apelou e aguarda a decisão final. Que sabes a respeito?

Como vamos de charutos? Nada me disseste, em resposta às minhas perguntas.

Espero a vinda do Salgado que certamente trará notícias tuas e da nossa gente. Há pouco recebi carta de tua mãe e fiz uma raspagem nas minhas reservas para acudi-la.

Chegou neste momento o Viriato.

Saudades a todos e um beijo do teu pai **Getulio**

Nas duas fotos, Getulio recebe visitas na Fazenda do Itu. Itaqui, RS, entre 1949 e 1950.

1949

1949

Getulio e visitas na Fazenda do Itu.
Itaqui, RS, entre 1949 e 1950.

147 \ G · [Estância Santos Reis], 15 de janeiro

Minha querida filha

1949 Recebi esta carta que junto remeto. O autor é um espírito delirante e parece que se excedeu em palavras. Mas portou-se com nobreza e está em situação difícil. Se, com prudência, puderes fazer algo por ele, no sentido duma colocação, ficarei satisfeito.

~~Recebi~~ Quando tiveres oportunidade agradece ao José Olympio uma nova remessa de livro que me enviou. Não são tão bons como os primeiros, mas mesmo assim... E o meu livro, que ficou resolvido sobre a publicação?

E o livro do Almir de Andrade?

O Dinarte anda por aqui. Está com três cartas minhas para remeter-te. Espero o Salgado amanhã. Provavelmente será o portador desta e das que estão com o Dinarte. Assim, no seu regresso, terás uma batelada de cartas e algumas já talvez atrasadas e sem objetivo.

Chegou o Salgado. Li tua carta um tanto enigmática. Não esqueças que estou meio caipira e com espírito embotado a sutilezas psicológicas. Noto que estás me deixando sem charutos. O Salgado não trouxe, como eu esperava.

Dize à tua mãe que recebi a carta dela, mas não tive tempo de respondê-la. Pela mesma noto que ela ignora que já lhe fiz remessa dos recursos que pude conseguir, raspando as reservas, sem pedir emprestado.

Como vais sair para fora vou também deixar de escrever até receber carta de regresso.

Saudades ao Ernani e beijo a ti e a Celina do pai e avô **Getulio**

Getulio na Fazenda do Itu.
Itaqui, RS, entre 1949 e 1950.

102 \ A ▪ [Rio de Janeiro, de 17 a 18 de janeiro]

Meu querido Pai

Parece que hoje o coco está razoável, de modo que vou responder a todas as cartas atrasadas e esvaziar o saco.

1949

1º Já deves ter sabido do logro pregado pelo Pimpinela a teus *fans*. Centenas de pessoas deixaram de fazer *réveillon* para te ouvir, e durante as primeiras frases do bicho muita gente se deixou iludir. Alguns ficaram indignados com a chanchada, outros tomaram esportivamente e outros procuraram como eu descobrir as verdadeiras intenções do Chatô no caso. Talvez já saibas que o *Diário da Noite* iniciou uma espécie de folhetim sobre a família. São supostas memórias de um ex-guarda pessoal que se oculta sob o anonimato com o título "Eu fui guarda-costas de Getulio". É uma marmelada com cenas ligeiramente pornográficas passadas na polícia, ataques ao Filinto e ao Véras, elogios suaves à atuação do Bejo e do Gregório, rasgados elogios à Mamãe e ao Ruy, cenas íntimas da família, deixando-me em melhor situação do que ao Ernani, com quem fazem algumas perfídias sem consequência, a história do casamento do Luthero etc. A ti ora elogia, ora arranha de leve procurando não ferir, e estampa diariamente grandes fotografias. Minha impressão é que o Chatô está fazendo um duplo golpe. Em seu artigo ele te ataca e continua de bem com o governo, com o jornal ele faz campanha financeira porque teu nome é suficiente para vender jornal, e ao mesmo tempo prepara o terreno para se acaso a sorte te favorecer ele poder dizer que foi ele quem manteve o fogo sagrado. Ao mesmo tempo elogia o Jobim contra ti, procurando abrir cisão no Rio Grande, para mostrar que não contas nem com teu estado. Chatô sabe melhor que ninguém o que realizaste e por quê, e sente no lombo as possibilidades de teu prestígio crescente. Seu artigo sobre a eletricidade do Rio Grande é um dos muitos latidos em teus calcanhares. Dói mas não tem valor. É como picada de mutuca em boi sadio. Não bicha. Ernani vai obter do Helio cópia de seu parecer sobre o assunto para guardares.

2º O perigo da descarga elétrica passou no momento mas não está de todo afastado, e quem está procurando desencadeá-la não é o candidato potencial e sim o eterno candidato, tantas vezes ludibriado pelo destino, o Góes Monteiro. Se terá elementos e força para conseguir é o que resta ver.

3º Vou estar esta semana com o Capitão.[1] Com todas as trapalhadas não pude convocá-lo para um papo. O livro está pronto para entrar no prelo, com todos os discursos que pronunciaste, de acordo com tuas ordens. A objeção do editor em publicá-lo agora é a seguinte: no momento psicológico atual o livro não terá quase saída, nem sucesso. Só será procurado por alguns *fans* intransigentes ou por inimigos que queiram tirar assunto para te atacar. Se esperas mais alguns meses, em plena realização de tuas profecias, o livro abafará. Se insistires, porém, ele não espera a oportunidade e solta logo.

4º Pelo primeiro portador seguirão teus pijamas e nova remessa de charutos e vitaminas que por culpa exclusiva de minha falta de cabeça e previsão não seguiram pelos excelentes portadores que para aí seguiram. Mas como está na época de pombos-correios, outros surgirão.

---

[1]. Refere-se a José de Queiroz Lima.

1949 5º Relevo a ofensa que fazes a teus dois <u>mirones</u> (eu e o Ernani) de estarmos comendo moscas, porque a culpa de estares sem notícias me cabe. Ao contrário do que supões a candidatura Canrobert está agonizante, graças aos golpes dados pelo Góes e Zenóbio, que também usam galões e querem brincar. O próprio Dutra não chegou a se empolgar por esta solução. Deixou correr como uma probabilidade de conseguir o candidato único, nunca se empenhou a fundo. A hipótese de prorrogação do mandato com modificação da Constituição parece-me manobra do Góes e seu grupo para fazer confusão e tentar algum proveito próprio. O Dutra, se de início se deixou fascinar, prudentemente se encolheu outra vez. O Benê, que está de articulador *motu proprio*, já foi sutilmente desviado do seu curso pelo mirone nº 2, que lhe demonstrou que com esta atitude de carneiro arriscava-se a perder o pé em Minas definitivamente com a eleição de Pedro Aleixo. Ernani, para poder controlar o movimento, aproximou-se novamente do B.[2] e por ele descobriu que o Dutra ainda não se decidiu. Quanto à reunião do PSD gaúcho era para lançar a candidatura do Nereu, o que se impediu pela chegada do Costa e Pestana aí. A existência dos partidos organizados e as sérias divergências entre estes no setor estadual não permitem a formação dos blocos estaduais em torno de nomes federais.

6º Darei na primeira oportunidade seu recado ao Maciel. Já o dei ao Zé Olympio, que te manda um abraço. Celina vai para Teresópolis só no fim do mês e Ernani quer ir para Petrópolis politicar durante uns dias. Isto não impede que eu continue a receber cartas tuas nem de te escrever. Que isto não sirva de pretexto. Minhas temporadas são de curta duração.

7º Tua situação no Senado é a mesma. Podes faltar seis meses sem justificativa e o tempo que quiseres pedindo licença. É interessante para um caso de safadeza premeditada que lá para abril interrompas dando um pulo até cá. Avisarei qualquer alteração.

8º No bilhete levado pelo Napoleão falei do emissário do Adhemar. Explico agora melhor. Jesuíno foi a São Paulo para a inauguração de uma fábrica do Ferraz de Cotia e o Adhemar mandou chamá-lo. Pediu que acompanhasse um emissário dele junto a ti com viagem paga por ele etc. para te propor uma aliança contra o Dutra. Jesuíno escusou-se dizendo que junto a ti só tinha as credenciais da amizade e nenhum prestígio político. Adhemar insistiu dizendo que isto bastava, que esta política de blocos estaduais não tinha valor, que ligado a ti ficaria muito forte etc. Amigos do C.[3] cobraram o apoio prometido e ele perguntou que vantagens teria com isso. O homem é das Arábias e está disposto a despejar dinheiro e mentiras para se eleger. Jesuíno aguarda uma palavra tua para continuar a despistar ou aceitar a incumbência. Enquanto isso vamos ganhando tempo para as coisas se esclarecerem melhor.

9º O grupo brigadeirista da UDN está procurando te agradar de uma maneira escandalosa. Insinuaram o nome do Ernani para companheiro de chapa do Brigadeiro com vistas a São Borja. Saiu uma <s>entrevista</s> diz que diz do Zé Cândido Ferraz dizendo que o Eduardo considerava teu nome tão bom quanto os outros, que as divergências dele contigo tinham cessado a 29 de outubro, porque ele era apenas contra o continuísmo, e que não acredi-

---

2. Refere-se possivelmente Benedito Valadares.
3. Possivelmente refere-se a Carlos Cirilo Jr.

tava que o Exército se opusesse à tua posse. O indigitado procurou o Ernani na Câmara e contou-lhe para que te contasse que a entrevista havia sido dada por ordem expressa do Eduardo. E a origem é a seguinte. O Góes andou dando entrevistas sobre possibilidades de golpe e prorrogação do mandato do Dutra. Chamou o Eduardo para uma entrevista e este recusou, Góes declarou que o Exército estaria disposto a um novo 29 e Eduardo respondeu-lhe que o Exército não era alguns generais, que as informações dele, Eduardo, eram diferentes do Góes e que se este quisesse que tentasse. Depois chamou o Ferraz e mandou dar a entrevista. Este foi o intermediário entre Eduardo e Góes e contou ao Ernani como se haviam dado os fatos.

10º A sentença contra o Bejo é essa mesma que foi publicada e é de uma cretinice a toda prova. Justifica o Bejo em toda a linha e o condena pelo passado. Bejo pagou uma fiança absurda, arbitrada pela cabeça do juiz, e vai esperar abril para apelar. Ele está em Petrópolis e está calmo. As probabilidades de concessão do *sursis* ou de revogação da sentença dependerão do relator. Vamos ver o que se pode fazer a respeito.

11º Em tua carta de 15 falas-me de uma carta de um cidadão que queres ajudar mas nem me mandas a carta e nem dizes quem é.

12º O livro do Almir deve ser publicado em meados deste ano.

13º Minha carta enigmática levada pelo Salgado corre por conta dos distúrbios espirituais em que me achava, sem saber a quem atender em primeiro lugar. A Patroa está se acabando com os dois mais velhos. Na sua velha mania de achar que os filhos não crescem para os pais e tendo encontrado em ambos um campo fácil, continua a querer resolver todos os problemas deles e a tentar viver a vida deles. Comida de colher todo mundo gosta e os dois se habituaram a deixá-la com a sobrecarga de seus casos, alguns criados pelo excesso de carinho de Mamãe. Por isso meu desabafo naquela carta era também um meio de me penitenciar de certos julgamentos, feitos em outras épocas, em que fui contigo mais rigorosa do que devia. Há certas atitudes na vida dos homens que representam mais uma reação instintiva da personalidade do que um ato deliberado. Dá para entender agora ou já tinhas entendido bem e de malandro querias que me explicasse?

14º Pelo Vergara seguem charutos e os pijamas. Ele acaba de me telefonar que vai na quinta-feira. O reforço está providenciado por intermédio do Mário Câmara, que se ofereceu. O Chico é meio atado para essas coisas e desmanchei meu trato com ele.

15º Mamãe recebeu o dinheiro. Jandyra após um estágio de alguns dias em casa voltou à Casa de Repouso para ultimar o tratamento. Está passando muito bem.

16º <u>Última hora</u> (18-1) Ernani foi ontem a Petrópolis especialmente chamado por S. Excia. para um papo. Como o portador é seguro vou contar com pormenores.

O Pinóquio pediu ao Ernani para se avistar com ele antes da audiência e o avisou: a) que S. Excia. estava muito bem impressionado com o prestígio absoluto dele no estado; b) que Zé Eduardo havia declarado que se S. Excia. não se definisse imediatamente em relação à sucessão fluminense ele escreveria um artigo atacando o Edmundo e S. Excia. também.

No Rio Negro foi recebido com a seguinte frase soprada do canto da boca. – Me disseram que se todos os partidos se unirem contra você no estado, você ganha.

1949 Foi amabilíssimo, cordialíssimo, manifestando durante a hora e meia que durou a audiência o propósito de agradar. Ernani não conseguiu descobrir se era para se assegurar da simpatia do homem de maior prestígio no estado, se era para agradar com o objetivo de obter apoio para uma prorrogação ou se era para por intermédio dele te alcançar. Procurou restringir a palestra ao ambiente estadual, elogiando, contando as declarações que ouvira de udenistas fluminenses e a falta de habilidade do governador. Ernani agradeceu, disse que provavelmente a sucessão no estado se faria sem luta etc. e acrescentou que o mesmo não se dava em outros lugares, tais como São Paulo e Minas, onde as divergências partidárias eram profundas e muito prejudicariam as eleições federais, e entrou de rijo – Qual é sua opinião a respeito. Dutra: – Já pensei que seria mais fácil marcharmos para um candidato único, porém hoje estou menos otimista e neste caso o PSD como partido majoritário deve ter seu candidato próprio e o fará certamente (anti-Canrobert). Ernani (para assustar): – Não se iluda, presidente, a luta será difícil, a UDN terá candidato e este só pode ser o Brigadeiro, que contará com as dissidências dos partidos nos estados. Dutra então admitiu a hipótese do Nereu candidato do PSD e relatou que no Rio Grande pretendiam lançá-la, o que foi impedido pelo Costa e pelo Pestana, que aconselharam a esperar. E o PTB?, perguntou o Ernani. O PTB, não sei, o Salgado está muito fechado. Ernani: – Ele foi a São Borja conversar com Dr. Getulio e provavelmente trará instruções dele agora. Tenho a impressão de que Dr. Getulio não pretende ser candidato mas deseja que seu partido seja considerado, porque é afinal um grande partido. Dutra: – Nada tenho contra essa ideia, eu só sou radicalmente contra qualquer candidato que tente se eleger com o apoio dos comunistas – (ameaça velada?). Ernani: – Estou certo de que Getulio não se recusará a entendimentos desde que estes sejam feitos por pessoas credenciadas e que sejam oferecidas garantias reais e compensações de valor do PTB. – Ernani, com medo que ele abordasse o assunto da prorrogação e outros perigosos, desviou aí para a lei eleitoral etc. O homem insistiu com ele para que o fosse visitar seguido, que não pedisse audiência, de manhã estava sempre só e gostava de conversar. Como vês, o homem continua perplexo e indeciso.

17º O Professor, depois do último fracasso, sumiu de novo.

Tenho de parar porque a caneta secou e está escrevendo aos arrancos. Diz ao Maneco que estou providenciando o que me pediu.

Beija-te com todo o carinho tua filha **Alzira**

Vão as vitaminas também

Na página ao lado, Getulio na Fazenda do Itu.
Itaqui, RS, entre 1949 e 1950.

148 \ G · [Estância Santos Reis], 18 de janeiro

Rapariguinha

Recebi pelo Napoleão, que veio com uma comitiva de mais cinco amigos, teu bilhete, revistas e a promessa duma longa carta. Vou esperar.

1949

Quanto aos emissários, podem vir. Não há inconveniente. Ao contrário, terás a oportunidade de enviar-me a longa carta e charutos de que estou muito precisado. Nada me disseste a respeito, nem como vai meu estoque, nem se o Chico já se manifestou. Parece que ele está fazendo sabotagem, porque ao Danton, quando veio e quis trazer-me charutos, ele informou que eu estava proibido de fumar. Até agora nenhum médico me informou dessa proibição.

Assim espero que providencies ou me informes a respeito para que eu possa providenciar.

Junto vai uma carta assinada para entregares à tua mãe e outra a que fiz referência quando escrevi pelo Salgado e esqueci de remeter.

Saudades a todos e um beijo do teu pai **Getulio**

PS.: Manda-me um vidro de Nembutal.

149 \ G · [Estância Santos Reis], 21 de janeiro

Rapariguinha

1949 Por estes dois dias vou seguir para o Espinilho com o Protasio. Seria conveniente retardar a visita para o fim do mês. Darei aviso, um telegrama do Maneco dizendo – Sim, – é que podem vir. O Espinilho é uma casa rústica, sem comodidade e sem campo de aviação próximo.

Dize ao J.[1] que me traga uísque para poder convidá-los, por aqui não há.

O Napoleão e o Eurico disseram-me tais coisas sobre leviandades do Pedacinho[2] que em assuntos monetários que, por muito que o aprecie, deixaram-me alarmado e pesaroso.

Convém prevenir a respeito o Sr. Soares. Também desejo que me informes se ele tem feito entrega regularmente, do a ti e tua mãe, dos cobres que recebe como meu procurador e se convém substituí-lo.

Esses são os assuntos que motivaram esta carta apressada.

Saudades a todos e um beijo do teu pai **Getulio**

Terminei as injeções de iodo e o Viderol e estou bem melhor

---

1. Possivelmente refere-se a Jesuíno Carlos de Albuquerque.
2. Possivelmente refere-se a Epitacinho (Epitácio Pessoa Cavalcanti de Albuquerque).

150 \ G · [Fazenda do Espinilho, de 28 de janeiro a 6 de fevereiro]

Minha querida filha

Recebi tua carta de 17 de janeiro, longa, noticiosa e muito interessante, como há tempo não escrevias.

1949

Ando, com o Protasio, fazendo uma visita às invernadas. Estivemos três dias no Itu e hoje chegamos ao Espinilho. Tudo secando, um calor de abrasar e os gados paralisando o engorde, com a ameaça para o declínio se não chover dentro de pouco. E com isso também o declínio de minhas esperanças de apurar uns cobres, pois também ando seco. Como vês, as perspectivas fazendárias não são boas. Estamos a 28-1-949.

Vou responder alguns tópicos de tua carta e aguardar a vinda do J.[1] com o outro emissário para rematá-la e remetê-la.

Sobre a prorrogação de um ano de mandato do Grão de Bico, tenho informações de outra fonte que divergem das tuas, somente quanto aos principais agentes do movimento. Não é o grupo do Góes que está empenhado nisso, e sim o José Eduardo, que já lançou a ideia no seu diário, por causa das eleições do Estado do Rio.

Pretendem que o Grão de Bico, com o mandato prorrogado, tenha maior influência nas eleições dos governadores, e na renovação do Congresso e, consequentemente, na escolha de seu próprio sucessor. Sua palestra com o Ernani trai a preocupação sobre a influência deste no Estado do Rio. O homem é astuto, tem a esperteza instintiva dos ratos e os seus conselheiros. Não se iludam. A campanha foi iniciada pelo senador[2] no seu jornaleco. Qualquer, porém, que seja o iniciador desse movimento, o que é alvo do mesmo está também interessado. É preciso aparar-lhe as asas.

Se isso passar o Grão de Bico será, em 1950, o poder único da República para intervir na escolha dos governadores, no Congresso federal e nas assembleias estaduais.

Outra informação discordante da tua é sobre o objetivo da reunião do PSD gaúcho. Esse era, segundo outras informações que me chegaram, o de dar ao governo local uma orientação mais nitidamente partidária, reorganizando, para tal fim, o secretariado. Foi contra isso que o Costa e outros fizeram objeções finalmente aceitas. O fim da reunião não era o lançamento da candidatura Nereu. Seria isso um ato precipitado e leviano, a menos que pretendessem queimá-lo. Nessa reunião, como assunto sucessório, acordaram na recusa duma candidatura militar e não tratar da matéria antes de 1950. Tens aí elementos para verificar qual das versões é a verdadeira.

No entanto, da tua ~~inform~~ carta ressalta que o informante é o próprio Grão de Bico e, portanto, fonte muito autorizada. Se a notícia não é exata, ou S. Excia. está mentindo ou foi iludido por algum interessado em fazer média.

O Iris Walls (Lírio do Vale) foi ao Itu especialmente pedir meu empenho junto à direção do Banco do Brasil (logo onde!) para que ficasse sem efeito ou voltasse para Uruguaiana esse seu amigo – Antonio Chiarello. Expliquei-lhe que nada poderia pedir nos setores governamentais e principalmente nesse. O homem rogou, insistiu muito e

---

1. Refere-se possivelmente a Jesuíno Carlos de Albuquerque.
2. Refere-se a José Eduardo de Macedo Soares, senador pelo estado do Rio de Janeiro de 1935 a 1937 e proprietário do *Diário Carioca*.

1949 resolvi enviar-te essas notas, sem qualquer esperança, mas por descargo de consciência e porque o Lírio é teu fã.

Mestre Vergara entregou-me todas as encomendas referidas em tua carta.

E por hoje suspendo a epístola.

Esta carta ficou vários dias aguardando a vinda dos emissários. Ainda não vieram ou não virão mais? Agora estou curioso para ouvi-los. Mas a carta está ficando velha, não me escreveste mais e resolvi enviá-la pelo correio particular. Diga-me algo. Responda à Celina que recebi a carta dela sobre as avestruzes. Estas estão aumentando e quando ela voltar encontrará muitas grandes para fazer uma fritada e terá avestruzinha pequena para ela criar.

O último *Fon-Fon* recebido é de 15 de janeiro e nós estamos a 6-2-949.

Saudades a todos e um beijo do teu pai **Getulio**

PS.: Ia remeter esta carta quando chegou o Major trazendo as tuas cartas e o material referido nas mesmas. Pouco tenho a acrescentar. Não recebi o livro enviado pelo fiscal Dilermando Cox. Quanto a emissários, não vieram. Se te procurarem dá passe livre. Servem pelo menos para trazer correspondência, mas não provoque a vinda. O Vergara trouxe-me vasta correspondência que agora respondo, parte. Segue por teu intermédio para fazer entrega. Indaga ao Napoleão a respeito das informações que ficou de remeter-me.

O Ruy, durante a estadia no Itu, foi furtado pelo sócio que jogou o dinheiro. Escreveu-me mas não contou isso. Está recomendado a amigos que procurarão ajudá-lo.

Getulio e um empregado na Fazenda do Itu.
Itaqui, RS, entre 1949 e 1950.

103 \ A • [Rio de Janeiro], 29 de janeiro

Meu querido Pai

Já agora deves ter recebido minha carta relatório com todas as informações prometidas e outras extras. Recebi teu aviso sobre a ida do homem e tentei impedir sua viagem que estava marcada para amanhã. Não sei se foi possível.

Esta vai por intermédio do Major, acompanhada de uns recortes de jornais e revistas e de charutos ainda do *stock*. As remessas do Mário Câmara ainda não chegaram. Os recortes são enviados pelo Horta, cuja carta já remeti pelo correio.

Quanto ao pedido que me remeteste, soube que o rapaz está um pouco alterado e já estava sendo atendido pelo Maciel.

Esteve aqui o Sr. Dilermando Cox, fiscal de consumo que escreveu um livro sobre a classe dedicado a ti. Remeteu-te um exemplar e deseja saber se o recebeste. Está interessante.

As coisas aqui continuam na mesma com altos e baixos e o problema da sucessão na ordem do dia. O Góes teve um novo ataque e está passando mal. O Dutra prepara-se para ir aos Estados Unidos, dizem alguns com o fito de incompatibilizar o Nereu para a sucessão. Teu nome está no galarim, é raro o jornal que não traz diariamente um comentário a teu respeito. Ora contra, ora a favor, ora imparcial, mas sempre falando. Parece que deu o louco. Vai uma amostra.

Hoje o coco não está em boas condições. Está doendo, numa demonstração de que ele não serve só para dar dinheiro ao cabeleireiro.

Por isso vai tudo meio espremido.

Com Maneco aceita o beijo cheio de carinho e saudade de tua filha **Alzira**

Resolvi mandar a carta do Horta junto. Desejo que a leias antes de despachar o portador.

1949

Getulio na Fazenda do Itu.
Itaqui, RS, entre 1949 e 1950.

151 \ G • [Estância Santos Reis], 2 de fevereiro

Rapariguinha

1949   Ontem cheguei da viagem. Durante esta rascunhei uma carta para ti e outras recebidas pelo Vergara. Todas essas respostas, porém, só irão por portador seguro. E esses serão as duas prometidas visitas que já agora estou esperando.

Acham-se aqui duas irmãs da dona da casa que pretendem regressar a 15 deste. Suponho que isso não influirá sobre a vinda das visitas.

Abrs. do teu pai **Getulio**

Celina comemora o 5º aniversário com a prima Edith, a mãe Alzira e Fernando Spínola. Teresópolis, RJ, fevereiro de 1949.

104 \ A · [Rio de Janeiro, de 3 a 7 de fevereiro]

Meu querido pai

Recebi hoje teu telegrama autorizando a ida da boiada e vou transmitir. Antes, para teu governo, vão estas informações. Há dias o *Diário Carioca*, artigo do Rodanes, publicou que o Adhemar teria dito possuir documentos e provas de relações tuas com o Perón e que isto serviria oportunamente. Cirilo, em conversa com Ernani, confirmou que o Adhemar se gabara de ter enviado emissários a São Borja para espionar a fronteira e colher informações desta suposta ligação com a Argentina. Esta acusação é a espada de Dâmocles que eles trazem suspensa sobre nossas cabeças, ameaçando de vez em quando de tornar pública uma coisa que não existe. Esquecem-se que estão provocando um país estrangeiro que está doidinho para ser provocado.

1949

Como é um jogo dúbio típico do sistema ademarista, previno-te para quando apareçam por aí os pombos-correios de São Paulo, que estão de voo preparado.

Outra notícia interessante é o rompimento rumoroso do Zé[1] com a UDN da Paraíba, com grandes xingações de parte a parte. Anda agora resmungando pelos corredores da Câmara e do Senado que és um grande homem, que estava disposto a ajustar contas contigo mas teu discurso no Senado e as referências que lhe fizeste o cativaram e desarmaram, que agora nenhuma mágoa mais alimenta em seu coração e que a entrevista dada há dias por Vilasboas declarando que o PTB é um grande partido e não devia ser deixado fora das combinações políticas o fora por ordem dele. — Aquele primo do *foot-ball*,[2] que eu dei de presente, após três anos de mutismo absoluto saiu de seus cuidados para dar uma entrevista política. Entre outras coisas declara que dentro da UDN somente dois homens podiam ser apoiados por ti: Oswaldo Aranha e Eduardo Gomes. Costa Rego, em seu artigo de anteontem, diz que provavelmente não serás candidato mas que pretendes fazer raiva ao Dutra. E este só terá um candidato que te faça raiva também. De modo que provavelmente quando Dutra disser: meu candidato é o Mangabeira e ficar vendo a raiva te subir à cabeça, tu responderás: meu candidato é o Brigadeiro e gozarás a raiva do Dutra.

Os jornais estão transbordando de Getulio, agora com mais respeito e até com simpatia mal escondida em alguns.

Para culminar a bola do dia é o discurso do Zé Augusto, saudando o Clemente Mariani: V. Excia. "que é ministro do ilustre presidente Getulio Vargas". Ontem a Câmara inteira gozou o lapso do deputado, que se explicou: — É tal a raiva que tenho desse velho que minha língua se recusa a pronunciar-lhe o nome e ao Getulio eu já perdoei tudo, menos ter posto este cavalo na Presidência. Foi coroado o rei do queremismo na Câmara.

7 de fevereiro · Jesuíno vai amanhã para São Paulo, a um casamento. Talvez traga novidades. Salgado fez um bom discurso no Senado sobre as tais maquinações Getulio-Perón, devido a uma notícia vinda dos Estados Unidos e publicada aqui em vários jornais.

---

1. Refere-se a José Américo de Almeida.
2. Refere-se ao primo Manoel do Nascimento Vargas Netto, recém-empossado como presidente da Federação Metropolitana de Futebol.

1949   Os americanos estão novamente querendo tirar a brasa com a mão do gato, lançando o Brasil contra a Argentina.

Hoje surgiu mais uma fórmula para te atrair: Brigadeiro-Agamenon. Que tal?

Os jornais se encheram esta semana com os escândalos de dois espancamentos da "imprensa". Um repórter dos Diários Associados em Recife e um jornalista na Bahia. O Barreto Pinto aproveitou-se para fazer um discurso gozadíssimo imitando o Mangabeira. "A democracia, essa árvore pequenina que devemos cultivar fora do governo, no governo é pau neles".

Estou com o Nembutal aqui para te mandar aguardando portador. Não quero atrasar mais esta carta que já devia ter seguido.

Onde estás agora? Espinilho, Itu, Santos Reis? E o Maneco?

Não te esqueças do aniversário do Velho Amaral no dia 14, do Luthero 24, da Celina 25 e Ruy, e do Paulo Barata Ribeiro (Álvaro Alvim – 24) dia 26. Lembras-te daquelas meninas netas de D. Heloisa Figueiredo que te esperavam todas as tardes perto do Rio Negro. Duas delas foram vítimas de um acidente no Poço do Imperador em Petrópolis. Caíram nas pedras, uma morreu afogada a outra está mal. Ernani pôs teu nome na missa, bem como na do Gal. Afonseca, que também se foi.

A tribo vai indo como pode.

Muitas saudades de nós três. Beija-te com carinho tua filha **Alzira**

105 \ A · [Rio de Janeiro], 9 de fevereiro

Meu querido Pai

Esta é um quase bilhete para aproveitar a ida da América e te remeter charutos e o Nembutal e um número do *Mundo* com uma entrevista do Ernesto muito interessante.

Fiquei com muita pena do Heráclides, tão moço e deixando tantos filhos. Salgado segue por estes dias para o Norte em inspeção petebista. Está mais interessado agora no Partido.

O *Diário da Noite*, continuando seu romance da família, nestes quatro últimos dias procurou veladamente contar que costumavas fazer grandes farras em casa do Barreto Pinto na Ladeira do Ascurra, com uma tal Désirée, uma russa infernal. Se é verdade e se o retrato da jovem é legítimo não tens mau gosto. Meus parabéns. É infernal!

Um beijo de tua filha **Alzira**

1949

Getulio e Alzira na Fazenda do Itu. Itaqui, RS, entre 1949 e 1950.

106 \ A · [Rio de Janeiro], 10 de fevereiro

Meu querido Pai

1949 Estás me devendo umas 10 cartas pelo menos, mas como sou de boa paz e apareceu portador vai mais uma.

Esteve aqui ontem o Manhães Barreto em visita, conversou muito, sondou o Ernani, relembrou os velhos tempos, perguntou muito por ti, contou que tem um filho de dois anos nascido a 19 de abril mas não disse a que veio. Só hoje pelo Pedro Brando soubemos, não teve coragem de falar. Tinha vindo propor ao Ernani ser o vice da chapa do Adhemar, mas não se atreveu.

Ernani informou agora que o movimento dentro da UDN é para persuadir o Brigadeiro a não correr e sim permanecer o árbitro e garantia das eleições de 51.[1] Zé Candido disse que é esta a teoria vitoriosa no momento. A candidatura Canrobert, em franca agonia, só tem uma chance de ressurreição. É a hipótese da aliança Getulio-Adhemar se tornar realidade. Juracy andou tentando um movimento na UDN para entregar ao Dutra a solução do problema sucessório. Não foi bem-sucedido. Com grande espanto para mim, pelo menos, foi anulada a nomeação do Denys para São Paulo e designado o Gal. Lott. Paquet caiu ontem na compulsória. Tenho a impressão de que deves começar a preparar o espírito para vir. O angu está ficando apimentado e a mostarda deve comparecer. As grã-finas também estão começando a suspirar por ti.

Esta vai pelo Carlos, que te porá a par do que se passa nos bastidores petebistas. Consta que o Baeta pretende ir até aí. Não soube de nada. Estou aguardando resposta a minhas cartas anteriores. Amanhã vou levar Celina a Teresópolis e volto depois de amanhã.

Um beijo muito carinhoso de tua filha **Alzira**

---

1. Refere-se possivelmente às eleições presidenciais de 3 de outubro de 1950.

152 \ G · [Estância Santos Reis], 13 de fevereiro

Minha querida filha

Pelo Major Newton respondi tua última carta e enviei várias outras para que fizesses entrega aos destinatários. Depois disso não tive mais notícias. Ignoro como vão as cousas por aí.

Esta tem mais por objetivo saber notícias da família e pedir umas pequenas cousas de meu uso: um vidro de Nembutal, pasta para barba e charutos. O Câmara já se manifestou?

Por aqui nada de novo. Muito calor e chuvas insuficientes. O Maneco seguiu para a Argentina. Esta irá para o Gabriel remeter. E por hoje é só.

Saudades a todos e um beijo do teu pai **Getulio**

1949

153 \ G · [Estância Santos Reis], 14 de fevereiro

Minha querida filha

1949 Estava hoje quase só. O pessoal seguia para a cidade, quando logo depois desabou Carlos Maciel batido pelo vento e quase sem gasolina. Enquanto o aviador [vai] a São Borja e Itaqui prover-se de combustível, aproveito para escrever-te, respondendo tua carta.

Começo por estranhar que não tenhas recebido minhas cartas. O Major Newton seguiu no começo do mês, levando uma longa carta a ti e várias outras para serem entregues a diferentes destinatários. Disse-me ele que, no terceiro dia de sua partida, estaria no Rio. Estranho, pois, que não tenhas ainda recebido.

Para não perder tempo vou logo enumerar as cousas que preciso:

1º) um vidro de Nembutal e pasta de dentes, bisnaga Barbasol;

2º) charutos que estão escasseando. O Mário Câmara ainda não se manifestou?;

3º) reservar-me alguns discos de carnaval, dos mais interessantes;

4º) há aqui um primeiro-tenente médico do Exército, Jefferson Santiago. Quer ir para Curitiba onde tem família e bens. Há muita gente aí empenhando-se por ele junto ao Gal. Florêncio de Abreu Pereira, de quem depende a transferência. Veio falar-me, fez profissão de fé getulista e afirma que está sendo perseguido por isso. Respondi-lhe que nada poderia pedir ao atual governo. Tentaria, porém, saber se existe mesmo essa má vontade para com ele, a fim de informá-lo. É isso que te peço saber do Florêncio sobrinho, por intermédio do Florêncio tio, a quem segundo me informou o interessado o Maneco já escreveu.

Além da carta escrita pelo M. N.[1] foram mais duas.

Quando receberes as cartas levadas pelo M. N. dize-me os nomes dos outros destinatários a quem também escrevi, por teu intermédio, para que fique certo não ter havido extravio.

Sobre política, embora um tanto sondado, tenho me mantido firme no propósito de não assumir compromissos com candidatos. É apenas isso. Não há mal em ouvir e conversar.

Também ignoro o motivo da substituição dos generais em São Paulo. Então o homem de lá está procurando um bom parceiro para o páreo!

E o Maciel? Vê se ele manda uma outra pastoral com suas impressões sobre a situação. *Fon-Fon* recebi o nº de 12 de fevereiro, após o de 29 de janeiro. Falta-me o de 5 de fevereiro.

Envio-te no pacote junto uma série de correspondências para o arquivo. Não tenho aqui lugar seguro para guardá-las.

Espero que de tudo o que falei acuses recebimento.

Saudades a todos e um beijo do teu pai **Getulio**

Sobre viagem irá depois uma carta, separada.

---

1. Refere-se possivelmente ao Major Newton de Feliciano Santos.

107 \ A · [Rio de Janeiro], 18 de fevereiro

Meu querido pai

Recebi a mala do Correio que ainda não foi toda distribuída devido à ausência de alguns destinatários. Soube que o Carlos chegou, mas, como o Manhães vai para aí, escrevo-te sem esperar as notícias que porventura traga.

1949

Mando-te charutos, *Fon-Fon*, uma carta da Nora Martins, filha da Maria, convidando-te para padrinho de seu casamento, que se realizará em abril em Paris. Sai desta!

Em matéria de notícias políticas, estão em grande abundância. Vamos por partes, e em primeiro lugar quanto às divergências de nossas informações, que realmente não existem.

1º A questão de prorrogação do mandato. Os agentes são praticamente os mesmos. Não te esqueças do traço de união existente entre o José Eduardo e o Góes e que se chama Georgino. Naturalmente cada um dos pajés tem o seu objetivo, e o José Eduardo quer o Estado do Rio, e o Góes quer criar confusão para ver se numa dessas alguém se lembra de que ele também é general. Foi no entanto surpreendido pela doença e o movimento parou. Quando disse que o Grão de Bico tinha recuado não quis dizer que tivesse desistido. Apenas, como não é homem combativo, não quis encontrar ou criar dificuldades a si próprio. Se vier de colher é melhor.

2º A questão da reunião do PSD gaúcho: também minhas informações são procedentes e estão parcialmente confirmadas pelo próprio Pestana ao Ernani. Informados pelo Adroaldo das manobras em prol da candidatura Canrobert, alguns elementos mais exaltados do PSD pretenderam, para colocar o Dutra diante de um fato consumado, lançar a candidatura do Nereu, uma manifestação de partidarismo exagerado. Foi essa precipitação que o Costa e o Pestana chegaram a tempo de evitar. Não creio que o assunto tenha sido debatido em plenário, por isso o teu informante deve ter sido tapeado, ou talvez desejasse mesmo que não soubesses disso.

3º Quanto ao pedido do Seu Lírio, a minha situação é igual à tua, mas, como os jovens Silveiras estão procurando uma aproximação com o Ernani através do Pedro, tudo pode acontecer.

4º Segundo fui informada o emissário mudou de nome, foi sozinho e já deve ter estado aí. Responde-me se confere. Jesuíno resolveu ir escoteiro e parece que pretende passar aí o carnaval. Ainda não me confirmou.

5º Andrade Queiroz esteve comigo e relatou duas palestras interessantes que teve em Caxambu. Uma com o Oswaldo e outra com o Hildebrando. Este falou muito mal do Dutra e de sua família, que queria fazer negociatas na prefeitura. Declarou que Canrobert era candidato e que como seu amigo de infância estava no mesmo bonde. Declarou-se muito satisfeito por saber que tu em carta a um amigo (não disse qual) havias feito referências elogiosas a esse general. Queiroz respondeu que de fato sabia que tinhas apreço pelo Canrobert, que não tomara parte ativa no 29 e que era um oficial distinto, mas daí concluir que apoiarias seu nome era otimismo demais. Hildebrando manifestou o desejo de bater um longo papo com Queiroz mas não efetivou.

Oswaldo, pelo contrário, estava pessimista, julgando que em hipótese alguma chegariam às eleições sem barulho e acreditando em golpe, não do Dutra, mas contra ele (vide Góes e Anael). Fez várias declarações de amor a ti e contou ao Queiroz uma história de um apoio

1949 teu à UDN em 45, frustrado pela intransigência do Mangabeira e do Virgilio. Diz ele que este assunto teria sido debatido em reunião da UDN e que tu terias apoiado o Brigadeiro, não fossem esses dois. Lembrei-me então das negociações empreendidas por Baeta e Segadas com Lulu Aranha, o comício de Bangu e a raiva deles quando o Borghi ganhou a parada para o Dutra. No fundo todo o papo do Oswaldo demonstrou sua esperança secreta de ser candidato da UDN apoiado por ti.

6º Ernani anda novamente às voltas com o Cel.[1] dele, que é ainda pior que o teu General.[2] Teve o cinismo de declarar que a única coisa que teu governo tinha realizado fora Volta Redonda e isto mesmo porque ele estava à frente. Instruído pelo Zé Eduardo e com o auxílio do velho Neves tentou um golpe para cindir o PSD amaralista. Não conseguiu, mas tem dado um trabalho insano e o Ernani manda te dizer que pela primeira vez está fazendo política de safadeza (primeira vez, hein).

7º Seu Peixoto está transformado, por tua causa e devido à situação excepcional que adquiriu no estado, em gostosão da política nacional. Já te mandei contar o *flirt* do Canrobert, o namoro do Adhemar e agora vai a corte discreta do Brigadeiro e escandalosa do Dutra. Já te relatei a primeira palestra do Ernani com Zé Cândido e as entrevistas dadas por este e pelo Vilasboas. Agora saiu outra do Cleófas também aventando a possibilidade de um acordo com o PTB. Depois disso o Zé Cândido procurou novamente o Ernani na Câmara e abriu o jogo. Declarou que os entendimentos que estava tendo com ele eram animados e desejados pelo Eduardo e acompanhados pelo Prado Kelly, atual presidente da UDN. De fato este de longe seguia com os olhos a conversa dos dois. A UDN brigadeirista, tirando fora o grupo baiano e o paulista, que é quase independente, estava dividida entre duas opiniões: uma lançada pelo próprio Eduardo, de que não devia ser candidato e sim ficar de fora chefiando o grupo de oficiais seus amigos com o objetivo de garantir a realização das eleições, que era como em 45 o [sic] foi a única razão de sua entrada na política. A outra, esporada pelo grupo sabido e ambicioso da UDN, achava que a única garantia para a sobrevivência da UDN e para a realização das eleições seria o lançamento da candidatura do Eduardo em futuro próximo. Uma vez lançado um candidato, o PSD livre do acordo seria obrigado a lançar o seu derrubando as veleidades governamentais de fazer o candidato único e de provocar a prorrogação do mandato. A própria existência de dois candidatos adversos seria a garantia suficiente para a eleição. Que pessoalmente o Eduardo não desejava ser presidente da República e sabia que não se elegeria, mas estava disposto a auxiliar a manobra. (Agora vem o golpe) Mas que conscientes de sua fraqueza eles não se aventuravam a uma precipitação destas sem um auxílio externo. E este auxílio só poderia ser teu. Eles sabiam que não poderias apoiá-los e que não desejavas falar ainda, mas lembravam com grande carinho que em um de teus discursos no Senado havias dito que o Eduardo era um homem de caráter etc., que se isto fosse repetido na imprensa em forma de entrevista, sem o menor

---

1. Cel. Edmundo de Macedo Soares e Silva.
2. General Eurico Gaspar Dutra.

compromiso, seria o suficiente para galvanizar a UDN e animá-la a dar este passo (ora vejam só o ditador!). Ernani respondeu que apreciava muito o Eduardo, gostava do Kelly, tinha com ambos boas relações embora em política nunca se tivesse aberto com nenhum dos dois, mas acreditava que tais fossem as intenções deles. Quanto a ti, que sabia que não desejavas te manifestar por enquanto, mas que estava certo de que receberias com toda a consideração qualquer emissário credenciado que porventura a UDN quisesse mandar, que ele escreveria relatando isso, mas que não estava autorizado a avançar o sinal, que a parte política do PTB cabia ao Salgado, mas ele pessoalmente poderia continuar os entendimentos com eles etc. Zé Cândido deu-se por satisfeito e disse que caso consentisses eles mandariam um jornalista da UDN dos menos vermelhos para tomar como ditas ao acaso de uma entrevista as rosas de teu amor acendrado pelo Brigadeiro e seus cupinchas. Informou também que estavam mandando emissários aos vários estados para fazer as ligações políticas necessárias a este *desideratum*. O raciocínio do Ernani é o seguinte: de qualquer maneira esta aproximação da UDN é interessante para ti. Não implica compromisso algum. Se amanhã quiseres que o PTB faça acordo com o PSD e lancem um candidato juntos, a UDN já se terá precipitado. Se a UDN quiser abrir a boca para xingar já não poderá porque a qualquer momento poderá ser denunciado o namoro. Se as circunstâncias te forçarem a ser o candidato, já a UDN não poderá estrilar: se eras bom para apoiar, também serves para ser. Será um susto para o Dutra e um rebuliço na política nacional. Divirta-se.

8º O Gostosão foi procurado também pelo Machado Coelho que flechou da seguinte forma: "Você que é atualmente o *pivot* da política nacional, o centro que pode decidir de todas as soluções, não pode ficar por aí solto. Você deve agir, deve se mexer, você é quem deve coordenar a política da sucessão e outros *confettis*". Ernani se fez de desentendido e disse que a ele não cabia tomar iniciativas nem se oferecer para isto ou aquilo, apenas se interessava pela política de seu estado e mais nada. O outro insistiu que o General gostava muito dele, que se devia aproximar mais, manter contato porque somente o Ernani seria capaz de trazer a paz para a política nacional. A resposta foi se o General quiser que eu coordene a política, que faça alguma coisa, ele que me chame e diga o que deseja e eu farei com toda a honestidade, não posso é ir me oferecer. Aí o homem abriu o jogo, invocou testemunhas das referências elogiosas que lhe fazia e da consideração com que te tratava em suas conversas. Somente o Ernani poderia ser o intermediário entre Dr. Getulio e Dutra para uma harmonia etc. e tal, que o Ernani não se esquecesse que era muito moço, que o futuro lhe pertencia, depois do governo do estado todas as portas lhe estariam abertas etc., com bastante açúcar. Ernani respondeu que ainda não sabia se seria candidato no estado e que se o fosse depois disso pretendia largar a política para tratar de seus interesses pessoais, que já nada mais ambicionava. Se o Dutra queria se utilizar dele para a coordenação nacional que o chamasse e dissesse o que desejava e depois ele iria a São Borja conversar com a outra parte, pois não estava autorizado e nem se ofereceria. Machado Coelho emprazou-o então para um almoço com S. Excia. para um *tête à tête*.

1949   Como vê, seu Gêgê, o negócio está tão sério que eu acabo acreditando no velho Anael: "Até cochoro ni rua vai gritá vivam Gitulio".

Outro dia uma grã-fina udenista virou-se sem prévio aviso para mim e perguntou "Quando é que vocês voltam?" Fiquei estatelada sem responder. Insistiu "Seu pai, quando volta para o governo?" "Ah!" respondi entendendo, "pode ser que não voltemos" "Mas precisam voltar". Taí.

Vou receber o "Capitão Queiroz", que prometeu novidades, e volto. Até já.

Afinal as notícias do Capitão não eram muitas. Pediu apenas para te dizer que confirma em tudo o teor de sua última carta. Os fatos estão demonstrando. A emissão clandestina foi a quase 2 milhões e meio e para tapar buraco. Agora terão de emitir a descoberto ou apresentar o orçamento com um déficit astronômico. As notícias da Europa, com o *show* da Hungria, continuam inalteráveis. Os Estados Unidos cospem no chão e fazem cruz mas a Rússia não pisa e continua avançando, sem protesto. E é só.

Celina já está em Teresópolis. A Cândida está em Petrópolis com tio Pataco, na casa do Bejo, a Editinha e o Getulinho com a Mamãe fazendo planos para passarem as férias de julho contigo.

O Capitão Queiroz Lima quer saber se vens em março ou não. Se vieres ele te espera, se não ele irá até aí.

Teu prestígio está de tal maneira que já andam inventando cartas tuas de elogios a este ou àquele pretendente ao trono. A última que me contaram foi uma mensagem para o Zenóbio trazida pelo Coronel Portocarrero, que agora "nasceu getulista".

Ontem foi aniversário do Maneco, telegrafamos, não sei se recebeu.

O homem deve estar chegando. Mamãe continua às voltas com o problema financeiro de quem sustenta três famílias, mas vai bem.

Beija-te com todo o carinho tua filha **Alzira**

154 \ G · [Estância Santos Reis], 21 de fevereiro

Minha querida filha

Recebi tuas cartas de 3, 9 e 10 do corrente. As duas primeiras foram trazidas pela América e a última pelo Carlos Maciel.

Recebi os charutos, mas o Nembutal não veio. Continuas em débito. Nada me disseste sobre as cartas enviadas por intermédio do Major e do Carlos Maciel.

Quanto ao romance do *Diário da Noite*, deve ser uma grande canalhada que não li, nem pretendo ler. Tudo deve ser da bitola dessa russa infernal e outras quejandas tolices. Nunca estive em casa do Barreto Pinto. Se houvesse justiça para essa espécie de imprensa seria o caso de chamá-la a juízo. Infelizmente não há.

Junto vai uma folha avulsa de papel, com que costumo escrever cartas. Era a última. Vê se me mandas mais, quando houver portador. São muito maneiras para escrever.

Vai também a carta ao Dilermando Cox, acusando o recebimento de seu livro. Achei-o realmente interessante e evocativo. Conheço alguns dos casos e conheço, principalmente, as pessoas citadas.

Sobre as minhas conspirações peronistas, chegou-me outra versão. O trabalho é da polícia ou antes do serviço secreto do Estado-Maior do Exército. É o autor um Capitão ou Major Paredes.

Para despistar atribuem a autoria ao Adhemar. É possível que este se enfeite como pavão. Qualquer que seja o autor é outro romance ou antes folhetim com propósitos semelhantes ao do *Diário da Noite*.

No capítulo aniversários, quanto ao velho Amaral tua carta chegou tarde. O aniversário já ocorrera há muitos dias, mas tu certamente não esqueceste de abraçá-lo em meu nome. Sabes que eu gosto dele. Quanto ao Ruy falta-me o endereço. Precisas aí suprir minhas faltas ou por ignorância ou por dificuldade de portador.

Recebi o retrato da D. Celina que está muito bonitinha. E onde está ela, em Teresópolis ou no Rio?

Estou em Santos Reis de onde só sairei para o aparte das tropas. A seca continua.

O Isnard e a Regina como vão? Tuas cartas ou antes teus envelopes são umas caixas de segredo! A última hora quando encerrava esta, encontrei um teu bilhete apressado, contando a história dum Cunha Lima de São Paulo, agente ademarista possuidor de farta documentação de minhas ligações com o Perón. Fiquei até curioso por conhecê-la. Porque aí o escândalo seria eu que o faria, arrancando a máscara dessa canalha. Estou achando graça e até desejo que apareça. Pode dizer isso. E vou deixá-los de tangas!

Não esqueça a pastoral do Maciel e as informações do Napoleão. Mas um não precisa saber do que pedi ao outro.

Saudades a todos e um beijo do teu pai **Getulio**

1949

155 \ G · [Estância Santos Reis], 22 de fevereiro

Minha querida filha

1949 Recebi tua carta trazida pelo seu Manhães, com informações muito interessantes. Escrevi várias outras cartas que devem estar em caminho, com pedidos concretos de que espero solução.

Veio o emissário anunciado ou que se dizia tal. Não trouxe credenciais. É necessário guardar completa reserva para não ressabiar. Houve apenas uma tomada de contato, com sondagens recíprocas e sem resultado prático.

Estão afinal chegando as solicitações de onde menos eram esperadas, segundo as informações de tua carta! Estou começando a divertir-me. As respostas do Gostosão foram muito hábeis e de um bom-senso irretorquível. Constituem uma amostra do adversário que está enfrentando o Rodanes e o dono da enchente.

Os dois emissários podem vir. Quanto ao da UDN devo estabelecer certas condições. É necessário que um gesto público de simpatia parta primeiro deles. Foram eles que abriram campanha contra mim, atacando, injuriando, conspirando... É preciso que o gesto ameno parta agora dos agressores. Uma declaração pública, como pensamento do Brigadeiro, através dalgum de seus cupinchas de conceito. O José Carlos serve. Quando chegar o emissário o terreno estará macio, e isso poderá servir como ponto de partida na palestra com o emissário.

Agora torna-se necessário que antes da chegada deste (isto só para nós, os três conspiradores) eu tenha conhecimento da conversa do Ernani com o Grão de Bico. Esta não é assunto para desprezar. Como nada estou pedindo, devo jogar com cartas marcadas.

Em resumo: vinda do emissário udenista, após a preliminar duma declaração simpática desfazendo prevenções ou ressentimentos e tendo eu já conhecimento das intenções do Grão de Bico em sua palestra com o Ernani. Depois a vinda deste.

Ficamos assim combinados.

Quanto ao casamento da filha da Maria, é claro que não podendo ir a Paris testemunhá-lo, devo enviar uma procuração a quem eles indicarem. A qualidade de padrinho lembra também a de um presente. E esta é a complicação maior. Pensa em tudo isso e sugere-me uma solução.

Saudades a todos e um beijo do teu pai **Getulio**

108 \ A · [Rio de Janeiro], 23 de fevereiro

Meu querido pai

Estou novamente com gripe e esta sempre me ataca, de preferência, o coco, que já não **1949**
é muito bom. De modo que não me arrisco a mandar notícias políticas nesse estado. Sairia
tudo truncado. Sigo amanhã para Teresópolis passar o dia 25 e o carnaval com a Celina.

Recebi a carta do Major, com atraso, devido à minha ausência do Rio.

Das cartas que remeteste foram entregues a do Horta, Queiroz Lima e Andrade Queiroz. Restam as do João Neves (está em Friburgo), João Pinto (seguiu para a Europa), Epitácio (está viajando), Ciro Resende (está em Porto Alegre), Alexandrino (ainda não tenho endereço) e Cel. Dantas Ribeiro. Confere?

Seguem as encomendas: outro vidro de Nembutal (não andas abusando?) (charutos remeti pelo Manhães), um de Viderol, dois tubos de Barbasol, dois tubos de pasta de dentes para experimentar; discos, vou reservar; um livro de charadas e palavras cruzadas, uma carta e uma caricatura.

Falei com tio Florêncio sobre teu pedido. Está aguardando a volta do General para falar.

É tudo.

O queremismo parece que se assanhou ainda mais com o carnaval. Surgem paródias por todos os lados.

Quanto aos charutos do Câmara, estou esperando para breve.

Não consigo, desde que cheguei, pôr os olhos em cima do Epitácio. Para facilitar a minha vida pediria que desses a procuração para receber teus capitais a outra pessoa. É um inferno. Agosto do ano passado foi o último que vi. Não que me faça falta ou prejudique tuas encomendas, fico atucanada de ter de andar atrás de S. Excia.

Vai junto um pijama que é presente nosso para o Maneco (aniversário). Se estiver grande, que atore as pernas.

O Góes ficou danado com os boatos de teu namoro com a UDN. E o Oswaldo anda cercando todo mundo.

A tosse não me deixa continuar.

Beija-te com todo o carinho tua filha **Alzira**

G · [Estância Santos Reis], 28 de fevereiro

Minha querida filha

1949 Recebi tua carta de 23 e todo o material referido. Muito bem. Espero que já estejas boa do coco, descansada do carnaval e em boas condições para notícias mais interessantes.

Tive a visita inesperada do jornalista Samuel Wainer, que veio indagar sobre o apoio à candidatura do Brigadeiro, que estava incendiando, e também aproveitou para pedir-me perdão das safadezas que tinha feito contra mim. Perdoei e respondi que não havia recebido nenhum emissário, nem assumido qualquer compromisso até o presente. E foi só. Espero que me mandes informações sobre essa mexida e sobre o carnaval e as respectivas canções. Recebi a da letra Gê, bem bonitinha e inocente, que foi proibida como perigosa ao regime. Parece que esse pobre regime está também precisando de Viderol!

Que nome é aquele que o Truman chamou a um jornalista, sob (*son of a bitch*)? Junto vai essa carta para entregares ao exame do Salgado. Quanto à procuração, indica-me a pessoa a quem devo passar e manda-me uma norma, por ser assunto um tanto especializado.

Não esqueças de falar ao Napoleão e Maciel sobre minhas encomendas em cartas anteriores escritas a ti.

Saudades à trinca e um beijo do teu pai **Getulio**

*Alzira entre Getulio e Ernani na Fazenda do Itu.
Itaqui, RS, entre 1949 e 1950.*

157 \ **G** · [Fazenda do Itu], 6 de março

Minha querida filha

Estou aqui no Itu. Vim para assistir a um aparte de bois e não me deixaram trabalhar. **1949**
São dois aviões por dia, a média das visitas. A palestra com o seu Wainer parece que teve uma repercussão muito maior do que eu esperava.
   Espero que me escrevas daí, esclarecendo o que ocorreu por aí etc. etc.
   O Major Newton, portador desta, poderá trazer as respostas.
   D. Felícia ficou satisfeita com o retrato que vai pôr num quadro e manda agradecer.
   E o Gostosão, continua muito atucanado?
   Saudades a todos e um beijo do teu pai **Getulio**

158 \ G · [Fazenda do Itu], 8 de março

Rapariguinha

1949 Espero que quando esta chegar a tuas mãos já estejas de regresso das perambulações que andaste fazendo.

Estou aqui no Itu desde 4 do corrente. Os três primeiros dias foi um despencar de aviões, numa média de dois por dia.

Eram petebistas, jornalistas, fotógrafos etc. Os jornalistas, num assanhamento desagradável, a pedir entrevistas, os políticos a fazer consultas e os fotógrafos, os menos inconvenientes, só queriam documentar a viagem.

A entrevista ao Samuel Wainer teve uma repercussão que eu não esperava. Só pude ter uma medida aproximada pela leitura dos jornais e informações dos visitantes.

A cousa saiu um tanto precipitada pela vinda de surpresa do seu Wainer.

Parece que o candidato único alarmou-se e vai agir com mais intensidade. Agora vem ao Rio Grande. Se o pessoal do PSD estiver alarmado é preciso tranquilizá-lo, informando que a cousa não tem a gravidade que podem atribuir. Não há, até agora, nenhum compromisso.

Quando se tratou da eleição de vice-presidente o Grão de Bico queria o Mangabeira. Conseguiu o fantasma do Góes e ele agarrou-se ao Nereu. Às vezes a história se repete, embora não haja premeditação...

Enfim, tu deves estar melhor informada e espero que esclareças o que há por trás dos bastidores políticos. E se o Grão de Bico está muito zangado.

Estiveram aqui o Epitacinho e o Baeta com o pratinho preparado para preenchimento das vagas do diretório do PTB e eleição da executiva. Concordei com os nomes. Depois que eles saíram dei falta do nome do Danton Coelho e acho necessário que seu nome faça parte do diretório. Esse é o motivo da inclusa carta para o Salgado.

Junto outras para que sejam entregues. E a do João Neves, já o foi?

Passemos a outro assunto. Já estamos na época da preparação dos viveiros para semear hortaliças. Minha horta está pronta. Tenho uma grande variedade de sementes enviadas por ti.

Notei a falta de algumas que reputo necessárias porque gosto delas, que são alface e beterraba. Podes mandar também um pouco de feijão-soja e ervilhas.

Aperta com o Epitacinho sobre sua falta de pontualidade no assunto dos cobres e dize-lhe que se continuar assim vais pedir outro procurador. Esqueci-me de falar-lhe aqui no assunto. Perdi uma boa ocasião.

Saudades a todos e um beijo do teu pai **Getulio**

109 \ A · [Rio de Janeiro], 9 de março

Meu querido pai

Recebi dois bilhetes teus, um vindo por intermédio do Brizola, outro pelo Major por quem pretendo te escrever com detalhes.

Esta tem apenas o fim de tratar de dois assuntos de certa urgência.

1º Recebeste uma longa carta minha em que te relatava o caso Wainer-UDN, isto é, a intenção da UDN de te entrevistar. Não a acusaste e como tratava de assuntos políticos tinha interesse em que a lesses.

2º Epitacinho chegou aqui com um golpe de mestre para se eleger secretário do Partido. A princípio fiquei em estado de choque. Hoje, pelo Carlos, soube como ele arrancou tua aquiescência. Será uma verdadeira calamidade, como bem podes imaginar, tal acontecimento. Já começamos a trabalhar para atrapalhar mas é necessário teu auxílio. O velho Landulfo é um homem direito e bom e será o único a ser afastado das funções visto Fiori ser mantido. Seria possível escreveres ao Salgado ou ao próprio Epitácio aconselhando a manutenção do velho em consideração à sua posição na Bahia. O indigitado é muito moço e conta com forte oposição. Esta já está sendo devidamente organizada, para facilitar o impasse. O jovem já já está bolando um grande golpe para arranjar 100 mil contos para o Partido. Se tiveres no entanto algum objetivo secreto, manda telegrafar para desorganizar a oposição.

Tua entrevista causou grande sucesso e desnorteou a política nacional. Ontem esteve aqui o João Neves a quem entreguei tua carta. Também vai escrever pelo Major. Saiu feliz com uma mosquinha inocente que larguei. Seguem dois *Fon-Fon* e o *Sei Tudo* e cartas recebidas.

Um beijo carinhoso da **Alzira**

1949

Alzira, o capataz Alceu, Getulio, Getulinho e Ernani na Fazenda do Itu. Itaqui, RS, entre 1949 e 1950.

*Getulinho, Ernani, Alzira e Getulio
na Fazenda do Itu.*
Itaqui, RS, entre 1949 e 1950.

1949

110 \ A · [Rio de Janeiro, de 11 a 17 de março]

Meu querido pai

1949 Dentro de uns cinco dias o Major seguirá para São Borja e eu começo hoje o meu relatório com calma para debatermos alguns assuntos. Para começar, reli todas as tuas cartas atrasadas, que tenho respondido meio aferventadamente, por várias razões.

1º) Passei o carnaval metade em Teresópolis, metade em Petrópolis, fazendo render uma gripe que adquiri cuidando do Getulinho e alimentei sambando, cantando, tomando *whisky* e rodando pelas estradas. No baile da coroação da Rainha do Rádio, só dei uma volta pelo salão porque ainda tinha febre e fiquei danada como foliona de receber manifestações queremistas. O atual Rei Momo é um rapaz rico de boa família que foi colega de colégio meu e do Maneco, o Gustavo Gordo. Quase apanhou por causa de uma piada minha. Quis tirar o retrato de braço comigo. Aconselhei-o a não fazer: "Você acaba arranjando um 29 de Outubro para você, desse jeito". Ele respondeu: "É isso mesmo que eu quero. Estou chateado de ser rei, vem cá". No domingo de carnaval encontramo-nos no Quitandinha e de longe gritou: "Alzirinha, ainda não consegui meu 29 de Outubro, Beijinho, eu quero um 29 de Outubro". Alguns rapazes queremistas que estavam perto pensando que fosse deboche queriam surrar Sua Majestade, se não fosse a intervenção do Bejo que declarou-lhes que Gustavo era nosso. Para vingar a letra Gê, surgiram várias paródias e alusões, mando-te junto uma para ser cantada com a música de "O circo vem aí" e que me foi dada na Livraria Francisco Alves por um dos rapazes da loja que me reconheceu. Os ranchos apresentaram homenagens a ti e foram muito aplaudidos, mas os jornais silenciam. Na terça-feira de carnaval aconteceu o diabo. O Zé Cândido Ferraz, cuja palestra com o Ernani que deu origem à ida do Wainer aí te mandei relatar, foi procurar o Bejo. Contou a mesma história e disse que seu desejo era se entender comigo, mas sabia que eu fazia restrições à UDN, queria os bons ofícios do Bejo etc. Esse encontro foi logo divulgado, graças às leviandades do mesmo, e em pouco Petrópolis todo comentava o encontro do Bejo com o Brigadeiro. O Eurico Souza Leão afobou e se tocou para o Rio Negro para convencer o Dutra a esposar publicamente a candidatura Canrobert como revide. O Joaquim Ramos se assustou e foi procurar o Ernani, para saber o que havia. O boato foi muito ajudado por uma briga de carnaval entre o grupo desordeiro do Edu Oliveira e outros oficiais da Aeronáutica, protegidos pelo Fabio Andrada, em nome do Brigadeiro, e o delegado de Petrópolis. Os rapazes foram barrados do baile, apelaram para o Edmundo, que estava presente e não sabendo como resolver apelou para o Bejo, que serenou os ânimos. Passou então como artigo de fé o entendimento do Bejo com o Eduardo.

Nesse mesmo baile, a Ediala foi apresentada ao Cordeiro de Farias. Este, querendo ser amável, perguntou-lhe se era a esposa do Bejo. Ela respondeu: "Sou mas não gosto de sua cara e prefiro que não fale comigo". Cordeiro perguntou: "Mas a Sra. tem alguma razão especial?" – "Não, só que o Sr. traiu o Dr. Getulio e não gosto do Sr." – Bejo, quando soube, ficou danado com ela e foi dar explicações ao Cordeiro, dizendo que ela não o conhecia e pensou que fosse piada. Ele próprio me contou o fato e ficou danado comigo também, porque eu achei muito benfeito.

Ainda nesse dia fui procurada pelos irmãos Leonel, José e Jaime Ataliba Leonel. O primeiro queria me contar duas coisas. Que o Adhemar era candidato à Presidência de qualquer maneira e que seus candidatos a São Paulo eram o Paulito Nogueira em primeiro e o Caio Batista em segundo. Que estava muito assustado com a notícia de teu apoio provável ao Prestes Maia. Que podíamos aproveitar este susto para levar o Adhemar a apoiar publicamente o PTB, a fazê-lo desistir da própria candidatura e a aceitar a tua. Que para isso seria necessário primeiro criar a impossibilidade material do Adhemar vir a ser candidato através de uma lei de tomada de contas, ou coisa parecida, que se poderia introduzir na regulamentação das responsabilidades dos chefes de Estado; segundo, negociar a sucessão de São Paulo; se ele não se submeter terá que engolir o Prestes Maia e perder o Catete e os Campos Elísios. Que a UDN de São Paulo estaria disposta a promover a primeira fase, e a segunda nós a faríamos. A razão de sua proposta um tanto estapafúrdia foi o fato de ter ouvido do Carvalho Sobrinho, que ouvira do próprio Antoninho Barros, a afirmação de que o Adhemar iria adquirir a complacência do Novelli por 10 mil contos. Se este ainda resistisse seria carinhosamente eliminado do número dos vivos. Essa é forte! Perguntou se receberias bem uma visita do grupo getulista do PSD paulista chefiado pelo Carvalho Sobrinho. Respondi que sem dúvida alguma apreciarias essa visita. Consta que a tabela de preços do Adhemar é a seguinte, 500 contos por deputado estadual, mil por deputado federal. Ao Ernani ele pôs na chave do Novelli 10 mil. Estou com vontade de me deixar tentar, afinal de contas o Adhemar não deve ser muito pior que o atual e com 10 mil bagarotes podia me aposentar e ir ser posteira no Itu. Está gozado!

2º) A entrevista fez misérias no meio político. O Chatô perpetrou dois artigos. Num declara que o Bruxo de São Borja, devido à inépcia do Prado Kelly, se havia sentado na cadeira da presidência da UDN. No outro me chama de "pulmão direito que respira política" para o saltimbanco das margens do Uruguai. O Góes ficou passado e disse que faria revelações que impediriam essa miséria. O Canrobert, que estava agonizante, passou a receber óleo canforado em doses cavalares, mas apresentou reações muito fracas. S. Excia. se assustou e, como revide, resolveu apoiar a candidatura do Costa à presidência da Câmara, para intervir no Rio Grande. A UDN assumiu a atitude de donzela cujo namoro secreto é descoberto pelos pais. Está encabulada mas não quer terminar o assunto e faz constar que foi pedida em casamento. Mas... é forçoso dizer: o povo não gostou e as classes produtoras não entenderam a parte socializante da entrevista e também acharam ruim. A segunda entrevista explicando esta parte dada ao Job teve pouca divulgação. O <u>pulmão direito</u> se atreve a sugerir que, obtido o efeito político, estabelecida a confusão por meio desejado, faça-se um pouco de silêncio e se deixe ver até onde vai a marola.

3º) Estive com João Neves longamente. Por ele tive a confirmação do que te mandei dizer em relação ao lançamento da candidatura Nereu pelo PSD do Rio Grande. Em outubro ele havia estado com Jobim para alertá-lo contra a candidatura Canrobert e esclarecê-lo quanto às dificuldades que lhe viriam se aceitasse qualquer engodo na política federal. Que o único meio do PSD se manter unido era cerrar fileiras em torno do Nereu, e que a ele Jobim cabia fazer sentir ao governo federal que o Rio Grande era partidário e só aceitaria um candidato partidário. Não se precipitassem quanto a nomes mas impedissem já qualquer tentativa de envolvimento do Rio Grande. Isto se fez.

Disse ainda o Neves que lá soubera que o Balau havia procurado o Jobim para obter seu apoio para a prorrogação do mandato do Dutra. Fora repelido ainda de acordo com o

1949 alerta dado pelo Neves. O Cupim levou também um recado do Flores, propondo uma aliança no Rio Grande contra qualquer candidato teu à governança. Passando do assunto sucessão nosso visitante declarou que considera tua entrevista uma obra-prima de sagacidade política e muito oportuna, que não o assusta tua candidatura, não crê em golpe, sabe que tanto o Dutra quanto o Góes se arrependeram, por razões diversas, do 29 de Outubro, que não crê que tentes fazer o Salgado, que a não ser tu próprio, o normal, razoável e político seria apoiar o Nereu, que o Canrobert não tem chance, as do Brigadeiro são pequenas e o Adhemar é necessário para dar um pouco de sal. Aí eu fiz sujeira, com ar cândido e puro, disse: Dr. Neves o Sr. disse há pouco que os homens públicos não podem dizer "não quero" e também que seu nome, por razões pessoais, não deve entrar em cogitação. O Sr. sabe que o Patrão não fala, mas depois de muito saca-rolha consegui apurar que ele não deseja ser candidato, a não ser em caso de salvação nacional, e não creio que até 51[1] isto ocorra. Deste modo, o Sr. não se pode pôr à margem dos acontecimentos, pois seu nome já foi lembrado uma vez pelo PTB em 45. O Nereu é um excelente nome e tem sido muito correto com o Patrão, mas não goza de muita simpatia entre os trabalhistas. De modo que não se ponha à margem. Ele não ficou triste.

(1º) Esqueci-me de dizer que respondi ao José Leonel com uma pergunta. "Acha que nos convém tirar o Adhemar do páreo já?"

4º)[2] Tenho algumas mudas prontas para te mandar. Avisa se é epoca ou se devo esperar. O Pinto também vai preparar algumas.

5º) A frase do Truman em relação ao meu amigo Pearson, S.O.B., equivale àquela que tu, o Maneco e a Boquinha de Cuia usam tanto. A tradução literal, embora não muito parlamentar, pode ser poetizada: "progênie de uma fêmea canina". Serve?

6º) Voltemos à política. A mesa do Senado será toda reeleita. A da Câmara está dando barulho. S. Excia., por inspiração do Prof. Lyra, resolveu que o Samuel não poderia continuar e para intricar com o Rio Grande deitou suas preferências no Costa, a quem vai levar para os Estados Unidos. Esta candidatura encontrou eco favorável no coração do Benê, que aspira ser o ministro da Justiça com a consequente saída do Adroaldo para manter o equilíbrio dos grandes estados. Mas o Cirilo entrou no brinquedo para atrapalhar os sonhos de ambos. Agamenon, Ernani e Nereu manobraram para atrapalhar as intenções do Grão de Bico. Na primeira reunião, para ganhar tempo, apresentaram três nomes para estudo: Benê, Costa e Cirilo. O Benê, com vistas na Justiça, não se interessou muito. O Catete não gostou do nome do Cirilo e tentou contornar São Paulo com o Costa Netto. O Costa, que não gosta de sentir oposição, devidamente assustado e industriado, resolveu desistir, bem como o Benedito. Está no campo, portanto, só o Cirilo. A eleição será amanhã. A UDN mantém os mesmos nomes, o PTB também, e o PR ainda não se manifestou.

7º) Esteve aqui ontem o velho Landulfo. Andava meio tonto por falta de orientação, magoado com o Salgado, que não lhe dá muita atenção, e espinhado com o caso da Secretaria.

---

1. Embora Alzira diga 1951, as eleições seriam realizadas em 3 de outubro de 1950.
2. Foi mantida a numeração original de Alzira.

1949

Fez sua profissão de fé, chorou as mágoas; expliquei-lhe como pude a situação do Salgado em sua ~~pora~~ posição de candidato potencial e amigo do Chefe, que devia ser compreendido e não hostilizado, disse-lhe que o Epitácio não era nem teu candidato, nem dele, Salgado, que para ti representava a quota de sacrifício de 30 e para o Salgado era o rapaz prestativo que lhe facilitava a vida. Que ele, Landulfo, era um homem com um passado político, com responsabilidade, que não se devia deixar engazopar. O homem ficou feliz, perguntou se podia voltar sempre que tivesse dificuldades. Disse-lhe que o receberia sempre com prazer, mas não convinha dizer ao Salgado para não o magoar, supondo que estou me metendo etc. Contou-me depois que tem sido insistentemente procurado por elementos do Juracy que querem entrar em entendimento com ele. Que Juracy declarou que, para conquistar a Bahia, até teu apoio pediria. Que entre ele e o Aleixo, Landulfo prefere Juracy, pela capacidade de realização e porque não tem com ele as incompatibilidades que tem com Pinto Aleixo. No entanto não é empecilho. Tem sentido ultimamente que o chefe o vem sabotando na política baiana e suspeita que tenha entrado diretamente em entendimento com a UDN de lá deixando-o de fora. Animei-o a prosseguir sem se comprometer.

N. B. Se o pulmão estiver se excedendo, aplica-lhe um pneumotórax que ele sossega.

8º) Já falei com tio Florêncio sobre o caso do médico. Prometeu dar a resposta diretamente ao Maneco.

9º) A carta anunciada falando sobre viagem, licença etc. não chegou. Será que não saiu daí?

10º) O Ruy já está melhorando de vida. Segundo soube pelo Major, deverá liquidar os negócios por estes dias e tratar de outras coisas.

11º) A Maria Martins me telefonou de Paris pedindo para responderes à carta da Nora convidando-te para seu padrinho de casamento. Se não puderes ir, o que ela deseja veementemente, e não pudermos Ernani e eu te representar (falta a grana), pede que passes a procuração para o Adolfo Alencastro, que está na Holanda e irá. É necessário também que te expliques em um bom presente.

12º) Estou preocupada com a falta de notícias tuas. Que é que há?

13º) Avisa ao Jango que remeti por portador, o Luiz, que seguiu para Washington a convite da ONU, os papéis dele para obter os dólares. Aqui no Rio é impossível.

14º) O Carlos foi chamado a São Paulo para conferenciar com o Miguel Reale, estou aguardando a volta dele para te dar notícias.

---

16 de março • A eleição do Cirilo foi considerada uma derrota do Catete e os jornais procuram mascarar isto por todas as formas. — O José Eduardo, no Estado do Rio, está numa sinuca de bico. Seu protegido, candidato à sucessão contra o Ernani e amigo do peito, o Ivair (genro da Rosalina), largou a Secretaria do Interior e passou para o partido do Adhemar e anda oferecendo apoio ao Ernani. A UDN fluminense recusou-se a votar uma moção de solidariedade a seu dileto primo, como é de praxe em todas as aberturas de sessão Legislativa. José Eduardo está pesado.

1949 <u>17 de março</u> • Somente hoje chegou a minhas mãos tua carta de 22-2, trazida pelo Arquimedes, tranquilizando-me sobre a recepção da minha. Disse-me ele que vai logo mais para São Paulo e de lá para aí. Se não se for demorar esta irá por ele.
Falei com o Napoleão pelo telefone. Disse-me que te está remetendo os dados parceladamente. Que é dificílimo obter as informações pedidas, mas está fazendo o possível.

———————

Maciel está inteiramente engolfado nos problemas gabriélicos e não dá atenção a mais nada. Encontrei-o no carnaval. Disse que viria falar comigo mas até agora nada.

———————

O encontro do Gostosão com o Grão de Bico não se realizou ainda. O segundo manda recados e declarações de amor indiretamente e o primeiro está se fazendo valer declarando que só irá <u>convidado</u>, que não se oferecerá em hipótese alguma. Que o chamem, se precisarem dele.

———————

Quanto ao presente de casamento para ser remetido daqui creio que uma joia de pedras brasileiras seria o mais interessante. Dize-me mais ou menos de quanto podes dispor para que procure dentro do orçamento. A portadora será a Zita, que vai para lá de avião no dia 17 de abril e se ofereceu. Manda daí umas palavras de próprio punho à noiva para remeter junto. Quanto às procurações, remeterei depois para assinatura.

———————

O Paquet está sendo convidado pelo PTN e mandou consultar. Que devo responder? Ainda não o procurei por isso.
Encerro aqui porque esta já vai longa.
Beija-te com todo o carinho tua filha **Alzira**

———

159 \ G • [Fazenda do Espinilho], 17 de março

Minha querida filha

Aproveito um portador para escrever-te ligeiramente sobre tua carta de 9 do corrente. Não recebi a~~ ca~~ até agora a carta prevenindo sobre a vinda do Samuel Wainer, que me apanhou de surpresa.

1949

Quanto ao assunto Epitacinho, foi coisa que veio preparada daí, dizendo que com a aprovação do Salgado. Respondi que nada tinha a opor desde que o Salgado também concordava. Agora só este poderá modificar. Para mim é indiferente.

Logo após a saída deles, telegrafei ao Salgado para que suspendesse a reunião. Escrevi a este, remetendo por teu intermédio, recomendando o nome do Danton para o diretório. Verifiquei, pela lista que me deixaram, não constar o nome deste.

Verifico que há correspondência nossa atrasada ou extraviada.

Quando vier o Major, previne-o que não esqueça de trazer os uísques que me prometeu e manda-me charutos por ele ou pelo Jango, que também segue para aí. Não sei ainda sobre a repercussão de minha entrevista aí.

Saudades e beijos do teu pai **Getulio**

Getulio entre o filho Maneco e o primo Ernesto Dornelles,
na Fazenda do Itu. Itaqui, RS, entre 1949 e 1950.

160 \ **G** • [Fazenda do Espinilho], 17 de março

Rapariguinha

1949   Aí vai outro bilhete. Recebi esse pedido dum pretinho, Tenente Médico maranhense, que deseja ser transferido para sua terra e supõe que posso influir junto ao General chefe do corpo de saúde. Veja lá.

Estás a dever-me resposta duma porção de cousas:
1º) as informações pedidas ao Napoleão;
2º) a pastoral do Maciel;
3º) a explicação da vinda do Samuel Wainer;
4º) a repercussão da entrevista nos diversos setores;
5º) as procurações e impontualidades do Epitacinho;
6º) o casamento da filha da Maria etc.

Sobre todos esses assuntos e ainda outros que agora não recordo, ainda não respondeste.

Ou estás muito atrasada em respostas ou minhas cartas não chegaram a ti.

Outra cousa que desejo saber é quando termina o prazo para minha apresentação no Senado.

Saudades a todos e um beijo do teu pai **Getulio**

PS.: Estou aqui no Espinilho, tropeando.

Getulio, o filho Maneco e um trabalhador na Fazenda do Itu.
Itaqui, RS, entre 1949 e 1950.

111 \ A ▪ [Rio de Janeiro, de 22 a 24 de março]

Meu querido pai

Desde minha última, levada pelo Arquimedes, precipitaram-se cartas tuas atrasadíssimas e acontecimentos importantes. A 1ª de 13 reclama coisas que já te remeti (em todo o caso vai novo *stock*) e notícias da família, que vai bem, se arrastando, principalmente a Patroa, sobrecarregada de problemas e de encargos financeiros insolúveis. O tratamento da Jandyra está saindo caríssimo, mas os resultados são bons.

A 2ª de 21-2. O romance do *Diário de Notícias* é uma besteirada tipo folhetim, que não causa o menor efeito. Infelizmente seu Barreto, que gosta de cartaz seja a custa de quem for, está-lhe dando foros de verdade com declarações tão cretinas quanto ele próprio. Quanto às conspirações que te atribuem tenho impressão de que vão sumir temporariamente. Os últimos acontecimentos estão te valorizando muito como cabo eleitoral e eles preferem te poupar agora. Todas essas invencionices e folhetins fazem parte de um mesmo plano que vem se desenrolando desde 1945 e que visa apenas a te inutilizar como homem público. Si no fuera la ramita... Os maiorais do PSD que seriam as segundas vítimas depois de ti, Ernani, Agamenon, Nereu, Neves, Luzardo, Barata etc., têm manobrado como gigantes para aparar os golpes que vêm de todos os lados. Em tempo contarei...

Regina e Isnard vão bem, sempre firmes e amigos, e te mandam lembranças.

A 3ª de 22-2 fala sobre a ida dos emissários. O da UDN foi o seu Wainer, que, aproveitando nossa ausência do Rio antes do carnaval, saiu sem aviso. O resultado obtido por eles e por nós foi o almejado, de modo que não há o que retroceder.

A 4ª de 8-3 acompanhada de um bolo de cartões para distribuir. Vou mandar para teus secretários uma geografia e um *guia Levi* para os quais Copacabana é Estado do Rio e Caxias é Distrito Federal. Além disso, veio com excesso de selo, mas já foi tudo distribuído. As outras cartas pessoais ainda não distribuí a não [ser] a do Salgado, que aqui esteve ontem. Com ele conversei sobre o assunto secretaria do Partido e ele me disse que estava em dificuldade, porque o candidato andava exibindo tua assinatura no papel. Sugeri-lhe protelar a reunião e ele prometeu escrever-te e pediu que te tranquilizasse quanto ao assunto.

Hoje chegou o Jango trazendo dois bilhetes. Quanto ao 1º, já deves estar de posse de minha carta levada pelo Manhães com amplos informes sobre o assunto entrevista. Quanto ao 2º, também está em parte respondido. Epitácio prometeu há uma semana trazer-me o teu dinheiro, atrasado desde agosto passado, e uma fórmula de procuração para o Aloysio. *Ni lo uno, ni lo otro*, até hoje.

Junto vai a procuração para o Alencastro, que deve ser de próprio punho. Foi o Aloysio quem conseguiu com o Alvim.

O teu prazo já terminou, segundo disse o Epitacinho, e, para não perderes de acordo com o regulamento do Senado, ele se prontificou a assinar por ti uma prorrogação de algumas semanas. Só ele e eu sabemos disso... por enquanto. Estás ausente há mais de um ano, por isso parece-me conveniente que interrompas a prescrição. Além do mais, isto aqui está gozado e vale uma assuntada pessoal.

Agora assuntos políticos. A famosa entrevista Dutra-Milton resultou num carnaval político sem objetivo prático para nenhuma das partes. O Milton obteve muita publicidade paga pelo Arturzinho, alguns artigos laudatórios, conversa afiada e mais nada. O Dutra ficou danado

1949

1949 com a UDN pela exploração que fez, decepcionado com o Milton, que é ainda mais tímido que ele próprio, e com sua falta de discrição, e ludibriado em suas intenções, de obter o candidato único. Para desmanchar o efeito causado pelo *show* udenista despencou-se no dia seguinte de Petrópolis em visita de explicações ao Nereu. Por sua vez o Milton saiu de Petrópolis dizendo que era mais brigadeirista que nunca. Tudo o que saiu publicado nos jornais é a verdade e nada ficou em segredo. O resumo da ópera em português é o seguinte: Dutra deseja o candidato único como meio de evitar a tua influência direta nas eleições. O acordo PSD-UDN garantiria qualquer candidato. Teu prestígio eleitoral não seria solicitado por ninguém, e o PTB sem organização e sem governo na mão nada poderia fazer sozinho. Caso o acordo não se verifique, Dutra cruzará os braços e não sairá de seu papel de magistrado, pois não pode arriscar em uma luta contigo ou contra ti. — Milton Campos, herdeiro da intransigência do Virgilio, udenista puro, sabe que o candidato único seria a morte definitiva da UDN, em Minas não poderá fazer acordos com o Benedito, pois seu candidato é Pedro Aleixo, que Benê não aceita. Concordou com S. Excia. em que os partidos majoritários poderiam chegar a um acordo dentro de seus próprios quadros. A conferência portanto foi muito caldo para pouca sustança.

    No sábado, 19, Ernani foi a São Paulo, especialmente convidado pelo Wallace Simonsen, que lhe pôs avião à disposição, aposentos etc. Assim que chegou à casa do Manhães Barreto, Adhemar bateu o telefone, precisava muito falar-lhe, bichão, amigo velho etc. Ernani escusou-se com a homenagem do Wallace Simonsen, Adhemar prometeu encontrar-se com ele lá. Houve um contratempo e o encontro não se deu. Ernani do aeroporto foi direto para Teresópolis, onde me comunicou suas impressões do prestígio incontestável do Adhemar no povo e entre as classes produtoras. Descemos segunda-feira 21 e os acontecimentos se precipitaram. Manhães Barreto já estava no Rio, à espera do Ernani, por ordem do Adhemar, para apresentar explicações do desencontro e fazer uma proposta. Disse Manhães Barreto que Adhemar estava desesperado com a ameaça do *impeachment* que pesava sobre sua cabeça. Caso não conseguisse evitar isto de qualquer maneira, lançaria a candidatura do Canrobert para poder respirar. Se, porém, o PSD lhe desse garantias, ele aguentaria firme. Desejosos de tirar uma forra do Dutra, Nereu, Agamenon, Ernani conseguiram convencer o Cirilo a entrar em entendimento com o Adhemar e escorá-lo para atucanar S. Excia. Queriam eles que o Ernani embarcasse para aí imediatamente para entrar em entendimento contigo e acertarem de vez um acordo com o PTB. Ernani ponderou suas ligações pessoais contigo, Agamenon se ofereceu para ir, Manhães prontificou-se também. Enfim ficaram a todo pano. Caso venhas dentro de dois meses eles esperarão por ti, em contrário irão mesmo.
    Amanhã, em lugar secreto e não sabido, no antro de um queremista no Estado do Rio, dar-se-á o histórico encontro entre Adhemar, Cirilo e Nereu para assentarem a base de um entendimento. O PSD pretende oferecer-lhe apenas a garantia de um fim de governo tranquilo. Pena o Jango não demorar um pouco mais e levaria o resultado do papo.
    3h da tarde. O Manhães almoçou aqui. Apresentei-o ao Jango. Está aflito por ir entender-se contigo. Eles ainda não sabem bem o que querem de ti, nem o que devem oferecer. Eu

1949

também me faço de desentendida e apenas animo-os a conversarem contigo. É possível que passe o cavalo encilhado.

O Zé Pessoa saiu-se dos cuidados e perpetrou uma proclamação, dizendo que o Exército não tinha que se meter com as eleições, e dá umas catanadas rijas no Góes. Salgado pediu a inserção da proclamação comum com um bom discurso. O Góes e o Vitorino protestaram.

A mexida está ficando ótima.

O João Neves esteve agora em Porto Alegre, disse-me que se pudesse iria até aí. Não sei se foi. Soube que ele havia dito ao Jobim: Você deve o lugar de governador ao Dr. Getulio, pois, se ele tivesse feito campanha no estado, você não teria sido eleito. Tenha sempre presente que não deve haver desunião no Rio Grande. – Por essas e outras convém que o PTB não feche as portas ao PSD aí, principalmente agora que está um leão sem dentes. O Jango prometeu ajudar.

O Pedroso Horta vendeu ao Adhemar a rádio. Fez uma alocução de despedida e terminou dizendo: "Ele voltará e ele é esse mesmo em quem vocês estão pensando, o Dr. Getulio Vargas".

Estou esperando agora o Major, o Frota e o Porfírio. Não sei se terei tempo de contar. – Saíram daqui agora mesmo os três e mais o Zé Barbosa. Pretendem ir para aí segunda-feira próxima. Mandarei por eles o que não puder seguir pelo Jango. Nada contaram de interessante porque estavam se cuidando uns dos outros. O Porfírio disse-me que esteve com o General Lott e este declarou que devia a ti sua promoção, mas que era apenas soldado e não político.

Estou com uma gripe danada, mas felizmente não tenho febre. Estou só emburricando.

Não te esqueças que a procuração para a Maria deve ser datada do Rio de Janeiro, visto ser sobre selo federal. A outra para o Aloysio deve ser de São Borja e sobre selo estadual do mesmo valor, por isso não o remeto. Não sei quais são exatamente os termos, porque o Epitácio nem isso fez. Vou tentar falar-lhe hoje à noite.

Peço-te que me mandes pelo primeiro portador a procuração para remeter antes do casamento, bem como as instruções quanto ao presente.

Matriculei Celina e Edith Maria no Colégio fundado agora pela Lucia Magalhães, filha do Fernando.[1] É um antro de queremismo. Ela e todas as professoras fizeram-me muita festa e pediram para te dizer que nunca fizeram política, mas se fores candidato irão trabalhar pela primeira vez.

---

1. Colégio São Fernando no Rio de Janeiro.

1949   Se faltar alguma coisa manda-me dizer, que seguirá pelo Major. Fico aqui que a tosse da Traviata não me deixa prosseguir.
Recebe com o Maneco todo o carinho e um beijo muito saudoso de tua filha **Alzira**

24 de março • O Jango não me apareceu. Não sei o que houve. Na dúvida vou mandar esta pelo Miguel Teixeira, que vai amanhã. Segue junto uma carta do Neves muito interessante. Diz ele que o datilógrafo foi ele mesmo, daí os erros. Vais ser procurado oficialmente para apoiar ou aprovar a candidatura Nereu. Prepara-te.

161 \ G · [Fazenda do Espinilho], 22 de março

Rapariguinha

Chegaram aqui no Espinilho o Maneco e o Arquimedes, trazendo uma vasta papelada e tua carta de [ilegível] 11 do corrente. Mal tive tempo de ler e fazer esta resposta ligeira, apenas sobre os assuntos de urgência. A 24 devo estar de regresso a Santos Reis. Ando fazendo tropas para apurar uns cobres e remeter um auxílio à tua mãe. Daí poderás tirar para o presente à noiva, de acordo com a tua sugestão. A despesa não deve exceder de cinco pacotes, isto é, cinco mil cruzeiros, no máximo. Lá de Santos Reis mandarei a carta e escreverei com mais minúcias. O Paquet é um grande nome e deve entrar para o PTB e não para o PTN. Fala ao Salgado. Junto vai uma carta para tua mãe. Estás muito arteira. Podes continuar, mas evita os emissários do PSD paulista, dizendo-lhes que é melhor aguardar meu regresso ao Rio e que eu não tenho compromissos com ninguém, nem pretendo assumi-los daqui, longe do ambiente.

Saudades a todos, e um beijo do teu pai **Getulio**

1949

Nas duas páginas, Getulio e Maneco na Fazenda do Itu. Itaqui, RS, entre 1949 e 1950.

112 \ A · [Rio de Janeiro, 24 de março][1]

Meu querido pai

1949 Afinal o Jango apareceu e o grosso vai por ele. Pelo Miguel mando-te o papel de carta, não sei se é este, pois recebi duas amostras, uma daquele h... amarelado e outra que é a que vai. Sobre tua vinda conversei com Jango e ele te explicará. Há vantagens e inconveniências, porém não deves ficar aí além de maio. Ernani te manda um abraço.

Um beijo e saudades da **Alzira**

1. A data é atestada pelas cartas de Vargas, de 22 de fevereiro, solicitando a Alzira que lhe compre papéis de carta, e de 17 de março, pedindo que a filha lhe mande as encomendas pelo Major ou por Jango, "que também segue para aí", e por fim, pela carta de Alzira de 22 a 24 de março, em que esta avisa ao pai: "Hoje chegou o Jango". "24 de março. O Jango não me apareceu. Não sei o que houve. Na dúvida vou mandar esta pelo Miguel Teixeira que vai amanhã." O surgimento de Jango, quando não era mais aguardado, reforça a ideia de que o bilhete é do mesmo dia 24.

Leonel Brizola e Maneco na Fazenda do Itu. Itaqui, RS, entre 1949 e 1950.

113 \ A ▪ [Rio de Janeiro], 28 de março

Meu querido pai:

Estou te escrevendo na suposição de que o Major venha hoje buscar esta. Com a carta levada pelo Jango e o bilhete do Miguel Teixeira, creio que ficamos quites em matéria de resposta. Agora és tu que me deves, entre outras coisas a responder, a procuração.

1949

As coisas realizaram-se dentro do programa previsto com pequenas alterações. Os jornais andam alucinados para saber os detalhes, mas, apesar de ser já segredo de polichinelo, ainda não conseguiram furar. O encontro se deu em Volta Redonda, na fazenda do Savio Gama. Nereu saiu cedo de automóvel e voltou de avião com tempo de comparecer à sessão do Senado. Daí ninguém acreditar devido à exiguidade de tempo. Cirilo achou melhor não comparecer, em virtude da atitude anterior que havia assumido junto à bancada paulista, de franca hostilidade ao Adhemar. Foi como testemunha o Horácio Lafer. Adhemar parece que se ressentiu da troca e resolveu se fechar. Quanto ao caso local propriamente dito, dirigiu a conversa para o plano nacional. Garantiu mais uma vez que não pretendia ser candidato, provavelmente cruzando os dedos por baixo da mesa. Para evitar explorações dos jornais, que estão de olho no caso, Ernani ainda não conversou com Nereu, portanto ainda não tenho detalhes. O resumo foi dado pelo Lafer.

A UDN está furiosa com a contramanobra do PSD, achando que a conferência de Petrópolis devia ser a última palavra em matéria política, e que o PSD devia se conformar. Os jornais gritam Rebelião do PSD contra Dutra e ficam chovendo no molhado. Noticiaram há dias que iria um portador a São Borja para te consultar. Foi um "Deus nos acuda". O Epitácio saiu de seus cuidados para interpelar o Ernani, como é que ficaria o Salgado, se tu fosses consultado sem conhecimento dele. O Zé Cândido, idem, foi perguntar ao Ernani que história era essa, pois ele havia garantido já ao Eduardo o teu apoio à UDN. Ernani respondeu-lhe que se fizera isso agira levianamente, pois tudo o que havia era um elogio teu às belas qualidades brigadeiristas e uma anistia aos ataques udenistas, mas nenhum compromisso, como também não havia em relação ao PSD. Zé Cândido tonteou e respondeu que ele havia suposto isto em virtude da boa acolhida que vinha tendo do Bejo.

Logo que ele saiu acercou-se o Zé Augusto e disse ao Ernani: — "Comandante, tome muito cuidado com esse rapaz. Ele é agente provocador do Góes, de cuja residência é assíduo frequentador. Ele está procurando, por instrução daquele, forçar uma definição do Dr. Getulio em favor de um candidato ou de outro para fabricar pretexto para o candidato único. Estamos no mesmo barco para evitar isso, por esta razão lhe previno". Entre os dois Zés, parece que o Augusto merece mais fé. Vamos ver.

Vai junto uma nota que me foi trazida pelo Napoleão. Das notícias que te manda, somente a 3ª e a 5ª têm base. Informou-me ele que após estar tudo assentado para a eleição na Câmara Municipal, em torno do nome dele ou do Catalano (PSD – Nonô) para a Presidência,

1949 o Dutra mandou chamar o Ary Barroso para fazer valer no Distrito o acordo interpartidário e forçar uma liga PSD-UDN para afastar o PTB de todos os postos da Mesa. Ary naturalmente topou e o PSD se entregou. O prefeito ficou uma onça, porque o único apoio que tem lhe vem do PTB, e pediu demissão. Dutra negou e ele se recusou a voltar à prefeitura. Os jornais não noticiam o assunto. Napoleão está fazendo o possível para convencer o Mendes a não renunciar, garantindo a fidelidade do PTB *quand même*. Hoje é segunda-feira, deve já haver coisa nova, pois as eleições serão na sexta-feira.

———————

O Major acaba de telefonar. Não tenho tempo de esperar a volta do Ernani para te contar as novidades: ficará para a próxima. Do Epitacinho, nem sombra. Já cansei de deixar recados na casa dele dos quais ele não toma conhecimento.

Tudo o mais vai indo. Os fiscais de consumo estão projetando fretar um avião para um *raid* no dia de teu aniversário e me levarão como troféu. Pretendes estar em Santos Reis ou no Itu. [?] Diz ao Maneco que já lhe escrevi mentalmente várias cartas. Qualquer dia ele recebe uma delas.

Beija-te com todo carinho tua filha **Alzira**

Getulio e Ernani na Fazenda do Itu.
Itaqui, RS, entre 1949 e 1950.

114 \ A · [Rio de Janeiro], 28 de março (à noite)

Meu querido pai

Aproveitando a ida do Dr. João Neves, que segue para aí amanhã, escrevo-te esta para transmitir as últimas.

1949

Para poder entender a grande batalha da sucessão, que se está travando agora, é preciso supor que estamos dentro de uma casa de loucos e irresponsáveis (e ainda assim é difícil) brigando por causa de uma cadeira.

De dentro do Catete uma força que tanto pode se chamar Pereira Lyra, Góes, Dutra, Copa e Cozinha ou Benedito e que para simplificar chamaremos governo, tenta evitar que a cadeira caia nas mãos do inimigo Nº 1, ou de alguém por ele, e que se chama Getulio. Do lado de fora é ajudada por um grupo que assume os nomes de dutrismo, Vitorino Freire, Mangabeira, militarismo e democracia e que chamaremos de governismo. Combatendo ambos está o que se pode denominar forças políticas, gente com pequenas raízes eleitorais locais que faz qualquer jogo para evitar que a cadeira continue nas mesmas mãos. Há um terceiro grupo que é armazém de pancada, para inglês ver. Quando apanha de um lado é adulado pelo outro: é o ademarismo. Brincando de anjo no meio dessa balbúrdia está o petebismo, ignorante de tudo o que se passa em seu redor e gritando "nós queremos" sem saber direito o que quer. Por trás da cadeira há um vulto ameaçador que se chama "getulismo". Para sentar na cadeira é preciso ou dominar o vulto ou conquistar-lhe as boas graças. O grupo governo prefere a primeira hipótese, o grupo político inclina-se para a segunda.

Recapitulando: governo declara que só permite debate sucessório em 50, mas autoriza secretamente o governismo a tratar do assunto. Políticos concordam em esperar.

Governismo se impacienta, não sabe trabalhar calado. Para precipitar os acontecimentos provocam o Vulto ou Fantasma (entrevista Wainer). O Fantasma não se dá por achado. Resultado negativo. Tentam um golpe espetacular e obrigam o governo a descobrir o jogo tomando posição (entrevista de Petrópolis). Governo cai na esparrela e se arrepende. Recua e dá explicações aos Políticos. Estes aceitam. Governistas tentam o terceiro golpe, desta vez no armazém de pancada. Ameaçam-no de *impeachment* para forçá-lo a lançar a candidatura Canrobert. Não dispondo de maioria nem na UDN nem no PSD, o único veículo possível (Vitorino, POT, PTN e outros P seriam irrisórios) é Adhemar. Este se assusta realmente e vai bater com insistência à porta dos Políticos pedindo "socorro ou eu me entrego". Políticos resolvem agir. Encontro Adhemar-Nereu. Nereu afirma que serão consultados além dos partidos do acordo (PSD–UDN–PR) para a sucessão os chefes do PSP e do PTB. Adhemar respira. Primeiro passo para a conquista do Fantasma.

Governo tenta subjugar o dito Fantasma, dividindo o Rio Grande pela eleição do Costa para a presidência da Câmara. O golpe é evitado pelos Políticos ~~graças~~. A divisão do Rio Grande é prevenida por João Neves (cartas anteriores). Começa a ação dos Políticos (PSD sozinho). Entrevistas, consultas, declarações públicas de que o Pajé será consultado. Governo se encolhe, UDN se ressente. Acabou o resumo da ópera em português.

Encontramos agora à noite o Luzardo e o Neves. Este informou-nos da chegada, *démarches* e entrevista com Dutra do emissário do PSD gaúcho Xico Brochado. O encontro deu-se na presença do Pestana que é Canrobert. Brochado expôs ao Dutra incisivamente o ponto de vista do PSD do Rio Grande. Já que S. Excia. havia aberto as portas para debates,

1949 achavam-se no direito de prosseguir. Desejavam que o candidato saísse do Partido, Dutra concordou. Propunham para início de conversa o nome do Nereu, Dutra não se opôs. Diante disso Brochado perguntou pela candidatura Canrobert. Dutra respondeu que este não era candidato. Brochado alegou as entrevistas de Porto Alegre. – "Canrobert seguiu para os Estados Unidos e quando voltar declarará que não é candidato", retrucou S. Excia. Devido à versatilidade do informante, Neves não crê nesta declaração.

Como minha opinião, já dada anteriormente, é que o Dutra realmente não deseja o Canrobert e está sendo forçado a engoli-lo pela clique, creio que se ele puder tirar o Canrobert do brinquedo ele o fará.

Mais uma vez os destinos do Brasil dependem da atitude do Rio Grande. A força do Dutra reside na divisão do Rio Grande. Este, unido, significa derrota do governo. Sem São Paulo e sem Rio Grande, nada poderá fazer, pois conta apenas com Benedito (sem PSD) em Minas, Rio Grande do Norte, Alagoas, Maranhão, Mangabeira (sem a Bahia), e Filinto (sem Mato Grosso) e Dodsworth (sem força).

A degola do PTB na Câmara Municipal parece ser vingança do Grão de Bico pela derrota do Hildebrando no PSD (o que é que eu tenho com isto) ou talvez um meio de manter o Mendes de Moraes pendurado. Na minha imaginação o golpe de S. Excia. era esse. A UDN não apoia em hipótese alguma o prefeito e já o declarou, o PSD é minoria, o PTB preterido passaria a hostilizar o Girafa,[1] mantendo-o sob constante ameaça e com uma porta aberta para o Dutra se libertar dele quando conseguir se libertar da influência do Góes, que o mantém. Entenda se puder.

São 2 horas da manhã e meu raciocínio já está um tanto ou quanto fulismínico.

Não quis perder a gentileza do Dr. João Neves, por isso me deves hora e meia de sono.

Um sonolento beijo de tua filha **Alzira**

---

[1]. Refere-se possivelmente ao prefeito Ângelo Mendes de Moraes.

162 \ G · [Estância Santos Reis], 30 de março

Minha querida filha

De regresso a Santos Reis vou escrever-te esta, mais sobre assuntos caseiros, e aguardar portador.

No Itu a horta já está cercada com tela de arame. Tenho já um hortelão para tratar só desses assuntos de plantas. Não é um especializado, conhecedor da arte, mas parece-me um rapaz trabalhador e que gosta desta espécie de serviço. Deixei-o virando a terra da horta e preparando os canteiros, onde lançará as sementes para os viveiros. As sementes que me mandaste ficaram entregues ao Amaraldo, que fiscalizará o serviço. Estão faltando algumas sementes que já te mandei dizer: alface, beterraba etc. Daqueles caixões de terra que o Getulinho revirou, sempre nasceram várias mudas de mamão. É um viveiro que aguarda a época oportuna para ser plantado.

O Pinto deixou-me alguns pacotes de sementes, parece que de árvores ornamentais. Nada estava escrito. Ignoro a que espécies pertencem. Pergunta-lhe e informa-me.

Mudas. Realmente não é tempo agora para plantá-las. Mas, havendo portador, podem remetê-las, porque serão resguardadas em lugar apropriado e plantadas na época oportuna. Não esquecer as de pau-brasil e cambucá.

Em Santos Reis os parentes da Silvina pedem notícias dela, dizendo que há muito tempo não as recebem. No Itu perguntaram-me pela Umbelina. Assim manda-me dizer se ambas estão vivas e continuam nas mesmas funções.

Papel – manda-me mais deste que está se acabando.

Charutos – o Carlos Martins ([ilegível] ~~que não esqueceu~~) lembrou-se de mandar-me duas caixas de bons charutos. São os que estou fumando, mas duas caixas de 25 não dão para um mês. E os dos Estados Unidos, apesar das encomendas, até agora nada?

Napoleão – Não recebi, até agora, nenhum dado por ele remetido. Não me parece que seja tão difícil obter, uma vez que tudo está publicado. É preciso colher e ordenar.

Dilermando Cox – recebeste a carta para este agradecendo o livro, foi entregue?

Entrevista – Esteve aqui um americano, representante do *Times*, com recomendações, solicitando entrevista. Dei-a lá no Espinilho, e arrependi-me depois. Penso que esse americano não estava com boas intenções e vai falsear as cousas.

Viagem – Penso que ainda não devo ir agora. Será preferível no começo do inverno. Informa logo quando terminará meu prazo. Talvez tenha que pedir mais dois ou três meses de licença.

Viderol – Estou terminando o terceiro vidro e melhorando.

Junto vão duas cartas, uma para minha afilhada, outra para Maria. Foi o que pude arranjar. Se não te agradar não remete. O papel também não é diplomático, mas foi o que pude conseguir.

Não me disseste se havias recebido a carta para o Salgado, remetida por teu intermédio, sobre o Danton.

Recebi essa carta de meu amigo Conrado Veiga. Será conveniente avisar-lhe, como a outros que pretendam vir a 19 de abril, que nessa data estarei viajando, sendo difícil encontrar-me. O retrato ele poderá entregar-te ou aguardar meu regresso ao Rio.

1949

1949   Estava com esta carta pronta, aguardando portador, quando recebi tua carta de 22 trazida pelo Jango. Alguns dos assuntos constantes da mesma respondem vários itens da minha carta, outros não. Aí verificarás. Há, porém, assunto urgente. Preciso demorar-me ainda três meses aqui. Posso ou não pedir três meses de licença ao Senado? Não sei o que diz o regimento interno, reformado na minha ausência. Creio, porém, que ele não pode revogar a Constituição, criando novos casos de perda do mandato. Esta estabelece como condição para perda do mandato a ausência de seis meses sem licença. Ora, eu não esgotei os seis meses de ausência sem licença. Este parece-me o ponto principal. Esclarece isso e informa-me.

Vão junto as procurações pedidas.

Saudades a todos e um beijo do teu pai **Getulio**

PS.: Fiz um passe de 40.000 cruzeiros para tua mãe. Ela precisa ir se aguentando com isso, por enquanto.

163 \ G · [Estância Santos Reis], 30 de março

Rapariguinha

Estou com uma longa carta para remeter, à espera de portador. Havendo um daqui para Porto Alegre vou aproveitá-lo para remeter por ele as procurações, ficando o resto à espera.

Dize ao Napoleão que eu desejo um relato resumido, algarismático, feito por ele, de acordo com a nota que lhe entreguei. Não adianta enviar-me recortes de jornais. Não os leio, nem acredito neles.

Abrs. do teu pai **Getulio**

1949

Vou telegrafar pedindo três meses de licença ao Senado. Dize ao Amaral para prevenir o Nereu e o Salgado, para que o assunto não tenha dificuldades.

Na página ao lado, Alzira e Ernani na Fazenda do Itu.
Itaqui, RS, entre 1948 e 1950.

115 \ A · [Rio de Janeiro], 1 de abril

Meu querido pai

1949   Estava eu aqui <u>bolando</u> um meio de te escrever seguramente, quando me telefonou o Helvécio Xavier Lopes, oferecendo a ida de um primo dele que deseja ir te visitar. Aproveito. O que te vou contar, continuação do "romance" levado pelo João Neves, não é agradável para ti nem para mim, mas é preciso.

Conforme mandei te dizer o PSD deu a primeira arrancada lançando pânico, desânimo e raiva nos campos udenistas e governistas. Sabíamos de antemão que o negócio não ia ser tão fácil e que a reação viria. Só não podia prever a origem e a direção. Há duas correntes de opinião se desenvolvendo. Uma — Getulio só poderá ser candidato com todas as probabilidades de derrota asseguradas. Isto não é difícil, basta cavar um fosso profundo entre o PTB e todas as correntes políticas locais impossibilitando a este todo e qualquer veículo de aproximação com o eleitorado. Técnica — obrigar o PTB a levantar já a tese partidária do candidato próprio: Getulio ou Salgado (tal e qual como nos casos do Rio Grande e São Paulo) e te colocarem depois diante do fato consumado e de mãos atadas. Ou segue a orientação do partido ou sujeita-o à desagregação total em cada estado. Origem desta corrente — Góes. Seus instrumentos aparentes: Barreto Pinto, Epitácio, Zé Cândido e talvez Baeta. A outra corrente — Getulio não pode ser o árbitro das eleições e fazer o candidato <u>civil</u>, quer seja da UDN quer do PSD. Isto é mais difícil: primeiro porque o pai desta corrente é menos inteligente que o outro, segundo porque os interesses não são comuns. Técnica — criar entre os políticos o temor do golpe militar, e medo de serem envolvidos junto contigo. Origem — Dutra. Instrumentos inconscientes: Salgado, PSD gaúcho.

Para evitar a vitória de qualquer destas correntes tenho feito o possível para que o PTB faça no momento o jogo do PSD, mantendo contato com os maiorais deste e não deixando vingar a tese do candidato próprio. Explico-lhes que isso não importa em apoio à candidatura Nereu, é apenas para te deixar as mãos livres para decidir como, quando e onde julgares oportuno. Encontrei compreensão e colaboração no Landulfo, Euzébio, Gurgel e Maciel (Carlos) e Napoleão.

Nada posso fazer em relação ao Salgado pessoalmente porque ele está em causa e julga que eu também esteja. Dentro do PTB meu adversário mais forte é mestre Epitácio, que usa os mesmos métodos do Adhemar, neca de escrúpulos. Agora, ele e mais seu Barreto Pinto lançaram uma campanha financeira e andam passando listas achacando teus amigos e admiradores. Ora usam do teu nome, ora do Salgado. Dizem precisar de 10 mil contos para lançar tua candidatura. Vão comprar dois aviões para correr o país em campanha, de norte a sul e de leste a oeste, gasolina em *stock* e material de propaganda. Os getulistas que desejam isto estão caindo como patinhos, os amigos destes, que não são getulistas, se revoltam e saem falando porque a sangria é feita em teu nome. Consegui evitar que alguns caíssem, mas não posso estar em toda parte.

Há três dias ainda o Sr. Epitácio chamou ao Ruy Almeida, Gurgel e Baeta e, dizendo-lhes que precisavam estar a par das manobras do PSD, convidou-os para um encontro com o Cirilo. Lá chegando pediu licença para falar em nome de todos. Inicialmente e sem preparo prévio disse ao Cirilo que tu eras o candidato natural do PTB de qualquer maneira. Este, que estava a par da manobra do PSD de te procurar, levou um choque e respondeu: "Naturalmente, se o Dr. Getulio quiser". "Se ele não quiser ou não puder, devido à situação militar, **1949** será o Salgado", retrucou Epitácio. E a seguir declarou que era uma desconsideração ao Salgado as combinações políticas serem feitas diretamente contigo à revelia deste. Atacou com violência o Nereu, atribuindo-lhe todas as más intenções possíveis, por seu encontro com o Adhemar. Daí passou para o Ernani, a quem homenageou com todas as honras de promoção do dito encontro, atacando-o não só política como pessoalmente a ponto do Cirilo e do próprio Baeta protestarem.

Gurgel, a pedido do Baeta, veio me contar o ocorrido, sem entender. Esclareci-o dizendo que Epitácio, pretendendo fazer o jogo do Salgado, estava deliberadamente fazendo o jogo do Góes e que era necessário que ele usasse da cabeça e procurasse aparar esses golpes sem provocar brigas dentro do PTB porque era este o jogo do adversário. Já que Epitácio não podia manobrar o partido dentro da secretaria, uma cisão também seria interessante.

Hoje Ernesto informou ao Ernani que Epitácio esteve em conferência com o Góes no Senado durante duas horas.

———————

Gurgel foi procurado por elementos do Adhemar que o convidaram a ir ter um entendimento com ele já com as passagens de avião no bolso. Aconselhei-o a não ir, mas a deixar a porta aberta. Adhemar, a meu ver, pretendia fazer com o *leader* do PTB o mesmo *show* que fez com o Nereu para contra-atacar. Interessa manter o Bichão vivo, mas não vivo demais.

———————

Estou sem notícias tuas e sem orientação, não sei se estou falando demais ou de menos e se achas que estou na boa pista. Que diabo, pulmão é pulmão, não é cérebro.

———————

Cipriano informou ao Ernani que o Pedro Batista Martins ~~esteve~~ vai conferenciar com o Milton Campos e deseja ~~agora~~ depois ir a São Borja conversar contigo, porém não credenciado. Se não fosse um cavalheiro de indústria tão conhecido seria interessante para desmoralizar de vez a UDN.

———————

O PSD está agora fazendo jogo franco e aberto pró-Nereu para manter S. Excia. assustado e debaixo de pressão.

———————

Através de minhas ligações róseas soube que a ida do Canrobert aos Estados Unidos é uma espécie de pedido de beneplácito para sua candidatura. Daí o jogo do PSD estar se tornando perigoso para eles e para nós. Lançado Nereu, a UDN, para não ficar mal, atira-se à luta com outro nome, Adhemar vê suas chances crescerem com a divisão de forças e se lança também. O PTB toma o freio nos dentes e levanta a tua candidatura ou a do Salgado.

1949 Para acalmar os ânimos então o Exército intervém. Que tal? Esse velho Góes é diabólico. Pena é que se repete.

Soube hoje que o intermediário entre Juracy e Salgado no caso da Bahia é o Vargas Netto, que passa longas horas em amistoso bate-papo com o trêfego baiano, e seu denominador comum é o Chatô.

———

Góes está fazendo a propaganda do Oswaldo Aranha. Ainda não consegui penetrar neste setor.

———

A Câmara Municipal continua no mesmo impasse. O dono do PSD é o Henrique, que está fazendo o jogo do Dutra. O Mendes está danado com ele. Esta parada está valendo ouro. Dutra quer se ver livre do Mendes mas não tem coragem para demiti-lo. E este quer ser demitido mas com cartaz, para fazer média com a opinião pública para voltar senador.

———

Os casos com a comissão de reestruturação em São Paulo já estão começando. Vai dar pano para mangas.

———

Confirmação. Nereu informou que Epitácio tem ido seguidamente ao Senado. Sempre que ele chega Góes se retira do plenário e vão conversar.

———

Aniversários do mês: Wanda dia 4, Maria dia 7, Regina Castro Neves dia 14 (Aires Saldanha 16), Maria Luiza Amaral Peixoto dia 20 (Rui Barbosa 664), Jandyra dia 23.

———

Beija-te com todo carinho tua filha **Alzira**

———

Amanhã vou buscar D. Celina em Teresópolis e volto logo.

164 \ G · [Estância Santos Reis], 3 de abril

Rapariguinha

Já te havia escrito duas cartas com procurações e outros acessórios, aguardando a vinda do Major, para entregar-lhe. Como este demorasse remeti uma pelo Nello para entregar ao Dinarte em Porto Alegre. A outra dei ao Heckel (Tenente), que segue para aí terça-feira. Acusa logo o recebimento, pois não tive outra oportunidade. Vou dar tempo que recebas esta e telegrafar pedindo três meses de licença ao Senado. O Amaral deve falar ao Nereu e ao Salgado, para que não haja dificuldade. Só em junho pretendo estar aí. Foi uma boa tacada o encontro Nereu-Adhemar. As *démarches* do Grão de Bico estão lhe dando água pela barba. Sobre emissários que pretendam vir aqui recebo a quem quiser, não tenho que dar satisfações, desde que não assuma compromissos. Os zelos do menino são, portanto, extemporâneos.

Saudades a todos e um beijo do teu pai **Getulio**

1949

Getulio na Fazenda do Itu. Itaqui, RS, entre 1949 e 1950.

116 \ A · [Rio de Janeiro], 7 de abril

Meu querido pai

1949   Recebi dois bilhetes, uma carta e as procurações e adendos. Tudo legal. Só não veio a aprovação quanto ao presente e a base de orçamento. Vou ver como posso me safar. Estás me devendo várias respostas. Escrevi-te pelo Arquimedes, pelo Miguel Teixeira, pelo Tenente Kastrup e pelo João Neves, que será o portador desta também. Preciso que me esclareças sobre vários assuntos que te mandei, senão não brinco mais.

1º) Não te mandei sementes de alface e beterraba porque não havia no momento. Estão esperando dos Estados Unidos. As sementes do Pinto parece que são casuarinas, mas ele irá por aí breve e te dirá. Quanto às mudas, se não é tempo é melhor não mandar, para que a mudança brusca de clima não as prejudique.

2º) A Silvina e a Umbelina estão em forma e a postos. Ambas falam muito em ti e nas respectivas fazendas e pessoal de seu conhecimento. Ambas pedem para dar lembranças.

3º) Charutos virão pelo Simões agora. Há dificuldade de transporte e falta de dólares. Mandei-te do *stock*, que aliás precisa ser fumado para não bichar. Irá mais em breve.

4º) Napoleão esteve aqui ontem, deixou esta carta e recortes para te remeter. Disse-me que está coletando muita coisa mas ainda não me deu. Pede-te uma resposta para sua carta. A proposta de entrevista nela contida é interessante. As Folhas de S. Paulo[1] pertencem a um grupo independente do qual faz parte o Benedito Costa Neto. Querem a entrevista apenas como furo jornalístico, sem interesse direto de grupos políticos. Mando-te junto um recorte de uma das Folhas encerrando o tal concurso popular, cujo primeiro resultado te mandei pelo Jango. O Adhemar, aborrecido com o resultado que lhe dava grande desvantagem, tentou comprar o jornal. Enquanto estavam discutindo o assunto mandava seus cupinchas comprarem as edições para alterar os resultados. Daí sua ascensão e o encerramento do concurso.

5º) Foram entregues as cartas do Cox, por intermédio do Isnard, e a do Salgado pessoalmente. Salgado pretende ir em breve aí conversar contigo sobre a tal reunião e eleição da Executiva e Diretório. Seria interessante lembrares ao Salgado a inclusão do Carlos Maciel (em vez do Capitão Queiroz, que não quer nada com política). É um excelente rapaz, dedicado e seguro. Peço-te fazê-lo sem descobrir meu jogo. Euzébio Rocha também veio pleitear sua inclusão. Ele tem agido com mais serenidade agora.

6º) A entrevista concedida ao *Times* teve ótima repercussão e todo mundo gostou. Pode ficar tranquilo.

7º) Estou de pleno acordo quanto à vinda. Creio, porém, não ser necessário telegrafares pedindo nova licença. A falsificação do E. foi aceita, em todo caso Ernani vai conversar com Nereu. Se for necessário telegrafarei, do contrário não. Minha única dúvida era quanto a ficares com a impossibilidade de pedir licenças futuras. O regimento da Câmara autoriza cada deputado a ter três licenças de seis meses durante uma legislatura, e já estás na terceira. Parece que o regimento do Senado não cogita disto.

---

1. Integravam o grupo Folhas de São Paulo os jornais *Folha da Manhã*, *Folha da Tarde* e *Folha da Noite*, além da *Folha Agropecuária*, que só saía aos sábados.

8º) Viderol vou remeter outro vidro junto com os charutos. Não quero abusar do oferecimento do João Neves.

9º) Vou tentar desfazer a ida do pessoal a São Borja, em cuja companhia pretendia ir o Conrado Veiga. Eu também iria com eles. Celina se apresentou voluntária para o anaversário do vovô. Disse que não podia levá-la por causa da viagem, começou a chorar.

10º) Vai um recorte de jornal com umas piadas relativas às traquinices do Sr. Pedro Batista, que já relatei em carta anterior.

11º) Afinal veio a furo a entrevista do Zé Pessoa. Protestos, brigas, deixa-disso, Zé Pessoa desmentiu e os jornais calaram.

12º) O Drault Ernany, financiador da campanha Juracy à presidência da Bahia, prometeu-lhe promover a pacificação com Pinto Aleixo. Chatô convidou Landulfo no gabinete do Salgado para batizar um avião na Bahia e se harmonizar com Pinto Aleixo. Chatô afirmou ao Juracy que obteria por intermédio do Salgado seu apoio. Juracy está se ajeitando com Mangabeira para ser candidato oficial. Está sendo repelido pelos mangabeiristas.

13º) As negociações políticas estão paralisadas no momento. Só ferverão novamente depois da volta de S. Excia. dos Estados Unidos. As manobras agora estão sendo feitas por baixo e cautelosamente.

14º) Parece que o emissário do PSD será o Pinto Aleixo, em vez do Agamenon. Está tudo em suspenso.

15º) O Samuel Wainer anda entoando tuas loas particularmente e anda uma quantidade de repórteres se assanhando para ir até aí.

Por hoje é só. Vou terminar para não perder o portador.

Beija-te com carinho tua filha **Alzira**

Ernani e Celina mandam saudades

1949

165 \ G · [Estância Santos Reis], 7 de abril

Minha querida filha

1949 Estiveram aqui os Srs. Luiz F. Kastrup e Carlos O. Michelet, um capitão, outro tenente da reserva. São dois rapazes muito simpáticos e foi um prazer recebê-los. Recomendo--os à tua atenção. Trouxeram-me duas cartas tuas, uma de 28 de março e outra de 1º do corrente. Os assuntos são muito complexos para responder imediatamente, pois os portadores estão esperando, para regressar.

Quanto ao menino[1] a que te referes, quando ele aqui esteve disse-me que fora procurado pelo Ivo d'Aquino solicitando apoio à candidatura Nereu e ele contestara que não era possível. Desaprovei dizendo que não poderia falar assim sem estar autorizado. Disse-me que estava autorizado pelo Salgado. Retruquei-lhe – a recomendação que fiz ao Salgado foi de fortalecer o PTB e não assumir compromissos. Quanto ao rapaz, a recomendação que lhe fiz foi declarar a quem perguntasse que eu não pretendia ser candidato e não tinha nenhum compromisso. Não comprometer-se quer negando quer concedendo apoio a esta ou àquela candidatura. Também o lançamento prematuro ou leviano de um candidato do PTB, ~~não~~ feito à minha revelia, não importa em compromisso de minha parte. Tudo mais é mexerico.

Já seguiram três cartas minhas das quais não tive contestação. A última foi levada pelo Major. Junto a esta vai uma carta para tua mãe. Terminei hoje o último vidro de Viderol. Dia 11 seguirei para o Itu e de lá para o Espinilho. Não posso evitar que no dia 19 venham algumas pessoas de municípios vizinhos visitar-me. Esses serão recebidos na granja do Jango, aonde irei de avião comer um churrasco com eles, regressando em seguida. Assim não ficaremos uns dependendo dos outros, uns para ficar, outros para regressar.

Por hoje é só.

Saudades a todos e um beijo do teu pai. **Getulio**

---

1. Trata-se de Epitácio Pessoa Cavalcanti de Albuquerque.

166 \ **G** · [Estância Santos Reis], 8 de abril

Rapariguinha

Pelas tuas cartas ontem recebidas as cousas políticas por aí estão muito confusas e há muito mexerico. As hipóteses que formulas são bastante complexas e não sei se as pessoas a quem as atribuis têm a inteligência que lhes concedes. Mesmo que tenham, o eleitorado pode não sancionar as combinações feitas. A hipótese de um golpe desfechado pelos próprios donos dessa democracia viria de tal forma desmoralizá-los que dificilmente se aguentariam. E seria muito engraçado! A ideia do PTB apresentar candidato próprio talvez tenha o apoio do Góes, para enfraquecer o Nereu. Mas da parte do PTB os motivos são diferentes. Os que estão de boa-fé, a massa, em geral, acredita que poderá eleger-me. Quanto aos candidatos ~~fortuitos que~~ desejam que também eu o seja, mesmo para a derrota. Alegam que isso fortalecerá o partido e pensam, embora não digam, eleger-se à minha custa deputados e vereadores. O plano de candidato para derrota com o objetivo de fortalecer o partido, alguns têm me dito pessoalmente, e outros por cartas! Eis o interesse dos candidatos quanto ao meu nome. Se eu recusar, então o Salgado com o meu apoio. Não é agradável para mim, mas convém a eles e é humano! Não seguiriam a opinião do Góes se isso não estivesse de acordo com o interesse deles.

Tua lista de aniversários, para uns, chegou tarde, para outros, quando chegar estarei viajando, fora do alcance de telégrafos e telefones. Encarrega-te dos cumprimentos de acordo com o grau de amizade das pessoas. Há alguns dias telegrafei pedindo três meses de licença ao Senado. Nada vi nos jornais. Acompanha o andamento disso. Como vai a mãe do João Neves, foi operada, melhorou? Dize-lhe que recebi sua carta, muito bem informada e bem observada. Ainda não lhe escrevi porque ele andava viajando e deve ter mais novidades a contar-me que eu a ele. O que eu sei tu também sabes e podes contar-lhe.

E fico hoje por aqui à espera de portador.

Beijos do teu pai **Getulio**

1949

PS.: O papel que eu recebi é bom, mas em folhas soltas. Eu prefiro como este, mas em forma de caderno ou bloco.

167 \ G · [Estância Santos Reis], 10 de abril

Minha querida filha

1949 Tenho respondido todas as tuas cartas e espero que, a esta hora, as respostas já tenham chegado ao teu conhecimento. Recebi agora, trazida pelo Maneco, a de 7 do corrente. Estou de viagem amanhã para o Itu e lá estarei até 19. Nesse dia irei de avião à granja do Jango para um churrasco. Após regressarei para Santos Reis. Dize ao Napoleão que estando muito atarefado não tenho tempo de responder suas cartas. Farei depois e então responderei também a respeito da entrevista. Aguarde a resposta. Antes disso, não.

Vão junto, para entregar à tua mãe, os papéis por ela remetidos devidamente assinados. Seria preferível que ela me remetesse uma caderneta de cheques. Eu os devolveria assinados e ela iria enchendo e retirando, à medida que precisasse. Escrevi a ela uma longa carta que deve estar em caminho, bem como mais duas ou três para ti.

Saudades a todos e beijos do teu pai **Getulio**

168 \ G · [Estância Santos Reis], 10 de abril

Alzira, pela tua de 7 do corrente, parece que houve extravio de uma carta minha. Antes da remessa das procurações e do dinheiro enviado à tua mãe, enviei-te uma carta aprovando a sugestão do presente fixando o limite de 5 mil cruzeiros e dizendo que o pagamento seria feito por conta desse dinheiro que ia remeter. Não me recordo por quem foi essa carta. Ainda não a recebeste. Agora é mesmo um bilhete.

Abrs. do **Getulio**

117 \ A · [Rio de Janeiro], 11 de abril

Meu querido pai

Sigo hoje para Cabo Frio, onde vou passar a Semana Santa em casa do Miguel Couto, e vou deixar esta carta e mais charutos, papel de carta, Viderol e *Sei Tudo* para seguir pelo primeiro portador que aparecer. Provavelmente será o Salgado, com quem conversei hoje de manhã.

1949

Continuo sem notícias tuas. A última carta que recebi foi a trazida pelo Heckel com as procurações. Que é que há? Falta de portador, trabalho, doença, preguiça ou minha média está baixa?

Pretendia ir até aí no dia 19, mas ainda não sei se poderei. Estava convidada pelo grupo dos fiscais de consumo, mas conforme tuas ordens desfiz a viagem. Volto no dia 18 de manhã. Se houver oportunidade ainda estouro por aí.

Encomendei charutos para te mandar mas as dificuldades de importação são enormes.

Mamãe está sentida porque não respondes suas cartas.

A política, depois daqueles arrancos iniciais, perdeu o impulso e está fuxicando. Anteontem saiu a proclamação do Estillac na mesma orientação da do Pessoa, só que com outra elevação e autoridade. Salgado leu-a no Senado e desta vez o Góes quase não estrilou. O homem tem comando na mão...

O caso de São Paulo estourou antes do tempo. O diretório resolveu destituir o Major Newton, está uma trapalhada dos diabos. Ainda não sei detalhes, mas parece que há dedo do Horta e do Zé Barbosa manobrados não sei por quem.

Mestre Epitácio continua desaparecido, consta que ele também andou metido no caso paulista.

Jandyra deve voltar para casa no dia 23, aniversário dela. Creio que preciso estar aqui para ajudar Mamãe a preparar-lhe a casa e os filhos.

Há grandes preparativos aqui para comemorar o dia 19. Vamos ver em que dá.

Por hoje fico aqui, que ainda tenho de preparar a bagagem.

Com muitas saudades e muito carinho vai um beijo de tua filha **Alzira**

169 \ G · [Fazenda do Itu, de 12 a 18 de abril]

Rapariguinha

1949 Aqui estou no Itu, desde ontem, 11, e daqui começo a escrever-te, em forma de ~~nota~~ diário, para não esquecer-me. Estou tropeando e permanecerei por aqui até 19. Nesse dia irei de avião ao churrasco na granja do Jango e de lá regressarei para Santos Reis. Assunto presente afilhada, que reclamas resposta, já te escrevi autorizando a despesa até 5 mil cruzeiros, por conta da verba remetida à tua mãe.

Mudas – O critério não deve ser da época do plantio, mas da oportunidade dum bom portador. Só a geada pode prejudicá-las e elas ficarão bem resguardadas, sem nenhum risco, ~~aguardando~~ esperando a época própria. Recebi as sementes remetidas. Estão faltando ainda as de repolho, e podes mandar um pouco mais de ervilha.

Quanto à política, por aqui não há novidade e, até agora, 12, não recebi mais emissários. Também não tenho pressa em recebê-los. Aproveito-os, no entanto, para me levarem a correspondência. Entregaste meus cartões ao Junqueira e Segadas? Então o general da entrevista cuspiu e lambeu!

13 de abril · Começamos o aparte. Tive um prejuízo. Perdi no campo minha charuteira com três charutos. Era uma charuteira simples, de couro, com as minhas iniciais. Acompanhava-me há muito tempo. Foi presente da Lourdes Lima, quando veio da Europa. Manda-me outra daí. Coisa simples, pra campanha.

14 de abril · Dize ao Napoleão que, além das informações que lhe dei por escrito, peço-lhe que me mande uma informação sucinta dos principais escândalos ou deslizes administrativos do atual governo, como por exemplo – Banco do Brasil, créditos a empresas jornalísticas, 17 milhões ao *Diário Carioca* etc., e outros protegidos, casa *Jornal do Commercio*, pagamentos empresa Laje, refinarias de petróleo, empréstimo café, de que tenho apenas notícias vagas e outras que ele souber. Tudo isso é reservado, para que eu possa usar ou não, conforme as circunstâncias.

15 de abril · Chegaram aqui hoje o Jango e o Major Newton. Trouxeram várias cousas que tua mãe mandou. Não te encontraram porque estavas em Teresópolis. Perdi assim uma boa ocasião de saber se havias recebido minhas cartas e ter notícias novas dos acontecimentos políticos.

E o Amaral, ainda não foi chamado pelo Grão de Bico? Parece que depois da entrevista [do] Samuel Wainer ele perdeu o apetite dessa palestra ou suspendeu as negociações que havia iniciado, pelo seu resultado pouco satisfatório.

16 de abril · Fui abrir a caixa de charutos e encontrei tua carta com a revista. Havias deixado tudo pronto antes de seguir para Cabo Frio, passar a semana santa.

Tenho escrito seguido, mas como não acusas as que vais recebendo, fico sempre em dúvida sobre quais as que chegaram a destino. Para tua mãe mandei uma longa carta. Se não foi o Heckel o portador, foi o Kastrup.

À vista das dificuldades para obter charutos, receio muito que se esgote aí o meu estoque. Isto será o diabo. Terei de fumar mata-ratos que me estragam o estômago, uma azia danada!

Aproveita a viagem do Grão de Bico e faze uma encomenda por ele!

O Manhães mandou-me uma charuteira. Assim fica sem efeito a encomenda.

O assunto de São Paulo está sendo manejado pelo Ministério do Trabalho, com dinheiro do Sesi. Eles tudo farão para sabotar a reorganização do PTB em São Paulo. Esse é o começo, com suborno. É preciso que o Salgado mantenha uma atitude muito firme, ao lado da comissão. Do contrário eu tomarei uma atitude que irá surpreender e incomodar muita gente.

17 de abril • Existe por aqui a crença de que o feijão (soja) não serve para a alimentação humana. Manda-me alguns informes com instruções agrícolas sobre o mesmo – plantio, qualidades nutritivas, modo de preparo etc. O Jesuíno é formado também em feijão-soja.

18 de abril • Tu bem poderias ter vindo com a turma de fiscais. Eu avisei em tempo sobre a mudança de programa, isto é, a festa na granja do Jango etc. A demora da correspondência e tua ida para Cabo Frio certamente não permitiram a recomposição.

Disseram-me que o Salgado chegaria aqui a 17. Até agora, porém, não tenho notícias.

Lembranças ao Amaral, dize à Celina que o vovô está com saudades dela e recebe um beijo do teu pai que amanhã estará mais velho.

Diz o Major Newton que tem possibilidade de encontrar comprador para o terreno. Escrevo por ele ao Bejo. **Getulio**

Ernani na Fazenda do Itu. Itaqui, RS, 1949.

118 \ A · [Rio de Janeiro], 18 de abril

Meu querido pai

1949   Cheguei ontem à noite de Cabo Frio e hoje pretendia te escrever com toda a calma, mas não me deram tempo. Desfilou gente em quantidade toda a tarde e agora às nove horas o Joel Presídio passará para apanhar as cartas e os presentes. As sementes são do Pinto e os charutos são presentes da Celina para o vovô. Foi uma verdadeira África obter esse pingo, não há charutos no Rio. Desta vez não poderei ir te levar o meu abraço como das outras vezes, mas são tantos os que levarás amanhã que não terás tempo de sentir falta do meu. Além disso sabes que sou muito egoísta, não gosto de divisões. Quando estás só eu vou, quando há multidão fico no meu posto de mirone.

Recebi duas cartas tuas, uma trazida pelo Jango na minha ausência e outra pelos rapazes Kastrup e Michelet. Voltaram entusiasmados e querem trabalhar.

Depois, com calma, examinarei tuas observações sobre meus palpites, formulados com o objetivo de te esclarecer e não de orientar.

Não tenho a menor ilusão quanto às possibilidades do PTB vir a ser um partido realmente organizado e disciplinado. Os interesses para que ele não o seja são muito grandes e vêm de fontes as mais diversas, e exploram a vaidade de uns e a ambição de outros. Nem sempre os agentes provocadores agem com plena consciência e conhecimento. É possível também que eu esteja tão prevenida contra determinados elementos que carregue um pouco nas tintas. O tempo dirá se sou demasiado pessimista.

Tua licença já foi concedida.

Ernani andou viajando pelo interior do estado enquanto nós tomávamos sal e sol em Cabo Frio. Celina adorou a praia.

Houve vários fatos curiosos que ele me contou. Saliento dois para ti. Em casa de um turco Ernani foi levado ao quarto. Abriram o cofre e lá dentro havia um retrato teu vedando a entrada e uma N. Sra. das Graças atrás. O turco explicou: Dizem que esta santa é muito milagreira. Ela está presa aí. Se quiser sair tem que empurrar Getulio na Presidência.

Outro, português, carregou Ernani para a cozinha, chamou a mulher e disse: "Olha, mulher, é o genro do nosso homem. Abraça ele".

O interior está minado de getulismo. Se a eleição fosse a grito seria uma sopa. Como não é e não temos organização partidária e poucas probabilidades de vir a ter, precisamos agir com o coco. Fazer o jogo dos outros partidos para que estes façam o nosso.

O Joel e a sua "muralha" baiana estão muito queixosos do Salgado, a quem atribuem desígnios tenebrosos. Convém ouvi-los, para não me chamares mais tarde de "Cassandra de 5 mil réis".

A última novidade surgida agora é que o candidato real do Grão de Bico é um dos dois cardeais, o do Rio ou o de São Paulo. Informações do Bias e do Agamenon. Não se pôde ainda

1949

apurar se é piada ou se são as reais intenções do homem. Como ele é capaz disso: misturar Exército, religião e política, não é de desprezar. O que é real é que Canrobert não é candidato do peito e que ele tem qualquer golpe baixo premeditado. É melhor não comentar o fato por enquanto até ter certeza para se poder aparar o golpe.

Maria Luiza, D. Lidia, D. Carlota e várias outras fanzocas estão telefonando para te transmitir abraços.

Celina levou uma queda ontem e me deu um grande susto. Não foi nada de maior, felizmente, e ela está aqui ao lado te mandando um beijo.

Ernani te manda um grande abraço.

Tua *fan* Helena Maria Brasil acaba de telefonar também.

Beija-te com todo o carinho desejando-te todas as felicidades hoje e sempre **Alzira**

Getulio na Fazenda do Itu. Itaqui, RS, entre 1946 e 1949.

170 \ G · [Estância Santos Reis], 20 de abril

Minha querida filha

1949 Recebi tua carta de 18, com os charutos remetidos pela Celina que muito agradeço, bem [como] uma caixa enviada pelo Florêncio e outra pelo embaixador Saint-Brisson. Esses presentes e a remessa que fizeste pouco antes deixaram-me meio folgado.

Andei um tanto atarefado com as festividades do dia 19, churrasco, discursos e muita gente para atender lá e no dia seguinte aqui em Santos Reis. O Maneco foi o herói da organização e tudo saiu bem.

Dei uma entrevista ao repórter Pacheco, para *Diretrizes*. Ele trazia muita perguntinha de algibeira, sobre tricas políticas e hipóteses sobre eventos possíveis. Só falei em termos gerais a respeito de assuntos econômicos e dei umas estocadas no Grão de Bico. Quando esta chegar a ti, já a entrevista terá sido publicada. Receio alguma adulteração. Não confio nessa gente.

Não pude conversar a sós com o Salgado. Escrevi-lhe depois pelo Dinarte que o encontraria em Porto Alegre, dando-lhe meu ponto de vista sobre a organização da política nos estados, principalmente São Paulo. O menino está mexendo muito. Já trazia solução para São Paulo, dando a comissão como liquidada. Tive que brecar o seu avanço. Receio muito que se volte à confusão anterior, impregnada de borghismo, ademarismo, novelismo e aventureirismo. E não estou mais disposto a servir de amparo a estas mistificações.

Confio no bom-senso do Salgado, mas é preciso ação. Tratei também de Minas, Bahia e Pernambuco, onde o PTB está sem autoridade, para só falar nos grandes. Aqui é ainda onde está melhor. Consta-me que em São Paulo quem está trabalhando para sabotar a reestruturação é o Ministério do Trabalho, com o dinheiro do Sesi.

E o acordo de Minas – Milton *versus* Benedito, dizem que está feito?!

Se o PTB do Rio Grande fizer o presidente da Assembleia o Jobim ficará na situação do Adhemar. Mas receio muito uma felonia!

Recebi as sementes do Pinto, mas ignoro a que espécie pertencem. E o presente para a afilhada, como resolveste?

Saudades a todos e um beijo do teu pai **Getulio**

119 \ A · [Rio de Janeiro, entre 20 de abril e 5 de maio]

Meu querido pai

Já te havia escrito outra carta, debaixo de dor de cabeça, quando passou por aqui o Major exigindo outra. Tomei uma cafiaspirina e cá estou de novo.

Ainda não estive com o Salgado depois de sua volta daí porque nos desencontramos. Ignoro as razões que ele possa ter para retardar tanto a nomeação do representante da Comissão Central junto à Comissão de Reestruturação. Sejam elas quais forem, porém, três meses é tempo suficiente para contorná-las.

Depois do fracasso público da lembrança dos nomes do Prestes Maia e Nelson Rego, surgiu o Canuto. Parece no entanto que este, por razões particulares que o Major te explicará, não está em condições de exercer o cargo. Está em pauta o nome do Fiori. O Major acha que serve. O grupo anti-Baeta, que é grande, não quer. O Salgado teme um rompimento ou aborrecimentos, por isso não ata nem desata. Minha situação é "pecuária". Se procurar assessorar o Salgado este não gostará, com razão. Tenho de trabalhar com diplomacia e confesso que não é o meu forte.

Dentro do pacote tens charutos e algumas notícias de jornais e informações para as quais chamo tua atenção especial. Celina está aqui a meu lado e te manda um beijo.

Beija-te com carinho tua filha **Alzira**

1949

Getulio na Fazenda do Itu.
Itaqui, RS, entre 1949 e 1951.

120 \ A · [Rio de Janeiro, de 21 a 22 de abril]

Meu querido pai

1949 Começo hoje o prometido relatório e se me derem tempo será bem fornido. Material há. Em primeiro lugar, revisão das cartas anteriores.

30 de março · Indaguei do Pinto sobre as sementes. Disse que não se lembra mais, que te disse na ocasião. Recorda-se apenas de mamão e *flamboyant*. Papel: já te mandei uma remessa desse papel de embrulho que usas para escrever. Tenho aqui três blocos de papel decente, timbrado do Senado, envelopes etc. para remeter quando houver portador. Quem me trouxe foi o Carlos Maciel, dizendo que tinha um grande desejo de receber uma carta tua mas em papel decente, com esse outro não dava para exibir aos amigos.

3 de abril · Trazida pelo Major. Fala sobre a licença. Já respondida.

7 de abril · Trazida pela dupla Kastrup-Michelet. Vieram encantados contigo e querem trabalhar. Nada a responder.

8 de abril · Fala sobre a confusão política que é ainda muito maior do que pensas e que eu tentei sistematizar para que possas compreender o que aqui se passa. Dei os abraços do mês. João Neves já voltou do Sul mas ainda não o vi. Darei teu recado.

10 de abril · Chegou hoje, vinda pela Cruzeiro. Darei o recado ao Napoleão. A carta da Mamãe já chegou e ela ficou feliz, estava se julgando muito abandonada por ti. Veio junto um cartão anunciando uma carta que não veio. Como havia pouco tempo, decidi-me sozinha por um par de brincos de água marinha com ouro e brilhantes, que ficou mais ou menos dentro desse limite fixado. Seguiu junto com as cartas e procuração. Como não tenho pressa e sei que D. Darcy anda apertada, mais tarde acertaremos as contas. Confere?

Aloysio recebeu e me entregou 2.400,00 relativos aos quatro meses deste ano, da Academia. Lá verificou que teu ex-procurador havia recebido até dezembro, inclusive. A mim só entregou até outubro. Devem estar em poder dele dois meses, portanto, que não pretendo reclamar.

22 de abril · Recebi agora a carta trazida pelo Major, de 18. Os rapazes ficaram tristíssimos por não terem ido até aí. Eu não, porque não ia ter tempo de estar e conversar contigo. O Carlos vai amanhã e vou terminar esta para remeter por ele.
O Luiz Simões chegou dos Estados Unidos trazendo charutos e promessa de mais. Há uma certa dificuldade para sair de lá, mas não te preocupes que não ficarás sem charutos. Dá-se um jeito. Já abriste uma que está no depósito do Itu? Convém fazê-lo antes que se estraguem como está acontecendo com os daqui.
Não querem me deixar continuar esta carta. Já fui interrompida quatro vezes.

1949

Duas informações. 1º o Góes, depois de uma de suas conversas com mestre Epitácio, declarou que o PTB não iria dar trabalho nas eleições porque teria candidato próprio e não iria ter organização adequada. 2º O Carlos Lacerda almoçou com o Salgado depois procurou o Brigadeiro e disse-lhe que perdesse as esperanças de fazer qualquer acordo com o PTB porque, mesmo que tu não fosses candidato, o Salgado já o era. – Não me incomodo que me acusem de quinta-coluna do PSD e de não querer fazer a vontade do povo. Interessa-me apenas que tu entendas a manobra que o Ernani e eu procuramos fazer, cada um em seu setor. É preciso que tu não queiras ser candidato para se poder afrouxar as resistências das forças organizadas contra ti e desmoralizar os políticos sequiosos de teu apoio para suas ambições. – Ainda agora o comparecimento ostensivo do Nereu, Agamenon e outros maiorais à missa de teu aniversário foi uma boa demonstração. Um popular interpelou o Nereu dizendo: "O Sr. está vendo, ele tem que vir". Nereu respondeu: "E já vem tarde". A bola de neve vai se formando. – Como vês, o meu egoísmo natural de filha e de gente que é gente e não máquina do governo está sendo vencido pelo entusiasmo popular e pelos frangalhos de patriotismo que ainda e apesar de tudo teimam em se juntar.

Mestre Epitácio de chegada fez uma das suas que o Maciel te contará aí com detalhes. Tentou acabar de vez com o PTB pelo braço do Góes.

Mando-te os jornais de 19, 20 e 21 para veres a repercussão do "carocinho" do Jango. Em todos os setores sente-se o entusiasmo de uns e o pavor de outros.

Esteve aqui o Pedro Raymundo. Trouxe uma vasta coleção de discos para te mandar. Como é muito pesado, vou esperar um pouco ou enviar a prestação.

O caso da candidatura do cardeal foi confirmado. Era bolação do Vitorino com o Adroaldo e visava D. Carmelo de São Paulo (simpatia pelo nome). Sendo ele mineiro e residindo em São Paulo, o negócio era para assustar, se não fosse para rir. Seria talvez o único meio de obter a famosa pacificação mineira, que está sendo habilmente sabotada por todas as correntes. Benedito se insistir ficará sozinho, abandonado até pelo Israel.

No dia de teu aniversário a casa da Mamãe encheu. Abrimos *champagne* e comemoramos a nosso modo.

Amanhã é o dia da Jandyra. Ela vem para casa numa tentativa de ficar. O médico aconselhou esta medida para começar a readaptação. – Luthero está obtendo grande sucesso em sua carreira e o Mendes anda de namoro com ele. Já sai até elogio nos jornais ao trabalho dele.

1949 A gurizada está toda no colégio. Celina cismou de se emperiquitar de vestido novo para comemorar teu aniversário.

Está quase na hora do Carlos vir buscar a carta e o telefone não para.
Recebe um beijo cheio de saudade e de carinho de tua filha **Alzira**

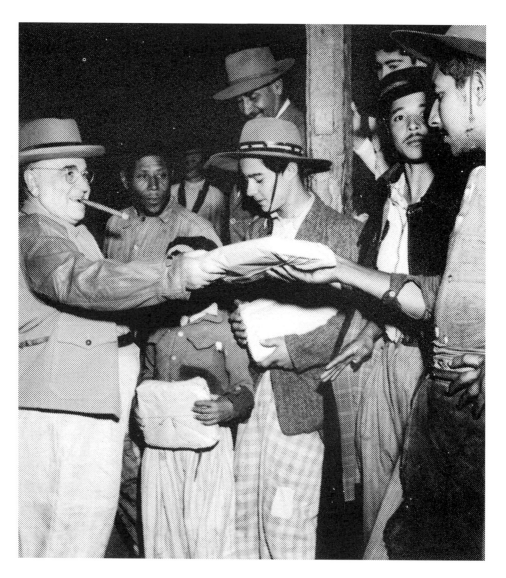

Getulio na Fazenda do Itu.
Itaqui, RS, entre 1949 e 1951.

171 \ G · [Estância Santos Reis], 22 de abril

Minha querida filha

No dia 24 devo seguir para o Espinilho e de lá para o Itu, fazendo as últimas tropeadas.

1949

Se houver portador, o Major Newton prometeu ir até lá nesses dias, podes mandar-me algumas mudas – cambucá, ipê-amarelo e pau-brasil.

Agradece por mim as sementes do Pinto. Verifiquei melhor. À exceção de duas, as outras vieram classificadas. A correspondência normal pode continuar vindo pelo Maneco. Por aqui vamos em calmaria. Ainda não recebi os jornais posteriores a 19. Assim estou sem informações do noticiário da imprensa amarela.

Dize ao Napoleão que aguardo suas informações que poderão fornecer-me material para a entrevista que ele deseja. Estou sem assunto.

As forças militares receberam ordem de não comparecer às festividades do dia 19. O regulamento proíbe o comparecimento fardado, mas, por aqui, nem mudando de casca.

E por hoje é só. Saudades a todos e um beijo do teu pai **Getulio**

172 \ **G** • [Fazenda do Espinilho, de 28 a 29 de abril]

Rapariguinha

1949 Começo a escrever-te esta aqui do Espinilho, dia 28, quinta-feira, tendo chegado a 24. Ontem fizemos a tropa que seguiu hoje.

Li os jornais de Porto Alegre noticiando as festas de 19, principalmente o churrasco de São Borja, e o estrilo do Góes sobre a sugestão ao Dutra, para lançar a candidatura dele. Devem estar em viagem ou já ter chegado a destino várias cartas minhas, ainda sem resposta. Estou a escrever esta para remetê-la quando houver portador. Li a notícia da festa de batizado na fazenda do Acúrcio, com o comparecimento do rei Gaspar.[1] Não vi o nome do Ernani, por que este não compareceu? Certamente foi convidado. E o Costa, como vai, está muito dutrista? E o acordo mineiro de que tanto falam os jornais associados, como concluído, em que bases foi feito?

Tudo isso são perguntas que me acodem, porque ainda não tenho resposta para as mesmas.

Provavelmente até 4 de maio permanecerei aqui, seguindo nesse dia para o Itu.

Quando tiveres portador, manda-me meia dúzia de cuecas reforçadas, próprias para andar a cavalo. Aquelas que me trouxeste, a fazenda é boa, mas não posso mais abotoá-las. Não dão na cintura. Mando-te junto a medida justa, com folga, para evitar que se reproduza o mesmo fenômeno, embora a tendência seja agora para diminuir e não para aumentar.

Minha preocupação agora é a encomenda de mudas e a formação de viveiros para o pomar e o parque que estou organizando no Itu. Quanto ao pomar, além das mudas plantadas, isto é, da plantação feita que já conheces, fiz duas novas encomendas, uma para a Secretaria da Agricultura daqui e outra para uma quinta de Pelotas.

Quanto ao parque, estou organizando os viveiros de árvores ornamentais, com as sementes do Pinto. Daí pretendo algumas mudas de árvores exóticas para tentar a aclimatação: pau-brasil, cambucá, jabuticabas, abacates etc.

29 de abril • Estava com esta pronta, quando chegou o Maciel, trazendo tua carta de 21.

Fazes a enumeração de cartas minhas recebidas. Confere e são numerosas. Entre a última citada e esta foram remetidas duas que espero acuses o recebimento.

Quanto à política, compreendo perfeitamente tua manobra e do Ernani em setores diferentes. O PTB está, porém, cada vez mais desorganizado, sem disciplina e roído de ambições.

Se o Salgado pretende ser candidato, e é natural que pretenda, não faz por onde que é iniciar uma organização eficiente. Já lhe disse, por escrito, as providências que, a meu ver, ele deveria tomar. Ante essa falta de orientação já estou me desinteressando. Fala ao Neves e ao Napoleão sobre o assunto de minhas cartas anteriores e dize ao Sr. Soares que me escreva dando sua impressão sobre o momento. Ele pode deixar a carta em teu poder que me mandarás pelo correio particular.

---

1. Refere-se a Eurico Gaspar Dutra.

Saudades a todos e um beijo do teu pai **Getulio**

Dá saudades ao Luiz, dize-lhe que agradeço suas atenções e felicito-o pela distinção do convite feito sem sugestões oficiais e muito honroso para ele e o trabalho que tem feito.

173 \ G · [Espinilho, de 3 a 5 de maio]

Minha querida filha

Começo a escrever-te esta aqui do Espinilho, na noite de 3 do corrente. Por estes dois dias devo seguir para o Itu.

Até agora nada li sobre a entrevista que dei ao Pacheco, para *Diretrizes*. Será que não foi publicada, por quê? Desejo saber a verdade.

Ontem esteve aqui o Maneco, trazendo-me alguma correspondência. Entre essa vinha uma carta da Lavínia que começava dizendo – aproveito a ida do Amaral para enviar-lhe essa lembrança. Que é isso? O Amaral esteve para vir e depois despachou a carta pelo correio? Após o regresso do Maciel não tive mais notícias daí, continuando sem resposta minhas três últimas cartas.

Como vai a briga da comissão de reestruturação com o diretório de São Paulo? E o Major Newton, não soube mais notícias dele!

Dia 5 · Ontem aqui esteve um pessoal de rádio de São Paulo, com recomendações da bancada do PTB. Dei uma ligeira entrevista e uma proclamação aos trabalhadores, sobre o 1º de Maio, em que fiz algumas severas acusações ao governo do Grão de Bico, embora sem referências pessoais.

Na entrevista levada pelo repórter do *Diretrizes* da qual já te falei, o mais importante era o que se referia ao regime de controle policial a que estou submetido. Talvez fosse proibida pela censura ou até vendida para não ser publicada.

Amanhã sigo para o Itu.

O artigo do Napoleão – O Panamá do café – foi publicado, transcrito no jornal local com grandes manchetes, e causou sensação.

Saudades a todos e beijos do teu pai **Getulio**

121 \ A · Rio [de Janeiro, de 3 a 6 de maio]

Meu querido pai

1949 Deves estar zangado comigo e com toda razão. A última carta que te escrevi foi a levada pelo Maciel, que me trouxe a resposta hoje, além de várias outras em atraso. Acontece, porém, que fui novamente envolvida pela maré de doenças e tive de envergar meu uniforme de Ana Nery de Cascadura.

Tenho dormido uma noite sim, outra não, fazendo plantão no hospital com a Regina, que foi operada. Hoje vou fazer o último, porque ela vai para casa amanhã, e me preparo para a próxima temporada dentro de 15 dias com a Maria Luiza, que vai tirar uma úlcera em São Paulo com o Benedito Montenegro. Já estou requisitada.

<u>Cartas</u> · A de 22 de março, trazida pelo Arquimedes, andou passeando com ele e só anteontem me chegou às mãos. Já está respondida com exceção do caso Paquet, que vou ver se ainda há tempo.

Estive com Napoleão. Disse-me que tua entrevista para *Diretrizes* não saiu publicada. Seus artigos ferozes contra o governo foram cortados três dias. A documentação que te prometeu está difícil de obter devido a isso. Os ministérios negam-se a dar-lhe qualquer informação. Já tem alguma coisa mas quer mandar o trabalho completo. Não pode te dar dados que não sejam absolutamente positivos, daí a demora. – O caso da Câmara de Vereadores já se resolveu. Foi eleito o Moura Brasil com 16 votos e derrotado o Napoleão com nove. Isso não quer dizer que tenham sido os nove do PTB. Houve alguma sujeira novamente, mas foi lavada em casa e não transpirou.

<u>4 de maio</u> · Estou sem dormir há 24 horas. Já deixei Regina em casa e Maria Luiza em viagem para São Paulo. Tomei uma cafiaspirina e estou te escrevendo para não atrasar esta. Reli todas as tuas cartas anteriores. Ainda não consegui me avistar com o João Neves, nem com o Jesuíno, nem com o Salgado, por causa do horário desencontrado que estou levando. Afora isso só tenho a responder tua última de 29.

Ernani foi realmente convidado a comparecer à festinha do batizado do neto do Acúrcio e eu também. O Edmundo não foi convidado e ficou uma bala. Nós não fomos, eu porque não iria nem amarrada e Ernani por preguiça insuflada por mim. Politicamente só havia a vantagem de azucrinar a vida do Edmundo e do velho Neves[1] e uma porção de desvantagens. – O Gordo[2] é cento e quinhentos por cento dutrista, não quer perder a viagem aos Estados Unidos. É uma pena ser tão sem-vergonha, porque inteligente ele é e o tem demonstrado agora na discussão do projeto de reforma bancária. – O acordo mineiro é apenas fogo de barragem, até hoje não se concluiu e nem há possibilidades de que venha a ser. Os únicos interessados na realização do acordo são o governo federal e os candidatos mineiros potenciais aos governos do estado e da República. Como o objetivo de cada um dos personagens é diferente, os meios para a conclusão do acordo também divergem, de modo

---

[1]. Refere-se a Alfredo da Silva Neves.
[2]. Refere-se a Artur de Souza Costa, presidente da Comissão de Finanças da Câmara dos Deputados.

que ninguém se entende. O Catete deseja o acordo mineiro para poder acomodar as quatro correntes que o apoiam e não se ver obrigado a jogar pelo menos uma das quatro na oposição, privando-se da escora do único estado que não o contraria. O Benedito deseja o acordo porque tem veleidades presidenciais; seu grupo ortodoxo, porém, não o acompanha e ameaçam deixá-lo sozinho se se unir ao Pedro Aleixo; o Milton deseja o acordo para poder fazer seu sucessor em Minas e ter chances para cantar de galo no problema da sucessão, sem dar, porém, postos aos beneditinos. O Bias deseja o acordo, mas, como também é candidato à presidência, faz tudo para atrapalhar o Benedito, que é o rival; o PSD dissidente é o único que deseja realmente o acordo, porque está na chuva, como nada tem a perder só terá a ganhar com qualquer combinação; o PR debaixo da asa protetora de S. Excia., gozando do bem-bom, limita-se a fazer o jogo dutrista 100% para continuar como está. E o PTB lá não existe.

1949

Há poucos dias anunciou-se que o Daniel seria substituído pelo Gianetti no Ministério da Agricultura, porém S. Excia. e o PR reafirmaram sua confiança e o Daniel fica.

Vou providenciar a encomenda cuja medida enviaste.

―――

Estou atualmente impossibilitada de procurar, até falar ao Sr. Soares. O homem é indigesto demais para o meu estômago. Já se confessa dutrista, apesar de terem querido lançá-lo contra o honrado presidente. Ele joga ao mesmo tempo em todas as equipes e não é honesto com nenhuma. Inventa de lá e de cá. Por razões que só pessoalmente te poderei explicar, não devo me expor e te expor, neste momento. Tudo o que ele disser agora será por conta própria. Embora ele tenha uma honesta admiração por ti, o jogo dele é muito sujo. Limito-me sempre a ouvir o que ele diz, mesmo porque ele não dá uma chance, mas já estou muito ressabiada e tenho medo.

―――

5 de maio • Hoje estou em casa descansada, mas meu telefone endoidou. Não sei se de *motu proprio* ou por obra e graça da censura. Passei quase uma hora tentando me comunicar com os vários cavalheiros que recomendas sem resultado.

Deixei para o fim o caso do PTB. – O Salgado chegou ao Rio dando entrevistas positivamente de principiante em matéria política. Não quero crer que tenha sido de malandragem propositada. Ainda não consegui fazer sobre ele um juízo definitivo. Em 45 ele fazia companhia ao João Alberto na lista cor de cinza. João passou voluntariamente para a negra e Salgado deu um passo em direção à branca e depois parou. Atualmente não sei se ele deseja honestamente fazer política e não sabe, se está apenas atacado de mosquito azul e não enxerga outra coisa ou se está sendo instrumento inconsciente do grupo internacionalista (em matéria de dinheiro) do Chatô. O que é real é que suas ligações são <u>associadas</u>. No Distrito seu faz-tudo é o Segadas, no Rio Grande o Pasqualini, em São Paulo é Moura Andrade e outros através do Epitácio, na Bahia é o grupo Juracy, ligado ao Drault, em Pernambuco o pessoal anti-Agamenon; os outros estados estão votados ao esquecimento total. Naturalmente eu sei que é dificílimo organizar o PTB porque além dos governos federal e estaduais

1949   e de todos os outros partidos, estão interessados na desintegração total das chamadas forças queremistas, a imprensa, as organizações financeiras, parte do Exército e a Igreja. Tudo isso procura se infiltrar e trabalhar dentro do partido, vestindo capa de getulista. É justo que o pessoal sem experiência se deixe embrulhar, mas quando o jogo fica claro é preciso reagir. Queixam-se os queremistas de 20 anos que o Salgado sabota os verdadeiros getulistas, nega-lhes apoio e procura se cercar de gente de sua exclusiva confiança, para poder manobrar o partido em causa própria. Estes elementos, alguns estranhos não conseguem se impor e o PTB continua sem dono e sem rumo. — Esta interpretação que procuro dar é ainda o resto de um crédito de confiança que dou ao Salgado. Agora vamos aos fatos. Mandei-te dizer que a tese Epitácio, insuflada pelo Góes, era: candidato próprio do PTB em todos os estados e no terreno federal para depois fazer acordos. (A minha é abrir as portas para os acordos em todos os setores e com todas as forças para depois chegar ao candidato melhor.) O Salgado, depois de estar aí contigo, em contato com o Rio Grande, sugere tua candidatura para obter palmas no comício e aqui em entrevista defende a tese do candidato próprio e praticamente lança o nome do Pasqualini à sucessão Jobim. O Ernesto, que estava sendo trabalhado por elementos nossos, se fechou, o Jobim, para fazer média, lançou o nome do Pestana para contrabalançar o Adroaldo, os círculos do Catete que estavam agitados, diante do açodamento do PSD e da UDN em torno do PTB, desafogaram, o círculo de desinteresse e silêncio começa a se formar de novo.

Em São Paulo a atitude do vice-presidente[3] é ainda mais desconcertante. Deu-se o choque entre o diretório e a Comissão de Reestruturação. Salgado deu força à comissão mas tomou as dores do diretório, declarou que vai a São Paulo no sábado para fazer a pacificação entre os dois. Frota e o Major vieram ao Rio pedir-lhe que não fosse, sua ida provocaria a irritação de alguns elementos e não traria resultado prático. Salgado respondeu ao Frota que se sentisse a menor oposição ou desconsideração destituiria o Major, a quem atribui as mais sinistras intenções. Frota estava afobado sem saber o que fazer. Aconselhei-o 1º a acomodar o Major e se possível afastá-lo da capital no dia; 2º instalar a comissão antes da chegada do Salgado e começar logo a trabalhar nos pontos mais fáceis para apresentar logo algum sucesso e conquistar confiança; 3º abster-se a comissão de qualquer luta e desinteressar-se de discussão com o diretório ou a bancada; 4º entregar como substitutivo ao Salgado a pacificação do diretório com a bancada; 5º desinteressar-se da unificação da bancada no momento para evitar a infiltração borghista agora. A unificação da bancada só interessa no começo da próxima legislatura para a eleição da Mesa. Visará então eleger um ~~vice~~-presidente udenista para evitar que o Adhemar e o Novelli se candidatem respectivamente ao Catete e Campos Elíseos, deixando no governo um presidente da Assembleia da confiança do primeiro. Uma das saídas que tem o Adhemar de se garantir é adormecer o Novelli. Vamos ver se dá certo e se o Salgado vai mesmo.

---

3. Refere-se a Salgado Filho, eleito em 1948 vice-presidente do PTB, mas com funções que na realidade correspondiam às de presidente, já que para este último cargo fora indicado Vargas, em caráter honorário.

1949

Em relação ao diretório nacional há o seguinte. Para obter a secretaria-geral Epitácio ofereceu ao Baeta cinco vagas no diretório em troca do voto do grupo do Baeta. Este, que estava isolado e quieto, topou e agora quer a reunião. Maciel tem medo de que, sentindo resistência de nosso grupo, Baeta faça causa comum com Epitácio. Salgado não quer o Epitácio como secretário-geral mas não terá coragem de se opor. O grupo queremista do diretório é pequeno, o salgadista também. Baeta dará maioria ao grupo para o qual pender. Como todos são imediatistas, depende das vantagens do momento. – O Garoto é um veneno e, embora muita gente já o conheça, sob o ponto de vista [da] honestidade financeira, ainda se comove quando bate no peito e se diz teu filho e getulista até morrer.

Pedi ao Maciel para ver se acalmava o Baeta para ganhar tempo e prorrogar a convocação da convenção. Landulfo e Fiori finalmente se uniram, o que nos dá uma aparente segurança. – Conto-te estas futricas, que só servem para aborrecer, para que fiques a par das coisas e não te apanhem desprevenido.

Junto vai uma carta para o Maneco, e outra da Umbelina para a Joaninha do Itu, revistas, um livro do Lúcio Bittencourt e "adminículos".

Diz ao Gregório que falei com o Bejo sobre seu negócio e ele está providenciando junto ao Cardoso. Parece que eles querem a presença do Gregório aqui. Vamos ver se se ajeita sem isso.

O Major disse que já encontrou gente interesada no terreno. Vamos ver.

6 de maio • Falei agora com Salgado pelo telefone. Vai a São Paulo levando em sua companhia Epitácio e Euzébio. Se os rapazes nossos se portarem direito, creio que não haverá nada.

Esteve aqui o Falcão, aquele rapaz que te procurou uma vez levando o retrato da Celina. Pediu que te dissesse que visitou três estados no norte: Pernambuco, Alagoas e Paraíba. No primeiro o pouco que não é Getulio é Agamenon; no segundo, getulismo desorganizado; no terceiro a ordem é Getulio, Argemiro, Zé.[4] Nos três, absoluta ausência do PTB, principalmente no interior.

Joel Presídio anda afobado por causa do problema baiano.

Estamos em dia agora.

Recebe um beijo muito carinhoso de tua filha **Alzira**

---

[4]. José Américo de Almeida.

174 \ G · [Fazenda do Itu], 7 de maio

Minha querida filha

1949 Estou há várias semanas sem notícias tuas. Vi hoje, aqui no Itu, uma troca de telegramas entre Vitorino Freire e o Guaracy Frota, sobre um discurso do primeiro a respeito do meu exílio. Não li, nem pretendo ler esse discurso. Acho muito natural essa amizade entre um cafajeste e um débil mental.

Mas essa questão do exílio e das minhas pretendidas conspirações com o governo argentino, eu abordei na entrevista que [dei] ao Pacheco do *Globo*, para *Diretrizes*. Precisava por isso saber se a tal entrevista foi publicada e, em caso contrário, por que não o foi.

E este é o motivo principal desta carta.

Saudades a todos e um beijo do teu pai **Getulio**

---

122 \ A · [Rio de Janeiro], 11 de maio

Meu querido pai

Esta é quase um bilhete para te remeter as cuecas e dois livros que o Pedroso Horta te manda.

As ditas não vão marcadas porque podes devolver para trocar se não servirem ou não gostares, desde que conserves as etiquetas.

Os livros, Pedroso Horta trouxe envoltos em declarações de lealdade. Foram impressos especialmente. Aproveito a ida do Gastão para remetê-los. Ficam somente os discos do Pedro Raymundo, que são muitos e tenho medo que quebrem. Como nada mandaste dizer a respeito, esperam outro portador.

Já te escrevi pelo aéreo e estou com material para outra, sem tempo de pôr no papel.

Beija-te com todo o carinho tua filha **Alzira**

123 \ A · [Rio de Janeiro, de 12 a 14 de maio]

Meu querido pai

1949

Ernani chegou hoje cheio de notícias. Transmito antes que as esqueça. Há dias os jornais noticiaram uma entrevista longa entre Salgado e Góes. Nereu informou ao Ernani que Georgino o procurara em nome do Góes, dizendo que este havia tentado uma aproximação com Salgado para um possível entendimento do PTB com o PSD. Encontrara este muito inacessível e distante, recusando qualquer acordo e terminando por declarar que o PTB só tinha dois pontos de vista absolutamente fixados e inalteráveis: oposição ao governo e guerra sem quartel ao PSD. – Ninguém encomendou sermão ao Góes, daí se poder concluir que ele tentou e executou um golpe duplo. 1º Fazer média com o Nereu, por quem estava trabalhando aparentemente, 2º Separar cada vez mais o PTB do PSD, obtendo do Salgado estas declarações, após tê-lo, talvez, previamente trabalhado por intermédio do Chatô, do Epitácio e outros.

Oswaldo procurou o Dutra e disse-lhe que estava seguramente informado de que tu em hipótese alguma poderias apoiar o Nereu, a quem combatias, sendo mais fácil recomendares o Jobim ou o Milton Campos. Dadas as ligações, a origem da manobra deve ser a mesma.

Ontem o Góes ameaçou céus e terras, fechar a Câmara, dar uma surra no Barreto Pinto, matá-lo, se aparecesse mais um ataque sequer a um general formulado por este trêfego personagem. Compareceu à Câmara armado de bengala mas Barreto lá não estava. A situação do Malasarte é muito séria e está ameaçado de perder o mandato incurso nas penalidades legais por falta de decoro. Ontem Gurgel, *leader* do PTB, considerou-o desligado do Partido, que desautorizava suas declarações. À noite houve uma reunião dos *leaders* para decidir sobre o assunto, que deverá ser levado a plenário. A onda de antipatia provocada pelo réu entre seus pares é tão grande que se pode esperar o pior. Nunca morri de amores por este personagem sem compostura e, embora lamente sua situação, não consigo simpatizar com sua causa. Em parte talvez devido a seu verde passado, mas principalmente devido ao uso e abuso que faz de teu nome, dando-se ares de teu porta-voz. Fala em ti a troco de tudo ou de nada, para se defender, para agredir, para se tornar popular ou para ganhar dinheiro. Poucos dias antes de começar a publicação de suas já famosas memórias declarou no jornal que estava esperando alguns documentos que mandara buscar no baú do Sr. Getulio Vargas. Chatô declarou ao Lourival Fontes que iria permitir ao Barreto a publicação de tudo o que lhe aprouvesse e que os Diários Associados eram agora o teu DIP e tu o ganha-pão dele, Chatô. Sua tiragem tem aumentado fantasticamente desde que começou a explorar o assunto Getulio. – Se o Barreto tivesse sabido aproveitar a oportunidade que lhe era oferecida, contando fatos reais, inegáveis e indefensáveis para certos personagens, por exemplo o fechamento do *Diário Carioca*, a prisão do Lourival pelo Afonso de Carvalho, os convescotes do *Club* Germânia etc., eu ainda o perdoaria. Enveredou, porém, para um terreno desagradável de injúrias pessoais, sem base e sem sequência, chamando o Góes de General Pepito ou Mimi Bilontra, contando os amores dos deputados, atacando a tudo e a todos sem distinção, num afã destrutivo tal que faz supor ou que esteja realmente atacado de loucura ou a serviço de quem deseje ver todas as instituições nacionais destruídas. Nem a Igreja poupou, nem a própria família. O relato de seu nascimento poderia ser engra-

1949 çado se não fosse de um cinismo repugnante. É possível que os jornais daí reproduzam, ou queres que te mande as memórias da nova Giselle, a espiã de cuecas.

Ouvi na segunda-feira pela Mayrink tua saudação aos trabalhadores, confesso que senti uma bruta saudade quando ouvi tua risada de protesto contra os 69 anos com que te mimoseou o repórter. As <u>fanzocas</u> estavam todas a postos de lenço em punho.
No dia seguinte Ernani me convocou para uma conferência política a dois. Disse-me: Não sei o que tens mandado dizer ultimamente ao Dr. Getulio porque não tenho lido tuas cartas, mas é preciso que o informes da situação real atual para que ele não dê um único passo em falso e não perca a situação excepcional que se desenha para ele.
Tenho a impressão de que ele supõe que o Dutra é uma fortaleza inexpugnável, cercado e apoiado por todo mundo, podendo fazer o que melhor lhe pareça. A situação do governo é de desprestígio total e a do Dutra de uma fraqueza transparente. Tudo o que tenta e empreende politicamente sai às avessas, e hoje conta apenas com pequenas escórias locais dos vários partidos. No PSD ele poderá contar, conforme as circunstâncias: no Rio Grande com o Costa (por causa da viagem), com o Adroaldo, sozinho, e o Paim se lhe derem margem; em São Paulo com o Machado Coelho, o Novelli e outros sem expressão; em Minas com o Benedito ou o Bias conforme a marcha da política alterosa, o Melo Viana, que está gagá, o Capanema e talvez o Carlos Luz; no Distrito com o Henrique Dodsworth; na Bahia, ninguém; em Pernambuco, o Novais; na Paraíba, o Pereira Lyra; em Mato Grosso, o Filinto; em Goiás ninguém e assim por diante. Da UDN só ainda o seguem e assim mesmo em luta o Juracy ou o Mangabeira. Um dos dois terá de ficar do outro lado da cerca (e para se garantir ambos já começaram a te elogiar). O Eurico Souza Leão já sobrou do PSP e ainda acaba queremista. E ainda esse pouco que resta ao Dutra irá rareando à medida que escasseiem os negócios ou os dias presidenciais. — A política atual brasileira se caracteriza por uma coisa: confusão. Domina apenas o desejo de atrapalhar o movimento do próximo e não o de marchar. — O Zé deu uma entrevista dizendo que "marchamos para o caos político". Nesta situação a posição política do Dr. Getulio não pode ser melhor; podemos caminhar para um ponto tal de confusão que ele seja a única solução. É preciso que ele se poupe ao máximo, que não se comprometa em hipótese alguma, não só não ficando a favor mas também não ficando contra coisa alguma. Essa minha impressão é também a do Agamenon, que me falou hoje, pedindo para que tu transmitisses para São Borja. O nome dele não precisa de propaganda, ela se faz naturalmente, o essencial é não permitir que ele seja atrapalhado e avisá-lo para que não jogue fora sua posição. Está transmitido.

Na terça-feira dia 10 foi a posse do Aníbal Freire na Academia. Mandou-nos convite e telefonou pedindo nosso comparecimento, já que tu não estarias presente. Fizemos tu e eu um bruto sucesso. Eu me senti debutante primaveril, no meio daquela penicilina que era o público da Academia, e me promovi de uva de caminhão a moscatel. O teu sucesso foi

1949

diferente, embora também por meu intermédio. Foste lembrado com saudade por todos os colegas, levantaram-se para me perguntar quando voltavas, para te mandar abraços e lembranças. Abracei o novo imortal em teu nome e ele me pediu que não deixasse de agradecer ao "nosso amigo" etc. Estavam presentes quase todos os membros da corte e desembargadores, inclusive o velho Laudo de Camargo e o Zé Linhares. O Filhinho Lafayette perguntou por ti. Foi um *show*. Foram tantos os abraços e pedidos para se fazerem lembrados que esqueci tudo no caminho. Considere-se, pois, abraçado indistintamente por juízes, imortais, cavalheiros anônimos e senhoritas maduras, sem esquecer a Eliane Gomes, que pediu para ser lembrada muito especialmente. O Nereu, que presidia a Mesa com o Gustavo Barroso e o representante do Grão de Bico, lançou-me o melhor de seus cumprimentos e o mais belo de seus sorrisos. No intervalo dos dois discursos consegui falar com o João Neves, a quem dei teu recado, disse ter uma carta pronta para mandar e que depois me procuraria. O Agamenon, também presente, disse-me que não deixasse de te transmitir as observações que havia dado ao Ernani.

O discurso do Aníbal Freire foi muito bom, mas puramente literário, o do Neves, que o recebeu, foi excelente e 100% político. Esteve num de seus grandes dias. Parece incrível que dentro de tão pouca gente saísse tanta voz. Quanto à essência do discurso, creio que ele tem andado lendo os teus ultimamente ou então vocês têm a mesma técnica para falar. As teses abordadas soaram familiarmente a meus ouvidos e houve até expressões que pareciam tuas. Iniciou por fazer a apologia dos pequenos estados (Sergipe é o berço do novo imortal) contra os grandes, alfinetou S. Excia. violentamente (diz o Ernani que, presente, ele não teria entendido), examinou os quatro grandes vultos de Sergipe (Tobias, Romero, Ribeiro e Laudelino),[1] dissecou a vida da vítima presente, fez o elogio de praxe aos patronos da cadeira, e a defesa do Gilberto Amado, um vibrante elogio à obra de Simonsen e terminou recordando a vida política do Aníbal Freire e o duelo político que tiveram em 1930. Aí o Garnisé esteve magistral. Colocou na boca do orador governista de 30 tudo o que queria dizer sobre o governo atual e terminou com um exame dos vários tipos de liberdade. A liberdade sob a lei de Montesquieu, defendida por Aníbal Freire, a liberdade dinâmica ou paixão da liberdade, defendida pelos revolucionários de 30, e enfim a liberdade funcional (Roosevelt) depois da guerra última.

Vou esperar que saia publicado para te mandar.

13 de maio • Soube agora que o PTB resolveu defender o Barreto Pinto da cassação de mandato. É mais decente e assisado. Ele merece um susto mas cassar o mandato é forte. Nereu tomou posse hoje, sexta-feira 13, para treinar.

---

[1]. Alzira refere-se aos acadêmicos Tobias Barreto (de Menezes), Sílvio Romero, João (Batista) Ribeiro de Andrade Fernandes e Laudelino (de Oliveira) Freire. Cf. <http://www.academia.org.br>, acesso em 6 de outubro de 2014.

1949 14 de maio • Ernani chegou ontem preocupado com a situação do Barreto Pinto. Cirilo agiu bem procurando encher o tempo para impedir os discursos, porém o ambiente reinante demonstrava já ter havido um grande trabalho contra. A comissão nomeada é a pior possível para o réu: Fausto, Plínio Barreto, Pilla, Duvivier e Carlos Valdemar. O único voto favorável a esperar seria o do Pilla, por uma questão de princípios.

O anjinho do Segadas não achou nada melhor do que sugerir ao Barreto tomar um avião e ir se aconselhar contigo. Ernani interpelou-o: — Então, você quer fazer constar publicamente que o Dr. Getulio endossa estas maluquices? Encabulou e respondeu que não tinha pensado nisto.

O grupo associados, Salgado, Segadas, ~~Baeta~~ Barreto, Epitácio, está muito unido.

───────────

O pessoal de São Paulo está mais acomodado, mas isto será assunto para outra carta que será levada na próxima semana pelo Major.

───────────

Junto vai uma carta do Segadas para ti e outra para o Gregório. Ele já está bom?
Ernani e Celina te mandam abraços e saudades.
Um beijo muito carinhoso de tua filha **Alzira**

124 \ A · [Rio de Janeiro], 14 de maio

Meu querido pai

Pretendia escrever-te com calma, mas o Major avisou-me que resolveu ir para São Paulo mais cedo e estou com a casa cheia de visitas. Aquele meu *team* barulhento dos sábados. Deixei-os entregues ao Ernani para te escrever.

1949

Dentro do envelope da correspondência vai uma longa carta escrita há tempos sobre o movimento nacional. Peço ler antes de me responder.

A comissão venceu o primeiro *round* paulista, conforme minhas previsões anteriores. O chefe não conseguiu fazer o que pretendia e voltou muito feliz da viagem. O trêfego jovem saiu meio escabreado de um diálogo diplomático com o Major. Tenho a impressão de que ainda voltarão à carga, porém já mais enfraquecidos. O bolo de São Paulo é grande demais para ser abandonado.

A fusão com o PTN, a meu ver, não deve ser precipitada, porém eu sou mirone, quem está no fogo é o Major e poderá melhor avaliar da oportunidade. O caso Barreto Pinto é o assunto do dia. Sua popularidade aumenta na proporção das ameaças. A solução vai ser séria de qualquer maneira. Prepare-se para apanhar pelo que não fez.

Mando-te também alguns números de *Diretrizes* com a entrevista do Seu Pacheco. Ele prometeu fazer render até o fim do mês. Por enquanto nada disse de inconveniente, como verás.

Diz ao Maneco que deixe de andar escrevendo com pseudônimo, o estilo dele já está muito conhecido, e que responda à minha carta.

Com um beijo muito carinhoso aqui fico esperando as ordens

Tua filha **Alzira**

Campo de aterrissagem na Fazenda do Itu. Itaqui, RS, 1949.

175 \ G · [Estância Santos Reis], 16 de maio

Rapariguinha

1949 Dia 12 regressei do Itu. Com algum desapontamento soube que não havia cartas tuas. Parece que eu deveria entrar em greve pacífica, mas talvez haja algum motivo para a falta de notícias.

Quando estive no Itu, já por esgotar-se meu estoque de charutos, abri a caixa que lá estava, um lindo presente do meu ex-amigo General Trujillo. Envoltos em papel prateado achavam-se os ditos em perfeito estado de conservação. Assim, quando houver oportunidade manda-me desses que estão ficando bichados. Convém primeiro os que estão em risco de estragar-se. Os outros, já um tanto desfalcados, podem esperar.

Dia 13, aniversário da Alda, fui almoçar com ela e a tribo, da qual parece que está querendo fazer parte o tenentezinho que comanda aqui os fuzileiros navais. Agora vou aguardar notícias. Após tua última carta, fiquei na completa ignorância do que por aí está se passando.

A ida de Júlio Santiago, portador desta, poderá trazer a solução dos assuntos sobre que tratei em cartas anteriores – João Neves, Maciel, Napoleão etc. Não as recebeste?

As cuecas que te encomendei deviam vir marcadas. Uma marquinha de 5.000 feita aí pela tua mãe. Tem mais valor e é mais barato, manda-me também um vidro de loção Lusitana.

Desejo saber quando termina minha licença, a fim de ~~tomar~~ preparar-me para a viagem. Preparar-me significa regular as cousas que tenho a fazer. Depois escreverei com mais minúcias.

O Nereu lavraria um tento que o deixaria muito bem como futuro candidato se, na sua interinidade, permitisse que se apurasse e desse publicidade a algumas negociatas e compadrescos praticados no governo do Grão de Bico, principalmente no Banco do Brasil, onde se negam créditos à agricultura e à pecuária, e se emprestam 17 milhões a empresas de publicidade. Durante esse tempo que andei tropeando, não li jornais. Só agora tomei conhecimento do caso Barreto Pinto e do escândalo que estão fazendo em torno de suas memórias ainda não publicadas. O *Correio da Manhã*, num artiguete de meia-tigela, diz que seu mandato deve ser cassado porque o Barreto Pinto é um símbolo da ditadura. No entanto, no período da ditadura, ele esteve quieto. Só agora encontrou ambiente próprio para florescer e prosperar. São mesmo uns sob esses plumitivos. O Truman tem razão.

Saudades a todos e um beijo do teu pai **Getulio**

125 \ A . [Rio de Janeiro], 17 de maio

Meu querido pai:

Estou mais ou menos em dia contigo nos assuntos políticos com as duas últimas cartas. Epitácio mostrou-me a que te mandou e agora esta do João Neves completa e confirma o que já te mandei dizer. S. Excia. partiu, Nereu assumiu e a única novidade é o caso Barreto Pinto, que continua em ordem do dia.

1949

João Neves prometeu para amanhã ou depois um longo relatório sobre a situação econômico-financeira do país. De onde não se esperava é que terás os dados necessários, os outros encruaram.

No caso Barreto quem tem revelado uma habilidade política e visão de conjunto inesperadas é o Carlos Maciel. Recomendo-te como um bom peixinho. Por iniciativa dele saíram na *Folha Carioca* umas declarações anônimas, isentando-te das Barretadas de modo convincente. O negócio já está amainando. Chegamos às conclusões (ele e eu) seguintes: 1º Salgado, Segadas e Barreto estão servindo de instrumentos inconscientes à maquinação Chatô-Góes; 2º Barreto está preso ao Chatô por um contrato leonino, multas pesadas, e não pode parar de escrever; 3º ele e Segadas são sócios em pequenos "negócios" na Comissão de Finanças, daí o interesse do segundo na permanência do primeiro; 4º Salgado, para servir Chatô, está quebrando lança para defender Barreto, cujo destino lhe era antes indiferente; 5º Dutra e Góes estão em divergência; Dutra deixou instruções para promover a cassação do mandato (atitude Baeta pró-cassação), ao Góes não interessa a cassação. — O plano vem de longe e visa à desmoralização do Parlamento. Foi iniciado pelo Chatô, há mais de um ano, para criar ambiente propício ao golpe militar ou facilitando [sic] a confusão política de onde podem surgir ou candidatura única superpartidária-militar-Canrobert ou a vitória do aventureirismo com Adhemar. — Góes vem criando ambiente de confusão também há muito, mas estava sem ambiente militar. Barreto deu-lhe a deixa. Arvorou-se Góes em defensor da honra do Exército ultrajado pelo palhaço queremista. Foi à Câmara com ares de ferrabrás para matar o Barreto ou tocar fogo na Assembleia. Depois voltou para casa e foi almoçar com o Chatô. — Se o Parlamento se decidir pela cassação, será chamado de covarde, terá aberto as portas à sua autodestruição, o Barreto será uma vítima popular, e o Góes o herói vingador do Exército e o Dutra o algoz. Se o Parlamento se decidir contra a cassação a imprensa dirá que ele é digno de conviver com tal palhaço, o Góes será a vítima do Legislativo em holocausto à honra do Exército, esperará com paciência outra chance ou conseguirá com mais intrigas e confusões galvanizar a atenção das chamadas forças armadas para um desforço. A meu ver é esse o bosquejo do plano. Creio porém que fracassará porque o Góes não tem sequência no que faz e está sozinho do lado de lá. Do lado de cá são muitos os cérebros a pensar e os corpos a se defender.

Em política é só o que há. Entremos na seara familiar.

Mamãe está bem e muito mais viva. Por imposição da Jandyra recomeçou a se pintar e prometeu cortar o cabelo. Seu interesse pelas coisas e pessoas é mais real e menos

1949 obsessivo; está quase a antiga Dadá. Doutor Viana, o médico da Jandyra, tem colaborado muito nessa metamorfose através de palestras que ele dirige com cuidado e paciência até as feridas e chagas que ainda estão abertas. Quanto à Jan o caso é ~~mais~~ difícil e depende 50% da atitude do Ruy, que é positivamente inexplicável. Desde o dia 23 não dá sinal de vida, não escreve, não telefona e não vem ao Rio, deixando a família inteiramente desamparada moral e financeiramente. Mamãe é quem sustenta a casa. Soube pelo Major que já liquidou o negócio e está desafogado. No entanto não se explica. — Daí as crises de desespero e de regressão que Jandyra ainda atravessa e que o médico não pode suprir por falta de auxílio e cooperação do marido. A uma mulher fisicamente sadia e mentalmente enfraquecida não se pode explicar sem compensar. (Peço-te que não comentes com ninguém e nem em carta este pedaço porque Mamãe ignora que está sendo tratada indiretamente e nunca me perdoará se souber.) — Luthero está trabalhando muito bem, com clínica razoável, mas sempre a mesma criança grande.

Eu tive um novo surto de minha indefectível amiga, a colite nervosa, proveniente dos sucessivos abalos que tive neste mês. Como já é velha conhecida não me emociona. Ernani vai bem, enfezado com a politiquinha do interior, mas encantado com o crescente prestígio no estado. — A piolhada está ótima, sonhando com novas férias na fazenda do vovô.

Deves-me quatro respostas.

Com muitas saudades vai um beijo de tua filha **Alzira**

176 \ G · [Estância Santos Reis], 17 de maio

Minha querida filha

Recebi duas cartas tuas, uma de 14 trazida pelo Major e outra de 12, a carta política. Em nenhuma delas acusas o recebimento de minhas cartas anteriores, talvez quatro, em que te dava algumas incumbências.

1949

Passemos à resposta que será breve, porque o tempo é escasso. Quanto à prevenção do Ernani, tomarei na devida conta. A explicação de minha atitude é fácil. Como não pretendo ser candidato, limito-me a dar umas alfinetadas no Grão de Bico, só para chatear. Não é outra a intenção. Acham que tenho excedido os limites? Quanto ao Salgado tenho ultimamente sabido tais cousas a respeito de sua conduta para comigo, tão estranhas, que chego a duvidar sejam verdadeiras. Isso fora do que está na tua carta. Quanto a esta, devo dizer que as únicas diretrizes que lhe dei foram: 1º) reorganizar o PTB; 2º) não assumir compromissos. Nada lhe falei contra nomes, nem contra partidos. Quanto ao Vavá não sei de onde ele tirou essas informações, nem sabia que estivesse em tão boas relações com o Grão de Bico. Nós, porém, conhecemos bem seu espírito inventivo.

Gostei muito de tua informação sobre a solenidade acadêmica e estou curioso por ler o discurso do João Neves. Ele foi o maior orador da minha geração acadêmica.

E que notícias me dás sobre a publicação de meu livro pelo José Olympio?

Saudades a todos e um beijo do teu pai **Getulio**

Segue
Quanto ao assunto Barreto Pinto, estou de inteiro acordo contigo.

Nas duas páginas, Fazenda do Itu. Itaqui, RS, 1949.

177 \ G · [Estância Santos Reis, de 18 a 20 de maio]

Rapariguinha

1949 18 de maio · Sempre é bom a gente escrever com antecedência, enquanto se lembra das coisas, e aguardar portador, porque na hora, sob a pressão do tempo, esquece o que é útil. Há tempos eu te encomendei meia dúzia de cuecas e remeti a medida da cintura. Deves ter recebido, porque foi por portador. Até agora, porém, nada me disseste. E com o tempo, em vez de meia dúzia já estou precisando duma dúzia, ameaçado de ficar pior que o Barreto Pinto. As novas não abotoam e as velhas estão se rompendo, gastas pelo uso.

O Major e o Fiori regressaram ontem, levando carta minha. Deixaram-me duas caixinhas de charutos, dos bons, mandados pelo Luiz e o Walder. Agradece-lhes por mim.

Entre esses números de *Diretrizes* que me mandaste veio esse envelope, com exames de laboratório. Onde anda essa cabecinha?

O Ruy liquidou a fabriqueta que tinha e onde foi logrado pelo sócio. Vai agora trabalhar numa companhia com bom ordenado e está satisfeito, segundo me escreveu e também me informou o Major Newton, que o está encaminhando a meu pedido. Mesmo de longe estou acompanhando. Informa tua mãe. Quando eu não escrevo a ela e escrevo a ti, ela está na minha lembrança e as saudades que mando são também para ela. Não esqueças de dizer.

Estava com estas escritas quando recebi tua carta do dia 3. Ela explica a demora da resposta às minhas, já reclamadas. Doenças da Regina e da Maria Luiza, tua função de enfermeira etc. Ignorava tais operações. Faço votos para que essas duas amigas sejam felizes e fiquem logo restabelecidas. Também fico ciente sobre o que me informas a respeito do João Neves, Napoleão e Sr. Soares. Quanto a este compreendo, lamento e não tratemos mais do assunto.

Estou esperando hoje o Baeta e o Epitacinho. Talvez sejam eles os portadores.

19 de maio · Li os números de *Diretrizes* com os artigos do Napoleão e os prólogos da minha entrevista que ainda não foi publicada. Desejo tua intervenção, pela melhor maneira que puderes, para que só seja publicado como dito por mim o que realmente ditei ao repórter em resposta às suas perguntas. Às vezes, em palestra, conta-se em confiança alguma coisa que não era para ser publicada, e constitui abuso ou falta de ética dar publicidade.

Podes mandar outro Viderol.

Saudades a todos e um beijo do teu pai **Getulio**

126 \ A · [Rio de Janeiro, de 22 a 25 de] maio

Meu querido pai

Recebi tua carta de 17 trazida pelo Major. A esta altura já deves estar de posse das minhas e da encomenda que seguiu pelo Gastão Fontella. Entre 29 de abril, data da carta trazida pelo Maciel, e esta agora de 17 de maio, nada chegou a minhas mãos, portanto das quatro que me anuncias nesta, nenhuma chegou.

Maciel informou-me que o Calafanges segue depois de amanhã para aí em seu avião. Se se confirmar e ele puder levar seguirão por ele as mudas de Niterói que estão preparadas há vários meses. O Paulo, um mulato alto, que foi nosso *chauffeur* no Ingá, vem cá todas as semanas dar notícias das plantas. Vão também quatro caixas de charutos, vindas pelo navio do Lóide, duas mandadas pelo Mário Câmara e duas pelo Chico, creio eu que presente dele e do Luiz. Vieram desacompanhadas de qualquer esclarecimento.

Hoje é domingo e estou de plantão com a Celina. Ela e a Cândida estão aqui feito duas mosquinhas de vidraça, quase não me deixam escrever. Perguntei-lhes o que queriam te mandar. Cândida respondeu: um beijo e um abraço bem apertado. Celina: eu também, mas quero mandar um presente para ele. Perguntei o que era. "Um presente bem bonito, um livro com uma porção de histórias bem bonitas, para ele ler." Aleguei que o vovô já estava cansado de "ouvir histórias", não ia gostar. O Piolho reagiu com violência "mas é para ele contar depois para mim".

Ernani te manda mais uns pacotes de sementes, inclusive as reclamadas beterrabas. Disse-me ele que ainda não havia mandado porque não gosta de beterrabas. Como vês, esta minha tribo está ficando muito interesseira, só quer dar presentes para uso próprio. As outras já foram plantadas? Deram bem? Ernani pede que informes se as sementes são realmente boas ou não, quais as que se adaptaram melhor ao solo daí e se o adubo que mandou deu resultado. Estes esclarecimentos são necessários para futuras remessas. Se não aprovarem mudaremos de fornecedor ou de espécies. Amanhã, conforme a hora da partida, Ernani vai ver se consegue mais adubo daquele que já te mandou.

25 de maio • O Calafanges não apareceu até agora. As mudas e sementes estão aqui. A correspondência irá pelo Senador Salgado. Vai uma carta do João Neves que te peço ler, antes de me responder.

Muitas saudades e um beijo da **Alzira**

1949

178 \ G · [Estância Santos Reis], 23 de maio

Alzira

1949   Chegaram aqui o Ruy, Epitacinho e Baeta, e o Maneco devolveu-me essa outra carta que estava com ele para remeter, por haver portador direto. Deixou também esses retratinhos que vão junto.

Nada mais de novo. Só tenho a reiterar a recomendação sobre as encomendas já feitas, cuecas, charutos velhos, loção e Viderol. As primeiras são as mais urgentes e já estão bastante demoradas.

Abraços do teu pai **Getulio**

127 \ A · [Rio de Janeiro], 25 de maio

Meu caro pai

Esta é o relatório secreto, que irá mesmo pelo Salgado em falta de outro portador.

1949

O Major e o Frota procuraram-me hoje afobados. Em reunião do diretório ontem o vice-presidente, não logrando vencer nenhum de seus pontos de vista com referência ao caso de São Paulo, renúncia do diretório, prestígio da comissão de reestruturação etc., aproveitou a ignorância do Fiori e do Landulfo e deu um golpe. Propôs que fosse designado presidente da comissão o Porfírio, que está se prestando ao jogo udenista dele em São Paulo, secretário o Frota e tesoureiro o Newton. Frota procurou-o assim que soube e alegou que os cargos da comissão já estavam distribuídos e legalizados em ata assinada na tua presença e da qual ele, Salgado, tinha o original. Alegou que a havia perdido e fez a defesa do Porfírio. Frota produziu uma cópia autêntica que foi entregue ao Landulfo. Estava escrevendo quando chegaram Maciel e Landulfo. Landulfo me informou que interpelara o homem sobre a nova organização da comissão e que ele lhe respondera que Newton seria o presidente da reestruturação e Porfírio do novo diretório, que seriam compostos dos mesmos membros.

Isto dará um *foot-ball* dos diabos que convém evitar.

Um beijo de tua filha **Alzira**

Getulio na Fazenda do Itu. Itaqui, RS, entre 1948 e 1950.

179 \ G · [Estância Santos Reis, de 25 a 27 de maio]

Rapariguinha

1949 Além das minhas encomendas já feitas e em atraso, escrevo esta para lembrar mais alguma coisa.

O Epitacinho, quando aqui esteve com o Baeta e o Ruy Almeida, trouxe-me a seguinte documentação: 1º) *dossier* Barreto Pinto; 2º) assunto refinarias, discursos Hermes Lima etc.; 3º) artigos do Carlos Lacerda que provocaram sua dispensa do *Correio da Manhã* (isso eu ignorava); 4º) minha entrevista em *Diretrizes*. É sobre esta que desejo falar, porque está incompleta. Vieram apenas aquelas conversas fiadas preliminares e a parte sobre colônias nacionais. Faltam-me as referências sobre constrangimento policial, violação de correspondência e ligações com o Perón. Essa parte desejo que ma envies. Não tenho conhecimento por que não foi transcrita nos jornais de Porto Alegre. As intenções do Grão de Bico e seus asseclas estão patentes nos vários planos arquitetados contra mim: conspiração com o governo argentino, instigador das memórias do Barreto Pinto, e agora conferências com emissários comunistas, segundo informações da polícia. Todas essas coisas mesquinhas são arquitetadas por elementos oficiais ou oficiosos.

Os responsáveis pelas memórias do Barreto Pinto são, além do próprio autor, o diretor e proprietário dos jornais que as comprou e está publicando. Por que não o acusam nem o processam? E eu que não fui ouvido nem consultado é que devo ser o instigador! Por quê? Ou querem que eu venha defendê-los?

Quanto a mim não me sinto no dever de defender-me contra esses disparates, nem tenho que dar satisfações.

Outra cousa que desejo saber é quando termina minha licença de três meses. Penso que o prazo começa a ser contado da data da concessão da mesma pelo Senado.

E por hoje, 25, aqui fico aguardando a vinda do Salgado.

26 de maio · Chegou o Salgado, que me trouxe tua carta, a de tua mãe e a correspondência do Neves. Mas só pude ler à noite, depois que ele se acomodou. Amanhã conversarei sobre o assunto da última, isto é, o golpe a que te referes. Ao Neves escreverei depois. Vou tratar da primeira carta. Recebi as tuas anteriores, menos a que mandaste pelo Gastão Fontella, que aqui ainda não apareceu.

Surpreende-me que ainda não tenhas recebido as quatro cartas a que me referi. Há algum engano ou se extraviaram. Esta hipótese seria a pior. Uma, pelo menos, receberás porque foi pelo Júlio Santiago. Pensei que ele já estivesse aí.

As sementes recebidas já foram semeadas em viveiros e já nasceram. Portanto são boas. Quanto ao adubo ainda não o apliquei. Fá-lo-ei, porém, nalgum novo viveiro, quando vierem as outras sementes referidas na carta e que ainda não chegaram, não só as de beterraba, de que o Ernani não gosta, como outras de que ele goste e eu também. Também não recebi as caixas de charutos a que te referes. Recebi duas que já acusei em carta anterior. Parece, porém, que não vieram por teu intermédio.

Diga à Celina que vou ver se apanho uma avestruzinha para guardar-lhe, quando ela vier, e que contarei as histórias bonitas se ela mandar-me o livro.

Quando vim do Itu estavam sendo preparados os canteiros para mudar as hortaliças do viveiro. Espero voltar lá quando chegarem as outras mudas e sementes prometidas daí, como outras mudas de árvores frutíferas que encomendei aqui no estado.

Dize ao João Neves que não tive tempo de ler as exposições que ele me mandou para responder pelo mesmo portador, mas que farei depois, com mais tempo.

27 de maio • Falei ao Salgado. Ele me disse que a comissão de reestruturação foi mantida como estava, Newton presidente, Frota secretário e Porfírio tesoureiro (parece que é isto). Agora criou uma executiva composta pela mesma comissão com o Porfírio como presidente, o Frota secretário e o Newton tesoureiro. Em resumo ele não confia no Major e quer controlar. É preciso que eles se adaptem às circunstâncias e comecem a trabalhar. O resultado desse trabalho justificará a comissão. Quanto ao diretório, ele me disse que aceitou a renúncia e não vai organizar outro. Criou só a executiva com os mesmos membros da comissão, invertendo as funções. Contou-me ele, e peço reserva sobre a fonte da informação, que o Sr. Soares está desgostoso com o Ernani, porque este apoia o Pedro Brando contra a Besanzoni. Nessa política eu não entro. Estou só informando.

Saudades a todos e um beijo do teu pai **Getulio**

*Getulio e o capataz Alceu na Fazenda do Itu.
Itaqui, RS, entre 1949 e 1950.*

180 \ **G** • [Estância Santos Reis], 28 de maio

Minha querida filha

1949 Ontem escrevi pelo Salgado, mas hoje apareceu-me o Padre Pedron, um bom e dedicado amigo que te recomendo.

Se tiveres alguma cousa a mandar podes aproveitá-lo.

A respeito de sementes esqueci-me de dizer-te que falta a de espinafres.

Saudades a todos e um beijo do teu pai **Getulio**

Getulio na Fazenda do Itu.
Itaqui, RS, entre 1949 e 1950.

181 \ G • [Estância Santos Reis], 31 de maio

Minha querida filha

Andava eu desconfiado que houvesse alguma manobra na liquidação do patrimônio Henrique Lage. Quando deixei o governo o *dossier* desse assunto estava pronto no Ministério da Viação ou da Fazenda. O acervo fora descrito e avaliado por uma comissão idônea que emitiu seu parecer, que foi por mim aprovado. A União era credora de 200 e poucos milhões de cruzeiros que deveriam ser pagos com os navios, estaleiros e minas de carvão. O restante seria dividido entre os herdeiros. A União nada mais teria com isso.

1949

Depois do 29 de Outubro soube que a União de devedora passara a credora e teria que pagar uma indenização. Não podia entender como se fizera essa mágica.

A publicação das memórias do Barreto Pinto veio esclarecer esse assunto.

Primeira fase: José Linhares – Besanzoni, Sampaio Dória, Vicente Rao, Levy Carneiro, Pires do Rio etc. Revogação de meu decreto de incorporação, nomeada outra comissão, nova avaliação.

Segunda fase: Dutra – Zita Catão, Sampaio Dória, Raul Gomes de Mattos, Juca Burro, juízo arbitral, indenização.

Resumo: a União, credora de 200 e poucos milhões, terá de pagar uma indenização de 288 milhões, segundo a mensagem do Grão de Bico à Câmara. Não é isso?

Sob certos aspectos eu considero o Vitorino Freire muito pior que o Barreto Pinto. No entanto, quando o Vitorino fez, no Senado, discursos mentirosos e caluniosos contra mim teve como recompensa um banquete assistido pelo Dutra e saudado pelo Góes. No entanto nunca atribuí ao Góes interferência nos discursos do Vitorino. Porque supõe ele que eu possa ter qualquer participação nas Memórias, quando nunca fui ouvido a respeito. ~~Desejaria que o Goes tivesse conhecimento dessa minha opinião.~~

Sobre as encrencas referentes ao funcionamento da comissão de reestruturação de São Paulo, parece que a atitude firme e resoluta do Fiori e do Landulfo evitará surpresas.

Não recebeste ainda as cartas atrasadas?

Saudades a todos e um beijo do teu pai **Getulio**

128 \ A · [Rio de Janeiro], 2 de junho

Meu querido pai

1949   Vão hoje pelo Calafanges tuas encomendas, com exceção das cuecas (2ª remessa) que seguirão pelo Pinto no domingo devidamente marcadas.

Recebi com grande atraso as cartas de que me falas em tua última, duas trazidas pelo Júlio que ficara detido em São Paulo durante uma semana.

O resto das entrevistas do Pacheco vai junto com as encomendas e mais um livro do Lúcio Bittencourt, que desejaria que agradecesses, e correspondência. A carta da Lavínia de que falas deve ser coisa antiga, perdida entre outras cartas, pois o quarteto de bronze está dando o grande na Europa há vários meses e desde as ligações angélicas e vitorianas afastou-se de nós por medida de higiene.

A luta em São Paulo continua acesa, e pelo Salgado deves ter tido algumas informações detalhadas. Confesso-te que já não sei mais em quem crer neste caso. O regime de mentira e tapeação inaugurado pelo Adhemar parece estar dando ótimos resultados. Todo mundo mente. Mente o Major, para sujar o Salgado; mente Salgado para sujar o Major; mente Epitácio, mente o Porfírio; mente o Zé Barbosa. E é possível que eu te tenha transmitido mentiras sem saber. Se eu conseguir o fio da meada mandar-te-ei. A troca de telegramas do Vitorino com o Guaracy não teve repercussão alguma aqui. Passou em branca nuvem.

Tua licença no Senado termina no dia 7 de julho e pode ainda ser renovada, segundo me informou o Carlos Maciel, a quem pedi para apurar bem. Daqui até lá vamos ver se as nuvens armadas pelo Barreto Pinto se dissolvem ou não. Era francamente partidária de tua vinda no mês passado, agora já não o sou. Vamos primeiro furar a onda. Tenho a impressão de que este mês de julho será decisivo na política nacional.

João Neves está ansioso à espera de uma resposta tua. O PSD está novamente se movimentando, desejoso de uma aproximação. Parece que seria o João Neves o indicado para parlamentar contigo. Daí a ansiedade.

Dentro de uns 15 dias devo ir a São Paulo para a operação da Maria Luiza que não se realizou ainda, devido ao suicídio da filha mais moça do Benedito Montenegro na véspera do dia marcado para a dita. Talvez então consiga saber qual a realidade em São Paulo para te transmitir com honestidade. É difícil peneirar estes casos. Carlos Maciel tem me ajudado muito.

Soube por pessoa alheia à política que no dia seguinte ao da cassação de seu mandato Barreto Pinto e mais Segadas, Matta, Farah e Vargas Netto reuniram-se em casa do Borghi.

Por hoje chega, amanhã tem mais.

Beija-te com todo o carinho tua filha **Alzira**

182 \ G · [Estância Santos Reis], 4 de junho

Rapariguinha

Continuas em atraso para comigo. Acho-me quase sem cuecas e com poucos charutos. Duas cousas bem diferentes mas igualmente necessárias. Estou a escrever-te esta no dia 4, mas só penso enviá-la quando houver portador. O extravio de algumas cartas pelo nosso correio particular deixou-me um tanto desconfiado para enviar outras pelo mesmo conduto.

1949

Dize à tua mãe que o Ruy, segundo estou informado pelas pessoas a quem o recomendei, conseguiu vender a fabriqueta que possuía e pagar suas dívidas. Está agora trabalhando numa companhia particular com o ordenado de Cr$ 10.000 mensais. Já pode atender à família. Também tem perspectiva de outros negócios.

O Aero *Club* de Itaqui pede um avião. Pergunta ao Salgado se pode atendê-lo.

Recebi esse convite da Escola Agronômica de Areia. Entrega ao Epitacinho para que responda em meu nome, com muitos agradecimentos, e dizendo que não posso comparecer.

Estava com essas linhas escritas quando recebi tua carta de 17 do mês findo. Ainda não falas nas minhas encomendas.

O caso Barreto Pinto já foi liquidado pela Câmara. Eu daqui [a] pouco poderia fazer, principalmente porque meu nome fora envolvido propositadamente. Esse pouco eu fiz aconselhando aos que me consultaram que fossem contra a cassação. E o Barreto foi imolado para salvar o decoro da Câmara por coisas que praticou fora da mesma. Essa mesma Câmara talvez vote o crédito que sanciona a negociata na liquidação do Acervo Henrique Lage, denunciada pelo Barreto Pinto como lesiva ao patrimônio da União. Talvez isso não afete o decoro da Câmara.

Impressionou-me o que referes sobre a situação da Jandyra agravada pela indiferença do Ruy. Alvitro chamá-lo ao Rio e falar-lhe usando meu nome. Mostrar a necessidade de sua cooperação para salvar a esposa, no interesse dela e dos filhos. Talvez não lhe tivessem explicado isso que é para ele um dever de ordem moral. Acostumou-se ele a Darcy tomar conta de tudo, atender a tudo e descansa sobre isso.

Parece que há tempo falei-te sobre umas sementes de soja e informações a respeito. Também desejo umas sementes de girassol.

Junto vai uma carta para o Neves. Lê e fecha. As informações dele aliviam o teu trabalho. Basta comentá-las, suprindo o que faltar ou observando o que não te parecer acertado.

Vê se consegues do Napoleão uma cópia da nota escrita que dei a ele sobre as informações de que preciso. De posse dessa nota entrega-a ao Neves. Talvez ele possa fornecê-las.

Já estava com a resposta pronta, quando recebi a outra carta do Neves. Essa será depois respondida. Aguardo seu prometido relatório.

Saudades a todos e um beijo do teu pai **Getulio**

Que notícias me dás do Professor?

183 \ G · [Estância Santos Reis, de 6 a 8 de junho]

Minha querida filha

1949 Recebi ontem, 5-6-49, teu bilhete de 5 do mês findo e as encomendas trazidas pelo Gastão. As cuecas serviram e já entraram em uso, mesmo sem marca. Achei-as apenas um pouco grã-finas, isto é, não muito resistentes para uso campeiro. Espero brevemente enviar outro ajutório à tua mãe. Com esse ela deve indenizar-te das despesas com o presente à minha afilhada. Devo estar em débito contigo de outras despesas, mas só tu poderás dizer a quanto montam.

O Major informou que já tem interessados para a compra do terreno aí. Ainda não vendeu por falta duma planta do mesmo. Será que não existe na prefeitura ou com D. Astreia? Sobre os discos do Pedro Raymundo não há pressa. Ainda não tenho uma vitrola para experimentá-los. Quando houver portador, prefiro as mudas. Junto vão uns óculos, quebrados nalgumas quedas, para compor e aguardar aí meu regresso. Irão também uns *repuestos* de lápis tinteiro para encher e aguardar.

Estou a ~~escrever-te~~ continuar esta a 7 de junho, pensando enviá-la quando houver portador e também pela necessidade de escrever-te, porque és a minha ligação permanente com a vida exterior e, até certo ponto, a minha segunda consciência (importante, hein!!).

Recentemente enviei ao Maneco para remeter uma carta para ti e outra para o João Neves. A última carta dele, bem interessante, penso responder para enviar junto com esta. Reitero a recomendação para que obtenhas dele as informações que pedi ao Napoleão e que já havia pedido antes ao Sr. Soares. Não me interessam calhamaços impressos e sim os dados numéricos precisos que solicitei.

Como está a Maria Luiza, foi-se bem da operação? Manda-me alguma notícia sobre a publicação do meu livro.

Fon-Fon – o último nº que recebi foi de 21 de maio.

<u>8 de junho</u> · Estava com esta carta escrita quando aqui chegou o deputado Gurgel do Amaral trazendo as encomendas remetidas pelo Calafanges, as tuas cartas, uma para mim e outra para o Maneco e outra pª da tua mãe. Como verás por esta carta já pretendia socorrê-la. Agora vou apressar. Não tive tempo de abrir as encomendas, nem de responder à última carta do Neves. Penso fazê-lo pelo próximo portador. Quanto a São Paulo, não te inquietes, parece que há muito mexerico. Vamos aguardar o trabalho da comissão de reestruturação. Manda-me notícias da Maria Luiza. Faço votos para que ela seja feliz.

Saudades a todos e beijos do teu pai **Getulio**

129 \ A ▪ [Rio de Janeiro], 7 de junho

Meu querido pai:

Recebi três cartas tuas, duas trazidas pelo Epitácio e uma pelo Salgado.

1949

O caso Barreto Pinto resolvido parlamentarmente continua sua obra. Já esteve com o Adhemar e agora prega francamente a dissolução do Parlamento. Escreve algumas vezes coisas interessantes, porém a maioria são mentiras crassas e invencionices, obedecendo a um objetivo qualquer ou a algum Patrão desconhecido.

O PTB infelizmente está entrando vorazmente na caixinha do Adhemar. Quantos deixaram o rabo preso não sei ao certo, mas inúmeros já receberam seu quinhão. O que antes era suspeita transformou-se em certeza: o Major trabalha por conta do Adhemar e alicia gente para comer no coxo. Se também recebe ordens dele não posso provar. É provável que esteja de bandido com ele e conosco para ver donde sai mais leite. Não sei quais são tuas intenções e é possível que nosso destino acabe sendo o de marchar com mais um salafrário pela frente, o Sr. de Barros, mas se for que o seja por livre e espontânea vontade e não coagidos pela falta de pudor financeiro de nossos egrégios correligionários. O Major está tentando cercar de pequenas gentilezas e grandes favores todas as pessoas que possam influir junto a ti. Não estou contra ele e continuo a ajudá-lo. É uma chance, a última, de organizar o Partido. Vamos aproveitar. Fica, porém, o aviso para não se perder de vista.

O quadro político atual em relação a ti é o seguinte: ao grosso da UDN, exceção feita àqueles que traíram, é indiferente que sejas candidato ou não, que ganhes ou não, contanto que se mantenha o regime e a mamata política continue. O PSD dutrista teme tua volta muito mais do que uma ditadura militar, pois as consciências pesam. O PSD getulista não teme tua volta, teme tua candidatura, porque significa a perda das posições estaduais duramente conquistadas e mais duramente mantidas. O PTB quer a tua candidatura, como meio de se elegerem e voltarem aos postos que nunca supuseram conquistar, mas tem pavor de que te elejas porque sente que não estão em condições de fazer parte de teu governo e teriam de ceder os postos para o PSD.

O Adhemar quer apenas o teu pessoal e o teu nome para se eleger.

Naturalmente isto é uma generalização, há honestos e sinceros em toda parte, porém a linha mestra é esta.

Vou parar para te avisar que o PC está tentando uma ligação conosco e vais ser consultado a respeito. Peço-te que não autorizes pois a ligação se fará de qualquer maneira mas não deve ser feita com tua aquiescência. Compreenderás depois de conversar com o portador.

Amanhã tem mais.

Beija-te com carinho tua filha **Alzira**

130 \ A · [Rio de Janeiro], 9 de junho

Meu querido pai

1949   Acabo de receber um pito da Dona Vicência, minha cozinheira, por causa do PTB. Acontece que de 15 dias para cá ando com uma nevralgia do lado direito, desde a cintura até o ouvido, sem causa fisiológica. Fiz todos os exames, não há cruzes, nem infecção a registrar. Dona Vicência, para quem o sol brilha conforme minha cara, resolveu o problema primariamente, decretando que era por causa desses "homes que a sra. vive recebendo o dia todo". Barata, porém, não concordou com ela e resolveu que devo me transformar em bola de bilhar, promovendo um superconsumo de açúcar, pois minha taxa de glicose é baixa.

Enquanto trato de minhas <u>algias</u> (bonito) a política se precipita, como era de esperar com a volta do Dutra. O berro do Zé[1] começou a série. Benedito anda em cólicas e pretende responder ainda esta semana. Dutra ficou danado, disse que iria desautorar o Benê, declarando que estava apenas incumbido de coordenar a política mineira, o que não é exato, pelo menos no dizer do Esperidião. O Ernani e o Agamenon estão entusiasmando o mesmo para responder violentamente ao Zé. Depois disso deverá falar em nome do governo, não o *leader* no Senado, mas o próprio ministro da Justiça.[2] Ivo de Aquino responderá apenas indiretamente para dar a posição do PSD. Nereu não quer queimar o seu *leader*, nem desgostar o Zé, cujo discurso é digno do mais aferrado pessedista. Adroaldo fez ontem umas declarações chochas, situando o presidente acima dos partidos e das lutas políticas. É possível que se limite a isto a defesa do Catete.

Ainda não se tinha refeito do primeiro golpe e já o segundo fora desferido. Café Filho leu na Câmara a famosa carta do Correa e Castro ao Snyder acompanhando o relatório da Missão Abbink, cuja existência era conhecida, mas ninguém suspeitava que seus termos fossem tão imbecis. Resume-se no lapidar provérbio que o Sr. Ministro, pelo cérebro privilegiado do Chermont de Brito, descobriu não se sabe onde: "Ou me dás a mão hoje ou terás de me carregar às costas amanhã".

A indignação é geral e a onda enorme. Pois bem: o Dutra recusou a demissão do ministro, solicitada sob a pressão dos fatos, e aconselhou-o a dar uma entrevista à imprensa explicando suas boas intenções ao fazer tal burrada.

O João Neves, em carta que te escreveu pelo Danton, deve ter te posto a par da conversa do Luzardo com o Dutra. Este renegou a candidatura Canrobert e declarou não ter candidato; não é contra o nome do Nereu, mas também não é a favor; Góes o tem aconselhado a fazer a burrada e ele tem resistido.

Agora anuncia-se a vinda do Mangabeira, do Milton e do Jobim, vamos ver o que é que brota daí.

Bias está tentando novamente a aproximação do Adhemar com o Catete, com vistas à própria candidatura. Adhemar já está invadindo o Distrito Federal, pregando cartazes,

---

[1]. Refere-se à série de três discursos pronunciados por José Américo de Almeida no Senado a partir de 6 de junho, abordando o problema sucessório e criticando o fato de que dois parlamentares – o senador Góes Monteiro e o deputado Benedito Valadares – agiam junto aos partidos como coordenadores em nome do governo.
[2]. Refere-se a Adroaldo Mesquita da Costa.

1949

pichando paredes e comprando gente. Muitos dos nossos já embarcaram na canoa. Não vi os recibos, nem presenciei nada, mas consta que já estão amealhados: Ruy, Segadas, Baeta, Euzébio, Fiori da Federal, Sagramor, Geraldo, Lino da local. Fala-se do Junqueira, Barreto Pinto, Crispim, porém com menos insistência. Epitácio tentou entrar mas não foi aceito.

Nereu tem sido muito atacado, depois da volta do Dutra, por ter dado liberdade a Margarida Hirschmann.[3] Disse ele ao Ernani que o fez a pedido do Cardeal Senado. Pessoalmente acho que fez bem. Afinal brasileiros no Brasil, que fizeram pela Alemanha muito mais do que essa desgraçada que agiu sabe lá debaixo de que entusiasmo ou sob que pressão, são hoje presidente da República, senadores e altos figurões da República.

———

Bejo afinal está livre. Nelson Hungria e Narcélio Queiroz em brilhantes discussões passaram descomposturas nos julgadores, deram cartaz de valente e homem de bem ao Bejo e acabaram reduzindo a pena para três meses com direito a sursis.

Por tudo isto que te conto podes ver que os dentes do governo estão começando a cariar.

No outro dia, folheando o arquivo, assaltou-me novamente a tentação de desmascarar alguns democratas. Que achas? Ernani pediu para copiar as cartas do Zé Eduardo relativas ao período de 37. São preciosas para ti e para ele. Quer, porém, tua autorização para usá-las se for necessário.

Na correspondência que mandei pelo Danton falava em uma ligação que estava sendo tentada conosco. Não esclareci porque o mesmo recado que recebi, o portador recebeu e deve ter te relatado. O intermediário foi o Paranhos e eu tenho minhas desconfianças quanto a suas reais funções junto ao Estado-Maior, por isso pedia-te para recusar ostensivamente. Há meios de fazer sem te envolver.

Quanto ao caso do Sr. Soares é conversa fiada para se justificar. Já não há nenhum caso Brando-Gabriella,[4] pois o primeiro já recebeu o seu e saiu do grupo e da luta financeira. Mantém por besteira uma luta judiciária, processando a dita por difamação. Ernani já o aconselhou a parar pois considera apenas pretexto do Adauto Cardoso, seu advogado, para ganhar dinheiro do Pedro.

O bebedouro do teu informante é que é interessante, pois consta que seu dileto amigo Fadel é a última aventura da ex-imperatriz.

A carta que o Sr. Soares escreveu ao Nereu e que este mostrou ao Ernani é bem elucidativa quanto à atual atitude assumida! Segundo ele próprio me informou, há tempos, Gabriella, que é *fan* do Nereu, estaria disposta a financiar sua eleição. Quis provocar uma definição do candidato em perspectiva para se documentar. Está zangado porque o destinatário não respondeu.

3. Brasileira de origem alemã que nos últimos anos da Segunda Guerra Mundial atuou como locutora de rádio em Stuttgard. Acusada de propaganda nazista, foi presa em Milão e entregue ao comando da Força Expedicionária Brasileira.
4. Refere-se à queixa-crime apresentada em março de 1948 por Pedro Brando, ex-superintendente das Organizações Lage, contra a viúva de Henrique Lage, Gabriella Besanzoni, a quem acusava de injúria e calúnia.

1949 Esta vai pelo Júlio, que levará uma ou duas garrafas de *whisky* mandadas pelo Isnard, conforme a capacidade de peso, uma caixa de charutos, as ditas marcadas por D. Dadá, mais um vidro de Lusitana, o *Fon-Fon* e alguns "troços de política", como diz a Celina.

Dei-lhe teu recado e ela anda me apertando para comprar o livro para te mandar. Agora sai dessa!

Maria Luiza foi afinal operada hoje em São Paulo pelo Benedito Montenegro. Correu tudo bem, mas segundo o telefonema do Nonô de hoje, não podia ter sido mais oportuna. Além da úlcera principal já bastante avantajada estavam se formando outras menores.

O caso Lage debatido pelo Barreto Pinto em linhas gerais foi exatamente como se passou. Infelizmente a loucura semidirigida do memorialista cometeu alguns erros em relação às cifras e pormenores, o que lhe tira um pouco do valor.

Já ando tão chateada de responder que ainda não sei quando vens, nem o que pretendes fazer, que qualquer dia faço um estrupício. Oh rapaz: chega, chega de tanto prestígio. Até a grã-finagem já berra que é getulista.

A tribo vai indo bem, às voltas com os eternos problemas.

Beija-te com todo o carinho e saudade tua filha **Alzira**

Getulio na Fazenda do Itu.
Itaqui, RS, entre 1949 e 1950.

G · [Estância Santos Reis], 12 de junho

Rapariguinha

Estou a escrever-te esta sem saber se estás em São Paulo ou se já regressaste ao Rio, se a Maria Luiza foi ou não operada, e como está passando. **1949**

Quanto a ti, estás quase quite comigo. Já recebi quase todas as encomendas. Só falta a meia dúzia de cuecas. Se já estavam compradas e marcadas, manda essas mesmas. ~~Não~~ Pensava seguir para aí logo que terminasse minha licença. Tua carta, porém, parece não achar oportuno. Explica isso melhor. Recebi esse telegrama. Eu prefiro a Varig, não só porque esta teve sempre comigo a melhor boa vontade, como leva-me diretamente daqui. Eu, porém, não quero abusar. Sonda e informa-me. Tive informações que o Danton chegaria hoje aqui. Estou a escrever com o propósito de enviar por ele, acrescentando o que sua viagem trouxer como novidade a responder. ~~As mudas~~ A carta para o João Neves ficou hoje pronta. Irá junto. As mudas lindas. Penso ir em breve ao Itu e levá-las-ei comigo. Também recebi as sementes.

Esteve aqui um Sr. Arthur Coelho Dornelles, pedindo-me cartões de apresentação ao Ernani e Luzardo. Trata-se dum viajante vendedor de objetos de laboratório que deseja representação dalgumas firmas. Não pude evitar os cartões. Trata-se apenas dum desaperto.

Chegou o Danton. Entregou-me as encomendas e conversamos bastante. Não tive, porém, tempo de acrescentar mais nada nesta carta. Vai uma para o Neves e outra para o Epitacinho.

Beija-te teu pai **Getulio**

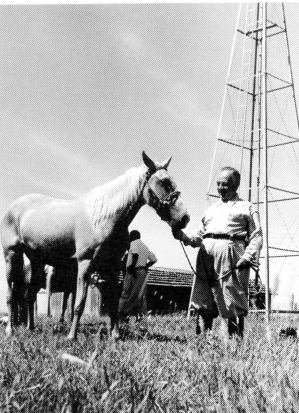

185 \ G · [Estância Santos Reis, de 12 a 15 de junho]

Rapariguinha

1949 Só após a partida do Danton é que tive tempo de abrir o pacote e ler a tua segunda carta, a secreta. Deves ter lido as que escrevi ao Neves. Vão por teu intermédio, abertas, para ler e fechar. Qual a tua impressão sobre elas? Que efeito produziram? Procurei ser exato e sincero.

Vamos ver o que resulta da reunião dos governadores. Estou curioso. A carta ao Neves já estava escrita, quando chegou o Danton. A que trouxe este não continha matéria nova a responder. E o relatório que ele me prometeu na penúltima carta? Já estava sendo datilografado. Por que não veio pelo Danton?

São Paulo. Estiveste lá, acompanhando a Maria Luiza, como pretendias? Nada me disseste a respeito. O que informas sobre venalidades confirma alguma cousa que sei. O Adhemar não tem maioria na Assembleia e só consegue fazer passar as medidas que pretende comprando os deputados. Estes gostaram do método e não querem outro. São as belezas da democracia!

Quanto ao Major, o que ele me informou sobre as possibilidades da candidatura Adhemar é tão contrário a este que não me parece esteja a serviço do mesmo. Enfim, vamos ver como atua a comissão presidida por ele.

As cousas aí pelo Rio estão ficando bem mais interessantes. Parece que a publicação das memórias do Barreto Pinto está passando a segundo plano, depois do grito do Zé, resposta do Benê, caso Correa e Castro e próxima reunião dos governadores. Quem será o novo ministro da Fazenda, o próprio Guilherme da Silveira, o Souza Costa, o Lafer?...

Isto foi escrito depois que o Danton partiu, dia 12.

13 de junho · Chegou o Santiago trazendo tua carta, várias outras, minhas encomendas, charutos e duas garrafas de uísque do Isnard, muito apreciadas. Faltou apenas o Viderol. Nada me disseste sobre o passe e o pagamento de tuas despesas. Afinal tu es não és minha mãe e sim minha filha.

Sobre a ligação Paranhos, Danton nada me falou. Também julgo perigoso e estou prevenido.

Fiquei muito satisfeito com o desfecho do caso do Bejo. Esperava uma solução justa e digna quando soube que o Nelson Hungria era o relator.

Que notícia me dás do Professor?

Sobre as cartas do Rodanes, se o Ernani deseja utilizá-las, pode fazer. Só essas. Não creio que deem resultado para um sujeito tão cínico e desmoralizado. Continuas organizando o arquivo ou estás apenas divertindo-te com alguns espécimes encontrados?

Saudades a todos e um beijo do teu pai **Getulio**

131 \ A . [Rio de Janeiro, de 17 a 20 de junho]

Meu querido pai

Parece incrível que há uma semana não tenha um minuto de sossego para te escrever, com tanta coisa para dizer. Conversas, conversas e conversas. Devo seguir para São Paulo nestes três dias. Maria Luiza foi operada com êxito, mas estava em péssimo estado. Voltarei de lá com ela.

1949

Junto vão três cartas do Neves interessantíssimas e que bem refletem o que se está passando. As informações do Ernani e minhas discordam dele apenas em três pontos que passo a expor.

1º Quanto à vinda dos governadores Jobim, Milton, Mangabeira. Não foram eles e sim Dutra que postergou o encontro no desejo de afastar a solução do problema sucessório. Os dois últimos acederam, Jobim talvez não tenha entendido a insinuação ou não quis deixar passar a oportunidade.

2º O Correa e Castro saiu do ministério danado com o Dutra, pois quando surgiu o tal escândalo da carta decrépita e aprovada por S. Excia. ele <u>não</u> pediu demissão. Combinou com Grão de Bico pedir uma licença de três meses, como na anedota do português: tirar da sala o sofá pecaminoso. Depois do discurso do Gabriel e das insinuações do Costa é que o versátil presidente resolveu que seu [palavra riscada ilegível] ministro havia pedido demissão irrevogável e lha deu com todas as honras. Seu Castro, porém, achou ruim e declarou a um grupo de amigos que lhe foram levar solidariedade que havia encerrado um capítulo de sua existência iniciado em 1946 e que não conhecia ninguém de sobrenome Dutra.

3º A versatilidade chega ao auge. Há coisa de uns três dias, um amigo nosso que goza das boas graças de S. Excia. conseguiu em confidência a confissão de que seu candidato à sucessão seria Canrobert ou Lyra, mas que temia a reação da imprensa quanto a qualquer um dos dois. Informado por esse amigo que o *Correio da Manhã* já tomara posição e que provavelmente viria a defender a candidatura Nereu (azar o dele), S. Excia disse-lhe: pois convide o Paulo Bittencourt a almoçar em sua casa e eu irei a esse almoço e lá conversaremos. O almoço é amanhã, sábado. A palestra descrita na carta do Neves é também real: sai desta agora?

Perguntas-me em tua carta se deves vir ou não. Há razões ponderáveis pró e contra a vinda, mas bem pesadas, medidas e controladas, a balança pende para a vinda o quanto antes. Aí vão os porquês. 1º A situação do PTB está caótica, periclitante e circuncisfláutica. O Salgado convenceu-se definitivamente de que tem chances no páreo e, não estando certo de tua concordância, está procurando criar dentro do PTB o grupo salgadista em detrimento daqueles que, por serem queremistas, ademaristas ou nereusistas não ou oportunistas, não estejam dentro de seu jogo. Ultimamente tem procurado criar dificuldades ao Gurgel com o fito de passar a *leader*ança ao Segadas que é também dos associados. A pretexto da organização da Juventude Trabalhista, teve um atrito sério com o Gurgel, procurando deixá-lo mal com a bancada. Não podendo se opor abertamente à organização, procurou anulá-la propondo que fique sob as ordens do Regional, isto é, sob o controle do Segadas. Como não é conveniente abrir luta agora com o Salgado, combinamos contemporizar. Correm boatos com foros de verdade de que Salgado e Adhemar estão entendidos. Nesta hipótese esta-

1949 mos em minoria total no diretório. Como, porém, ambos querem a mesma coisa não será difícil separá-los e poderemos novamente dominar a situação.

Por outro lado, em tua ausência, as combinações políticas estão sendo feitas caoticamente com elementos esparsos do Partido. Uns estão na manobra do PSD, outros do Adhemar etc. Salgado tem sido procurado por muita gente e está se sentindo importante. Tua chegada fará desaparecer a onda. Por isso há dias veio me pregar um susto, avisando-me de que um golpe estava em preparo para a tua chegada e pedindo que te escrevesse para que não viesses já.

2º É exato que se volta a falar em golpe e a hipótese da burrada não está afastada. Só recorrerão, porém, a isso se perderem todas as esperanças de vencer politicamente. Temos que correr a chance e eu não posso ser juiz, sem te ouvir, da oportunidade ou não de lhes dar essa chance.

3º As combinações políticas estão em plena efervescência. Muita gente que não tomaria posição sem te ouvir está sendo cantada e compelida a tomar posições que depois não poderão abandonar.

4º Tua ausência, que até agora podia ser considerada um protesto mudo, daqui em diante pode ser chamada de indiferença, desinteresse, abandono e até de rebeldia à solução política. Um convite aberto à revolução.

Era o que tinha a dizer.

―――――――

Gurgel recebeu um convite para se encontrar com o Góes, através de um repórter da *Folha Carioca* que é *persona grata* do General.

Aconselhei-o a deixar passar uma semana para não dar a impressão de que vinha com recado de São Borja e a ir. – Gurgel deu o serviço direito; falou pouco e ouviu atentamente. Foi recebido carinhosamente, ouviu rasgados elogios a ti, tua superioridade política, prestígio popular, serenidade, visão etc., referências ao respeito que te devota, à amizade que sempre os uniu, ao pacto de sangue entre vocês três: tu, ele e Oswaldo, palavras pouco lisonjeiras em relação ao Salgado, classificado como leal por interesse próprio. Em resumo, Gurgel trouxe as seguintes conclusões: 1º Góes é também coordenador secretamente autorizado pelo Dutra, desautorizado publicamente; 2º por intermédio do Gurgel deseja abrir-te as portas para um entendimento político com ele; desejam uma repetição da eleição do Dutra; acordo, "ele disse", deixando a UDN de fora; 3º golpe militar foi desprezado como ideia do Chatô, mas fica em suspenso, caso não se obtenha a solução pacífica; 4º se vieres disposto a conversar com eles todas as honras te serão dispensadas; Adhemar é um aventureiro político que será descartado em tempo.

20 de junho • Ontem à noite Gurgel voltou, supondo que eu seguisse hoje para São Paulo. Foi novamente procurado por gente do Adhemar; um tal Caparica que foi elemento do Filinto. Aconselhou-o a entrar em entendimento com Adhemar antes que seja tarde. O diálogo relatado foi mais ou menos o seguinte. G. – "mas eu sou getulista declarado e não gosto de

trair minha lealdade". C. – "você é um *leader* muito mal informado, então não sabe que isto não será uma traição". G. – "não ignoro que há alguns entendimentos e que Adhemar tem até ajudado financeiramente o partido, mas é só". C. – "então vamos pôr cartas na mesa. Salgado esteve várias vezes com Adhemar, por intermédio do Chatô, e já firmaram um acordo na seguinte base: Adhemar-presidente, Salgado-vice e Marcondes-governador de São Paulo. Esta última parte Adhemar está disposto a furar lançando Caio ou Aquino, porém foi obrigado a concordar para obter a aquiescência do Salgado". G. – "isto é interessante, porém eu disse a você que era getulista e suponhamos que o Dr. Getulio não concorde". C.– "você é louco, então o que pensa que o Salgado tem ido fazer em São Borja continuamente." Dr. Getulio está ciente e de acordo. Já estão com Adhemar, Barreto Pinto, Segadas, Baeta, Ruy de Almeida e outros. Como vês, Salgado está agindo autorizado por ti.

Jobim chegou, foi recebido festivamente pelo PSD. Deu a entrevista junto antes de se avistar com o Dutra. O C.C.G. não gostou, conforme o artigo junto do Zé Eduardo. Ontem Ernani foi visitá-lo e ele lhe relatou a palestra do Dutra – não tem candidato, não quer se meter, prefere, porém, um interpartidário escolhido por UDN, PSD e PR, deixando PTB e Adhemar de fora. Não é contra o Nereu, mas <u>ouviu</u> falar que há grandes restrições a ele dentro do próprio PSD.

Em tua última carta, fazes referências a uma telegrama que não veio, sobre a viagem. Avisa-me o que pretendes para que possa tomar as providências necessárias.

Junto vão duas cartas das Srtas. Celina e Cândida, sem comentários.

Ainda não consegui entregar a carta do Epitácio nem o convite do pessoal de Areias. Esse, aliás, talvez não entregue. Para que queres dar mais cartaz a esse jovem?

Afinal não vou a São Paulo. Já arrumei e desarrumei as malas pelo menos três vezes. Maria Luiza vem amanhã, com alta cirúrgica.

Mamãe finalmente inaugurou o Restaurante.[1] Correu tudo bem e ela não fugiu dos fotógrafos. Deixarei que ela mesma te conte. Alguns jornais publicaram. Vou ver se te mando.

O volume hoje está muito grande, de modo que, como não tenho portador, ficará para a próxima.

Saudades de todos. Beija-te com todo o carinho tua filha **Alzira**

---

1. Refere-se ao restaurante popular aberto pela Fundação Darcy Vargas na rua Sousa e Silva, voltado para os trabalhadores menores de idade do comércio.

132 \ A · [Rio de Janeiro], 24 de junho

Meu querido pai

Pretendia escrever-te com calma sobre os últimos acontecimentos, porém hoje cedo fui chamada para atender a Maria Luiza que teve uma complicação pulmonar e só agora voltei, quase na hora do Salgado vir buscar a carta. Maria Luiza mandou agradecer a visita e pede que te mande um abraço. – Acham-se aqui os quatro governadores confabulando por todos os lados.

1949

A UDN está desorientada, não sabe se se resigna a ser caudatária do PSD ou se se limita a continuar a intrigar com o Catete. O PSD esposa fiel e interessada, que durante anos tolerou a mancebia do Dutra com a UDN, agora parece que criou vergonha e readquiriu cérebro e resolveu lançar olhares ternos ao PTB, disposto a ter também o seu caso extramatrimonial às escâncaras.

A candidatura Nereu, antes firme e coligada, está um pouco abalada pelas combinações mineiras em torno do Bias, e Catetiais em torno do Jobim. – A esta hora devem estar ainda reunidos todos os maiorais do PSD. Para lá foram no firme propósito de declarar o acordo interpartidário mais elástico, abrangendo também o PTB. Não sei se serão capazes de manter as intenções. – O discurso ontem pronunciado pelo Jobim foi todo dirigido à pacificação do Rio Grande. Não o li porque a imprensa inteira boicotou, mas Ernani contou-me que foi excelente. O PSD do Rio Grande ontem estava disposto a ir até o rompimento com o governo federal, em troca da união do Rio Grande.

Se as coisas continuarem neste pé vai ser bom.

Tua entrevista publicada pelo Wainer está muito boa e oportuna. Não sei que feitiço puseste no homem que ele virou teu *fan*. Sente-se isso através de todas as suas publicações. Ainda não o conheço.

Creio que amanhã Dutra oferecerá um almoço ao quarteto e aos três partidos do acordo, numa significativa demonstração de que deseja sua manutenção. Se tiver portador escreverei, depois que o Ernani chegar com o resultado da reunião.

Pedi à Mamãe os recortes dos jornais com a foguetaria do Restaurante para te mandar e ao Maneco.

Beija-te com carinho tua filha **Alzira**

Salgado não apareceu. Esta vai provavelmente por intermédio do Xico Brochado. Mais uma carta do Neves que completa a minha.

Nas páginas 124 e 127, Getulio comemora seu aniversário com Syla Goulart e Leila Cunha, na Granja São Vicente. São Borja, RS, 19 de abril de 1949.

133 \ A · [Rio de Janeiro], 26 de junho

Meu querido pai

1949 Deu um lelé na família nestes dois meses que tenho me visto zonza. Só dão um intervalozinho de dias para cuidar de minhas próprias mazelas e lá vem outra onda. Minhas cartas devem se ressentir de meu estado de espírito e é possível que tenhas às vezes de recorrer à mágica para entendê-las. Uma delas, já não me lembro qual, tentei reler e não consegui, faltavam letras, vírgulas e até palavras. Horrorizada e sem tempo de refazer mandei assim mesmo. Parecia carta do Maneco dos áureos tempos, antes dele virar panfletário, quando colocava as vírgulas, pontos e exclamações no final da missiva para serem distribuídos à vontade da vítima.

É quase meia-noite de domingo.

Ernani, atrás de uma montanha de papéis acumulados durante esta semana de intensa atividade política, parece um camundongo, perdido na cesta da correspondência. Só se ouve o barulho de papel rasgado. Recebi aviso do Major de que tem portador amanhã ao meio-dia. Às 10:30 vou com Maria Luiza ao Barata para abrir alguns dos pontos da operação que supuraram. Por isso aproveito a música do Ernani e a calmaria da noite para te escrever.

Li as cartas que escreveste ao Neves e as que ele te escreveu. Como intermediária dou-me esse direito, como segunda consciência (já é luxo) considero um dever. Tua última respondendo à sua consulta foi muito hábil dentro de sua sinceridade e, creio, muito contribuiu para a atual atitude de independência do PSD, que é 70% manobra do Neves, junto ao Jobim e os outros. O relatório que reclamas seguiu parece-me pelo Júlio. Já o recebeste? Pela comitiva do Jobim seguiu mais uma carta dele e um bilhete meu, relatando os acontecimentos últimos relativos aos governadores e suas atividades.

Estou um pouco sem contato com o PTB. É tal a maroteira que já não sei quem é nosso e quem é contra nós. É impossível obter provas de tudo quanto se diz. No momento prefiro urubuservar o que se passa em campo mais vasto.

Amanhã Nereu deverá, devidamente credenciado pelo PSD, dar conhecimento à UDN e ao PR da fórmula Jobim. Ernani em sua palestra de hoje na Rádio Guanabara, comentando o fato e a manifesta má vontade da imprensa pela solução, declara que considera um *test* as verdadeiras intenções democráticas dos partidos. Se o objetivo é evitar a luta eleitoral então não há razão para que não sejam consultados os outros partidos que também representam parcelas ponderáveis da opinião pública. Por que não admitir a hipótese de que aqueles que ficarem do lado de fora se unam também e vençam o prélio? — Conforme a resposta dos sócios do acordo, o PSD tomará partido. Se concordarem, muito que bem, se discordarem, muito que porém. É de fato o primeiro ato público de independência do PSD. Durante a reunião do conselho Benê e Góes tentaram atrapalhar levantando objeções, mas foram vencidos pela argumentação cerrada e coesão dos outros.

1949

A UDN em revide, e como tem imprensa está levantando várias candidaturas pessedistas para quebrar a união em torno do Nereu. Atualmente o nome mais falado é o do Bias, que contaria com teu apoio, já dado em Minas, as simpatias do Catete e a boa vontade da UDN. Mas há outros em circulação, Jobim, Barbosa Lima, Góes, Benedito, Neves e até o Moleque Melo Viana e o Piano de Cauda.

Há dias fui convidada para uma festa de despedida da Aimée e Vera que vão para a Europa. Compareci para assuntar. Quem foi que disse que a grã-finagem nunca foi getulista? Cheguei em casa com o couro da barriga doendo de tanto rir para dentro. Alvarenga e Ranchinho, uma das atrações, fizeram misérias. Só cantaram coisas políticas terminando sempre com Getulio. Queria que visses as palmas.

Muitas saudades. Quando pretendes vir, avisa-me com tempo para que não venhas mal acompanhado. A Cia. que te ofereceu passagens pertence agora ao irmão do Tó Amaral.

Beija-te com carinho tua filha **Alzira**

186 \ G · [Fazenda do Itu, de 26 a 29 de junho]

Rapariguinha

1949   Aí vai uma carta em papel grã-fino. Recebi a tua de 17, em resposta à que levou o Danton, e as três do Neves muito interessantes. Após o regresso do Danton enviei-te outra pelo correio particular. Dessa ainda não tive resposta. Fiquei em dúvida se chegou às tuas mãos. Veio-me um telegrama do Gurgel, espécie de protesto ou ressalva sobre comunicações de que se organizavam outros núcleos de mocidade trabalhista. Será que ele receia o próprio filho ou está sob pressão? Já entregaste as cousas ao Pitinha. Ele também não está nas boas graças dos dois S. S.,[1] o geral e o local. Se também tu o afastas ele desgarra. Seria até útil se ele pudesse vir agora, até aqui, só e modestamente.

Acho-me aqui no Itu, plantando mudas e aguardando mudas. Regressarei breve a Santos Reis. Ainda ignoro o que se passou por aí, após o *raid* dos governadores.

Sobre meu regresso ao Rio, que pode ser no mês de julho próximo, podemos ir conversando. Desejo saber se poderei contar com a Varig, para uma viagem direta e em que condições, preço. Preciso aí do meu automóvel, em forma e com um chofer razoável. Lembrei-me do Sergio, filho da Auristalina. Esse é bom. Mas suponho que esteja empregado e só poderia aceitá-lo se o não prejudicasse no emprego. Examina isso. Chegando aí precisarei de dentista, exame do coração, ouvidos, sangue, ureia etc. e respectivo tratamento. Escrevi isto ontem à noite, 26.

Hoje, 27, recebi a visita do Salgado, vindo de Porto Alegre, e a do Maneco, vindo de São Borja. O Salgado já regressou. Veio fazer-me uma visita.

Parece que está mesmo em bons entendimentos com o Adhemar. Até agora nada de importante. Talvez queiram ambos a mesma cousa.

Pela leitura dos jornais que ele me trouxe parece que a UDN torpedeou a fórmula Jobim. Este ficou mais simpático, porque os outros obedecem aos planos do Grão de Bico. Foi essa a minha impressão. Aguardo pormenores daí.

O Maneco tomou conhecimento das cartas e pensa que eu não devo apressar-me em regressar, que estás um pouco afobada e que esses casinhos do PTB não têm importância.

Acha que as declarações do Jobim sobre a minha convocação, a minha resposta duma aceitação implícita, e a resolução posterior <u>dos três grandes</u> de resolverem primeiramente entre si, para depois me ouvirem, deixariam-me em situação muito boa, a dum homem convidado e desconvidado. Agora devo aguardar. Que te parece a opinião do Maneco?

<u>29 de junho</u> · Veio outro telegrama do Gurgel informando que deixou a presidência da mocidade.

Recebi tua carta de 26. Não está tão desalinhada como pretendes. Esta minha escrita em forma de diário está muito pior. Assim achei depois que a reli mas fiquei com preguiça de refazer. Vai assim mesmo. Junto vai um maço de correspondência para o arquivo.

Sobre a viagem aguardo tua resposta. Não recebi teu bilhete e a carta do Neves vindos pela comitiva do Jobim.

---

1. Refere-se a Salgado Filho e a Segadas Viana, este presidente do diretório do PTB do Distrito Federal.

Também não me informas se recebeste a outra minha carta referida no começo desta em que falava na indenização das tuas despesas do presente nupcial. E vou ficar hoje por aqui.

Saudades a todos e um beijo do teu pai **Getulio**

Como vai o Ernesto. Recebi uma carta dele prometendo vir dar um passeio até São Borja. Fiquei muito satisfeito e desejoso de conversar com ele. Pergunta-lhe quando vem e manifesta-lhe esse meu desejo de bater papo.

O Amaraldo manda dizer-te que o casaco dele teve de ser lavado e ficou curto. Não serve mais. Ele desejaria ter um outro parecido, mas de cor escura. Acusa logo o recebimento dessa correspondência que te envio, para deixar-me tranquilo. O Major informa que já conseguiu a planta do terreno e tem comprador para a maioria dos lotes. Ele procurará o Bejo. Previne a este. Os pagamentos serão à vista. À medida que for recebendo deve ir depositando o dinheiro na minha conta na filial do Banco da Província daí.

Fica sem efeito a parte referente à vinda do Epitacinho. Vai apenas esse cartão para ele.

Getulio Vargas. São Borja, RS, entre 1948 e 1950.

134 \ A · [Rio de Janeiro], 1 de julho

Meu querido pai

1949 Cheguei neste momento e soube que o Ernesto segue amanhã. Vou me vestir para ir a um jantar de modo que a carta vai sair Fulismínica.

Seguem vários recortes de jornais mandados pelos respectivos autores, revistas e umas palavras cruzadas que teu "colega", o Dr. Amaral, te manda, uma longa epístola explicativa do Gurgel que está no momento debaixo da minha asa protetora.

Ernani esteve hoje com S. Excia., que o fez demorar-se e demonstrou o mais vivo interesse em ser cordial. Em resumo, deseja protelar o problema sucessório, dando como pretexto a necessidade do PSD consertar em primeiro lugar as situações estaduais, principalmente Minas e São Paulo, onde o problema mais o preocupa. Ernani concordou em princípio lançando olhares ternos sobre o caso da Bahia, que será o primeiro osso que o PSD porá a funcionar.

Peço-te a máxima atenção para as *démarches* do Adhemar. Ele está fazendo constar aos quatro ventos que está unido a ti. Os fatos a seu respeito são os mais graves e podem ir fazê-lo parar na cadeia a qualquer momento, assim que passe a lei das responsabilidades que já está em marcha. Já não tenho mais dúvidas de que está ligado ao Salgado. As informações são constantes e precisas.

Sobre o PSD Ernesto te dirá melhor do que se passa.

Não continuo porque o tempo está curto.

Beija-te com todo carinho tua filha **Alzira**

---

187 \ G · [Fazenda do Itu], 3 de julho

Rapariguinha

Recebi tua carta e a do Neves trazidas pelo Brochado. Por enquanto nada de positivo. Vão começar os entendimentos dos três grandes. Vejamos o que decidem. Eu estou pelo que já disse nas cartas anteriores e na entrevista. Além disso sou contra qualquer candidato do Grão de Bico.

Junto vão duas cartas, uma para tua mãe, outra para o J. Neves e uns telegramas cujo conteúdo não entendi bem, para entregares ao Salgado.

Saudades a todos e um beijo do teu pai **Getulio**

188 \ **G** • [Fazenda do Itu], 5 de julho

Minha querida filha

Tenho a impressão que estás boicotando ao Epitacinho, sem utilidade para mim. Eu o conheço bem para tirar dele as informações que preciso. Não me deixo influenciar pelas suas opiniões, nem ele tem a pretensão de querer me dirigir.

No entanto é um furão e manda-me relatórios bem interessantes de tudo que sabe. Entrega-lhe esse cartão e os outros que já remeti. Ele está querendo vir até aqui e eu desejo que venha. Será um bom portador para trazer de ti e do Neves informações mais seguras e alguns velhos charutos, ameaçados das traças, se ainda existirem. Vai uma carta para o Neves, onde respondo às suas perguntas.

Saudades a todos e um beijo do teu pai **Getulio**

1949

Getulio na Fazenda do Itu. Itaqui, RS, entre 1948 e 1949.

189 \ G · [Fazenda do Itu e Estância Santos Reis, de 8 a 19 de julho]

Rapariguinha

1949   Estou a escrever-te esta ainda aqui do Itu, dia 8, numa tarde escura, de frio, de vento e de chuva. Já escrevi umas três cartas ainda sem resposta. Aguardo esta para resolver sobre a minha viagem para aí. No dia 12 devo regressar a Santos Reis e não sei se terei oportunidade de remeter esta daqui ou de lá. Também ignoro se virão o Ernesto e o Epitacinho. Às vezes me impaciento pela falta de notícias. Os jornais pouco me interessam como portadores de verdades, mas mesmo estes não tenho recebido aqui.

~~Nada me~~ Não acusaste o recebimento da carta em que falava no arquivo e autorizava o Ernani a usar as cartas do Rodanes. Também não me disseste se havias recebido a outra em que remetia uma vasta correspondência para o arquivo. Não tenho aqui onde guardar convenientemente esses papéis e quando se avolumam temo pela sua segurança. Esse é o motivo por que te os remeto, inclusive cartas tuas e de tua mãe que não desejo rasgar.

Sei que andas, às vezes, muito atrapalhada e, escrevendo às pressas, não te lembras de falar nesses assuntos. Mas para mim têm importância porque fico na dúvida se essa correspondência foi recebida ou sofreu algum extravio. Daí a minha insistência.

Continuo plantando mudas. Aguardava uma encomenda feita à Quinta Bom Retiro de Pelotas que espero amanhã.

As tuas mudas de cinamomo foram plantadas na parte sul, defronte daquela varanda aberta. O Amaraldo escolheu duas mudas grandes, já de três anos. Se vieres em outubro talvez já deem sombra. Por hoje é só.

<u>9 de julho</u> · Outro assunto enguiçado aí é o das notas e informações por mim solicitadas. Pedi ao Maciel e ele driblou, pedi ao Napoleão entregando-lhe pessoalmente, escritas por mim, e até agora nada. Pedi que conseguisses dele uma cópia para entregar ao Neves e não tive solução. Também não quero insistir dando esse incômodo ao Neves. Sugiro outro alvitre. Consegue essa nota do Napoleão, tira uma cópia e encarrega a outra pessoa, mesmo pagando, mas que faça o serviço.

Afinal o que eu peço é uma coisa simples, está publicado nos orçamentos, em mensagens, em relatórios, enfim, no *Diário Oficial*. É só organizar um quadro, um esquema, com notas explicativas. Não possuo aqui esses elementos, nem vale ~~ape~~ a pena estar enviando grossos cartapácios, para deles tirar um ou dois dados numéricos. Não adianta enviar-me recortes de jornais, com dados esparsos. Esses, quando muito, servirão como esclarecimento. O que eu preciso são dados gerais, organizados em quadro ou nota sintética, para consulta. Está compreendido? Vamos ver como te desempenhas. O último número de *Fon-Fon* que recebi é de 18 de junho. Trabalhei com ele aqui, mal provido de dicionários, e ainda não pude decifrar o problema nº 1.

Junto vai um bilhete para Ivete.

Outro assunto ainda não respondido é o do avião para o *Aero Club* de Itaqui, falar ao Salgado. Ainda preciso de sementes de acácias, *flamboyant*, girassol e espinafre.

<u>Hoje, 12</u>, estou aguardando avião para regressar a Santos Reis. Como previa, só de lá poderei terminar esta e remeter. Durante estes últimos dias estive isolado do mundo, das notícias. E o Professor?

1949

Regressei do Itu a 14. Nesse mesmo dia encontrei-me aqui, em Santos Reis, com o Ernesto. Ele trouxe-me as tuas cartas e as do Neves e narrou-me todas as ocorrências. Hoje, 16, continuo meu relatório. Também recebi as revistas, correspondência do Gurgel etc. Quanto a este podes tranquilizá-lo. Está bem. Sobre charutos ainda tenho um pouco. Mas desejo estar folgado e prefiro que me mandes charutos velhos, ameaçados de traça, e guardes aí nas caixas os novos. Sobre política estou gostando da manha. Qual a impressão causada aí pela atitude do PSD gaúcho, discurso do Neves etc.

Deves ter aí, para o arquivo, as cartas do Neves, narrando sua atuação no Rio Grande antes da viagem do Jobim ao Rio. Ele foi não só o inspirador mas o artífice da grande manobra. Gostei muito da tua comparação sobre as intenções das três mocinhas que dão o baile. Acontece, porém, que o mocinho já está velho para essas façanhas.

Peço-te, se não for sacrifício, abraçar por mim o Ernani, pelo aniversário. Não telegrafei porque estava sem comunicações. É realmente impressionante a lembrança da Celina narrada em tua carta. Está ela identificando no avô duas personalidades, uma que ela conhece e outra criada pela lenda. Então o Dr. Amaral também é charadista? Agradece-lhe as que me enviou.

Chegou hoje, 16, o Epitacinho que aqui se encontrou com o Ernesto.

Sobre o Adhemar já desmenti numa entrevista o boato das ligações. Penso que o PSD não tem interesse em tirá-lo do governo, porque será entregar São Paulo ao Novelli, que já está se aproximando da UDN. Tampouco deve apertá-lo porque, como tábua de salvação, ele se entregará ao Dutra. Ao passo que não se ligará a este enquanto tiver esperança de ser candidato. No momento parece-me a melhor tática. Disse-me o Epitacinho que a decisão do Tribunal Eleitoral liquidou a comissão de estruturação e que o melhor é eleger novo diretório, de acordo com os estatutos, e que essa é também a opinião do Salgado.

O Major Newton e o Frota, que aqui estiveram, contam o assunto de modo um tanto diferente do Pitinha. Nesse sentido escrevo ao Salgado, apoiando a comissão.

O Jango deve estar por aí. É um bom portador que deve ser aproveitado para trazer notícias, charutos e mais alguma cousa que puder.

Saudades a todos e um beijo do teu pai **Getulio**

135 \ A · [Rio de Janeiro], 8 de julho

Meu querido pai

1949 Depois da última carta que te mandei pelo Ernestinho no dia 1º, recebi a trazida pelo Major. Já havia recebido a anterior de 15 passado que não acusei porque o tempo era curto e as notícias muitas. Já estou de posse dos cobres relativos ao presente da Nora; quanto às demais despesas, tenho agora recebido regularmente o dinheiro da Academia, e, como ainda não recebi a nota dos charutos, estamos perfeitamente em dia e nada me deves. Soube pela Victória, que veio de Paris, que tuas cartas foram muito apreciadas e andaram de mão em mão.

1º) A explicação para o telegrama do Gurgel seguiu em carta do próprio, levada pelo Ernesto. Entre abrir mão do movimento que poderia ainda prosseguir sem ele e a ameaça de entregar a *leader*ança ao Segadas achei preferível a primeira hipótese. Concordas?

2º) Já entreguei como mandaste todos os catataus ao Pitinha. Não tenhas custo porque este não desgarra nunca, já nasceu desgarrado. Continua firme acolitando o Góes e bancando o microfone de tudo o que diz o macaco velho, suas relações com o Salgado não são boas, mas também não são péssimas. Apenas o Salgado ficou com medo dele e resolveu afastá-lo um pouco, e o Pitinha é girassol, se não recebe calor, vira as costas e mete os pés. Ainda anteontem Salgado veio aqui especialmente para me dizer que não acredita que o rapaz seja infiel, mas que é muito perigoso. Havia-lhe dito que estava com um jornal pronto para sair. Já recebera dinheiro do Mac [ilegível] e do embaixador argentino[1] e ia a São Borja buscar uma entrevista tua para o primeiro número. Desguia. Ainda sobre o mesmo tema, Cirilo contou ao Ernani que Epitácio fora procurá-lo para mostrar uma carta que te escrevera, na qual metia o pau em todos os homens do PSD. Finda a leitura pediu a opinião do Cirilo, este respondeu que nada tinha a dizer, visto ser uma carta que falava de seus correligionários. Ao que retrucou que mostrara como amigo, mas Cirilo ficou com a impressão de que tanto a carta como a pergunta haviam sido encomendadas pelo Góes. — Dias depois, em um jantar oferecido pelo Cirilo, Epitácio me apresentou o embaixador argentino como o maior queremista. Encabulado, o embaixador me disse que o "*muchacho*" ainda conseguiria torná-lo "*persona non grata*" ao governo brasileiro.

Neste mesmo jantar encontrei o Dodsworth, que pediu demissão do Banco da Prefeitura e está uma onça com o prefeito. Foi substituído pelo Pedro Brando, que antes de aceitar o convite telefonou-nos perguntando se devia.

3º) Vou tratar das conversações sobre a viagem na semana entrante. Quanto a *chauffeur*, não me parece que o nome que lembraste seja muito feliz, por várias circunstâncias. Se não acharmos um em condições nós te cedemos o nosso, que é bom, dedicado e cuidadoso. Quanto ao tratamento, teus esculápios estarão a postos.

4º) A esta altura já deves estar bem a par do que houve na reunião dos governadores, por minhas cartas anteriores e pelo relatório pessoal do Ernesto. A situação atual é a seguinte: a UDN e o PR estão procurando se esquivar de responder de frente, repondo toda a respon-

---

1. Refere-se a Juan Isaac Cooke.

sabilidade da iniciativa sobre os ombros do PSD. Compreenderam a extensão da casca de banana que representa a fórmula Jobim e tentam passar por cima dela. O PSD, por sua vez, já está dando um balanço de forças para saber com quantas deserções deverá contar em caso de rompimento do acordo. A grande preocupação é o bloco mineiro que, embalado pela esperança da candidatura Bias, está queimando cartuchos pela manutenção do mesmo. No entanto, se a manobra do rompimento for benfeita e oportuna, acredita-se que a cisão não será ponderável e que poderá ser compensada por uma cisão igual na UDN, bloco antiacordista, que não vê no Mangabeira o seu Deus.

1949

A atitude do Jobim tem sido muito firme e telegrafou ao Costa[2] em palavras duras reiterando o desejo do PSD gaúcho de que sua fórmula fosse mantida a qualquer preço. Embora João Neves negue ter sido o autor intelectual desta situação, acredito que tenha sido a musa inspiradora e um dos grandes artífices da conclusão da unidade sul rio-grandense, há tanto tempo desejada e sempre obstada. Esta carta irá por ele. Ontem mostrou-nos a carta que escreveu ao Dutra; está uma obra-prima de xingação diplomática e bem educada. Contou-nos em linhas gerais os termos do discurso que pronunciará em Porto Alegre por ocasião do banquete oferecido ao Jobim. Tenho a impressão de que este *show* gaúcho vai abalar os alicerces da política nacional e "macacos me mordam" se não chover canivete.

João Neves disse-nos também que sugerira ao Nereu que o homem do PSD para conferenciar contigo fosse o próprio Jobim, que segundo sua impressão estaria desejoso de ser indicado.

Essa é uma das razões pelas quais deverias retardar tua vinda. É muito mais espetacular que a montanha vá a Maomé.

O Mangabeira foi à Bahia e voltou e anda por aqui passeando sua triste esperança de ser o sucessor do Dutra, tendo por arauto o Zé Eduardo.

A imprensa brasileira está toda nas mãos da UDN, de modo que as informações que te chegam aí são deturpadas e torcidas ao sabor dos interesses diretos desses próceres. – Ainda não foste convidado, quanto mais desconvidado para a festinha. As três mocinhas casadoiras que dão o baile têm intenções diversas: uma (PSD) quer ser pedida em casamento, ir ao padre e ao juiz com grinalda e tudo; a segunda (UDN) é a moça rica e não pode casar abaixo de sua condição social, mas poderia dar-se o luxo de ter um amante; a terceira (PR) é impúbere e não se incomoda com o mocinho, desde que ele lhe traga caramelos. Como ainda não resolveram sobre a fórmula do convite, não marcaram a realização do baile. És livre de aceitar ou não, sabendo que uma quer casar, outra é para que é e a terceira para o que não é.

5º) Os casinhos do PTB de fato, pensando a frio, são insolúveis. Existem desde que o PTB é PTB e existirão sempre, na eterna luta pelo lugar ao sol. Só por causa deles jamais te diria para vir. Acontece, como digo na carta ao Maneco, que às vezes meu coco esquenta e eu grito. Por outro lado é preciso escolher bem o momento oportuno; não deve ser tão tarde que signifique desinteresse, nem tão cedo que provoque açodamento. Ernani diz que eles

---

2. Refere-se a Adroaldo Mesquita da Costa, então ministro da Justiça.

1949 todos podem se escusar com os respectivos partidos para não responder a uma pergunta direta. Tu, porém, és o partido, e tua definição portanto será provocada por todos os meios e modos e não te poderás escudar atrás do que não existe, isto é, a opinião do partido.

Na Bahia parece que o Landulfo conseguiu apaziguar os ânimos, segundo telegrama que recebi hoje do Leodegario. Em São Paulo surgiu nova encrenca, porque o Tribunal resolveu considerar extinto o mandato de três meses concedido à comissão de reestruturação pelos Estatutos. Está sendo providenciado o recurso. Aconselhei o Frota a começarem a trabalhar imediatamente e mostrar execução. É o único meio que temos para averiguar nossas suspeitas e saber se aqueles de quem desconfiamos estão de boa ou má-fé. A protelação indefinida do início faz espécie.

6º) S. Excia., saindo de seus cuidados e quebrando a linha de conduta mais ou menos serena que vinha mantendo em público, abriu o bico e assustou a população. Foi um corre-corre, no dia seguinte esperava-se que o Parlamento já estivesse fechado e que os tanques amanhecessem na rua. Os estrategistas do Jockey estremeceram e a alta finança afobou. Como não aconteceu nada, a tranquilidade voltou, mas todo mundo passou a se perguntar. "Por que foi que eu me afobei?"

A triste verdade apareceu. O ambiente está tão carregado e tão impreciso que todo mundo sente que algo pode acontecer a qualquer momento. O ambiente de inquietação e de alarme já existe. O pretexto também e se chama Adhemar de Barros + *impeachment*. A razão se chama Getulio. Faltam apenas a oportunidade, o motivo e a coragem. A legalidade esteve por um fio.

Este fio é difícil de transpor, porque atrás dele pode estar a guerra civil. Não creio que haja coragem para tanto, mesmo porque o Brigadeiro já andou alertando seus elementos.

Vários maiorais do Exército já se manifestaram particularmente contra o golpe, mas sente-se nas conversas e nos jornais que é essa a grande preocupação. Há os que empurram fingindo atrapalhar e os que atrapalham pretendendo ajudar. – Estão anunciados mais cinco bródios entre os militares. Alguns dos que compareceram aos primeiros dizem que não irão aos outros. Resta ver. Soube que o discurso de S. Excia. era mais violento e que o Góes, consultado, andou cortando alguns pedaços.

7º) D. Darcy continua fazendo seu farol. Convidou por intermédio do Moses os jornalistas para conhecer a obra do Restaurante e o resultado aí vai.

8º) Celina chegou em casa anteontem do colégio e me declarou: Quero ir para São Borja visitar meu avô na segunda-feira. Depois, vendo teu retrato, disse-me: Aqui devia ter uma lua ou uma estrela perto do vovô. Perguntei por quê. Respondeu: Porque ele merece. Posso te garantir que nunca lhe toquei neste assunto. Se não é coisa que ouve no colégio é próprio e tem um grande valor para mim, por isto te conto.

9º) Em uma festa em casa do Márcio Alves conheci um de teus companheiros de *golf*, um americano, não sei de quê Johnson. Pediu para me ser apresentado para perguntar se poderia te convidar quando voltasses para jogar *golf* novamente com eles, que gostavam muito de ti como pessoa e que tinham muitas saudades das tardes agradáveis que passavam contigo. Respondi que terias um prazer enorme e que ele poderia telefonar para mim quando quisesse que eu transmitiria. O homem ficou radiante e me fez confirmar umas três vezes que tu não recusarias.

10º) Informações do Ernani. O Benê foi há dias ao Dutra disposto a pingar os iis e perguntou se concordaria com uma candidatura pessedista que não fosse o Nereu. Dutra desconversou e Benê desanimou. Agamenon aproveitou para envenená-lo. Hoje Benê voltou ao Dutra e declarou que, se o candidato fosse udenista, ainda que mineiro, ele ficaria com o PSD. 15 minutos depois dava entrada no Catete a chamado presidencial o Mangabeira. Ernani pede que reforce junto a ti em seu nome o apelo para que não venhas já, antes que se definam certas posições. Para tua posição política é melhor que ganhem dos respectivos galhos outras frutas maduras.

11º) Vai junto o discurso pronunciado ontem pelo Salgado. Está bom, embora minha opinião fosse a de não dar relevo ao béstia do homem. Votar contra mas não passar recibo, foi aliás o conselho que dei ao Gurgel.

12º) Celina e Cândida estão reclamando resposta a suas cartas.

13º) Diz ao Amaraldo que já encomendei outro casaco, mas que não me venha com essa história de encolher. Ele que trate de desengordar se não perde o fornecedor... Lembranças nossas à família Aranda.

14º) Acabo de receber duas cartas atrasadas com as respostas ao Neves e o puxão de orelhas no caso do Pitinha. Conforme esclareci antes, já me submeti e cumpri as ordens. Meu medo do jovem não é de que ele te influencie e sim do uso que ele faz de tua amizade.

15º) E agora chega. Ainda tenho charutos velhos e novos que te mandarei pelo primeiro portador. Pensei que ainda estavas folgado. Há também um vidro de Viderol por seguir.

Com um beijo muito carinhoso aqui fico à tua espera.

Carinhosamente **Alzira.**

1949

136 \ A · [Rio de Janeiro], 13 de julho

Meu querido pai

1949 São três horas da manhã, fui comemorar a entrada do Seu Peixoto em mais um ano de vida.

Mando-te pelo Epitácio o vidro de Viderol que estava já aqui; não mando charutos porque não houve tempo de preparar e não sei como estás de *stock*.

Novidades políticas há muitas mas o cronista nº 1 tas dará pessoalmente.

O Barão do Rio Pardo foi ao Góes pedir-lhe o apoio para sua candidatura. Quando saiu e lhe perguntaram o resultado, respondeu: Ele também é candidato. Dutra não gostou da história.

Por hoje vai só isto. Amanhã tem mais.

Beija-te com todo o carinho tua filha **Alzira**

Getulio na Fazenda do Itu.
Itaqui, RS, entre 1948 e 1949.

137 \ A · [Rio de Janeiro], 19 de julho

Meu querido pai

1949

Estás me devendo resposta a umas cento e quinhentas cartas, escritas à luz das estrelas, com o suor do meu rosto (está frio pra chuchu) e espremendo uns restos de massa cinzenta, que ainda não foram atingidos pela confusão. Enfim, como és um rapaz direito, e o Euzébio vai para aí, aproveito para te escrever e até mandar mais uns charutinhos bichados. Se, porém, não receber notícias até o fim da semana, passarei a usar de chantagem e trocarei carta por charutos.

As coisas por aqui estão marchando, como se esperava. S. Excia. está zangado com o PSD, furioso com o discurso do João Neves e desejoso de voltar ao passado. Continua afirmando que não tem candidato e não deseja intervir, mas na realidade está fazendo o impossível para ter voz ativa. A união de Minas é sua grande preocupação, mas está difícil como o diabo. Os mineiros só se unirão em torno de um nome mineiro, mas aí é que a porca torce o rabo. Não se acha o mineiro que una Minas. O nome do Bias, que é atualmente o cavalo de batalha do Benedito, não conta com o apoio do Milton, que patrioticamente declarou que Minas não se une por interesse e deve comparecer unida, sem apresentar nomes.

O Mangabeira é desesperadamente candidato numa tentativa de volta ao doirado passado de antes de 30. O divisor de águas que pregam os jornalistas do governo vai se dar mais cedo ou mais tarde, porém não em torno do 29 de Outubro, mas sim baseado no 3 do mesmo mês.

O PSD está cauteloso mas firme. Não quer provocar definições em torno do grito do Neves para não acirrar os ânimos, mas já não podem voltar atrás.

O Adhemar alardeia uma aproximação contigo que está pegando no meio do povo miúdo, como uma reação ao governo.

Recebi neste momento uma visita que me trouxe um recado do Marrey de São Paulo. Deseja muito se avistar contigo para assuntos políticos. Vou ver o que quer essa flor e depois te mandarei dizer. Quando pretendes vir? Preciso saber para tomar algumas providências. Previno-te, porém, de que não há pressa. Vamos deixar o barco correr mais um pouco.

Estou hoje com o tempo todo atrapalhado, devido à doença de uma tia do Ernani, irmã do Dr. Amaral. Seus dias estão contados e ela pediu que a fosse ver lá na Tijuca. Celina está aqui perto, rondando para te mandar um beijo.

Muitas saudades e um beijo afetuoso de tua filha **Alzira**

190 \ G · [Estância Santos Reis], 22 de julho

Rapariguinha

1949 Esteve aqui o Euzébio, que me deu o prazer de sua visita. A mala onde ele trazia seus teréns, os mexericos e as encomendas para mim ficou em Porto Alegre. Nada recebi e pouco tenho a dizer-te, depois da partida do Ernesto.

Está fazendo frio. Manda-me duas camisetas e dois pares de meias de lã, marcadas por tua mãe, com aquela mesma marquinha de 5.000 réis. Diga-lhe que recebi o cartão dela acompanhando a remessa das cuecas e gostei do espírito. Podem mandar também uma meia dúzia de lenços comuns, para bolso de bombacha, não é para o pescoço, com a mesma marca. O Jango, que anda por aí, pode ser o portador das encomendas, se não vier outro antes.

Vai junto um cartão para o peixinho do Gurgel do Amaral. Ignoro o endereço dele.

Saudades a todos e um beijo do teu pai **Getulio**

---

191 \ G · [Estância Santos Reis], 23 de julho

Rapariguinha

Depois da chegada do Ernesto não tive mais notícias daí. O barulho do Neves, os acontecimentos de Porto Alegre, suas repercussões no Rio, só tive conhecimento pelos jornais, com sua manifesta parcialidade. As cousas trazidas pelo Euzébio Rocha ficaram em Porto Alegre.

Estou pensando em não ir já. Consulta aí se é melhor ficar calado ou pedir dois meses de licença. Manda-me dois estojos de navalhas – Injector – e duas bisnagas de Barbasol. Soube aqui, de boa fonte, que o governador[1] do Ernani havia se acomodado com ele. Não me disseste nada.

Sobre o Adhemar, desde que ele perca a esperança de ser candidato, é mais fácil acomodar-se com o Grão de Bico do que com os adversários deste. E por hoje basta.

Saudades a todos e um beijo do teu pai **Getulio**

Será que me consegues *Fon-Fon* de 25 de junho do mês passado? O último que recebi é de 10 de julho. Falta o de 25 de junho.

---

[1]. Refere-se a Edmundo Macedo Soares, governador do Estado do Rio

138 \ A · [Rio de Janeiro, de 24 a 27 de julho]

Meu querido pai

Recebi tua carta trazida ontem pelo Ernesto após mais de 15 dias de silêncio. Depois do estrilo, levado pelo Euzébio, soube que havias ficado isolado de comunicações, por isso retiro o protesto. Muitas de tuas perguntas já foram respondidas, em todo o caso vou recapitular.

1949

1º) Quanto à tua vinda, conforme Jango te explicará, creio que pode ser adiada um pouco mais, apesar dos apelos que o Partido vem fazendo. Pior do que está não pode ficar e, se aguentou até agora, pode esperar um pouco mais. Além disso, o Salgado está muito abafado com o telegrama que a bancada te passou e não convém que ele fique muito desanimado.

2º) Teus papéis chegaram bem obrigado e estão aguardando a vez de serem examinados. Estou acabando 43.

3º) Estou ansiosa por ver os meus cinamomos. Muito obrigada.

4º) Quanto às notas que pediste, creio que o pessoal anda meio atrapalhado. Vou ver se obtenho as notas e me arranjo com meu *team*.

5º) Já falei com o Salgado sobre o avião para Itaqui e ele prometeu providenciar.

6º) O efeito do discurso do Neves foi o de uma bomba nos arraiais dutristas. Ficaram em estado de choque e não sabem como se defender. A UDN está como carrapato agarrada ao PSD. De seu lombo é que ela tira o sustento, sabe que se o largar terá de confessar seu fracasso e pôr a nu as dissidências que a minam. Para o PSD a UDN é um entrave, do qual não consegue se libertar com bons modos. É possível que agora comece a corcovear. Vamos assistir de camarote. Parece que vai haver uma nova tentativa Canrobert, encabeçada por Mangabeira desiludido de suas pretensões.

7º) Fiz a entrega do abraço, sem maiores sacrifícios. A vítima agradece.

8º) Tua entrevista sobre bispo, ligações Adhemar e acordo secreto foi boa e oportuna, e teu ponto de vista está certo. Manter o homem vivo até o fim.

9º) Sobre o Pitinha, Jango te contará a palestra do Alencastro que assistiu. Ficarás edificado. Não é à toa que prefiro mantê-lo a uma certa distância. O rapaz é de amargar e, se não lhe aparares as asas, acabará na cadeia como peculatário.

10º) Mando-te teus óculos e os "*rechange*" para a lapiseira. Não sei quando pretendes vir e talvez precises disso aí. Vai também o *Fon-Fon* último.

11º) Estou saindo de uma gripe forte, de modo que tenho pouco o que te contar. Jango contará o que conversou aqui e as impressões que leva.

Celina te manda um beijo e Ernani um abraço. Beija-te com todo o carinho tua filha **Alzira**

30 de julho • casamento do Antônio Carlos Abreu – Alexandre Ferreira 97.
31 de julho • aniversário de D. Alice – Pr. Flamengo 82, Ed. Seabra – e da Cândida.

192 \ **G** · [Estância Santos Reis], 27 de julho

Minha querida filha

1949 Continuo sem notícias daí. Não recebi, até agora, o que foi trazido pelo Euzébio. Ignoro mesmo que providências ele tomou de regresso a Porto Alegre. Estou aqui só com o pessoal da fazenda. Protasio e Glasfira estão em Porto Alegre, há vários dias.

Recebi esse telegrama do Adalberto Corrêa. Ele é um dos tantos urubus que procuraram furar-me os olhos, quando me viram caído. Por isso não lhe responderei. Provavelmente ele publicará o telegrama. Foi destinado à exploração. Por um desencargo de consciência informo-te, na nota inclusa, do que me recordo a respeito.

Saudades a todos e beijos do teu pai **Getulio**

~~Recebi~~ Sobre o telegrama do Dr. Adalberto Corrêa tenho a declarar que os fatos a que ele se refere ocorreram já há alguns anos. Não tenho em meu poder nenhum documento ou elemento de prova em que me possa basear.

Vou apenas recorrer à minha memória e não quero cometer a indelicadeza de desmenti-lo sobre particularidades de que não recordo.

Quando se fazia o saneamento da Baixada Fluminense, verificou-se que os terrenos beneficiados por esse serviço estavam em grande parte ocupados por grileiros, sem títulos de propriedade ou com títulos defeituosos por aquisições a pessoas que não tinham o domínio das terras. Foi por isso publicado um decreto especial regularizando a situação desses terrenos. Para executar as disposições do decreto, foi nomeada uma comissão constituída por pessoas de reconhecida idoneidade para examinar a situação dos ocupantes das terras. Tais ocupantes, num determinado prazo, deviam apresentar seus títulos de propriedade. Esses terrenos, as mais das vezes, compunham-se de vastos latifúndios, sem cultura alguma e arrendados pelos pretendidos donos a outros ocupantes.

Assim o patrimônio nacional pôde recuperar uma boa porção de terrenos saneados onde ~~vieram~~ foram instalados a Universidade Rural do Ministério da Agricultura (Km 47), a Cidade das Meninas[1] e parece-me que também, pelo menos em parte, a Fábrica de Motores.[2] O restante foi loteado e cedido a agricultores, com a obrigação de cultivarem as terras. Procurava o governo aproveitá-las, transformando-as num vasto celeiro destinado ao abastecimento da capital da República.

Esse era o plano, todo de ordem geral, atendendo ao interesse público.

Quanto ao caso do Sr. Adalberto Corrêa, recordo-me da sua alegação de que a área ~~ocupada pela ci~~ destinada à Cidade das Meninas incluía terras de sua propriedade. E enviou-me memoriais ou cartas nesse sentido. Esses papéis foram por mim despachados ao órgão competente para providenciar. Cabia a ele agir junto ao mesmo. Nunca tais papéis voltaram ao meu conhecimento.

---

1. Projeto voltado ao abrigo de menores abandonadas. Sua instalação estava prevista em terreno da Fazenda São Bento, de propriedade da União, a ser cedido à Fundação Darcy Vargas.
2. Refere-se à Fábrica Nacional de Motores (FNM).

Hoje não sou mais ditador, não tenho influência alguma junto às altas autoridades. **1949** Por que não recorreu a estas? Anularam tantos atos meus, por que não anulariam também mais outro para reconhecer o direito do Dr. Adalberto Correa? Por que não pleiteia seus direitos perante a Justiça?

Quanto ao assunto da Companhia de Seguros Presidência, é verdade que assinei um decreto, transformando ações ao portador em ações preferenciais sem direito de voto. Os possuidores desses títulos não perderam a propriedade dos mesmos.

Esse decreto foi elaborado no Ministério da Fazenda e levado a mim, pessoalmente, pelo então ministro da Fazenda, Souza Costa. As razões por ele alegadas foram tão graves que eu não poderia recusar-me a assinar. Sobre essas razões poderá ele ouvir o atual deputado Souza Costa.

São esses os esclarecimentos que tenho a prestar, não me recordando de outras particularidades.

Getulio e outros. São Borja, RS, entre 1948 e 1950.

193 \ G · [Estância Santos Reis], 31 de julho

Rapariguinha

1949   Recebi tuas cartas de 19 e 27 do mês que finda, bem como as cousas trazidas pelo Euzébio, isto é, deixadas por este em Porto Alegre e trazidas pelo Jango. A caixa de charutos velhos continha 28. Isso é munição escassa para uma semana. O Protasio continua em Porto Alegre. Esteve bastante doente de uma gripe complicada. Mas já está melhor.

Supunha que o Jango me trouxesse carta do Neves. Ele está me devendo resposta a umas perguntas sobre o Costa. Acredito que não o tivesses avisado da vinda dum portador seguro.

Antes desta carta já enviei-te duas outras que devem estar em caminho.

Junto vai uma carta para o Napoleão. O rapazinho realmente excedeu-se muito. Esse assunto da carta anterior ao Maciel, sobre ações da Saigon, já estava encerrado e eu não o reabri. Tu conheces bem o caso.

Previne ao Salgado que ele anda mexendo em São Paulo junto com o Borghi e seus elementos. Borghi é agente do Dutra e, no momento oportuno, começará a atrapalhar nessa qualidade.

O mais acertado continua sendo prestigiar a comissão de estruturação e adaptar os estatutos, para observar-se o resultado do trabalho. Estou firme nesse propósito. Conforme o resultado o mesmo processo poderá ser seguido noutros estados. Abraça D. Alice pelo aniversário. Aqui de fora nem sempre posso telegrafar e tu tens poderes para felicitar em meu nome.

Pergunta à tua mãe por que não tem me escrito.

Saudades a todos e um beijo do teu pai **Getulio**

139 \ A · [Rio de Janeiro], 3 de agosto

Meu querido pai

Estou há vários dias por te escrever, mas o tempo tem sido curto. A temporada social em seu apogeu, convites de todos os lados, Celina em férias, precisando de roupa, dentista, médico etc., doenças na família têm me trazido num pé só. A reviravolta da grã-finagem seria repugnante se não fosse pungente. Pessoas que até um ano atrás se não me hostilizavam pelo menos ignoravam minha existência, como se um cumprimento ou um sorriso pudessem custar-lhes a posição social, hoje atravessam salas para saber notícias da Mamãe, em primeiro lugar, à guisa de introito, e depois com um suspiro perguntam por ti e relembram o passado, cheias de saudade. O partido dos "arrependidistas" cresce a olhos vistos. — Como se não tivesse havido nenhum hiato em nossas relações eu os recebo de volta como os despedi de ida, sem passar recibo. As coisas mais engraçadas têm se passado comigo nesse setor. Oportunamente te contarei. Lembras-te daquela cubana simpática que jogou dominó de cartas contigo em Petrópolis, a Nenette Castro? Ela divorciou-se e casou agora com o Fulvio Morganti, usineiro em São Paulo. Até hoje ainda não sabe pronunciar teu nome, mas sempre se manteve tua *fan*. Há dias encontrei com ela e me pediu que te mandasse lembranças e o seguinte recado: "Diz ao Gertudio que eu cheguei ao Brasil com ele em 30. Em 45 eu fui embora do Rio e ele também foi. Agora estou em São Paulo. Diz a ele para ir lá que eu dou sorte". Está transmitido.

1949

A última carta tua que recebi foi um bilhete trazido pelo Euzébio, encomendando roupa. Já está tudo comprado, esperando a marcação de 5,00 de D. Dadá e um portador.

Estou esperando duas cartas tuas que me foram anunciadas, uma trazida pelo Roberto Alves, de São Paulo, que ainda está em viagem, e outra da Cruzeiro.

Não me apressei a te mandar o resultado da reunião do PSD porque soube que João Neves o fez. Vai ser designado um emissário para ir parlamentar contigo. Seria o próprio Jobim ou quem este designasse. Consta que mandará o Cilon. Avia-te. A UDN reagiu o quanto pôde e se submeteu "*in extremis*" para não perder o lombo pessedista. Dutra conformou-se, aparentemente, e está dando todo o apoio ao PSD ostensivamente, ao mesmo tempo que procura protelar a solução. Casos do Estado do Rio, pendentes há vários anos, pleiteados pelo Ernani, foram miraculosamente resolvidos na semana passada; o Clóvis dá uma entrevista enaltecendo os serviços do governo federal no Rio Grande do Sul, tão fora de propósito que parece ser a apresentação de uma conta. Consta que a manobra próxima será: permitida a vigoração da fórmula Jobim e verificada oportunamente sua inexequibilidade e a falta de entendimento entre os partidos, uma espada virá cortar o nó górdio. Essa espada poderá ser Canrobert, Góes ou Mendes. Tudo dependerá das circunstâncias.

Esta irá pelo correio secreto, por falta de portador. Junto vão: *Fon-Fon*, *Eu Sei Tudo*, duas *Seleções* (uma mandada pelo Barata com um artigo interessante sobre trabalhismo), uma carta da Nora Martins, a fórmula votada pelo PSD que Ernani apanhou para te remeter e outros papéis que recebi.

Ernani foi chamado por S. Excia. agora de manhã, se for coisa importante irá em outra carta.

O Evandro Viana, senador pelo Maranhão e irmão de meu professor do ginásio Antônio Mendes Viana, que nomeaste para o Itamarati, está chefiando uma rebelião contra o Condestável Vitorino, que parece estar em maus lençóis.

1949   Salgado pediu-me para coletar a documentação das obras de teu governo no Rio Grande do Sul para responder ao Pestana. É esta a razão por que ainda não pude me dedicar 100% ao teu pedido, mas vou tentar outra vez o Neves e o Napoleão.

―――――――

S. Excia. está no ponto de vista que te informei acima: protelar, protelar, protelar. Entre os nomes possíveis do PSD citou Nereu, Bias e... Góes. Confessou que as veleidades do Mangabeira é que estão atrapalhando a UDN, mas que aquele teria de se desiludir, por falta de elementos.

―――――――

O delegado do PSD junto ao Adhemar será o Cirilo, que está firme e bem orientado. O *pic--nic* está ficando bom.

―――――――

O Baeta parece que, animado pelo Epitácio, está tentando novo movimento para preenchimento das vagas do diretório, para fazer fosquinhas ao Salgado. Como este agora está mais fraco, vamos correr para o lado dele para equilibrar o barco.

Com muitas saudades, beija-te com todo o carinho tua filha **Alzira**

―――――――

Que é que há com tio Protasio? As notícias são desencontradas. Telegrafei mas não tive resposta.

194 \ G · [Estância Santos Reis], 3 de agosto

Minha querida filha

Além do telegrama do Adalberto, recebi o desse outro mequetrefe. Nem a um nem a outro desejo dar uma resposta pessoal, pois não agi por motivos pessoais, mas de interesse público. Nada publiques do que te mandei sobre o primeiro. Pretendo fazer uma cousa diferente.

Esse Magalhães Pinto sempre se dizia meu amigo e procurava aproximar-se de mim. O Benedito é que o detestava e afastava. O decreto a que ele se refere foi pleiteado pelo Benedito, interessava ao governo de Minas. Mas fui eu quem o assinou e devo defender-me. Quero porém dar a essa defesa um caráter impessoal, explicando as verdadeiras razões, motivos ou fundamentos que me levaram a tomar essa decisão. Por isso peço ao Ernani que fale ao Benedito e obtenha dele as informações que preciso para defender-me. É só isso. Quero fazer uma cousa genérica e impessoal, abrangendo o caso dos dois telegramas. O caguinchas cita o nome de quatro deputados mineiros que na Constituinte trataram do assunto. Talvez esses debates esclareçam algo. Eu não devo resposta aos autores dos telegramas e sim uma explicação ao público.

E o meu livro, quando sai? Há outros interessados em publicá-lo. Quem sabe se o José Olympio tem alguma dificuldade.

E o estrilo do secretariado de São Paulo, que manobra foi aquela?

Estou um tanto atrasado de notícias. Precisas manter mais contato com o Salgado. Há cousas que só por teu intermédio posso dizer-lhe, como na carta anterior, junto à que escrevi ao Napoleão. Como vão as manobras dos três grandes? O Góes está ajudando ou atrapalhando? E o Neves está tão quieto! O Grão de Bico explicou-se com ele sobre a carta?

Na conversa do Ernani com o Benedito, este poderá querer protelar sob pretexto de procurar documentos. Basta que ele diga o que é fundamental e o Ernani toma nota. Se se recusar as informações poderão ser obtidas de outras fontes e eu direi então quem pleiteou essas medidas. Desejo também saber como ficou esse assunto do Banco Hipotecário, se a situação criada pelo decreto foi mudada, o decreto revogado etc. O mesmo quanto ao Adalberto, se ele retomou o terreno da Cidade das Meninas. Talvez a vocês isso pareça coisas miúdas, mas os jornais daqui publicaram com grande destaque, em títulos chamativos. Eu não penso do mesmo modo. Os telegramas têm sua importância, não pelos dois signatários, mas porque suponho que eles sejam agentes dalgum instigador, como o Chatô, por exemplo.

E a fórmula Jobim, foi aceita com a largueza que ele propôs ou foi modificada pela comissão?

Aqueles ~~cartões~~ envelopes grandes do Senado que me mandaste estão tendo extração. Geralmente são dirigidos ao Maneco, na correspondência que remeto por intermédio dele. Já restam poucos. O inverno aqui parece ter terminado. Não está mais fazendo frio.

Saudades a todos e um beijo do teu pai **Getulio**

1949

140 \ A · [Rio de Janeiro], 4 de agosto

Meu querido pai

1949 Ontem, logo depois que te escrevi, recebi dois bilhetes teus: um de 23, outro de 27, reclamando notícias e pedindo algumas encomendas. Agora acabo de receber um telefonema do Porfírio, do gabinete do Salgado, dizendo que parte hoje à tarde. Mando-te o que já tinha aqui: as duas camisetas, compradas por intermédio do Isnard (não são do tipo que te tenho enviado anteriormente, mas como são da casa Soares e Maia, onde tens centenas de *fans*, poderão ser trocadas se não agradarem); as meias e os lenços, marcados com grande entusiasmo pela Umbelina (Mamãe andava abafada com os trabalhos, por isso só lhe dei as meias) e o *Fon-Fon* desta semana. As outras encomendas, "Barbasol", "Injector" e *Fon-Fon* atrasado, irão depois.

Tenho-os mandado regularmente, os que ainda não tiveres recebido ou estão a caminho ou se extraviaram. Peço-te que verifiques bem o que te falta para remeter. Sobre os acontecimentos de Porto Alegre, Jango levou informações cabais.

Quanto à tua vinda não consultei ninguém ainda, mas me parece que não deves pedir nova licença, pois a qualquer momento pode ser urgente tua vinda. — As negociações políticas não se processarão mais com a pressa que se esperava. Após a primeira arrancada, entrou tudo em câmera lenta. De modo que após a ida do emissário do PSD aí, conforme te avisei, tudo pode acontecer. Não é verdade que o governador[1] se tenha acomodado com o Ernani, apenas diante da perspectiva de vir a ser senador o homem acalmou um pouco e já não hostiliza abertamente para não perder a boa vontade do Partido, que, aliás, não existe.

Quanto à situação, não me parece interessante tirá-lo já do brinquedo. É uma pedra que ainda pode interessar. O Wainer, em sua coluna ontem, afirma que tu e o Adhemar estão em entendimento há muito tempo e que os encontros já foram em número de quatro. Deve ter sido o próprio Adhemar ou o Caio quem mandou fazer.

O telegrama do Adalberto foi de fato publicado aqui e causou apenas indignação. Minha impressão é que ou o homem foi dopado para fazer essa vilania ou está com sífilis cerebral. O Luiz e o Queiroz[2] devem ter a pista do caso. Vou me esclarecer com eles e ver o que se pode fazer. Fico aqui por hoje.

Morena e Regina chegaram dos Estados Unidos, vão se demorar dois meses aqui, ainda não as vi. Chegaram ontem. Ernani te manda um abraço e Celina um beijo.

Milhões de saudades e um beijo de tua filha **Alzira**

---

1. Refere-se a Edmundo Macedo Soares.
2. Refere-se a Luiz Simões Lopes e a José Queiroz Lima, membros da Casa Civil, respectivamente entre 1930 e 1937 e entre 1936 e 1938.

195 \ G ▪ [Estância Santos Reis], 4 de agosto

Minha querida filha

Recebi esse telegrama. Respondi dizendo que "iria logo circunstâncias permitissem e que me dirigiria também ao Salgado". Assim, chama-o, conversa com ele sobre o assunto e informa-me que há.
    Meu Viderol está terminando. Por hoje é só. Tenho escrito muito seguido.
    Abr. do teu pai **Getulio**

1949

196 \ G · [Estância Santos Reis], 6 de agosto

Rapariguinha

1949   Recebi tua carta de 4 do corrente trazida pelo Porfírio. Quanto às encomendas, só tenho restrições quanto às camisetas, de crepe ou coisa parecida, um tanto grã-finas, mais próprias para o inverno carioca. Eu pedira camisetas de lã, como uma que o Luthero mandou-me há tempos. Mas não devolvo, fico com estas mesmo, porque, como já te disse em carta anterior, não está mais fazendo frio por aqui.

Já recebi carta do Cilon, pedindo para vir conversar comigo, na qualidade de emissário da comissão dos três. Fiquei um tanto surpreendido com o desfecho repentino e pouco interessante das conversações. Enfim, vou receber o emissário, a quem aprecio, e saber o que ele ~~pois~~ traz, pois não fui informado antes.

Esteve aqui a bancada petebista de São Paulo. Pareceu-me, com exceção de dois, muito prevenida com o Adhemar, não havendo trabalho do Major a favor deste. Agradece à Umbelina suas habilidades. E D. Celina, como vai? Ando com saudades dela.

Saudades a todos e um beijo do teu pai **Getulio**

197 \ G · [Estância Santos Reis], 6 de agosto

Rapariguinha

Escrevi várias cartas ainda sem resposta. Fui surpreendido com a notícia dos jornais de que o Cilon estava incumbido pela comissão dos três de vir consultar-me. Ora, eu não recebi de tua parte nenhuma informação sobre a marcha das negociações entre os três delegados dos partidos do acordo, que houve entre eles, a que conclusões chegaram e que espécie de consulta eu ia receber. Os jornais diziam algo, mas a verdade do que eles dizem é muito relativa, não só porque eles às vezes não a conhecem toda, como porque, conhecendo-a, deturpam ao sabor dos seus interesses. Enfim V. cochilou e eu, não preparado pelo conhecimento dos antecedentes, não ~~posso~~ poderei também responder.

Como vão por aí, esteve alguém doente, andas muito atrapalhada?

Aproveito os portadores José Barbosa e Roberto Alves para escrever-te esta e remeter alguns papéis para o arquivo.

Saudades a todos e beijos do teu pai **Getulio**

141 \ A · [Rio de Janeiro], 8 de agosto

Meu querido pai

Estive com o Bejo anteontem no baile do *sweepstake* do Copacabana. Contou-me o seguinte: solicitado várias vezes pelo Zé Cândido a ter um encontro com o Eduardo, por muito tempo se escusou. Depois, porém, de uma conversa com Flores e Oswaldo, resolveu tomar o pulso do homem. Esteve com ele perto de hora e meia. Em resumo, disse o que segue: a) não é e não deseja ser candidato; b) está desgostoso com a UDN, que confessa estar esgotada pelas cisões e desavenças; c) falou mal dos três grandes e de suas intenções em torno do candidato único, só excetuando o Kelly, a quem fez os mais rasgados elogios; d) não deseja mais intervir na política, a não ser para combater dois homens: Góes, o homem mais nocivo do cenário nacional, e Dutra, por sua incompetência; e) nunca foi antigetulista, combateu em 45 o Estado Novo e não o homem; f) está convencido pelas informações que lhe trazem os meninos do Correio Aéreo de que, se fores candidato, ganharás mesmo contra o acordo; g) não é contra o Adhemar, que o acompanhou em 45 e a quem considera mais acusado do que julgado; h) estima o Oswaldo mas não confia muito nele devido às suas ligações com o Góes; i) não fez a menor referência ao Mangabeira. Tendo chamado o Dutra de indeciso, Bejo respondeu-lhe que, pelo contrário, considerava as intenções dele muito claras, desejava apenas fazer o ministro da Guerra seu sucessor. O Brigadeiro endireitou os óculos e respondeu: neste caso eu entro em campo. Isto assume o caráter de nomeação. No entanto acho difícil, visto o Canrobert ser um bom amigo meu e ter votado em mim em 45, fato que o Dutra não ignora. Bejo respondeu que também sabia desse detalhe pelo próprio.

1949

É pena que o Bejo esteja fora do ambiente político e pouco a par das demais manobras. A palestra dele teria sido muito mais valiosa se ele não estivesse vendo o negócio de um lado só. Ontem insistiu comigo para que te escrevesse relatando isto antes de te avistares com o Cilon, para que não te comprometesses com o acordo. Como te conheço bem, isto não me preocupa, mas satisfaço a vontade dele.

João Neves esteve aqui. Relatou-nos a missão trazida pelo Marcial, de fazer conhecer ao Dutra a firmeza da decisão do PSD gaúcho, que está disposto a desautorar o Paim se ele abrir a boca, e já condenou o Pestana, por suas declarações extemporâneas. Marcial foi também a Pernambuco selar o acordo com o Barbosa Lima e voltou animadíssimo. João Neves está se sentindo novamente herói de 30 reencarnado na Aliança Liberal, obtida a coesão do Rio Grande, substituída a Paraíba por Pernambuco, está agora trabalhando Minas ativamente. Como suas ligações pessoais são mais fortes com o pessoal da UDN que do PSD, está indo por esse caminho e através do Afonso Arinos (substituto do Virgílio) já está em entendimento com o Milton. Talvez por isso mesmo está muito contra o Benedito e seu grupo que acusa das piores intenções, preferindo a adesão do grupo Carlos Luz. Acha que depois de teu encontro com o Cilon aí, deves vir. Concordo com ele e aguardo agora tuas ordens. – Pretende ir em breve a São Paulo entender-se também com Adhemar, logo após

1949 o encontro deste com Cirilo. Tive a impressão de que ele desejaria ter sido designado para os entendimentos de São Paulo.

———

O acordo de Minas continua a ser o assunto predileto dos jornais, mas está cada vez mais longe de se tornar realidade.

———

Recebi agora tua carta a respeito da Saigon. Já telefonei ao Napoleão avisando-o. O rapazinho não é sopa nem nada.

João Neves avisou-me que tem um portador pelo qual seguirá esta. Vai te mandar um bilhete explicando por que ainda não foi a resposta do Costa. É que este não fez ou por preguiça... ou...

Tuas encomendas seguirão pelo primeiro portador, se não houver ordem em contrário.

———

Soube agora que o Adhemar está na terra, mas ninguém ainda o viu. Vergueiro, que está ligado a ele, disse ao Cirilo que é possível que haja uma cisão no PSP, caso Adhemar persista no propósito de ser candidato. Este no entanto declarou ao mesmo que já se sente a caminho do Catete, pois conta com São Paulo, Rio Grande, Pará e Pernambuco.

———

Luthero resolveu agora meter a cara na política do Distrito. Estou me limitando a observar, parece que afinal o rapaz também sabe nadar. A questão é deixá-lo na água o tempo necessário.

Vai o último número do *Fon-Fon*. É um osso, por isso mando-te algumas chaves que não encontrarás no dicionário. Não me dizes em tuas cartas se os outros números chegaram em ordem.

Por hoje é só.

Com um beijo muito carinhoso aqui fico à tua espera **Alzira**

———

142 \ A · [Rio de Janeiro], 11 de agosto

Meu querido pai

Manhães telefonou-me agora que vai amanhã, por ele te mandarei os dois tubos de Barbasol. As navalhas não foi possível encontrar, não há dólar, não há produtos americanos. Ernani está na mesma sinuca, pois também só usa *Schick* e não fez *stock*. Confesso que me descuidei. Se tivesse me lembrado teria feito sortimento para vocês dois. Mandei procurar nos bairros e em Niterói, por enquanto sem resultado.

Recebi três cartas: duas trazidas pelo Zé Barbosa com a correspondência e uma pelo Frota, emissário do Major.

1949

———————

Estive ontem com Salgado, a quem transmiti todos os teus recados. Não gostou muito do relativo à comissão, mas não fez cara feia e prometeu te escrever explicando suas intenções.

Pelo Major e pelo Frota já deves estar bem a par das causas ocultas do drama-comédia de São Paulo. Ao grosso público ainda nada transpirou.

———————

Os integralistas estão se movimentando muito, o que é mau sinal.

———————

Celina e Cândida continuam reclamando resposta a suas cartas. Não me disseste até hoje se as recebeste.

Tua carta relativa ao caso Magalhães Pinto chegou ontem e Ernani está vendo se capta o Benedito. Ernani lembra-se bem do caso, de modo que tem a pista.

Os homens já chegaram.

Beija-te com todo carinho tua filha **Alzira**

198 \ G · [Estância Santos Reis, de 12 a 14 de agosto]

Rapariguinha

1949 Recebi hoje, 12, as tuas cartas de 3 e 8 do corrente e as do Neves de 28 de julho e 9 do corrente. Quanto à *Fon-Fon*, tenho recebido regularmente. A única que me falta e pedi foi de 24 ou 25 de junho.

A conversa com o Cilon já se realizou. Combinamos a declaração que ele devia fazer, mas não recebi ainda os jornais posteriores ao encontro. As notícias aqui chegam um tanto atrasadas. Soube apenas hoje que o Pestana tinha me atacado pelo rádio, a propósito de minha entrevista ao *Correio do Povo*, queimando a fita que ele anda a fazer. Ainda não conheço, porém, a sua objurgatória. Conforme, talvez ainda retruque. Não sei se viste minhas declarações.

Há ainda minhas cartas sobre os telegramas dos dois energúmenos (como chamaria o velho Borges), Adalberto e Magalhães Pinto, a ti, pedindo informações, para responder-lhes.

Interessante a conversa do Bejo com o Brigadeiro. Por ela fiquei sabendo que nem o Canrobert votou no Grão de Bico. Este realmente gosta de voltar-se contra os que o elegeram. Confere.

Pretendo ir no próximo mês de setembro. Não sei ainda o dia. E o transporte, como poderia ser feito?

Dize ao Neves que agradeço os charutos e muito apreciei o presente. É um objeto que está se tornando raro e difícil, depois que se acabaram as divisas.

O Protasio continua em Porto Alegre com a mulher, hospedados com o Israel. Ele teve uma gripe complicada com uma bronquite crônica e um começo de edema. Está melhor, passou o perigo, está convalescendo e tratando de curar a bronquite crônica. Em carta que recebi dele disse que ia escrever à Darcy agradecendo o interesse que tomou pela saúde dele, telegrafando à Ligia. Talvez nessa ocasião tenhas também resposta se teu telegrama chegou ao conhecimento dele.

<u>14 de agosto</u> · O frio voltou novamente, com alguma intensidade, mas frio seco, sem chuvas.

Nada mais tenho de novo a informar-te. O centro das novidades é aí. Ignoro quando terás portador. Aparecendo algum não esqueças os charutos velhos. Pela amostra que mandaste parece que já está pouco.

Saudades a todos e um beijo do teu pai **Getulio**

199 \ G · [Estância Santos Reis], 16 de agosto

Minha querida filha

Recebi pelo Manhães tua carta de 11 e Barbasol. Quanto às navalhas, não te preocupes, pelo próprio aviador que trouxe o Manhães soube que havia em Porto Alegre e já encomendei para lá pelo mesmo aviador. Disse o Manhães que em São Paulo também há. Assim já sabes onde conseguir para o Ernani.

Aguardo a carta do Salgado para saber quais as suas intenções. Talvez não sejam iguais às minhas. E não estou satisfeito com as mexidas que o Pitinha anda fazendo por lá, talvez com autorização dele.

Ainda não respondi as cartas da Celina e da Cândida. Às vezes as coisas simples são as mais difíceis. Quero que me mandes, com a brevidade possível, este informe – quanto arrecadava o Brasil em 1930 e qual a sua receita orçada para 1949. Só isso, tanto e tanto. É para uma resposta rápida ao bestinha do Pestana. Apressa também o que perguntei sobre o Adalberto e o Magalhães Pinto.

Pedi mais 30 dias de licença ao Senado. Fico assim mais tranquilo e dou um alegrão ao meu suplente.[1] Vigia o andamento disso.

Minha entrevista com o Cilon foi simples e cordial. Ele desejava uma resposta satisfatória e teve-a. Do que conversamos nada ficou escrito. Ignoro o que ele mandou dizer à comissão, mas o Ernani deve ter conhecimento. Informa-me que efeito causou e como vão as negociações. Parece que o Canrobert ainda não desencarnou. Junto envio-te duas cartas, uma do Ruy, interessante pelo aspecto familiar, e outra do Sr. Brenno Santos, a quem não conheço. Este tem topete. Vão também alguns papéis a selecionar para o arquivo. E os meus charutos velhos? O Manhães poderia trazer.

Saudades a todos e um beijo do teu pai **Getulio**

1949

---

[1]. Refere-se a Camilo Teixeira Mercio.

143 \ A ▪ Rio de Janeiro, 21 de agosto

Meu querido pai

1949 Estive um tanto preguiçosa esta semana em relação a ti, por duas razões. Primeiro é que estou agora na moda e não tenho mãos a medir com os convites para jantares e *cocktails*. Aos poucos estou recuperando a memória ~~no dia~~ perdida no famoso 29. A segunda é que estou trabalhando ativamente numa ideia que me brotou aqui num momento de raiva, por causa dos três energúmenos. Só te direi o que é depois que resolver em definitivo, não quero que me impeças, nem influencies. Será tudo por minha conta e risco. – Ernani ainda não conseguiu se avistar com o Benedito, que há 15 dias anda sumido por conta do natimorto acordo mineiro. Não te preocupes, porém, que vem mais. A Agência Nacional recebeu ordens líricas confirmadas por S. Excia. para iniciar uma forte campanha contra ti e de elogios aos milicos. Prepara as costas.

Estranho que não tenhas recebido a *Fon-Fon* de 25 de junho. Deve haver alguma carta minha encalhada por aí. Lembro-me que não te referiste às cartas que Celina e Cândida te mandaram. Será essa? Já mandei procurar duplicata e mandarei assim que chegar. Consegui por intermédio do Isnard as navalhas que pediste. Como foi ele quem escolheu as outras camisetas telefonou há pouco para dizer que encontrou as de lã, e para compensar o erro inicial estas irão como presente dele.

Vai também o casaco do Amaraldo. Saiu mais granfa. Já foi lavado, de modo que as possibilidades de encolher são menores. Diga a ele para não engordar mais, porque o alfaiate já está assustado. – Celina te manda sua última pose, tirada em Petrópolis, orgulhosa da assinatura, que já sabe fazer. Recomendou-me antes de sair para o colégio que não deixasse de te mandar o livro de histórias.

Tenho mantido, dentro do possível, os contatos com o Salgado. As intenções do homem não são lá muito recomendáveis, mas vou indo. Quando lhe dei a notícia sobre o Borghi e Epitácio, senti que não gostou. – Frota Moreira, obedecendo tuas ordens, foi restabelecer contato com Borghi para tirar o Pitinha do lance. Voltou assustado. Borghi pretende ser candidato à sucessão de São Paulo, desde que tu sejas à da República. Quer essa garantia e oferece fundamentos para a campanha. Está atualmente preso ao B.B. mas ficará livre dentro de pouco tempo. Declarou que estava seguramente informado que Lyra agia dentro do Tribunal Eleitoral para que o PTB chegasse às proximidades das eleições sem organização. E parece haver um fundo de verdade, pois tudo quanto é contra o PTB corre, o que é a favor se arrasta indefinitivamente, ora com a conivência de um grupo, ora de outro. Enquanto isso, em São Paulo, agentes borghistas coletavam procurações para promover uma convenção. O Major agiu com meios suasórios e conseguiu desmantelar a igrejinha. Informou também o mesmo que a 29 seriam convidados ex-queremistas, inclusive ele próprio, para discursarem contra ti. Que ele pretendia estar ausente para fugir ao convite.

Depois da saída do Caio, Adhemar se enfraqueceu um pouco, havendo perigo de uma debandada. Aconselhei nosso pessoal a dar-lhe umas vitaminas.

Maria Martins chegou loura e fiel. Ameaçou de ir te ver se não vieres antes de outubro. **1949**

A caixa de charutos é o Ernani quem te manda, presente do ... Dutra (quase).

Para poder tomar as providências quanto à tua vinda, preciso saber: a data provável, se vais fazer escala em Porto Alegre ou não. Parece-me que desta vez uma paradinha aí não seria mau, a pretexto de visitar tio Protasio...

João Neves esteve aqui anteontem, carregado de novidades. Pedi-lhe que te escrevesse e agradeci os charutos. Respondeu-me que estava muito mal habituado, mas que ia ver se podia. Em resumo: mostrou uma carta do Jobim, entusiasmado por tua resposta ao Cilon e firme em seu ponto de vista; o PSD todo está animado a ir até o rompimento do acordo para te conservar. O Milton Campos, através de Afonso Arinos, Odilon, Magalhães Pinto, o outro, está em ligação com João Neves e vai até a desistência da candidatura P. Aleixo.[1] Não acreditam no acordo mineiro, por não tolerarem Benê, e querem entrar em conversas diretas com o Jobim. – O Góes, após se lamentar da doença e apertos financeiros, elogiou-te tanto que Neves resolveu bancar o advogado do diabo, em pura perda: o homem está getulista. Principalmente depois que seu interlocutor contou-lhe que em 45 pretendias renunciar ao governo em seu benefício. O homem se iluminou. Neves tentou-o com a mosca azul e ele a repeliu modestamente, mas se embandeirou quando surgiu o nome do Cordeiro. Aranha telefonou para o Neves agradecendo a visita que fizera ao Góes e pedindo que a repetisse.

Salgado reuniu a bancada para pedir sugestões para o programa a ser apresentado ao PSD e telegrafou ao Pasqualini no mesmo sentido. No entanto, declarou na mesma reunião que era para ganhar tempo, pois tu eras candidato e seria o do partido. – Preciso dizer que não me mostrou nem me disse os termos de tua carta, procurou disfarçar. Não era necessário porque eu já havia lido, mas ele não sabe.

Não sei se esta e as encomendas vão pelo Hélio da Morena, ou pelo Calafanges. Será um dos dois.

---

1. Refere-se a Renato Aleixo, secretário do Interior de Minas Gerais e então um dos nomes cogitados pelos partidos mineiros como candidato único à presidência da República.

1949   Maria contou-nos que pela primeira vez sentiu a iminência da guerra para este ano, talvez setembro, se algo não acontecer para desviar o golpe. – Aqui os integralistas estão se movimentando muito e os comunistas estão fazendo levantes… pelos jornais.

Ernani te manda um abraço. Que é feito do Maneco? Beija-te com todo o carinho tua filha **Alzira**

---

200 \ G · [Fazenda do Itu, de 23 a 25 de agosto]

Rapariguinha

23 de agosto · Estou a escrever-te esta, à guisa de diário, aqui do Itu, onde vim por dois ou três dias, devendo regressar a Santos Reis.

Escrevo-te a lápis porque estou com falta dos dois lápis tinteiros que possuía.

Um, que foi teu presente, há muitos meses entreguei ao Gabriel para mandar enchê-lo, em Porto Alegre. A pessoa por ele encarregada extraviou-o e, apesar de minhas constantes reclamações, não consegui reavê-lo. Considero perdido.

O outro perdi nesta viagem para o Itu. Por isso escrevo-te a lápis, a fim de que me mandes outro daí, na minha conta, já se vê.

O casal Amaraldo manda muitas lembranças, e D. Felícia informa que está engordando um leitão, para esperar-te.

Penso seguir para aí no próximo mês. Espero agora que me informes se posso contar com o avião, e em que condições, para marcar a viagem.

O Epitacinho, quando aqui esteve, ficou de vir buscar-me. Talvez ele esteja zangado pelos dois breques que levou, no caso da Saigon e das suas atividades políticas em São Paulo. Se não estiver podes avisá-lo para que venha.

24 de agosto · ~~Estive hoje~~ Chegou hoje aqui o Frota Moreira e tive assim um portador inesperado para esta carta. Está ele mais preocupado com as cousas de São Paulo. Não me adiantou sobre as confabulações políticas que se estão realizando aí, ~~sobre~~ com referência à sucessão e outros assuntos. Após a vinda do Cilon, nada mais soube. É natural que esteja curioso por notícias.

Também as informações pedidas sobre vários assuntos.

Saudades a todos e beijos do teu pai **Getulio**

144\A· [Rio de Janeiro, de 26 a 29 de agosto]

Meu querido pai

Recebi tua carta, trazida pelo Manhães, não respondi por ele porque não havia tempo, ele partia à noite. O Assunção Viana me havia telefonado que estava de viagem marcada, de modo que esta vai por ele.

Cândida operou-se ontem de urgência, numa crise de apendicite. Está passando bem. Ficou radiante com o retrato e o bilhete. Celina já te havia escrito outra carta, que vai junto, reclamando.

1949

Salgado até hoje não se avistou com Nereu, nem com Pinto Aleixo, designado para ouvi-lo, e está fazendo um jogo de ganhar tempo, muito sujo. Pediu ao Aleixo a carta do Cilon, mostrou-a ao Chatô e devolveu ontem sem comentários. Diz que está aguardando uma carta do Pasqualini para depois conversar.

O Pitinha, ontem no Senado, deblaterava com o Salgado: nada de acordos; se o Dr. Getulio não quiser ser candidato, deve ser o senhor. E, depois que este saiu, acrescentou: se nenhum dos dois puder ser, deve ser o Góes. Em São Paulo continua mexendo, ligado ao pessoal do Borghi, conforme comprovei da conversa que tive com o Deputado Silvio Pereira, cunhado do Barbosa Lima, que deve ter ido te procurar com uma carta de apresentação minha. Já deve ter estado aí.

Hoje, com a operação da Cândida, não pude procurar o que me pediste em relação ao orçamento. Sobre o Adalberto, Luiz ficou de me dar o que sabe. Quanto ao Magalhães Pinto, Benedito disse ao Ernani que tem um *dossier* completo, onde está tudo comprovado e legal. Tão legal que o próprio Milton não pôde modificar. Ficou de entregar-lhe tudo

---

Teu pedido de licença foi concedido e está legal.

A carta do Cilon não a vi, mas Ernani leu e me disse que está absolutamente fiel ao que me mandaste. O efeito foi excelente, mas as negociações continuam chovendo no molhado. Ninguém quer se comprometer, pondo a cabeça de fora em primeiro lugar.

O Canrobert está praticamente morto. Outro valor mais alto se alevanta: o Góes. O efeito do aparecimento deste nome foi o de uma bomba. Dutra e o C. C. G. estão furiosos, o que talvez determine uma guinada em favor do Nereu. Por outro lado os mineiros, devidamente assustados pelos dois sacis da Câmara, Agamenon e Ernani, já se voltam para ti. Alkmin declarou que, se esta história do Góes for verdadeira, eles lançam teu nome.

Maria Martins foi visitar o Góes e encontrou-o embandeirado em arco e a própria D. Conceição firmemente convencida de que a doença política do Góes não o atrapalhará. — Rosalina, tua amiga, em um jantar, disse que a chapa vencedora seria a dela, Góes-Oswaldo. O primeiro talvez não aguentasse até o fim e o presidente seria o Oswaldo. — Tudo isto são mexericos mas são indícios. Por enquanto esta candidatura está nos prestando serviços. Esperemos.

1949   Maciel ficou de me trazer hoje os envelopes que pediste. Irão com esta e mais os *Fon-Fon*, o de 25 de junho e o de amanhã. – Recebi a correspondência atrasada, ainda nem abri porque o arquivo está atrasado e preciso pô-lo em dia.

29 de agosto • O bandido do Viana foi embora sem ao menos me avisar. Ou este PTB do Rio Grande é muito cretino, ou estou muito suja por aí. O eminente deputado quis saber se eu "ainda" era queremista e me deixou sem portador, depois de eu ter despachado o Manhães. É esta a razão por que o Viderol e os envelopes não seguem. Não quero abusar de minha amiga, D. Guiomar.

O tal Seu Brenno dos Santos da carta é doido. Escreve para todo mundo. Ernani já recebeu bilhetinhos dele no mesmo sentido.

Vai uma carta da Silvina para a Rosa.

Maria Martins está fazendo um grande movimento, mexendo céus e terra para a continuação do Carlos, mesmo após a compulsória em novembro. Estamos ajudando.

O Vitorino está se vendo mal lá pelo Maranhão, às voltas com uma séria oposição manobrada pelo Evandro Viana com o auxílio do PTB. Consta aqui que o "*de cujus*" adquiriu um dos deputados petebistas para quebrar a resistência.

Continuo aguardando tuas ordens para providenciar a condução.

Luthero está entrando firme na política do Distrito. Todos os domingos percorre as paróquias e está já adquirindo um certo prestígio.

Morena e Regina estão no Rio. Regina ansiosa por te ver. O tio continua objeto de sua grande veneração.

E por hoje é só. – O Plínio e seu grupo estão animadíssimos. Consta que se preparam para grandes acontecimentos em setembro. Não tive confirmação ainda.
Beija-te com todo o carinho tua filha **Alzira**

201 \ G · [Fazenda do Itu], 27 de agosto

Rapariguinha

Estou ainda no Itu. Vim para aqui um pouco por trabalho e outro para descansar das visitas, mas estas têm se amiudado, à razão de dois e às vezes três aviões num dia.

À noite estavam só o Maneco e o Roberto Alves. Já tinha despachado toda a volumosa correspondência postal, quando no fim abri um grande envelope contendo um expediente enviado pelo Euzébio Rocha. Aí encontrei tua carta e as de tua mãe. O Maneco tomou conhecimento de todas e Roberto será o portador da resposta.

Não vieram, porém, as encomendas referidas na carta, camisetas e navalhas minhas e casaco do Amaraldo. Também não vieram os charutos. Será que não foram remetidas pelo mesmo portador das cartas? Quem era?

As cartas da Celina e da Cândida foram recebidas e respondidas. Na mesma ocasião também escrevi aos outros dois netos.[1] Já receberam? O *Fon-Fon* de 25 de junho também veio, mas perdeu-se, desapareceu. Por isso é que pedi outro exemplar.

Sobre os entendimentos do João Neves com os mineiros, há uma referência sobre o afastamento do P. Aleixo. Não sei se há conveniência nisso ou se é para atender ao Benê que não gosta dele. Valerá a pena?

Minha carta ao Salgado concorda em termos gerais com a do Cilon ao Nereu e da qual Cilon me enviou cópia. Desta também deves ter conhecimento.

Sobre um dos energúmenos, vai esse telegrama publicado num jornal de Ponte Nova. Esse afirma que a situação criada pela minha lei não foi revogada. E isso é importante. Se agora têm democracia e liberdade, por que não pleitearam ou não conseguiram a revogação da lei!

Ao terceiro energúmeno já dei nova resposta, encerrando o caso. Não sei se a leste. Talvez ela tenha contribuído para as ordens de ataque do Grão de Bico.

Quanto ao primeiro energúmeno, nada fiz contra ele. Defendi apenas o patrimônio da União contra o avanço dos grileiros.

Vou remeter os 20 mil cruzeiros pedidos pela tua mãe. Depois escreverei a ela.

O retratinho da Celina está um encanto, pela expressão e pela naturalidade.

Saudades a todos e um beijo do teu pai **Getulio**

1949

---

[1]. Refere-se a Getulio e Edith da Costa Gama, filhos de Jandyra.

202 \ G · [Fazenda do Itu], 30 de agosto

Rapariguinha

1949   Um queremista meio agitado deixou por aqui esses bloquinhos. Achei-os muito maneiros para escrever a lápis, instrumento de que disponho, enquanto espero o lápis tinteiro.

Têm aparecido por aqui frequentes e bons portadores que não tens aproveitado para remeter minhas encomendas. Vieram ultimamente o Frota Moreira, o Major, o Roberto Alves, o Manhães e outros. Se estivesses com essas encomendas já reunidas aproveitarias alguns desses portadores para remetê-las. Vou lembrar algumas delas, para refrescar tua memória: 1º) as encomendas referidas na tua carta, que não vieram com ela – camisetas, charutos etc. O Amaraldo deu boas risadas quando lhe contei do teu recado, que o alfaiate já estava assustado com o aumento do seu volume. 2º) remessa dalgumas sementes – girassol, *flamboyant*, acácia javanesa e outras acácias; 3º) o quadro sinóptico de dados econômicos e financeiros, muito reclamado e não conseguido.

Parece-me que é o que resta. As outras coisas já foram atendidas. Uma vez que o Grão de Bico mandou desencadear uma ofensiva contra mim, estou também reunindo elementos para dar-lhe o troco, porque a resposta será para ele e não para os paus mandados que ele jogou contra mim.

Sobre a viagem já te mandei dizer que deverá ser para fins de setembro. A viagem deve ser direta. Há escolhos no caminho, precipitações imprudentes que convém evitar. Sobre isso, porém, isto é, sobre o itinerário, é preciso guardar reserva.

~~Porque~~ Qual o motivo da ofensiva do Grão de Bico contra mim: trata-se dum ato preparatório para os festejos de 29 de Outubro, ou é alguma represália pelo que não fiz?

Falta saber ainda o assunto da publicação do livro dos discursos. Ainda não me respondeste.

Manda-me também um vidro de Nembutal.

E por hoje é só.

Mas e a conversa do Góes com o João Neves (o homem está também candidato).

Saudades a todos e um beijo do teu pai **Getulio**

145\A · [Rio de Janeiro], 2 de setembro

Meu querido pai

Recebi as duas cartas trazidas pelo Frota e Roberto Alves e aproveito a ida do Carlos para aí, para responder.

1949

Mando-te junto cópia da carta que os três grandes mandaram ao Salgado. Este se tem escusado e evitado entrar em contato com eles, e é visto constantemente nos braços do Chatô. Resolveram escrever-lhe esta carta para que a responda. Foi ontem.

A política agora está num crescendo. O Dutra, indignado com a entrevista de ontem do Jobim, quer agora apressar os acontecimentos. Benedito seguiu hoje para Belo Horizonte levando três nomes: Ovídio, Israel e Bias, para que os mineiros decidam. S. Excia. está agastado com as indecisões e desavenças montanhesas dentro do acordo e talvez se incline por um estado pequeno, por exemplo o do Rio, com o nome do Edmundo. Estas duas notícias são diretas do C. C. G. e ainda não estão em circulação. A UDN está procurando forçar a escolha de nomes para sair do impasse em que se meteu. Talvez force o nome do Brigadeiro como meio de galvanizar seus adeptos. Mas o candidato virou Papão e só serve agora como ameaça. Nesse caso o PSD apressará sua convenção. Apesar de todas as manobras Beneditinas, ainda não se conseguiu abrir a brecha no PSD e este continua firme em torno do Nereu. É possível que, levado ao desespero, dê alguma solução espetacular.

Estás seriamente ameaçado de receber duas visitas muito comprometedoras. Avia-te. Uma da Maria Martins e outra da Rosalina.

As encomendas que reclamas seguiram depois, pelo Calafanges. Devem estar chegando.
Não te mando a caneta pelo Carlos, porque não tenho quem vá comprar agora e a única que tenho em casa é esta com que te escrevo, e é de mulher. Vai o *Fon-Fon* e um artigo que o Ciro me mandou a teu respeito.

Sobre os casos do PTB, interroga o portador que ele está bem informado.

Hoje houve reunião do PSD pela manhã para tomar conhecimento dos últimos fatos políticos ocorridos. Ainda não soube do resultado.

Vou providenciar o avião mas peço-te que não me obrigues a mandar o Pitinha junto. Já chega o que ele faz sem cartaz, imagina com ele.

Soube hoje pelo Lourival que vai se avistar com o Dutra a pretexto de saber o que há em relação a uma falada conspiração na qual seria preso o João Neves, tido como cabeça e ponto de contato entre São Paulo, Porto Alegre e São Borja.

A família vai bem e eu também.

Com Maneco recebe o carinhoso beijo de tua filha **Alzira**

203 \ G · [Fazenda do Itu], 2 de setembro

Rapariguinha

1949 Continuo no Itu. Hoje chegaram dois aviões, o Maneco com uma turma de São Borja e o Jango regressando de Porto Alegre. O primeiro anunciou-me que amanhã passaria aqui o seu Manhães e o segundo trouxe-me as encomendas enviadas por ti. Estou a escrever-te esta, na expectativa da passagem do portador. Consegui um lápis tinteiro emprestado, com o qual estou a escrever-te mais folgadamente.

Encomendas. Agradece por mim as camisetas ao Isnard. Estão de acordo com o pedido, embora já não faça mais frio e sim calor e seca. É pena que já não viessem marcadas, pois aqui não tenho facilidades para isso.

Agradeço também ao Ernani os charutos. Eu não queria, porém, metê-lo nessas despesas. Tinha pedido do meu estoque de charutos velhos. Parece, porém, que esse já está esgotado.

O Amaraldo ficou muito satisfeito com o casaco e agradece. Veio realmente com margem para que ele engorde mais um pouco dentro do mesmo. É um casaco granfa.

Os jornais só trazem de interessante a entrevista do Jobim e o encontro Dutra-Adhemar. Com a minha última entrevista ao *Correio do Povo*, dei por encerrado o caso Pestana. Como vão as negociações dos três *bigs*? Dá lembranças minhas à loura embaixatriz e promete-lhe meu regresso para que ela não se dê ao trabalho de uma visita. Sou um homem velho e já adquiri até hábitos de caipira. Nem galanteios mais sei fazer.

Como já te disse, dei por encerrado o caso do Pestana. Assim, só restam dois energúmenos a liquidar. Não tive mais informações dos ~~caso~~ assuntos. E o meu quadro sinóptico de informações? Há de haver alguém capaz de organizar isso, o Andrade Queiroz, o Queiroz Lima etc., desde que os ajudem, fornecendo alguns elementos necessários. Expliquei bem na minha carta o que desejava. É simples e fácil de organizar e, para mim, tem importância.

Saudades a todos e um beijo do teu pai **Getulio**

204 \ G · [Estância Santos Reis, de 5 a 6 de setembro]

Rapariguinha

Hoje regressei do Itu. Lá recebi uma coleção de *O Mundo* relatando as ameaças da polícia contra o João Duarte e a atitude deste. Só então fiquei sabendo que ele estava como diretor daquele jornal. Nessa coleção estavam sendo publicados os arquivos secretos do DIP com coisas muito interessantes, entre elas a célebre carta do Grão de Bico ao Lourival mandan[do] fechar o *Correio da Manhã* e que resultou na suspensão do *Diário Carioca*. Como foi isso, quem está fazendo esta publicidade, qual sua repercussão? Suponho que seja o próprio João Duarte e que ele mesmo tenha feito essa remessa. É bem possível que essas publicações não tenham tido muita repercussão, porque escândalos muito maiores, de natureza administrativa, estão aparecendo, praticados pelo atual governo, sem que a sensibilidade pública tenha despertado. Pelo menos essa é a minha impressão. Tenho recebido também os artigos do Napoleão bem interessantes, com o acertado comentário crítico. E o caso da Saigon, com Epitacinho, Maciel e Napoleão, como ficou, chegaram a um acordo?

1949

Do Itu enviei-te duas ou três cartas, todas por portadores diretos. Estou aguardando resposta. Amanhã ou depois espero o Maneco, a quem entregarei esta. Sobre a viagem espero primeiro tua carta, para resolver. Não estou com pressa. Isto foi escrito na noite de 5.

6 de setembro · Chegaram Jango e Maneco trazendo as encomendas e tua carta de 26. Na carta enviada pelo Manhães, foram minhas aspirações mínimas. Os envelopes não eram estes, mas servem. Eu tinha aqueles envelopes brancos, do Senado, muito menores que os remetidos. Mas servem. Não precisa mais. Faltam-me agora – o quadro sinóptico e os informes sobre os dois energúmenos.

O Silvio Pereira ainda não veio. Parece que virá com o Major. Então a Cândida foi operada de urgência e está passando bem? Quem a operou. Diga que eu vou mandar-lhe umas penas de avestruz para o enxoval.

Quanto a essas complicações de candidaturas, estão muito interessantes. Nada importante. E o encontro Adhemar-Grão de Bico, teve consequências?

Saudades a todos e um beijo do teu pai **Getulio**

146 \ A · [Rio de Janeiro], 7 de setembro

Última hora

1949   Salgado esteve agora aqui e informou. Veio de São Paulo um tal Alexandre Cunha Lima, ex--revolucionário, ex-prestista, agora ademarista, procurar o Góes. Como este estivesse doente, procurou o Mariante e o informou que Adhemar era possuidor de farta documentação de tuas ligações com o Perón. Este, Mariante, mostrou-se interessado e acrescentou que o Estado-Maior do Exército já tinha qualquer coisa a respeito. Pôs o mensageiro em contato com um Major ou Coronel Costa Leite.

Será que eles acreditam nas coisas que inventam ou são só safados.[1] **[sem assinatura]**

---

1. O documento não traz assinatura, mas é possível reconhecer a letra de Alzira.

205 \ G · [Estância Santos Reis, de 7 a 9 de setembro]

Minha querida filha

Estou a escrever-te no dia 7 de Setembro. Faz uma linda tarde, de sol brando, soprando uma ligeira viração. Esplêndido dia para festejar a grande data. Evoco aqueles dias passados, o desfile das tropas, o dos colégios, a festa do Vasco.[1] Certamente houve tudo isso com o mesmo entusiasmo. Mas como esse passado me parece longínquo, e como o ambiente e a diversidade de vida transformam os homens. Estou aqui, em Santos Reis, só com o pessoal da fazenda, gente rústica entregue aos trabalhos costumeiros, sem ouvir um eco do que se está passando por este vasto Brasil. E eu tranquilo, sem amarguras nem despeitos, quase um caipira, adaptado ao meio. Só ontem, pela leitura dos jornais de Porto Alegre, tomei conhecimento da repercussão que teve no Rio a entrevista Jobim: a zanga do Grão de Bico, a vinda dum emissário especial, as conferências da executiva do PSD com o governador etc. Não sei se haverá recuo deste, divergência no partido oficial, ou se tudo se harmonizará, marchando como dantes. Talvez esta hipótese seja a mais provável. Estou encarando as cousas com serenidade, simpatizando com a atitude Jobim e disposto a apoiá-lo, se se mantiver firme. Esta é a minha impressão do dia 7 à tarde. Aguardemos o que virá depois.

1949

Dia 8 · Estava com essas linhas já escritas, quando chegou o Carlos Maciel trazendo tua carta de 2 do corrente e outros papéis. Além das duas cartas que acusas, há outra posterior, levada pelo Manhães. Sobre a viagem nada de precipitações. Não marquei data. Pedi apenas que sondasses em que condições poderia ser feita. Quanto ao Salgado, apenas li sua declaração nos jornais de que ainda não fora convidado. A carta de que me mandas cópia deve ter sido posterior. Agora já devem ter começado as conversações. Estará também com a mosca azul?

Recebi a nota dos orçamentos de 30, 31 e 49. O primeiro incompleto. Isso não adianta. Quero todos, desde 30 até 49. E o meu quadro sinóptico?

Sobre as visitas, evita a da M.,[2] alegando dificuldades e meu próximo regresso. Quanto à da outra,[3] não está em ti evitar, mas não creio que venha.

Então o Grão de Bico está danado com o Jobim e o Neves? Ameaça hostilizar o primeiro e prender o segundo? Não creio que se atreva. Ele é assim. No primeiro ímpeto vem o coice. Depois é que raciocina.

Desejaria saber o resultado da conversa com o Lourival.

O Roberto Alves trouxe-me uma vitrola que levei para o Itu. Lá é a diversão do pessoal ouvir as gauchadas do Pedro Raymundo.

Qual o resultado da missão Benedito a Minas? Mas o Lourival vai mesmo falar com o Grão de Bico? Não tem receio que o prendam em lugar do Neves? E a publicação dos arquivos secretos do DIP pelo *O Mundo*!

---

1. Refere-se às comemorações oficiais do Estado Novo, realizadas no Estádio de São Januário, pertencente ao clube Vasco da Gama, no Rio de Janeiro.
2. Refere-se a Maria Martins.
3. Refere-se a Rosalina Coelho Lisboa.

1949   Enviei também outra carta pelo Jango, que foi a Porto Alegre. O Maneco veio junto com o C. M. e tomou conhecimento de tua carta. Continua pensando que não devo ir já. De qualquer forma, para as duas velhas damas que pretendem visitar-me, deves fazer constar que irei breve.

Resumo minha recomendação sobre as três cousas que reputo mais urgentes, para que as remetas: as informações para responder aos telegramas dos dois energúmenos e o quadro sinóptico. Mas sobre nenhuma delas me mandem coisas massudas para examinar. Apenas um relato breve do fato e o estado atual das cousas, quanto às informações. Sobre o quadro já expliquei suficientemente.

Saudades a todos e um beijo do teu pai **Getulio**

Getulio na Fazenda do Itu.
Itaqui, RS, entre 1948 e 1950.

147 \ A · [Rio de Janeiro], 12 de setembro

Meu querido pai

Dr. João Neves telefonou me avisando que tem um portador amanhã. Vou aproveitar.
Continuo na dúvida quanto à tua vinda. Se por um lado há razões ponderáveis que a aconselham, por outro, certos sintomas tornam mais prudente uma demora maior.

Recebi um convite da Maria Martins para ir com ela até aí. Estou tentada. Há muita coisa que não se pode escrever. Só conversar. Preferia ir sozinha, porque a moça parece que tem muito papo para ti e não me dará muita chance. Assim que receberes esta, avisa-me por telegrama, sim ou não, se desejas a visita. Se for não despistarei e irei te ver depois de sua partida para a Europa.

1949

As publicações do *Mundo* estão sendo feitas, com dados fornecidos por um amigo teu que não pode aparecer, pelo próprio João Duarte. Quem está enfeitado com a autoria é o Jorge Santos. Está tendo relativa repercussão, mas muita gente já calou a boca por causa disso.

Diretrizes recebeu forte pressão financeira para obrigar o Napoleão a parar de escrever. Parou.

Não te iludas com o que dizem ou não dizem os jornais. Sabes perfeitamente que além da censura há outros meios para obrigar a imprensa a publicar somente o que o governo quer. E estes estão em pleno funcionamento.

A situação do governo é desesperadora politicamente. Perdeu o controle, o PSD tomou o freio nos dentes e é em vão que o Zé Eduardo prega a necessidade da intervenção presidencial. Benedito anda tentando fazer com o Dutra o mesmo que fez contigo duas vezes. Cozinhar sozinho e apresentar o fato consumado. Mas os sacis agora estão alertas e colocam pedras no caminho de S. Excia., manobrando por todos os lados e em todos os partidos.

Os verdes estão em grande atividade. Fizeram um comício no Teatro Municipal com grande propaganda. Consta que os financiadores do *show* são tua amiga Rosalina e Cia. falangista. Está cheirando a churrasco. A burrada já esteve mais distante do que está agora.

Andrade Queiroz contou-me que esteve com o Chico Campos logo após sua entrevista com Grão de Bico. Pessimista e desanimado, declarou que trouxe a impressão de que S. Excia. marcha a passos decididos para o golpe.[1] **[sem assinatura]**

---

1. O documento não traz assinatura, mas é possível reconhecer a letra de Alzira.

206 \ G · [Estância Santos Reis, entre 15 e 21 de setembro]

Minha querida filha

1949 A alegria de tua presença foi tão rápida e tão atrapalhada pela presença das piranhas que enxameavam no momento, que mal pudemos conversar. Fiquei a pensar no teu trabalho, que não pude apreciar todo. Ouvi o fim e li o começo. Está admirável e só não desejo arriscar-te a uma luta de imprensa que te possa magoar.

Há um ponto no teu trabalho em que deixas sobre mim uma atitude de cansaço, indecisão ou perplexidade, sobre o rumo a tomar. Cansaço, repugnância por certos tipos e atitudes, realmente senti. Indecisão sobre o rumo a seguir, não a tive. Desde que fiz o discurso no Automóvel *Club*, no banquete oferecido pelos jornalistas, dizendo que não seria candidato, meu rumo estava traçado. Não seria mesmo. O rumo estava traçado – eleições a 2 de dezembro. Todos os elementos políticos que me apoiavam e de mim se aproximavam não receberam de mim outras instruções senão estas: organizar-se politicamente, preparar as eleições e apoiar a candidatura Dutra. Os interventores que vinham consultar-me, e eu os aconselhava também que fossem procurar Dutra. Nunca me afastei deste ponto de vista.

Quanto à conspiração eu sabia de sua existência, o Góes era conivente. Várias vezes lhe chamei a atenção e ele nunca tomou providências. Estava com tudo preparado para a minha deposição, sem dar um tiro, como disse certa vez ao Agamenon. Eu não pretendia ficar, nunca pretendi, e por isso não tomei providências. A nomeação do Benjamim foi um pretexto. Seria outro se este não aparecesse. Todas as forças reacionárias estavam contra mim. E o queremismo? Era a reação do povo revoltado contra as agressões que me faziam. Por que não o repelia? Porque era o meu escudo, a minha defesa, o que me permitia sair à rua e afrontar os agressores. Realmente eu só contava com o povo e não iria, num dado momento, lançar o povo contra as forças armadas, para ficar no governo mais um ou dois meses, ~~para~~ a fim de realizar eleições e passar o governo ao meu substituto.

Eu tinha uma diretriz firme – realizar eleições e passar o governo. Quando, no discurso do Vasco, eu ~~declarei~~ desafiei os meus adversários, os meus agressores, não contava com a traição dos amigos!

Escrevi isto às pressas, esperando enviar pelo Roberto, quando me avisaram que ele partiria hoje.

Esqueci-me de perguntar-te sobre a publicação do livro. Como vai esta?

E a Celina, como te explicaste com ela?

E a viagem, como foi? Curioso por saber de tuas visitas em Porto Alegre.

Saudades a todos e um beijo do teu pai **Getulio**

207 \ G · [Estância Santos Reis], 21 de setembro

Rapariguinha

Esta deverá ser levada pelo Júlio Santiago. Espero que por ele me remetas as tão reclamadas encomendas – os dados orçamentários e o quadro sinóptico. Tudo isso já foi bem explicado em cartas anteriores. Também até agora aguardo os informes sobre os dois energúmenos. O lápis tinteiro, se puderes desfazer a compra, será preferível. Já tenho dois, um comprado em Porto Alegre e outro de presente.

1949

Como te explicaste à Celina, no regresso? Não deveria ter sido difícil, porque o difícil era a sua conformidade com a tua ausência. Podes também mandar-me charutos. Isso nunca é demais. E o regresso, como foi? Soube que não chegaram no mesmo dia em Porto Alegre. Tiveram de pousar em Cachoeira.

Estiveste em casa do Israel, viste Protasio e o resto do pessoal?

Informa quando termina a minha licença.

Saudades a todos e um beijo do teu pai **Getulio**

---

148 \ A · [Rio de Janeiro], 21 de setembro

Meu querido pai

Estou com uma longa carta engatilhada, relatando minhas aventuras e a onda da chegada, mas ainda não tive tempo de sentar para escrever. Estou quase na lona.

Jesuíno deve seguir no sábado e eu vou tentar mandar por ele.

Falei com Zé Olympio, que te manda dizer que o livro do Almir deve sair dentro de um mês. O teu ele acha aconselhável esperar um pouco mais.

Dr. Salgado telefonou dizendo que vai amanhã e este bilhete irá por ele.

As conversações estão paralisadas novamente.

A família está em ordem.

Beija-te com todo o carinho tua filha **Alzira**

149\A • [Rio de Janeiro], 23 de setembro

Meu querido pai

1949 Estou regressando do enterro do Santiago Pompeu, que faleceu esta manhã de edema com 41 anos. A Alzirinha com a perna quebrada, de maca, acompanhou-o até o fim. Foi uma cena impressionante. ~~O R~~

O Roberto Alves ficou de me procurar amanhã para levar esta correspondência. Vou começar pelo princípio.

Fizemos em Cachoeira uma descida forçada, o que prejudicou bastante meu programa em Porto Alegre. Não pude me avistar com o Cilon. Chegamos somente as 10hs. Dei uma chispada à casa do Egrégio, onde fui efusivamente recebida por ele e pelos donos da casa e com cordial frieza pela cara-metade. Chamou-me a seu quarto e pude transmitir para que dissesse ao Jobim os recados que trazia do Rio. Perguntou muito por ti e qual a atitude que assumirias. Contei-lhe em linhas gerais o que havíamos combinado. Fui depois à casa do Dinarte, onde me esperava o Brochado. Mostrou-se cordato e disposto a ajudar a manter o acordo. No aeroporto encontrei o Décio Martins Costa, que fora acompanhar a Maria, e fizemos boa camaradagem em proveito do dito acordo.

Qual não foi minha surpresa ao abrir os jornais do Rio, já no avião, ao ler que me havia empenhado em luta com o Dr. Pitinha no *match* Nereu x Canrobert. Há cinco dias os jornais se preocupam com minha suposta missão. Inventaram uma carta e já há até quem conheça os termos da carta. Não me preocupei em desfazer os boatos porque o que eu quero é confusão.

Soube de chegada que meu rival havia obtido, por intermédio do Góes, uma grossa marmelada na prefeitura, cujo pagamento seria teu apoio ao Canrobert. Ignoro se é verdade e se te deu alguma palavra nesse sentido. Quando chegou telefonou-me para perguntar se eu achava conveniente desmentir a notícia de nosso duelo. Não achei.

No casamento da filha do Agamenon, encontrei vários políticos que me olhavam com grande admiração e curiosidade. Fiquei um bocado importante. O ~~Agamenon~~ Nereu disse ao Ernani que a candidatura Milton já havia sido queimada e que o Dutra se inclinava agora pelo Carlos Luz, que era mais difícil de queimar por ser pessedista. O Benedito se encarregou da incineração. – O Capanema contou que, em conversa com o Dutra, havia examinado os vários nomes mineiros, mostrando as vulnerabilidades de cada um e as probabilidades do PSD em sustentar a qualquer preço o nome do Nereu. S. Excia. declarou que nada tinha a opor, apenas exigia que saísse como candidato no acordo (3), pois não desejava sofrer oposição no Congresso. "Mateus, primeiro os teus."

João Neves ficou muito contente com minhas travessuras em Porto Alegre e contou-nos o seguinte. Flores interpelou o Pilla, porque este estava se inclinando pela tua candidatura. Este respondeu que não havia sido consultado, nem havia falado a respeito, mas se o

Dutra continuasse a querer dirigir o problema sucessório era provável que chegassem à solução: Getulio.

João Neves está convencido de que Dutra deseja apenas continuar mexendo para impedir que se chegue a uma solução para poder manter seu prestígio por mais tempo. Depois se desinteressará do caso, conforme suas tendências.

———————

Juracy está começando a ficar aborrecido pela aparição do problema Mariani na sucessão da Bahia, com apoio do Grão de Bico.

———————

Maria segue amanhã para Paris. Fez misérias aqui. Encontrou com S. Excia. e lhe disse que havia estado contigo e que partia feliz e voltaria para a campanha. Esteve em São Paulo e jantou com o Adhemar. Declarou que sua candidatura é inamovível, que já tem todo o sul de Minas na mão, que está trabalhando o Norte e que São Paulo votará nele por "*la rason o por la fuerza*". Só teme a tua posição, mas espera que não sejas candidato. Perguntou muito por ti e pelas pessoas que vão a São Borja. – Almoçou com o Oswaldo, que queria a viva força saber qual havia sido minha missão. Maria declarou ignorar, pois nada havia visto e ninguém lhe havia participado o que conversamos nós dois. Vira teco-teco cair em São Borja como chuva de pedra. Oswaldo quis saber quem eram e ela deu a mesma resposta do Adhemar. Não sabia. Depois disse que não acreditava que mandasses votar no Nereu, que não prestava e que não havia sido leal contigo. Mais uma vez disse que pretendia te visitar. Como ele "sempre" foi leal ...

———————

Salgado, disse-me o Pitinha que embarcara a teu chamado. Estou, porém, com muito medo desse encontro fortuito Rosalina-Chatô-Salgado, por essas bandas. Terá sido coincidência?

———————

Em tua carta examinas minha obra-prima. A frase indecisão, cansaço, falta de fibra é em forma de pergunta para dar mais ênfase literária à continuação. Ernani já me havia chamado a atenção para esse ponto, alegando que eu estabelecia uma dúvida e qualquer interpretação minha seria tomada como a oficial e histórica, e mais tarde nada poderia modificar. Vou refazer essa parte, mas gostaria que me dissesses também o seguinte: de teu discurso de 3x. e de minha sensibilidade de segunda consciência depreendi que – se houvesse um movimento de opinião em favor da Constituinte, marcharias para ela a 2 de dezembro e não para as eleições totais. Como não houve, logo a seguir assinaste a lei eleitoral marcando para a mesma data todas as eleições (discurso de Santa Cruz). Gostaria que me esclarecesses sobre este ponto, o único que tenho dúvidas, agora.

1949   Ainda não decidi nada sobre sua publicação. Estou aguardando a maré.

    Junto vai o resultado das pesquisas do Carlos, sobre orçamento. Isnard está fazendo um trabalho mais completo. Disse-me ele que, embora publicado, o negócio não é fácil de fazer, porque as datas 30 a 45 logo despertam suspeitas e os funcionários das repartições de arquivo ficam com medo. – Reli todas as tuas cartas quando cheguei e nada achei em relação ao quadro sinóptico. Consta da nota do Napoleão ou é coisa nova? Que desejas que contenha: emissões, custo de vida, reservas, dívidas ou o quê. – A Varig reclama a honra de te trazer. – Celina ficou muito decepcionada, havia anunciado tua chegada.

    Beija-te com todo o carinho tua filha **Alzira**

208 \ G • [Fazenda do Itu, de 23 a 25 de setembro]

Rapariguinha,

Estou aqui no Itu onde começo a escrever-te, dia 23, aguardando um portador. Na esperança de que ainda possas aproveitar o regresso do Santiago, vou fazer-te algumas pequenas encomendas: sementes de acácia-javanesa e *flamboyant*. Essas conseguirás com o Pinto. Sementes de couve-flor. Mudas de pau-brasil e cambucá. Agora é a época própria para plantar tudo isso, e não quero perdê-la. Manda-me também um vidro de Nembutal, que já pedi e ainda não veio.

Remeto junto várias outras cartas para que faças entrega.

Estou curioso por saber as aventuras de tua viagem e a ansiedade que despertou no meio político, auxiliada pelo sensacionalismo do noticiário dos Associados.

Salgado trouxe-me carta do Sr. Soares, explicando o silêncio até agora mantido, pelas complicações de sua vida e necessidade de restaurar-se, mas que continuava sendo o mesmo amigo...

Está salgadista e partidário deste, como uma solução geral de paz. Guarde disso completa reserva e não comente, porque, se for conhecido, secará a preciosa fonte de informações que começou a manar.

Informa-me quando terminará minha licença no Senado.

Estava com esta pronta, quando recebi o aviso que hoje, 25, passariam aqui o Jango e o Maneco, em viagem para aí. Não pode haver melhor portador.

Ontem quebraram-se alguns discos meus e entre eles dois que eu desejaria repor na coleção: "É com este que vou" e "Pode ser que não seja". Informou o Major que já tem comprador para quatro lotes do meu terreno, que pagarão à vista. O meu procurador é o Bejo e o dinheiro deve ser depositado em meu nome, na conta da filial do Banco da Província aí.

O Roberto Alves ficou de entregar-te algumas pequenas encomendas. Ele deve seguir em breve para os Estados Unidos.

Chegaram os portadores e vou encerrar a carta.

Saudades a todos, um beijo do teu pai **Getulio**

1949

150 \ A · [Rio de Janeiro, de 28 de setembro a 2 de outubro]

Meu querido pai

1949   Escrevi-te ontem uma longa carta que seguiu pelo Junqueira, acompanhada de revistas e de vários envelopes contendo sementes. Foi o Dourado (Afrânio), do Horto de Niterói, quem conseguiu. Vale um cartão de agradecimento.

A correspondência que mandaste pelo Maneco já foi quase toda entregue. Só faltam a do Maciel e a do João Neves que deverão mandar buscar hoje. Miguel ficou de escrever. Não sei se chegará a tempo de remeter pelo Roberto Alves, que ficou de vir hoje buscar esta. Os discos que pedes vou ver se consigo, em geral depois do carnaval esgotam-se as coleções. O Nembutal irá depois pelo Maneco, mas aviso-te que não o tinhas pedido antes.

2 de outubro · Chegaram aqui Jango, Santiago e Junqueira, trazendo correspondência e contando coisas.

1º) Conforme mandei te dizer o Isnard ofereceu-se como "trompeta" para coletar os dados de receita e despesa, orçada e efetuada. Já completou até 35 e está continuando. Assim que aprontar mandarei. Napoleão disse-me que está trabalhando e que já tem muita coisa mas não está ainda completo. A mim ele só deu a parte orçamentária, o aumento de impostos federais e quais outros recursos com que contou o governo. Por isso mandei te perguntar quais os outros dados que querias e que eu não sei.

2º) De tuas encomendas o que não for agora pelos travessos rapazes irá depois por meu compadre. O Roberto Alves não me apareceu para trazer o que prometera. Um dos discos vai, o outro ainda não se achou. Vai para o Amaraldo o famoso cachimbo e o fumo prometidos.

As principais notícias em relação ao PTB, Maneco e Jango vão melhor informados do que eu, porque aqui estiveram em contato com todo mundo e te transmitirão com mais autoridade.

Há uma sugestão do atual presidente, o Carlos, para mudar o nome do movimento da mocidade trabalhista para um outro tal como "Cruzada Trabalhista". Bandeira, comando ou outro troço qualquer, para poder dar-lhe maior latitude. O nome "mocidade" restringe muito o setor de aliciamento, e nós maiores de 30 anos já não podemos com muita propriedade usar esse título. Maneco não pareceu muito entusiasmado, por isso achei melhor te consultar. No momento o trabalho se limita a propaganda e fundação de escritórios eleitorais para qualificação, como elemento supletivo à apatia do Partido aqui no Distrito. Como o diretório se recusa a tomar conhecimento do movimento e a adotá-lo, é conveniente que a criança seja batizada com honestidade para que se torne notória. Aguardaremos as instruções, para mudar, continuar ou parar.

O Conselho Nacional do PSD se reúne amanhã para tomar conhecimento da proposta Kelly sobre o candidato interpartidário ou extrapartidário. Os "meninos" estão dispostos a criar o impasse exigindo um nome pessedista. Vamos ver qual será o resultado, para depois agir.

1949

―――――――

S. Excia. anda em excursão pelo Norte, em manobra política, sugerida, preparada e executada pelo Pereira Lyra. É a formação do "polígono do Nordeste" contra o Sul. Esses bobalhões ainda não se convenceram que esse tipo de política está mais decrépito que o velho Guilherme da Silveira e mais em desuso do que a própria virgindade.

O *Diário Carioca*, acompanhando a voga, está de barbas brancas e careca, assustando as crianças com o bicho-papão. Hoje noticia que o Dutra combinou com a falsa baiana a chapa: Bias-Mangabeira. Está com tudo, e não está prosa.

―――――――

O Vavá deu uma entrevista, dizendo que tu tens muito o que conversar com ele. Se quiseres ele vai. Tá sorto?

―――――――

Regininha já foi embora, deixou-te um abraço e milhões de recados. Morena ficou e continua a mesma Morena.

―――――――

Vão algumas notas daquelas que levei para assinares e me devolver por portador seguro. Peço-te não surrupiar nenhuma porque todas têm dono e se faltar alguma quem paga o pato sou eu. São 16, e os proprietários pedem para assinar em sentido horizontal, logo a seguir à efígie.

―――――――

Mando-te uma carta que recebi da Maria Alencastro com algumas observações do filho dela bastante interessantes.

―――――――

Quanto à minha obra-prima, está temporariamente congelada. Se algum dia voltares a ser qualquer coisa neste país e eu ainda for a tua "2ª consciência", terás de assinar a carta de alforria das mulheres desta terra, autorizando-as a manter seu nome e sua independência. Pode ser que vocês barbados tenham mais força do que nós, mas também pode ser que não seja. O "Piolho" está aqui a meu lado, fazendo uma engrolada dos diabos. Manda-te um beijo.

Beija-te com todo o carinho tua filha **Alzira**

―――

209 \ G · [Fazenda do Itu], 29 de setembro

Minha querida filha

1949   Recebi tua carta de 23 do corrente, trazida pelo Junqueira. Impressionou-me, de início, a notícia da morte do Santigo Pompeu e da Alzirinha, de perna quebrada, acompanhando em maca o enterro do marido. Ignorava tudo e fiquei com muita pena. O Santiago, apesar de todos os seus erros que mais a ele prejudicaram, foi sempre um leal amigo. E a Alzirinha, pobre menina, tudo sofrendo sempre com dignidade e resignação.

Só agora fui informado dos incidentes e travessuras do teu regresso. São realmente interessantes. O Pitinha não me trouxe qualquer missão. Foi portador duma carta do Salgado, disse que vinha mais para ouvir e receber orientação. O que mais o interessava era saber do meu regresso ao Rio, para preparar o <u>show</u>. Nada mais.

Quanto ao Salgado, escreveu-me uma espécie de carta relatório sobre suas atividades como presidente do PTB e, mais particularmente, sobre a situação deste em Minas. Essa carta foi a que trouxe o Pitinha. Respondi-lhe que seria melhor, quando ele pudesse, passar aqui para conversarmos. Assim pode ele dizer que foi chamado.

No que se refere à tua obra-prima, as observações que fiz, informas agora, coincidem com as do Ernani. Se fossem publicadas, com a autoridade da tua opinião, tais afirmações criariam um juízo falso e desfavorável sobre a minha atitude.

Quanto ao que perguntas, havia um movimento favorável à eleição só da Constituinte e isso era apoiado pela ação do Agamenon no Ministério da Justiça (coisa que não deve ser publicada, porque pareceria uma acusação a ele).

Eu, porém, nunca me decidi ao mesmo, havendo para isso três motivos principais:

1º) o cumprimento da minha palavra empenhada publicamente, em decretos e discursos – realizar as eleições na data marcada e na forma da lei;

2º) eu estava cansado, esgotado, enojado de certas atitudes e desejoso de abandonar o governo;

3º) eu sabia da conspiração militar, tramada para evitar a Constituinte, que consideravam um golpe instigado pelos comunistas.

Meu propósito era, após as eleições, considerar finda minha missão e retirar-me de qualquer atividade política. Por isso não aceitei a presidência de qualquer dos partidos que me apoiaram – PSD e PTB.

Após o golpe de 29 de Outubro fui eleito senador e deputado por vários estados, estando confinado, quase em exílio, sem fazer um discurso, nem me apresentar candidato. Minha eleição foi um protesto do povo contra a traição. Assim o compreendi e, por isso, aceitei a senatoria. Ainda sou senador por causa do 29 de Outubro, senão, nem isso seria. E estaria provavelmente muito tranquilo, fora de qualquer atividade política, como era meu desejo!

Quanto ao quadro sinóptico, expliquei-te bem, em carta anterior. São as notas ao Napoleão em dados positivos, numéricos, sem relatórios, sem publicações oficiais, enfim, sem enfadonhos calhamaços para meu exame. Por isso denominei quadro sinóptico.

Desejo saber quando termina ou terminou minha licença e se posso tirar outra, pequena, para regularizar a situação e contentar o meu suplente![1]

---

1. Refere-se a Camilo Teixeira Mercio.

1949

Uma das melhores coisas que me mandaste foram as sementes vindas de Niterói, Secretaria da Agricultura – sete variedades de acácias das melhores. Fiquei satisfeito e, nesse gênero, nada mais preciso. Pretendo deixá-las plantadas antes de regressar a Santos Reis.

Não sei se, ao receberes esta, o Maneco e Jango ainda estarão por aí. Que andam fazendo esses dois travessos rapazes?

Podem vir charutos.

Saudades a todos e um beijo do teu pai **Getulio**

———

PS.: Como vai a Regina? Ela e Morena ainda estão aí? Saudades a ambas.

Quando tiveres portador seguro, avisa com antecedência ao Sr. Soares, para saber se ele quer escrever-me, embora ignores que ele já me escreveu...

Recebi *Fon-Fon* de 17 e 24 de setembro. Já tinha recebido a de 3. Falta-me a de 10 do mesmo mês, exatamente a que deve trazer as decifrações de agosto e que preciso para conferir.

151 \ A · [Rio de Janeiro, setembro]

Gê

1949   Danton telefonou que seguia amanhã.
Tenho muito o que contar mas não há tempo, porque ele está por chegar.
Dentro do pacote há várias coisas, inclusive charutos e o grito do Zé.[1]
Muito carinho e saudades de tua filha **Alzira**

---

152 \ A · [Rio de Janeiro], 3 de outubro

Meu querido pai

Última hora. A reunião do PSD realizada esta manhã aprovou por unanimidade a proposta apresentada pelo Góes... de que o candidato interpartidário deve ser um pessedista. Para tornar o caso mais sólido, por proposta do Ernani ficou marcada a convenção para escolha do candidato. Será no dia 3 de dezembro. Dentro de alguns dias Nereu levará ao Kelly e ao Bernardes a resolução do PSD. Estes aceitarão ou não.

Já se sabe que o Bernardes vê com simpatias a candidatura Nereu. A UDN provavelmente estrilará e, acossada pela imprensa provocadora, apresentará alguma reação. Infelizmente não creio que rompa espetacularmente o acordo, como seria de desejar. O provável é que busque um meio de se acomodar, sem quebra total de dignidade. Se se verificar esta hipótese, temos pela frente dois meses para manobrar. Se ela romper a manobra tem que ser imediata. Pesarás aí então os prós e contras de tua vinda.

Conversei longamente com o seu Peixoto, sobre política. Em geral ele me nega o direito de falar, mas ontem eu banquei o Góes e não o deixei colocar nenhum pois é. Disse-lhe que, se o Nereu fosse o candidato deles e pretendesse de fato o teu apoio, tinha de fazer por onde, desde já, e não esperar a hora ipsilone. Até hoje o único ato amistoso do PSD tinha sido uma visitinha interessada do Cilon.

O resto o Maneco te conta. Está na hora do embarque deles.

Um beijo da **Alzira**

---

1. Refere-se à série de três discursos pronunciados por José Américo de Almeida no Senado a partir de 6 de junho, abordando o problema sucessório.

153 \ A · Rio de Janeiro, 5 de outubro

Ex.mo Sr. Presidente de Honra, Efetivo, Permanente e Resistente do Partido mais Inconsequente do Brasil **1949**

Peço vênia para declarar que a partir desta efeméride entro, por conta própria e em benefício de minha sanidade física e mental, em férias prolongadas e indeterminadas de meu cargo não reconhecido, nem criado, de "Babá do PTB". Ouso informar que não me é estranho o mau costume de V. Excia. de tocar harpa nos nervos de seus soldados, mas desejo recordar que os meus já viraram sorvete há muito tempo. Tenho ainda a pretensão de receber instruções diretas e de só servir de instrumento para um músico. Evoé. **Eu**

E agora, com a devida falta de respeito de Babá em férias, pergunto: o que é que há? Que bagunça é essa que já não entendo mais? 1º) Estou "boiando"nessa manobra de Minas. Segundo entendi de início, a escolha do Baeta para a comissão de reestruturação foi combinada aí pelos interessados e atendia a um duplo objetivo: distraí-lo da direção nacional e do Distrito, onde só atrapalha, pondo ao mesmo tempo em xeque o nosso Big.[1] Nessa persuasão, fiz o meu *team* aceitar. Agora, de repente, muda tudo. O Baeta sabe de tua carta e roncou no papo, o Big, de abatido, virou valente outra vez e já proclama de novo que o dono do Partido é ele. Não foi consultado para a nomeação do Baeta, mas impôs a sua saída. Está preparando o seu *team* para ir reestruturar o Norte, e não admite que os rapazes (Maneco e Jango) se metam. Se insistirem, não abandona o Partido mas larga a presidência. E os mesmos que sugeriram a nomeação do Baeta agora advogam sua retirada. Agiram levianamente antes ou depois. E quem fica em xeque és tu. Quando o Major esteve comigo recomendei-lhe cuidado na manobra devido à tua carta. O Pitinha também tirou carta de valente e anda novamente em grande atividade viajatória, desta vez não sei por conta de quem.

2º) Quando aí estive e conversei contigo sobre o movimento da mocidade, deste-me a orientação que transmiti para ser seguida. Consultei posteriormente sobre a conveniência de mudar de nome, para poder ir ampliando aos poucos. Segundo entendi da conversa com os rapazes, o negócio não está gozando de muitas simpatias. É para parar? Ou eles não estão a par? De qualquer maneira, para não comprometer nada, combinei com Carlos estacionar um pouco até vir resposta. Está pegando bem, e se não for conveniente, pode vir a prejudicar mais tarde seu fortalecimento agora.

3º) Toda nossa luta aqui no Distrito tem sido derrubar a Igrejinha do Segadas, que só trabalha de escoteiro e em proveito próprio. Nessa campanha se têm empenhado muitos dos nossos fiéis 100%. Entendo que é um elemento que não se deve desprezar, mas [não se deve] deixar se fortalecer demais e [sim] procurar controlar o mais possível. Gritar e proclamar seu getulismo nesta altura todos gritam. Até o Borghi já é getulista, outra vez. Por causa destes oportunistas e arrivistas que só defendem as próprias candidaturas em detrimento dos interesses do Partido, dos companheiros e do país, devo abandonar os que permaneceram firmes no desvio, sofrendo e lutando? Se é assim fico de fora. Não entendo, não atrapalho, mas não posso ajudar. Estou em férias petebistas e passo a ser informante só do PSD.

---

[1]. Refere-se possivelmente a Joaquim Pedro Salgado Filho.

1949 Parece que a UDN se acomodará às exigências do Majoritário, no <u>patriótico</u> interesse de poupar a tenra plantinha de uma luta. O negócio para o PSD está marchando fácil demais nestes dias. Dá para desconfiar. Ou estão realmente muito fracos para reagir ou então preparam uma armadilha qualquer muito hábil, para fazê-los escorregar em tempo.

Ernani jantou em casa do Luzardo com Neves, Agamenon, Nereu, Marcial e Fontoura. Teve um pega violento com este último, que se achou no direito de dizer que o PSD não podia ter confiança em ti. Ernani respondeu-lhe que neste caso era melhor irem tratar de outro assunto. Se estavam cogitando de romper com a UDN para livremente fazerem um acordo contigo baseados na união do Rio Grande, era fazer papel de palhaço. Fontoura alegou que era teu *fan*, estado-novista, teu defensor na Assembleia etc., mas que, por ocasião da eleição do Jobim, os havias abandonado. Ernani lembrou-lhe então que o PSD inicialmente fizera dificuldades e que só buscara tua aquiescência quando verificou que o PTB estava mais forte. Se queriam teu apoio, teriam de fazer por onde. O homem se acomodou e ficou quieto.

Na última reunião do PSD combinaram fazer uma lista de candidatos indigestos ao Dutra e à UDN para ver o que acontece.

O Sr. Gentil Ribeiro veio daí encantado e quer trabalhar para ti.

Aqui fico por hoje, aguardando as ordens.
Beija-te com todo carinho tua filha **Alzira**

210 \ G · [Fazenda do Itu], 8 de outubro

Rapariguinha

Aqui chegaram Maneco, Jango, pessoal de São Paulo etc. Vieram tuas cartas, encomendas etc. Estou curioso por saber como vão as negociações dos três _bigs_, em que sentido marcham as cousas, se o Grão de Bico andou mesmo articulando alguma candidatura pelo Norte etc. Enfim, parece que a marcha das cousas está se acelerando para um desenlace.

O Júlio Santiago ainda deve estar por aí e poderás, talvez, aproveitá-lo como portador.

O Amaraldo ficou muito faceiro com o cachimbo e fumo e manda agradecer ao Ernani. D. Felícia um pouco enciumada, porque os presentes têm sido só para ele. Mas a parte dela fica por minha conta. As últimas notícias políticas são que o rei Gaspar[1] está articulando a chapa – Bias-Mangaba. É certo?

Saudades a todos e um beijo do teu pai **Getulio**

1949

E o termo da minha licença no Senado? Nada disseste! Compreendi tuas _indiretas_ sobre a liberdade muito relativa das mulheres.

---

[1]. Refere-se ao presidente Eurico Gaspar Dutra.

211 \ G · [Fazenda do Itu, de 10 a 13 de outubro]

Rapariguinha

1949   Começo a escrever-te dia 10, na expectativa dum portador. Estiveram aqui duas missões de São Paulo, uma pró e outra contra Adhemar, mas por nenhuma delas pude escrever.

Não pretendo ir agora e, por isso, estou a perguntar-te quando termina minha licença e quando se encerram as Câmaras. Desejo também saber se pretendes vir agora, como das outras vezes, ou mais tarde.

D. Felícia também deseja saber, por causa do leitão que está à tua espera. Se vens o leitão aguardará tua chegada. Se ainda demoras, ele morrerá, porque senão vira porco. Também o leitão está na torcida.

Desejaria conversar com o Roberto Alves. Se puderes avisa-o.

Se não houver portador enviarei esta pelo correio particular. Junto vão as notas de duas pilas que mandaste para assinar.

Como vão as negociações dos três _bigs_? A esse respeito estou sem notícias. O PSD já apresentou seu ponto de vista? Qual a reação da UDN? E o Grão de Bico, andou mesmo articulando a chapa Bias-Mangaba?

11 de outubro · Nada de novo. Nem jornais. Junto vai o cartão para o homem das sementes de acácias.

Eu desejaria agora obter umas sementes de bougainville, das variedades existentes.

Prometi dar a D. Felícia uma máquina de costura. Não entendo desse assunto, indaga por aí os preços mais razoáveis, porte etc. e informa-me para que eu te remeta o cobre, pois essa é uma despesa extra.

Como vai o João Neves, que está ele fazendo?

13 de outubro · Passou o Jango em viagem para Porto Alegre. Ele levará esta. Acusa logo o recebimento para que eu fique tranquilo. Depois do regresso do Maneco não recebi mais cartas.

Saudades a todos e um beijo do teu pai **Getulio**

154 \ A · [Rio de Janeiro, de 16 a 18 de outubro]

Meu querido pai

Recebi teu bilhete trazido pelo Fiori, um tanto ou quanto parcimonioso e sem as instruções pedidas. O veículo de fato não era seguro, mas como estou me vendo mal por aqui, tenho uma certa pressa. O homem das notinhas, seu Gentil Ribeiro, queixou-se, quer abrir um escritório eleitoral e não consegue, porque deve ser em nome de um maioral do partido e estes só emprestam suas credenciais mediante compromissos sérios que ele não quer assumir, porque ~~que~~ quer trabalhar para ti. Prometi aproximá-lo do Luthero ou do Maciel oportunamente, isto é, depois que recebesse uma determinada resposta.

O Chefe, animado pela solução do caso Baeta, tentou dar um golpe em Minas, propondo anular a eleição do Ilacir e começar tudo outra vez. O Fiori, desejoso de amparar o ex-presidente, topou logo e o Landulfo, desconhecendo a manobra, quase embarcou. Completamente no escuro quanto a tuas instruções, por intermédio do Carlos fizemos o Ilacir protestar, alegando sua legalidade, para ganhar tempo, enquanto obtínhamos do Major clandestinamente as instruções dadas por ti. À noite estiveram comigo o Ilacir, Walter Ataíde e Sinval. Animei-os e pedi-lhes que organizassem o partido, deixando de lado os problemas pessoais de cada um, pois do contrário todos eles desapareceriam. Não esperassem que virias a ser candidato, contando apenas com um partido fraco e desorganizado, sem estado-maior e sem valores etc. O Walter Ataíde, que é o mais alfabetizado dos três, entendeu o que eu queria dizer e prometeu fazer todo o possível etc., contanto que garantíssemos aqui a retaguarda. – Em última análise, os casos e encrencas do PTB acabam sempre rebentando nas minhas costas e querem que eu dê a palavra final. É por isso que te peço que me mandes dizer o que se passa, senão posso vir a entrar em choque com teus emissários.

Maciel seguiu para Minas anteontem e a comissão deverá ser Ilacir-Ataíde-Próspero. Salgado está ligado lá ao grupo do Lima e ao da família Viriato, Waldy Lisboa, filho do ex-prefeito de Lambari, sócio do Vargas Netto. Aliás o Viriato e adjacências estão unidos ao Salgado.

1949

Estiveram aqui em visita à Mamãe e a nós o Marcial Terra e o Chico Brochado. Disseram-me que minha passagem por Porto Alegre havia sido muito benéfica, que tinha conseguido em horas o que eles em dois anos não haviam obtido, que precisava fazer mais umas viagens etc. *Confetti* à beça. Respondi que eu havia feito a minha parte, esperava que eles fizessem agora a deles. Ao vencedor é que competia dar o primeiro passo, não ao vencido. Os vencedores eram eles e o PTB só queria carinho. Fossem cordatos e não se arrependeriam. Não esquecessem que para o homem do interior o delegado de polícia é muito mais importante que o prefeito e o governador. Chico entendeu a alusão e quis me convencer de que os delegados de São Borja haviam sido sempre nomeados de acordo contigo. O papo foi longo e proveitoso, os homens estão quase de rédea no chão. Disse-lhes que se te queriam como aliado, fizessem por onde. O Jobim dera o primeiro passo, dessem eles o segundo. Hoje haverá a reunião do PSD e logo após os dois voltarão para Porto Alegre, devidamente trabalhados.

Ontem, domingo 16, Ernani teve um dia movimentadíssimo. Esteve com Agamenon, Pinto Aleixo, Nereu, Cirilo, Georgino e Pedro Brando, que lhe deu o serviço do Pereira Lyra. Está

1949   furioso e desanimado. Só fala nas traições que o <u>Presidente</u> vem sofrendo. Foi pedir ao Pedro para pedir ao Ernani, para pedir ao Ceglia que demitisse o Georgino do banco antes da reunião de hoje.

<u>18 de outubro</u> • Realizou-se ontem a reunião. Ressuscitaram a fórmula Jobim com grande pompa e resolveram meter a faca no peito da UDN. Esta ficou em situação crítica. De uns 15 dias para cá, ninguém sabe como nem por quê iniciou-se uma campanha estudantil pró-Brigadeiro com *meetings*, pichação de paredes etc. Dão-se várias origens, entre elas a de que tenha sido mandada fazer pelo Góes, pois um dos promotores é o Zé Cândido. No *meeting* falaram vários deputados e senadores (Hamilton, Ferreira de Sousa, Euclides Figueiredo etc.) atacando o Dutra e a "vergonheira atual". A UDN foi obrigada a não reconhecer o movimento, transformando-o em simples entusiasmo juvenil. Agora o PSD interpela-a oficialmente por sugestão Góes-Luzardo, sobre sua atitude em relação ao movimento. Se concorda com os ataques feitos ao Chefe do Governo e se esposa as ideias proclamadas por alguns de seus representantes. Fica na posição de ou renegar publicamente o Brigadeiro e casar de vez com o governo federal, desmoralizando-se perante o povo, ou romper o acordo. Apenas o grupo mineiro da UDN ainda se esforça por manter o acordo, unido ao grupo Zé, que está disposto a aceitar a candidatura Nereu. O acordo está morto. Espera-se a declaração oficial nestas 24 horas.

Góes tentou na reunião levantar a tese "espada contra espada", mas não lhe deram atenção. O Zé Eduardo hoje escreve um artigo indignado contra Góes e Georgino. Chatô tenta defender o Benedito, agora seu pupilo nesta manobra. – Espera-se ainda uma reação do grupo governamental, apesar de estar desarvorado, em torno do Carlos Luz ou do Bias. – A nossa parte está feita, o resto é contigo. O PSD terá agora de se entregar a ti, poderás reunir os rebanhos ou separá-los definitivamente. Não esquecendo, porém, que o governo, para não morrer do susto, poderá tentar a burrada. – Soube que o Obino, por ocasião de sua volta da Europa, dará uma entrevista alarmante sobre a guerra próxima. Oswaldo anunciou em entrevista que iria te visitar. Está unido ao Góes na manobra Cordeiro. Parece, porém, que desistiu novamente da ida.

O caso de Minas está sendo resolvido a contento, apesar da tentativa do João Lima de atrapalhar.

Luthero resolveu entrar no brinquedo.

Mando-te um livro muito interessante que estou lendo. Embora não concorde com a tese livre-arbitrista do autor, considero uma obra que ninguém deve deixar de ler. Isnard ficou de trazer hoje o trabalho para te remeter. Se em tempo irá pelo Júlio. Vão alguns dos presentes reclamados para fazeres a respectiva entrega. Diz-me se ainda está faltando alguma coisa de tuas encomendas, ou se estou em dia. Tua licença, conforme mandei dizer pelo Maneco, está esgotada, mas não me parece interessante renovar por ora.

Beija-te com todo o carinho tua filha **Alzira**

1949

Getulio e o primo Ernesto Dornelles na Fazenda do Itu.
Itaqui, RS, entre 1949 e 1950.

212 \ G • [Fazenda do Itu, de 17 a 19 de outubro]

Rapariguinha

1949 Começo a escrever-te esta no dia 17, à espera de um portador ocasional. Há poucos dias enviei-te uma carta, pelo Jango, até Porto Alegre, e de lá pelo correio particular. Nela ~~remetia~~ devolvia as notas de duas pilas assinadas e fazia algumas encomendas e formulava perguntas. Refiro isso para assinalar a carta e saber se a recebeste, pois não me recordo da data.

Recentemente bateram aqui, de surpresa, dois jornalistas dos Associados, pretendendo uma entrevista radiofônica, com várias perguntas indiscretas, sobre política, sucessão etc.

Resolvi o caso fazendo uma declaração de ordem geral em que dizia não ter compromissos com homens ou partidos, e sim apenas com a fórmula Jobim, que, aliás, não estava sendo executada. E esta é a minha posição. Desde ~~que~~ o regresso do Maneco não tive mais notícias tuas. Ignoro o que se está passando aí em matéria de sucessão.

Desejo que me informes quando pretendes vir, quando terminou minha licença e quando se encerra o Congresso. Preciso saber tudo isso, pois, conforme já te disse, não pretendo ir agora até aí.

Com a alta do preço do café o governo teve uma aragem favorável à entrada de cambiais. Isso certamente deu-lhe algum fôlego.

Manda-me charutos. Os que vieram pelo Maneco já se acabaram. Estou queimando o que resta do presente do Trujillo.

Há uma tentativa de ressurreição da candidatura do Brigadeiro, lançada pelos estudantes com grande apoio e excitamento do *Correio da Manhã*! Que efeito produziu e quais as consequências? E a candidatura do PSD, como vai?

Estou muito atrasado de notícias tuas. Só sei o que dizem os jornais e esses nem sempre dizem a verdade, e também chegam atrasados.

Recebi, em telegrama, um apelo dos artistas de rádio e de teatro para auxiliá-los numa campanha de propaganda no exterior. O Roberto Alves ficou de informar-me a respeito e nada mais soube. Desejaria atendê-los no que for possível, mas não sei como fazê-lo, por falta de esclarecimentos.

Estava com esta pronta, dia 19, quando recebi tua carta de 5 do corrente, quase 15 dias!

Este assunto do Baeta é coisa velha. O Ilacir pleiteou a entrada dele para a comissão de reestruturação de Minas. Escrevi ao Salgado. Este ~~escreveu-me~~ respondeu-me dizendo que o Baeta era agente do Grão de Bico, através do Ministério do Trabalho (essa e outras cartas irão para o teu arquivo, quando houver portador). Mandou-me também cópia da ata de uma reunião feita em Minas, presidida pelo Baeta, em que acertaram várias cousas e, sob palavra de honra, comprometeram-se a cumprir. Escrevi ao Baeta sobre esse assunto da ata e aconselhei-o a que procurasse o Salgado. Este veio aqui e ficou satisfeito com a solução de que se entendessem. Veio depois o Major Newton, disse que o Baeta não servia para a comissão, o próprio Ilacir se convenceu disso. Julgando-se já nomeado, fizera um discurso inconveniente em Belo Horizonte, fazendo ameaças de futuros ajustes de contas. Isso desgostara a todos. Encarreguei o Newton de entender-se com o Salgado para combinar a respeito dos nomes para a comissão mineira. O Segadas escreveu-me sugerindo a nomeação do Baeta para outra comissão aí no Rio.

Assim deixa o PTB. Cuida só de mim e do PSD, separadamente, e já terás muito o que fazer.

Quanto ao movimento da mocidade, com esse ou com outro nome, deve continuar.

As tuas previsões otimistas sobre as boas relações PSD-UDN pela cordura desta parece que não se estão verificando. O pessoal do PSD deve tentar cultivar o Salgado, conforme te disse quando aqui estiveste.

Que notícias me dás do Santiago?

Saudades a todos e um beijo do teu pai **Getulio**

PS.: Sobre a discussão do Ernani com o Fontoura, convém esclarecer, exatamente porque gosto de cumprir o que prometo. Uma prova disso é o meu apoio ao Dutra, mesmo depois de traído por este.

Se o Fontoura pretendeu insinuar que não se pode confiar em promessa feita por mim, agradeço ao Ernani a defesa, porque se trata dum conceito injurioso.

Agora, se o que ele pretendeu afirmar é que não se pode confiar que eu venha a apoiar um candidato do PSD na sucessão presidencial, ele tem razão, pois, até o presente, não existe de minha parte nenhum compromisso nesse sentido. Apoiei a fórmula Jobim quanto ao processo de escolha de candidatos, mas não tenho compromissos nem com nomes, nem com partidos. Sou um simples observador dos acontecimentos, com pouca vontade de entrar no barulho. Sobre a candidatura Jobim ao governo do estado, tentei apoiá-lo. O Sr. Soares, que andava comigo e me ajudou nesse trabalho, é testemunha. Não foi possível, por causa das prevenções já existentes, criadas pelas hostilidades do PSD, já obedecendo a ordens do Catete.

E por falar no Sr. Soares, quando houver portador para cá, manda procurá-lo, para perguntar se quer escrever, uma vez que não se pode confiar no correio.

À última hora recebi esse telegrama. Chama o Epitacinho e incumbe-o de providenciar a respeito.

155 \ A · [Rio de Janeiro], 22 de outubro

Meu querido pai

1949   Estou sem notícias tuas há mais de 15 dias. Tenho visto, lido e ouvido tuas últimas travessuras, mas carta neca. Que é que há? Brigou comigo? Eu só pedi demissão de Babá, de filha, não. Soube pelo Serafim que Maneco esteve doente com muita febre, nada disse à Mamãe ainda. Que é que ele teve? Diz a esse malandro que dê uma casada de uma vez, para ter quem lhe administre os corretivos necessários nos momentos precisos.

Ontem telefonou-me o Frota, de São Paulo, avisando de sua ida. Ele às vezes fica meio desanimado com as atitudes ditatoriais do Major. Seria bom, parece-me, fortalecê-lo um pouco dentro da comissão para contrabalançar.

O Roberto Alves segue também depois de amanhã e prometeu desta vez vir buscar a carta.

O Isnard, que agora se denomina voluntariamente o "teu trompeta", trouxe-me o catatau. A letra dele, porém, é de tal categoria hieroglífica que fiquei com pena de teus olhos e resolvi passar a limpo à máquina. Seguirá hoje também. Fiquei estarrecida com o rombo que deram no ouro. É incrível. Prometeu-me também obter por meios inconfessáveis um exemplar do balanço de 47. Não sei se será bem-sucedido. O de 48 ainda não foi feito, por isso nada segue.

Está passando um *film* na cidade, Cineac Trianon, em que o mocinho és tu. Há uma fila enorme para te ver bancando o fazendeiro no Itu. Quando diminuir um pouco o trânsito vou matar as saudades. Anda todo o mundo assanhado.

Tuas declarações pelo rádio em entrevista com o Carlos Frias são a sensação da cidade e do mundo político. O Frias, em uma crônica, te pôs nos cornos da lua e o disco girou três vezes no microfone da Tupi. Às oito da noite, às 10:30 e às sete da manhã seguinte. Quando me lembro que em novembro de 45 passei uma semana dormindo envenenada pelas palavras desabridas e baixas desse mesmo Carlos Frias, às vésperas das eleições, aí em Santos Reis, penso que não há nada mesmo como um dia depois do outro com a noite espremida pelo meio.

Os udenistas estavam assanhados, esperando que em tuas declarações te referisses ao Brigadeiro. O Paulo Bittencourt estava até de malas prontas para seguir para Belo Horizonte entender-se com o Milton Campos, para oficializarem este nome, baseado em teu apoio. Ficou decepcionado e [quando,] encontrando-se comigo em um *cocktail*, perguntei-lhe quando viajava, respondeu "quando você deixar". Eta mundo gozado! Pela primeira vez o *Correio da Manhã* anunciou elogiosamente tua entrevista.

O PSD, em compensação, embandeirou-se em arco. Assim que terminou a irradiação, Nereu telefonou para cá convocando o Ernani para uma reunião. Encontraram-se lá os "maquis" Nereu, Agamenon, Cirilo, Luzardo, Ernani e redigiram a nota que no dia seguinte devia ser aprovada pelo conselho e entregue à UDN. Com as costas quentes, pelo teu apoio à formula Jobim, cantaram de galo. A UDN está desarvorada. Kelly, quando recebeu a nota das mãos do Nereu, perguntou: "É uma despedida?" Anunciou que iria fazer um discurso acusando o PSD do rompimento do acordo etc. Foi, porém, chamado pelo Adroaldo que o levou ao Dutra, ontem. Parece que vão engolir um pouco mais numa tentativa de recomposição. Kelly resolveu adiar as declarações, o acordo está virtualmente rompido, mas não oficialmente. O PR discretamente tem se recusado a tomar conhecimento das *démarches*. A nova tentativa do Benê é em torno do nome do Cristiano Machado, ou outro mineiro.

Para amolecer a resistência do Rio Grande, estão tentando também jogar a mosca no Jobim e forçar os entendimentos a serem feitos pelo Costa, que está cada vez mais amedrontado e positivamente doente. – O PR mineiro está também tentando "mosquear" o Ernani, não sei se honestamente ou de má-fé, para provocar uma cisão no grupo dos "sacis". – Já respondi a um deles que com o PTB e o teu apoio ele não contará, porque eu não deixo. Tenho me divertido a valer com as confissões dos "arrependidistas" e as amabilidades dos "conversos". Fico com pena de não estares aqui para te contar minhas aventuras e gozar as caras de teus "promessos-visitantes". Mas é ótimo que te demores um pouco mais. O pessoal anda feito gato com pimenta.

Não esquece de me devolver as notinhas assinadas, o *team* anda louco atrás delas.

O catatau não ficou pronto, vai depois.

Um beijo carinhoso de tua filha **Alzira**

Getulio e Nereu Ramos na Estância Santos Reis.
São Borja, RS, novembro de 1949.

213 \ G · [Fazenda do Itu], 22 de outubro

Minha querida filha

1949 Estava com uma carta já entregue ao Jango para remeter-te, quando aqui chegaram o Júlio e o Major, o primeiro trazendo notícias e o segundo que será o portador desta. Estou com muita gente para atender, pouco tempo para escrever e vou logo entrando nos assuntos.

Vejo que ainda não posso dispensar-te das funções de Babá do PTB e vou entrando nos assuntos:

1º) o Maciel pode prosseguir na organização, sem fazer muito alarde;

2º) os nomes para a comissão de reestruturação em Minas são – Ilacir, Antônio Próspero e Walter Ataíde. Conheço a todos e são bons. Nada de comissão executiva, como o Salgado pretendia para atender grupos pessoais. Previna ao Fiori e Landulfo.

Quanto ao PSD ~~diszenso~~, dizes que a nossa parte está feita e o resto é comigo, depende de mim reuni-lo ao PTB ou separá-lo. Não é tanto assim. A manobra do PSD junto a mim tem sido apenas obter meu prévio apoio ao candidato dele, para poder romper com o Dutra. Isso é muito simples para ele, mas não é tão simples para mim. A experiência do próprio Dutra é suficiente para ressabiar a massa trabalhadora dos candidatos indicados por mim. E isso eles me repetem a cada instante.

Esteve aqui o Salzano, emissário do Adhemar, e também dizendo-se autorizado pelo Jobim, propondo, ~~a reuni~~ à vista da ruptura dos partidos do acordo e do fracasso das negociações, o encontro do Adhemar, Jobim, Nereu e este seu criado em Porto Alegre, para combinarmos a convocação da mesa-redonda. Achei a ideia interessante e acertamos que o encontro seria mesmo em Santos Reis. O arrepio do Grão de Bico seria maior e dava ao caso um certo aspecto de mistério que a turbulência do encontro numa grande cidade poderia perturbar. É só por enquanto a novidade que tenho e que naturalmente, quando esta chegar, já estará no teu conhecimento.

O Major Newton disse-me que a 24 deste seria passada a escritura do meu terreno e pago. O Bejo tem procuração para isso. Desejo que metade dessa importância seja depositada na minha conta na filial do Província aí. Esse dinheiro é para tua mãe ir-se mantendo. A outra metade ele deve fazer um passe para mim, para a filial do Banco do Comércio em São Borja. Providencie para que assim se faça.

Saudades a todos e um beijo do teu pai **Getulio**

PS.: O homem das notinhas pode ser engrenado com o Maciel. Aproveito o portador para remeter uma papelada para o teu arquivo. Das notinhas vão as que eu tiver tempo de assinar.

156 \ A · [Rio de Janeiro], 26 de outubro

Meu querido pai

Recebi tua carta trazida pelo Major; a remetida por intermédio do Jango, com as notas assinadas etc. cá não chegou, ainda. Ha várias minhas em caminho, estranho que não as tenhas recebido, com várias notícias importantes.

1949

———————

Celina e eu fomos anteontem ver o *film* do "Mocinho", no Cineac. Está ótimo e causando um grande sucesso. Mestre Junqueira deu um golpe espetacular. Com a devida vênia, aí vai o meu desabafo. – Não é bastante saber que andas aí pelo Itu sozinho, com os dedos abertos e inchados de tanto comer carne, sem te tratares, ainda te dás ao luxo de me pregar sustos. Será que não encontraste por aí um "redomão" para montar? Cheguei a dar um pulo na cadeira, quando vi que cavalgavas, todo prosa, o inocente "Sabiá". Alimento a vaga esperança de que tenha sido só para o filme, mas confesso que não estou muito segura. Creio que vou comprar a cumplicidade do Amaraldo para te policiar. O reumatismo, artritismo ou coisa que o valha também deve ter ido embora, a julgar pela exibição do muque, agarrando um cusco pela perna e jogando-o espetacularmente a vários metros de distância. O Tom Mix costuma fazer destas, para entusiasmar a garotada. Muito lindo mesmo! Celina gostou muito e reconheceu todos, D. Felícia, a Bugrinha, Amaraldo, o Noé etc. Muito bons artistas.

———————

Anteontem faleceu de uma trombose o Gervasio Seabra. Era muito teu amigo e ainda recentemente em um jantar na casa dele pediu-me que te mandasse um abraço e dissesse que estava te esperando em 50. Ernani assinou teu nome no velório e irei à missa, mas creio que não seria mau telegrafares à viúva (Pr. Flamengo – 88).

———————

Mando-te desta vez o catatau que com o auxílio do Isnard consegui obter. Não sei se poderá ser batizado de "sinóptico", mas foi o que achei mais parecido. Em minha carta anterior manifestei-me alarmada pela situação do ouro, depois vendo os documentos apresso-me a retificar. A terminologia um tanto confusa, para um leigo, dos relatórios financeiros foi que me atrapalhou. Confesso que deu trabalho decifrar e alinhar esses arabescos todos. Fiquei com medo de deixar o "trompeta" em sinuca e fi-lo devolver o material furtado, depois de devidamente copiado. Se puderes especificar o resto do "sinóptico" irei fazendo para te mandar, por este sistema.

———————

Tua licença solicitada de 15 dias em meados de setembro esgotou em meados de outubro, não sei o dia exato, mandarei verificar no Senado se te interessa, embora não haja necessidade. Basta que comuniques que continuarás ausente, por um mês ou dois etc. O Congresso deverá encerrar-se em dezembro, 15. Fala-se já em prorrogação da legislatura, como válvula para a sucessão. Mas nada está decidido, ainda.

1949 Quanto à minha viagem, não a programei para agora porque estava todo o tempo à espera do aviso de tua chegada. Confesso-te que meus nervos estão bem precisadinhos de uma estação de pastagens. O único lugar em que eles repousam é aí, longe de telefones, campainhas e convites. Para o *show* do dia 29, já não poderei ir. Como a garotada não fala em outra coisa, senão em ir para a fazenda do vovô, e Celina sonha em voltar, vou esperar um pouco a terminação das aulas em meados de novembro e depois me despenco com a ninhada. Isso no caso de não pretenderes vir antes. Pergunta ao leitão se ele está disposto a me esperar, senão empraza D. Felícia a arranjar outro para essa época, senão não procuro a máquina de costura. (Recebi tua carta de 10 com as notas de duas pilas, já voaram) — As máquinas de costura novas andam em redor de 3 contos. Encontra-se, porém, recondicionadas em ótimo estado por bastante menos. Depois dos feriados de novembro, pôr-me-ei em campo. Vou te dar uma pequena facada. Quando mandares os cobres para a máquina manda-me uma folguinha disponível de um a dois pacotes para remeter daqui uma série de coisas necessárias aí. Quero ver se aproveito para remeter antes do Nonô capinar do Lóide, devido a umas ursadas de S. Excia. que aí te contarei. — Agora para o verão vamos preparar aquela varanda dos fundos. Por isso quero levar pincéis, tintas, umas almofadas para sentar no chão ou nos banquinhos que pretendo construir aí com o auxílio do Amaraldo. É mais fácil levar daqui certas coisas do que comprar em São Borja. — Mamãe pede também que lhe mandes nova procuração para receber o dinheiro do Senado ou para o Júlio Barbosa ou para o Aloysio. Mestre Epitácio sumiu, anda fazendo travessuras no Norte, por conta do Salgado, e deixou a Patroa a neném.

Esta carta seguirá provavelmente por intermédio de S. Excia. o Sr. Vice-Presidente da República,[1] que amanhã, sábado 29, vai a Porto Alegre enquanto mestre Kelly se despenca para Minas. — Não me enganei muito em relação à cordura da UDN, enganei-me apenas quanto a seu apetite. Ela fez o impossível para não romper e só se conformou com a "intransigência" do PSD quando sentiu que este não cederia quanto à origem do candidato. Voltaram-se então bruscamente para ti. Parece piada mas não é. — O Góes e o Ernesto têm se pegado no Senado em memoráveis discursos que estão causando época. O Ernesto se tem revelado um superparlamentar, provocando o respeito e a admiração de todos. Góes se tem desmandado de maneira incrível, fazendo crer que haja qualquer mistério em torno do caso. Hoje o *Diário Carioca* publica os planos comunistas para um suposto golpe de mão. — Oswaldo já deve ter estado aí. João Neves segue dia 2 e pretende a 7 ir te visitar. Viva São Borja!!! — Consta que o Pereira Lyra está incompatibilizado com os militares por estar tentando articular a candidatura Bias. Dutra, conforme as previsões, está desinteressado da sucessão. Quer o acordo apenas em proveito próprio, os mais que se danem.

Amanhã tem mais.

Beija-te com todo o carinho tua filha **Alzira**

---

1. Refere-se a Nereu Ramos.

214 \ G · [Estância Santos Reis, de 26 a 27 de outubro]

Rapariguinha

Pelo Major Newton enviei-te duas cartas do Itu escritas em datas diferentes. Hoje, 26, estou a escrever-te de Santos Reis, onde, pela leitura mais frequente de jornais, posso ir acompanhando a mexida política, embora haja mais palpites que notícias verdadeiras. Mas o fim desta é mais para tratar de coisas particulares, alheias à política.

1949

Quando avistares o Major Newton, avisa-lhe que os charutos que, segundo ele me informou, foram despachados pelo correio e deviam estar aqui, não apareceram. Certamente foram fumados no caminho. Dize-lhe que não tenho confiança alguma no correio. As cousas remetidas a mim, por esse conduto, não chegam a destino. Como também não chega a correspondência enviada por mim. Fica em Porto Alegre. Que notícia me dás do Roberto Alves?

Estou encantado com a minha plantação de mudas e viveiros de plantas. As sementes de acácias que me mandaste já estavam nascendo, quando deixei o Itu. Havendo oportunidade manda-me mais umas mudas de pau-brasil e cambucá. Das outras só se salvaram três, duas da primeira e uma da segunda. E agora é o tempo bom para plantá--las. Estou aguardando resposta das diversas perguntas que te fiz em cartas anteriores.

Estou precisando duns óculos bifocais, mas um ponto mais forte dos que eu uso. Esses ainda foram receitados pelo Moura Brasil. Eu já não tenho a receita.

Estou precisando também refazer minha indumentária gaúcha. Tem aqui uma velha, D. Adelaide, que faz uns combinados de bombacha e camisa da mesma fazenda, muito cômodos. Eu preciso de três combinados desses, de sete metros [para] cada um de fazenda leve, algodão, brim ou linho – cada corte de sete metros deve ser diferente do outro – e [de] três metros de forro para os três e mais botões e linha. Estes devem combinar com a cor da fazenda, isto é, de cada corte de sete metros. Para cada combinado são necessários 20 botões. Deves fazer um orçamento aproximado da máquina de costura, [dos] óculos e das roupas e mandar-me para que te remeta a importância. Se já tiver sido feita a transação do terreno será retirado do produto deste.

Apareceu portador para Porto Alegre. Não tenho mais tempo para continuar.

Saudades a todos e beijos do teu pai **Getulio**

215 \ G · [Estância Santos Reis], 29 de outubro

Rapariguinha

1949 Tenho-te escrito várias cartas ainda sem resposta. Aproveito a viagem de seu Manhães para escrever-te. O Manhães é representante duma grande empresa em São Paulo, segundo ele afirma. Deve no Banco do Estado de São Paulo e está sendo apertado pelo Adhemar, por motivos políticos, segundo ele também diz. Quer levantar um empréstimo no Banco do Brasil para pagar o outro e ficar com sobra para os serviços de sua empresa. Mas não pode conseguir o empréstimo senão pagando a intermediários grossas comissões. Lembrei-me que, para livrá-lo desse escorchamento, talvez o Ernani pudesse conseguir-lhe o que deseja, por intermédio do Ovídio Abreu, que é o atual presidente do banco. Esse é o objetivo da presente carta, uma vez que ele tenha garantias suficientes para o empréstimo que pleiteia. Junto vai esse telegrama para que fales ao Salgado sobre o avião para Itaqui. O Aero *Club* dessa cidade não tem um avião e merece obter. O Salgado já havia prometido.

Estão vindo os emissários e pretendentes políticos. Já estiveram o Francisco Brochado e Marcial Terra. Devo receber amanhã o Oswaldo. Virão depois Nereu e Adhemar. Não me estou vangloriando, nem orgulhoso por isso. Embora o assunto pareça divertido. Eu o estou tomando a sério, pela responsabilidade que importa para mim.

Se falares com o Major Newton não esqueças [de] informá-lo que não recebi os charutos remetidos pelo correio e, provavelmente, não os receberei. E o Roberto Alves, não me dás notícias dele? Hoje, 29 de outubro, fui à granja do Jango receber as pessoas que me vieram visitar. De regresso a Santos Reis encontrei o Manhães e passei a escrever-te. E por hoje é só.

Saudades a todos e um beijo do teu pai **Getulio**

Tive notícias dos debates no Senado – Ernesto, Zé e Góes. Desejaria ler, pelo menos, o discurso do primeiro. Os jornais daqui não o publicaram.

216 \ G · [Fazenda do Itu], 31 de outubro

Minha querida filha

Recebi, trazidos pelo Assunção Viana, tua carta de 26 do corrente, a revista e o catatau **1949** preparado com auxílio do Isnard, a quem peço agradecer. Não tive tempo de examiná-lo. Estou aqui no Itu, com a casa cheia. Aproveito o regresso dum jornalista, recomendado pelo Carrazzoni, que veio entrevistar-me, para responder-te. Se tivesses mandado selo a procuração poderia seguir junto com esta. Mas no Itu não há onde conseguir. De regresso providenciarei.

O Oswaldo está ainda aqui, com o Flodoardo. Temos conversado muito, mas ainda não me abordou sobre o objetivo principal. Disse-me que os outros querem-me como vara, para cutucar o rabo da onça, com a qual parece que ele está em boas relações.

Esteve também outro jornalista do *Globo* para entrevistar-me. O outro é da *Folha Carioca*. A ambos fiz declarações de ordem geral, mais ou menos nos termos da fala radiofônica para os Associados. Estava com esta pronta, quando descobri os selos. Foste previdente.

Saudades a todos e beijos do teu pai **Getulio**

PS.: Escrevi às pressas num intervalo e esqueci-me de falar noutra parte de tua carta. Por isso volto.

A máquina pode ser recondicionada. Espero agora o teu orçamento porque, além da máquina e das outras cousas para as tuas artes, há uma encomenda feita de roupas, ou antes fazendas para roupas e outros pertencentes que devem ser agregados ao orçamento.

157 \ A · [Rio de Janeiro], 2 de novembro

Meu querido pai

1949   Chegamos hoje de Petrópolis aonde fomos passar os feriados, para descansar um pouco do lufa-lufa dos últimos dias. Soube que o João Neves segue amanhã para aí, devendo a 7 deste ir te visitar. Não quero perder a oportunidade.

Posso agora dizer contigo, como naquele 3 de outubro de 45, que selou os destinos de nós todos, "sinto saudades deste gesto que não vou ter". Não vou publicar o meu "catatau" e reconheço que foi melhor assim, pois os acontecimentos que eu pretendia provocar estão se processando exatamente como eu queria e sem intervenção ostensiva. São digressões de literata, obrigada a digerir a própria obra. O 29 de Outubro deste ano veio confirmar, linha por linha, tudo o que escrevi. Sua importância de agora em diante será igual à do 1º de Abril, a "*journée des dupes*" da política nacional. As máscaras estão caindo. Não sei se leste por aí os discursos sensacionais pronunciados no Senado pelo Ernesto, Góes e Zé. Valeram a pena estes três anos de incompreensão só para assistir à entrega dos pontos. Mando-te o primeiro dos do Ernesto para te distraíres. Os outros ainda não saíram no *Diário do Congresso*. O Góes, atacado violentamente pelo *Correio da Manhã*, pronunciou uma "breve alocução" tão pornográfica que teve de ser censurada. Dois dias depois, a 28 de outubro, terminava sua oração com um "Salve o ex-ditador" e chamou a UDN de neoqueremista. Zé respondeu ontem; ainda não a li, mas parece que vai pelo mesmo diapasão.

Amanhã Nereu vai se encontrar com Adhemar. Este está agora procurando se encostar. Enfraquecido em São Paulo pelo rompimento iminente do Caio e seu grupo, talvez desista de vez de sua candidatura. Pedroso Horta, que me veio visitar há dias, acredita que ele ainda tente. Contou-me ter sido procurado pelo Borghi, que deseja uma aproximação contigo para ser candidato a São Paulo, prometendo mundos e fundos. Foi chamado pelo Adhemar para te transmitir seu desejo de aproximação contido em detrimento do Caio. Como estava e ainda está "congelado" pelo PTB em São Paulo, não quis intervir e transmitiu a mensagem ao Newton. Ignora se este te relatou os fatos com fidelidade, mas supõe que daí tenha resultado a visita do Sepe e do Salzano. Declarou ainda que continuará quieto até que precises dele. Animei-o um pouco porque me parece uma pedra útil para o futuro, ainda mais considerando que já fez ou faz o jogo do Piza.

O relatório enviado ao PSD pelo Marcial e Brochado de sua visita a São Borja é positivamente entusiasta. Desce a detalhes até de teu aspecto físico.

Parece que isto animou o Chefão, que pretende ir te visitar, lá pelo dia 12, assim que volte da Bahia, onde vai ajudar a enterrar o Ruy pela quinta vez. (Desculpe a falta de respeito, mas não sou *fan* do Seu Barbosa.) Ernani hoje me perguntou se achava interessante que ele o acompanhasse até aí. Mostrei-lhe os inconvenientes para ti, para ele e para o próprio Nereu e as pequenas vantagens. Por isso ele me pede que te consulte. Sei que está louco de vontade de conversar contigo e que para ti seria interessante ter uma pessoa de confiança para informar, mas sou contra a ida: 1º) Pareceria que o Nereu iria levado por ele e não de *motu proprio*. 2º) Se por qualquer circunstância viesses a apoiar o Nereu desta feita, os trabalhistas se voltariam contra ele e diriam que obedecias a razões sentimentais e não políticas. 3º) Conheço-te bem e temo que te deixasses influir pelo sentimentalismo. 4º) Venho preparando esta tourada há três anos e quero o *show* completo, sem pontes, nem emolientes.

Se discordares de mim é só dizer, porque Seu Peixoto está saltando na bainha.

A UDN parece que terá de se resignar e marchar mesmo para o Brigadeiro, a não ser que a ala dutrista do PSD consiga abrir a brecha para lançar um candidato qualquer do agrado do Catete. Lyra, Benedito e Adroaldo continuam trabalhando nesse sentido. Meu ponto de vista ainda é o mesmo. A UDN só declara rompido o acordo quando perder todas as esperanças. E, aí, tudo pode acontecer. Teimo em sentir cheiro de chamusco no ar, embora todo o mundo jure que não há ambiente. Mas também não vejo saída honrosa para o governo. Meu nariz é sensível demais. E por hoje é só. Reclamo notícias. Isso aí agora com tanto gavião despencando do ar está muito mais interessante que o Rio de Janeiro.

Beija-te com todo o carinho tua filha **Alzira**

Adhemar de Barros visita Getulio na Estância Santos Reis.
São Borja, RS, dezembro de 1949.

217 \ G · [Estância Santos Reis, de 5 a 6 de novembro]

Rapariguinha

1949   Regressei ontem do Itu, e hoje, 5, começo a escrever-te, na expectativa dum portador. Esse talvez seja o Sr. Vice-Presidente, cuja visita está combinada.

O Major Newton esteve aqui e garantiu-me que agora sairia a venda do terreno. Esse negócio é muito conveniente porque resolverá, por algum tempo, ~~porque resolveria por algum tempo~~, os apertos financeiros de tua mãe e, consequentemente, também os meus.

Mas o Major está perdendo o crédito. Já prometeu muitas outras cousas e ainda não cumpriu, charutos, mudas etc. Se não sair agora a transação, farei daqui um passe para tua mãe. Nesse passe 5 mil cruzeiros serão para entregar-te, a fim de atender às minhas encomendas. Acho bom ir catalogando essas cousas. Basta rever minhas cartas. Tudo está lá. Depois fazer um orçamento aproximado. Não sei se essa importância será suficiente. Ainda tenho outras encomendas a fazer, além do que pretendes comprar para a arrumação da varanda, em frente aos teus cinamomos.

Parte dessas cousas devem ser remetidas antes, porque não poderás trazer tudo contigo.

Oswaldo ficou de mandar-me sementes de pasto e algumas informações de ordem financeira, bastante interessantes. Isso poderá vir por teu intermédio.

Quanto à *Fon-Fon* recebi os nºs de 15 e 29 de outubro. Falta o de 22 do mesmo mês. Espero que o remetas.

Sobre o Borghi, o melhor emissário que ele poderia mandar-me é o Roberto Alves.

6 de novembro · Ontem estiveram aqui o Arthur Caetano e dois jornalistas de São Paulo. O chofer que os conduzia entregou-me tua carta de 2 do corrente, com as últimas notícias, as touradas no Senado etc.

Sobre a vinda do Ernani, não vejo inconveniente, e tenho mesmo necessidade de conversar com ele.

Junto vão alguns papéis e cartas para entregar aos destinatários. Então, gostaste da exibição cinematográfica, os artistas portaram-se bem? Isso, porém, não era destinado a exibições públicas, foi o que me prometeu o Junqueira. Era apenas para os diretórios do PTB. A montada no Sabiá foi toda ocasional. Era o único animal que tinha à mão, quando o pessoal chegou do campo, à tarde, com pouco tempo para recolher. Confesso que montei com um pouco de receio, mas não havia outra solução.

Apareceu o Major, que será o portador desta. Nem me trouxe charutos, nem dá notícia do assunto do terreno. [**sem assinatura**]

158 \ A · [Rio de Janeiro], 7 de novembro

Meu querido pai

Realizou-se há quatro dias a entrevista Nereu-Adhemar, novamente na fazenda do Savio Gama em Barra Mansa.

Nereu declarou de início que provocara este encontro em obediência às determinações de seu partido que, com o objetivo de executar a fórmula Jobim, dera-lhe amplos poderes para se entender com os presidentes de todos os partidos, para a escolha de um candidato comum. Considerando-se o majoritário, o PSD naturalmente reivindicava para um de seus partidários o posto. Não apresentava nomes, nem soluções, queria apenas fazer um prévio entendimento e saber como receberia a citada fórmula. Adhemar perguntou se a mesa-redonda se realizaria. Nereu respondeu que já era o início da mesa-redonda. Seria ridículo pensar que, em torno de uma mesa, fossem sentar os presidentes dos 1.500 partidos para debater o problema sucessório, ele, Nereu, estava autorizado a entrar em entendimento e o estava fazendo. Não queria saber se o Adhemar era candidato ou não e se pleitearia o lançamento de seu nome, o que julgava uma aspiração justa, estava apenas dando cumprimento à fórmula Jobim. Adhemar saiu-se evasivamente respondendo que tinha um acordo secreto com o governador de Goiás para só entrar em debate depois de janeiro. Podia, porém, garantir que não faria em hipótese alguma acordo com a UDN, daria preferência ao PSD se as circunstâncias o levassem a isto. Procurou fugir à discussão dos assuntos internos de seu partido e Nereu também evitou. Disse depois que havia sido procurado por gente do Dutra para sondá-lo quanto à prorrogação de mandatos e que lhe havia respondido que consultaria seu partido para ganhar tempo. Declarou que tinha grande documentação, pareceres para impedir o Novelli de assumir a vice-presidência, caso ele não aceitasse o acordo que lhe havia proposto de candidatá-lo a senador por São Paulo.

1949

Nereu seguiu no dia seguinte para a Bahia e hoje, após conversar com o Barbosa Lima em Recife, deve chegar aqui. Vai a Santa Catarina e a 12 deve estar em São Borja, em teus braços.

O Pereira Lyra, em conversa com um amigo, mostrou-se muito desanimado e amargurado, declarando que estava vendo chegar o momento em que o Chefe se desinteressaria de tudo e os deixaria mal, a ele e demais dutristas. E concluiu melancólico: "Não se pode pensar mais, nem mesmo em prorrogação do mandato". – Isto não quer dizer que estejam apáticos, ou tenham desistido da luta. Continuo esperando o segundo tempo.

Recebi três cartas tuas, uma de 27, outra de 29 e a terceira de 31.

1º) Não avistei mais o Major para dar o recado dos charutos. Tenho aqui uma caixa de 50 que o Isnard me entregou que irá pelo primeiro portador. 2º) Já encomendei as mudas para quando puder ir. 3º) A casa Lutz Ferrando tem a receita de teus óculos. Quero saber apenas se o grau a ser aumentado é em ambos os focos e se o aumento é palpite teu ou se fizeste

1949 algum exame. Pode ser que precises menos de 1 grau ou mais. Não gosto de fazer nada de orelhada. 4º) Estou providenciando teu guarda-roupa. 5º) A máquina, mesmo recondicionada, deve ficar em redor de 2.000,00 cruzeiros. 6º) Seu Manhães esteve aqui e combinou com Ernani uma apresentação ao Ovídio, para quando voltasse de São Paulo nesta semana. 7º) Já falei várias vezes ao Salgado sobre o avião. Vou voltar ao assunto. 8º) Esperava obter de ti notícias do Roberto Alves. Há mais de 15 dias esteve aqui, dizendo que seguia no dia seguinte para aí e levou até uma carta minha e vários papéis e revistas. Estranho que não tenha aparecido. Vou tentar encontrar sua pista. 9º) O orçamento geral depende de ti. As tuas encomendas devem ficar entre três e quatro pacotes. Para as minhas artes não precisa muita coisa. 10º) Já tinha separado para te mandar os debates do Senado e mais os números da *Folha Carioca* com tuas declarações e reportagens. Aí vai tudo.

Já entreguei a procuração a D. Darcy, que estava fumando papel, pois o Pitinha anda em travessuras pelo Norte por ordem do Chefe e não tem aparecido.

Nada sei a respeito da venda dos terrenos. Entreguei a planta ao Major e este nada mais me falou. Hoje, aniversário do Nonô, vai lhe ser feita uma grande homenagem pelo pessoal do Lóide em represália a uma ursada que o Grão de Bico tentou fazer e depois recuou.

Por hoje chega. Quero ver se esta chega aí antes do Nereu.

A gurizada não fala em outra coisa senão em passar as férias aí. É o melhor remédio contra travessuras.

Com muitas saudades e carinho envio-te um beijo. Tua filha **Alzira**

---

218 \ **G** · [Estância Santos Reis, de 7 a 9 de novembro]

Rapariguinha

Hoje, 7, fui à cidade, almocei com a Alda, e depois ao consultório do Syrio para um exame de vista. Desse exame resultaram duas receitas, uma para óculos e outra um remédio para ouvidos. Os óculos devem ser com aros de tartaruga, presos na cabeça e não atrás das orelhas. Para isso, na própria receita vão as medidas.

Vai outra receita de uns óculos que prometi à Auristalina. Esses poderão ser de material mais barato. Essas novas encomendas irão aumentar o orçamento que te pedi, para remeter a importância.

Estou a escrever-te com o propósito de aproveitar como portador o João Neves, esperado amanhã.

Esteve o João Neves, mas, como ele ia demorar, envio esta pelo Jango, que vai amanhã para Porto Alegre; remeterei por ele. Os assuntos de que tratamos estão ainda verdes para qualquer decisão. Junto vão, além das receitas, uma carta da Auristalina para ti.

Saudades a todos e um beijo de teu pai **Getulio**

159 \ A · [Rio de Janeiro], 8 de novembro

Meu querido pai

Ontem te escrevi respondendo todas as cartas que havia comigo. Recebi outra logo a seguir que me foi entregue pelo Euzébio. Respondo hoje para ser levada pelo Manhães. Ernani prometeu levá-lo ao Ovídio, mas o diabo do homem é desorganizado a valer e não se mostra muito interessado em obter o que deseja.

Lembrei-me agora que a carta que entreguei ao pastrana do Roberto Alves há mais de 15 dias continha uma talagada de pelegas para assinar, o *Fon-Fon* que reclamas e o primeiro discurso do Ernesto, além de várias informações de caráter político que não me posso recordar. ~~Agor~~ Vou ver se localizo esse anjo para, pelo menos, recuperar a carta. As notinhas assinadas têm feito tal sucesso e a procura é tão grande que me vejo obrigada a te dar trabalho, enviando outras para o mesmo fim. Vai-te divertindo, quando estiveres com o coco quente pelas palavras cruzadas ou pelos visitantes incômodos.

1949

———————

Ernani não irá com o Nereu, porque havia condicionado a duas coisas: tua conveniência e solicitação do viajante. Este vai primeiro a Santa Catarina e de lá para São Borja direto. De modo que ganhei meu *show*. Queria essa tourada assim mesmo. Também tenho direito a um divertimentozinho.

Conforme te disse aí quando estive, as coisas marcharam dentro do regulamento. Agora que a encrenca está formada e a macacada de rédea no chão, o páreo é teu. Podes fazer *forfait*, correr em pista seca ou molhada, em areia ou na grama. Sei que a responsabilidade que tens é enorme e que te sentes só no meio disso tudo e que o diadema que tens pela frente é muito mais cruel que o do Rolla. Ao mesmo tempo, não podes deixar de sentir uma certa satisfação íntima em ver teus adversários de ontem, inimigos e detratores, virem, um a um, reconhecendo a força do pau-brasil. Mais uma vez repito, como filha, não desejo te ver mais uma vez a descascar abacaxi para que outros o comam, e a casca deste está cada dia mais dura. Quero que te devolvam o que é teu, a glória honrada de 15 anos de luta silenciosa e tenaz; quero que reconheçam um a um publicamente o que te negaram ou silenciaram por covardia. O resto é silêncio, de minha parte. Estou no mesmo barco para o que der e vier e qualquer um me serve.

Decide o que te parecer melhor, na certeza de que a parada é tua e de mais ninguém. Os cavalos do páreo estão tão fracos que só dopados.

———————

Falei agora mesmo com o Nelson Moura Brasil sobre teus óculos. Disse-me que não aconselha a feitura de bifocais por palpite. Estes precisam de muita exatidão para não provocar dor de cabeça. Acha preferível mandar fazer apenas uns de enxergar de perto com um grau mais forte, de acordo com a evolução de tua ficha. Já formulou a receita que mandarei apanhar amanhã. Se no entanto sentires que os de longe também estão fracos, ele aconselha a não ir ao cinema… nem a forçar a vista até que possas fazer novo exame. Peço-te que me comuniques logo se concordas, para mandar aviar a receita. Para teu governo informo que não adianta "discordar".

1949   O Junqueirinha está fazendo seu pé de meia nas costas dos estrelos do Itu. Às vezes eu fico pensando que a ingenuidade faz parte da bagagem dos grandes homens.

O Nonô esteve há dias com o Góes e este te fez vários elogios, recordou o passado e terminou dizendo que havia apenas dois candidatos no páreo: o Nereu e o Oswaldo. Este, se conseguisse teu apoio, seria eleito na certa e o estava tentando. Em caso contrário seria o Nereu o único com possibilidades de contar contigo. E portanto estaria eleito.

O Oséas, repórter da *Folha*[1] que aí esteve, disse ao Ernani que o Vavá estava até inconveniente nas investidas que te fez.

Há um ditado agora correndo por aqui. "Está com tudo e não está prosa." Aplica-se ao Solitário do Itu. Há também uma chapa para a sucessão chamada chapa de verão: Eduardo-Salgado. O carioca não dá uma folga.

Vou terminar para embrulhar os charutos do Isnard e as notinhas que o Manhães levará.

Beija-te com todo o carinho tua filha **Alzira**

---

[1]. Refere-se à *Folha Carioca*.

160 \ A · [Rio de Janeiro], 11 de novembro

Meu querido pai

O Otero telefonou-me hoje, prevenindo que ia até aí. Passei o dia todo às voltas com a bagagem do seu Peixoto que seguiu em excursão política para Campos e adjacências, por isso não tenho tempo de escrever carta longa. Vai junto uma do Danton, que devia ter ido pelo Manhães mas atrasou um pouco.

1949

S. Excia. resolveu reagir e assumir diretamente as negociações sucessórias. Convocou mestre Mangaba, que chegou hoje sem estrépito, e Milton Campos, que está fazendo corpo mole. "Em festa de nhambu, jacu não vai", diz ele lá das alterosas. A nova fórmula a ser tentada é Bias em busca de um parceiro. S. Excia. exige que o candidato seja mineiro. Vamos ver se pega. O Carlos Luz continua esperançoso também e há dias, encontrando-se no barbeiro com Lourival, Luiz Simões Lopes e Alvim, sorrindo com os dentes que o dentista lhe deu, proclamou bem alto: "Até parece uma reunião do Estado Novo, somos todos estado-novistas". O Góes é que tem razão. Há um ano atrás nada disso se ouviria.

Estou esperando notícias tuas daí para efetuar as compras. A máquina, conforme te disse, anda entre 2,5 e 3,5.

Mamãe chegou aqui agora e manda-te um abraço e dizer que os "cadáveres estão esperando".

Já encomendei as mudas de pau-brasil e cambucá.

Beija-te com muito carinho
tua filha **Alzira**

219 \ G · [Estância Santos Reis, de 12 a 13 de novembro]

Rapariguinha

1949 Recebi tuas cartas de 2, 7 e 8 do corrente, a última trazida pelo seu Manhães, mais os charutos e as notas para autografar. Os charutos vieram muito a tempo. Agradece ao Isnard, que tem sido muito amável e muito amigo.

Em carta anterior já te remeti a receita para os óculos, de acordo com o exame de vista feito pelo Syrio. Tendo falhado lamentavelmente as promessas do Major sobre a venda do terreno, vou fazer um passe de 26 pacotes, sendo 20 para tua mãe e seis para que ela te entregue, a fim de atender às despesas minhas e dos teus preparos artísticos. Se sobrar transforma em charutos e outras utilidades a teu critério. Desejo ainda que me tragas três camisas esporte, meia dúzia de meias de algodão, um vidro de Agarol, outro de loção Lusitana e outro de Bromural. O Manhães, que deverá ser o portador desta, está muito grato ao Ernani e esperançado em conseguir o que deseja.

Hoje, 12, esteve aqui o Nereu. Foi um grande *show*. Vinte e tantas pessoas desabaram em Santos Reis, que ficou muito movimentado. Nossa palestra foi cordial e em termos razoáveis.

As previsões dos homens são falíveis e os imponderáveis pertencem a Deus.

Para meu conforto bastam os termos da tua carta. Este ano não pretendo sair daqui. Vou esperar-te. Espero que me avises, com antecedência dalguns dias, para os preparativos de abastecimento do Itu.

13 de novembro · Chegou o seu Manhães para receber a correspondência e não tenho mais tempo para continuar.

Tenho aqui uma espingarda de caça e preciso de uma caixa de munição. Junto vai um cartucho para mostrar o calibre da arma. A diferença é que esse veio com chumbo fino e eu quero chumbo grosso.

Saudades a todos e um beijo do teu pai **Getulio**

220 \ G · [Estância Santos Reis], 14 de novembro

Rapariguinha

Chegou o Roberto Alves, trazendo tua carta, revista etc. E aqui na varanda, em cima da perna, estou a responder-te.

1949

Neste momento assinei também as notinhas de duas pilas que vão por ele. Já remeti as receitas de óculos, de acordo com o exame do Syrio. Minhas últimas encomendas são umas três camisas esporte e meia dúzia de meias de algodão e uma desnatadeira para o Itu.

Aqui não há. Como já te disse em carta anterior, vou fazer um passe de 26 pacotes, sendo 20 para tua mãe e seis para atenderes a essas despesas. Se não chegar saca sobre a velha...

Então minha fala radiofônica ao seu Frias apressou a nota do PSD? Não sabia desse efeito. Enfim, aqui, teremos tempo bastante para conversar. Desejo que me tragas informações completas sobre a publicação do livro dos discursos e se há da parte do José Olympio alguma restrição ou receio de prejuízo para publicá-lo.

Saudades a todos e um beijo do teu pai **Getulio**

---

221 \ G · [Estância Santos Reis], 17 de novembro

Rapariguinha

Não me acusaste duas alentadas cartas que enviei pelo Major e, o que é mais importante, um maço de documentos para o arquivo. Falaste-me em correspondência levada pelo Euzébio. Talvez fosse esta, porque não vi o Euzébio, nem o encarreguei desse serviço. Desejo saber se recebeste os papéis para o arquivo. Também enviei alguns pelo Manhães.

Última encomenda: preciso que me tragas ou mandes – um Viderol, Bromural e pasta de dentes Phillips.

Parece que junto com uma de minhas cartas foi um cartão para entregares ao jornalista Oséas Martins da *Folha Carioca*. O trabalho dele está bom. Só quem ficou zangado e protestou foi o Pito, tratado de vira-lata, quando ele se julga de raça pura e descendente de *lords* ingleses.

Quando estiveres de viagem avisa os Srs. Miguel Teixeira, Napoleão, Oswaldo e Soares que estão me devendo informações.

Já fiz o passe. Aguardo aviso do dia em que pretendes vir.

Saudades a todos e um beijo do teu pai **Getulio**

161 \ A · [Rio de Janeiro], 21 de novembro

Meu querido pai

1949 Escrevi-te tanto na semana passada que resolvi te dar uma folga. Ernani andou em excursão pelo interior do estado durante quase uma semana e eu aproveitei para tratar de teus assuntos. Estou esperando a volta do Arquimedes para remeter parte das encomendas. Os óculos bifocais ficam em 300 cruzeiros cada par. A diferença entre os teus e o da Auristalina está apenas no aro. O dela custou 50 e o teu 200. Comprei uns de tartaruga que achei muito bons e fortes, sob a condição de trocar se não gostares. O pessoal da Lutz Ferrando é todo queremista e aceita qualquer negócio contigo. – A máquina poderá ficar em 2 contos e pico. Estou esperando uma resposta para completar a transação. Os completos já estão aqui. Comprei quatro porque os preços eram interessantes. Fui a um depósito de fazendas de um *fan* de D. Dadá. Dois são de tecido mais ou menos comum e barato e dois são mais granfas. Os botões vão de dois tamanhos, pois me pareceu mais aconselhável. Se faltar avisa. Quanto às outras encomendas, em vez de Bromural, cujo uso o Jesuíno já te desaconselhou várias vezes, mandarei Nembutal. Homenzinho teimoso!...

Ainda não sei exatamente quando poderei ir. As aulas da Celina terminam no dia 10 de dezembro. Daí em diante, qualquer dia é dia.

Ernani vai se encontrar agora com o Marcial, que levará esta sem terminar. Estou cheia de notícias mas ficará para outra vez.

Um beijo muito afetuoso de tua filha **Alzira**

162 \ A ▪ [Rio de Janeiro], 26 de novembro

Meu querido pai

Esta ainda não é a carta prometida. Ando tão abichornada com a atitude cretina, estapafúrdia e circuncisfláutica do PSD gaúcho que não tenho coragem nem de procurar me informar. É desta vez que me naturalizo fluminense. Somos como antes de 30 o gozo dos panfletários. O "Pela ordem" do velho Borges, ressuscitado e glosado em prosa e verso, é o tema do dia. Sabia que o "*team*" daí era fraco, mas que fosse tão 5 mil réis, nunca pensei. Rasgaram o pergaminho do Rio Grande e acabaram com nosso cartaz de valentia. Digaz ao Maneco que entrego os pontos, "daquele negócio" não sai faísca mesmo.

1949

Pela carta do Neves deves estar a par da odisseia do velho Marcial. A trapalhada aí de Porto Alegre deves saber melhor que eu. O resto daqui quando esfriar a cabeça e passar a raiva mando te contar.

Por hoje vai pelo Manhães parte das encomendas. – Sobre a desnatadeira, gostaria de ter maiores detalhes: tipo, tamanho, capacidade etc. A máquina já foi comprada. Custou dois pacotes e segue pelo navio do Lóide, que sai daqui no dia 1º de dezembro. Abre com cuidado o pacote porque há remédios dentro das fazendas. Preciso também saber como queres as camisas. Brancas ou de cor, manga curta ou comprida, finas ou grossas etc.

Tenho dois pacotes de encomendas. Um grande para o Manhães levar, outro menor para o Roberto Alves. O primeiro que aparecer levará esta também.

Estou ultimando uma série de coisas para depois marcar a viagem. Até breve.

Um beijo afetuoso de tua filha **Alzira**

222 \ G · [Fazenda do Espinilho], 26 de novembro

Rapariguinha

1949 Aqui no Espinilho recebi tua carta de 21 do corrente. Já fiz, há vários dias, o passe de 26 mil cruzeiros. São 20 para tua mãe e seis para ti. Quero que recebas esses 6 mil cruzeiros para as despesas das minhas e das tuas encomendas. Se faltar ou sobrar me dirás aqui, quando vieres. Não precisa me consultar sobre preços, porque sei que farás pelo melhor. O preço da máquina de costura está bem e os óculos supunha até que fossem mais caros.

Os pessedistas da ala de resistência ao Catete perderam a parada de Porto Alegre. Parece que se descuidaram no trabalho prévio antes da reunião. Isso foi mau, porque o resultado de Porto Alegre terá fatalmente repercussão nos outros estados e no Conselho Nacional do PSD. Agora tocará a vez da UDN. Também não tenho fé na resistência desta.

E por hoje aqui fico. Do Espinilho seguirei para o Itu, com o Protasio, e de lá regressarei a Santos Reis, onde aguardarei o teu aviso.

Saudades a todos e um beijo do teu pai **Getulio**

---

223 \ G · [Fazenda do Itu], 29 de novembro

Rapariguinha

Pelo Baeta te escrevi respondendo as tuas perguntas sobre encomendas. Recebeste? E o cobre, já retiraste?

Aproveito agora a viagem do Júlio Santiago para remeter-te:
a) um resto de notas de duas pilas, devidamente autografadas;
b) alguns papéis interessantes para o arquivo.

Devem estar em plena ebulição os passes e impasses sucessórios. O Grão de Bico e o Benê perfeitamente entendidos e dando as cartas, com baralho marcado. Qual será o resultado?

E o Ernani, como se foi de excursão política? Vamos ver se o PSD independente entrega ou não os pontos!

E as cartas que enviei por teu intermédio, já foram entregues?

Saudades a todos e um beijo do teu pai **Getulio**

224 \ G · [Estância Santos Reis], 4 de dezembro

Minha querida filha

Regressei hoje do Itu, sob a triste impressão duma seca desoladora. Já em Santos Reis recebi a visita do seu Manhães, com as encomendas por ele remetidas. Mas não trouxe cartas. Nada me disseste ainda sobre a votação da fórmula mineira no Conselho do PSD. Estou achando tudo muito confuso e divertido.
    Não tenho encomendas novas, vou aguardar as visitas e pedir chuva.
    Como última encomenda vai essa receita de D. Felícia, pedindo esses remédios que aqui não foram encontrados.
    Saudades a todos e um beijo do teu pai **Getulio**

1949

163 \ A · [Rio de Janeiro], 5 de dezembro

Meu querido pai

Em busca de tuas encomendas e dos presentes de Natal, o maior abacaxi do ano, quase não tenho tempo para escrever. Pelo Luiz mando-te um pacote de charutos, presente do Sr. Mello Barreto, que me telefonou pedindo para remeter, e uma caixa contendo objetos para o Itu, roupas de cama etc.
    À medida que for tendo portador, vou remetendo mais.
    Por hoje é só.
    Muitas saudades. Um beijo afetuoso de tua filha **Al.**

164 \ A · Rio de Janeiro, 8 de dezembro

Meu querido pai

1949 Aproveitando a ida do Danton, mando-te um pacote de charutos que consegui comprar aqui de um espanhol. Diz ele serem havana e baratos em virtude do acondicionamento. Manda dizer se são bons para manter o freguês. Tenho também três caixas trazidas pelo Mário Câmara e duas que te manda o joalheiro Marc, judeu francês, com um apelo para que voltes para os negócios melhorarem. Irei mandando à medida que apareçam portadores.

Já consegui a desnatadeira com capacidade para 45 litros, o mínimo que se achou, mais ou menos por 900 cruzeiros, com um desconto obtido pelo Ernani. Seguirá também de navio por intermédio do Dinarte. Os seis pacotes, portanto, já se foram quase todos

Máquina	2.000,00
Óculos	850,00
Desnatadeira	850,00
Charutos	750,00
Remédios, roupa e outros objetos	690,00
Total	5.140,00

Faltam ainda pequenas coisas que já estou procurando.

Para facilitar a vida de todos, creio que seguirei logo depois do Natal. Tenho que ajudar Mamãe e o Ernani em algumas coisas agora aqui, assim poderei, deixando para fins de dezembro ou princípios de janeiro, ir com mais calma e passar mais tempo contigo.

Sobre política, Danton te dará pessoalmente as informações mais interessantes. O panorama muda [a] cada 15 minutos e são imprevisíveis as consequências de qualquer atitude. Nosso *team* do PSD está perdendo a serenidade, o que é mau. Onça não se cutuca, nem com vara comprida, se não tiver espingarda à mão. Conversei com o Júlio e achei interessante a ideia dele, não sei se a esta altura dará resultado. Todo mundo anda desnorteado e já não raciocinam mais com as ambições dos outros, e sim com as próprias, em vista das próximas eleições. Vão também mais algumas notas para te distraíres…

O Carlos Martins também vai ter aí. Mandarei por ele mais charutos.

Celina tirou o quarto lugar da turma e recebeu uma medalha de prata que exibe até na camisola de dormir.

Beija-te com todo o carinho tua filha **Alzira**

225 \ G • [Estância Santos Reis, de 8 a 9 de dezembro]

Rapariguinha

Após as encomendas trazidas pelo seu Manhães, recebi, por avião, outra caixa. Esta com roupas de cama, toalhas etc. Não foram encomendadas e parece que temos, lá pelo Itu, em número suficiente. Em todo [caso], tu e tua mãe sabem disso melhor que eu.

1949

Agradece ao Luiz os charutos e uísque que me remeteu. São coisas sempre muito apreciadas.

Recebi também as sementes remetidas pelo Dr. Mello Barreto. Desejo que façam relações com este Sr. que tem sido muito gentil comigo, espontaneamente e sem nada me dever. Enviou-me regular quantidade de mudas e sementes de várias essências florestais, contribuindo assim para o embelezamento do meu parque. Junto vai uma carta para que mandes entregar-lhe. Ele nem sempre tem portador. Peço-lhe, por isso, que mande entregar ao Ernani.

Se o Júlio Santiago ainda estiver por aí, vê se ele consegue com o irmão de Lorena umas sementes de ébano oriental. Ele remeteu-me algumas que plantei, nasceram, e meu hortaleiro, com pesar meu, deixou morrer com a seca.

Não guardo de memória todas as encomendas que te fiz e espero que remetas ou tragas. Entre elas estão os óculos e meia dúzia de camisas esporte, de cor.

Esta foi escrita a 8 e fica aguardando portador.

Saudades a todos e um beijo do teu pai **Getulio**

PS.: Fala ao Salgado para que eu fique tranquilo que ele me representará no paraninfado das turmas de Areias, Juiz de Fora e Uberaba.

226 \ G · [Estância Santos Reis], 11 de dezembro

Rapariguinha

1949 Aqui estiveram simultaneamente Danton e Epitacinho. Não tive tempo de escrever por eles. Foram portadores das encomendas que estão chegando em profusão e parece que além do pedido. O Epitacinho trouxe um atado grande que não abri e, no dia seguinte, remeti para o Itu, com outras coisas. Pela tua carta vejo que a verba está quase esgotada. Também pouco falta, parece que só meia dúzia de camisas esporte, de cor. E o negócio do terreno? O Major até agora não apareceu por aí?

Estava com estas linhas escritas quando me apareceu o Major, que será o portador desta. Aperta-o quanto ao negócio do terreno, pois estou precisando desses cobres que devem ser repartidos conforme expliquei-te em carta anterior. Se faltar para as tuas despesas, saca sobre a tua mãe, que está de aniversário amanhã. Já avisei ao Maneco que não esquecesse de telegrafar.

Então você só estará aqui no ano que vem? E o Ernani, virá junto? A baiuca já deve estar fechada. Diga a Celina que o vovô manda felicitá-la pela medalha que ganhou.

Vão as notinhas autografadas, datadas de 12, em homenagem.

Saudades a todos e um beijo do teu pai **Getulio**

PS.: Pode vir também um vidro de água de colônia (nacional).

165\A · [Rio de Janeiro], 13 de dezembro

Meu querido pai

Aproveitando a ida do Frota, mando-te mais quatro caixas de charutos: uma das trazidas pelo Mário Câmara, duas, presente do joalheiro Marc, e uma comprada por mim. Se puder mandarei também pelo Gabriel, que está em São Paulo, mais encomendas para o Itu. O dinheiro que mandaste deu escasso para tuas encomendas, de modo que minhas estrepolias ficarão por minha conta. Deves, porém, um pacote para a Patroa, pelas roupas compradas. Eu lhe tinha pedido que comprasse alguma coisa, porque da última vez me vi apertada de toalhas e roupas de cama, quando choveu uma semana e a gurizada ficou sem muda. Quando o movimento cresce aí, não há folga. D. Dadá, porém, resolveu fazer novo enchxoval, porque os preços estão subindo. Eis a razão do exagero. – Conforme já te mandei dizer só nas duas máquinas e nos óculos foram quase 4 contos. Em charutos, remédios e roupas foram os outros 2. Aí prestarei contas. Só me faltam as camisas. Os óculos e a carta que reclamas estão há um mês em poder do "trompeta" do Roberto, que me jurou seguir para aí no dia 2 de novembro. Caso não fosse entregaria tudo ao Manhães. Puxa-lhe as orelhas de rijo desta vez.

Não te tenho escrito sobre política porque é impossível, falta de tempo e de coisas concretas para dizer.

Ninguém se entende. Ultimamente, de novo há que o Benê foi escorraçado pelo governo. E o Lyra, com ares inocentes, tem procurado se agarrar ao Ernani, jurando que é ele o único homem capaz de salvar o PSD e retomar as negociações no ponto morto em que estão. Góes também está buscando entendimento com ele e o Adhemar já mandou pedir várias vezes para se avistar com ele. Por várias razões ainda não foi feito. Talvez seja esta semana. Com a renúncia do Nereu o PSD virou mingau. Cada um dos *leaderes* está procurando defender sua posição estadual, contra o governo federal, e é possível que se processe uma debandada, se não aparecer alguém com força para aglutiná-los outra vez. – Quanto ao voto do Ernani que perguntas, foi com a fórmula do Rio Grande sem exclusão de nomes. Vou terminar que o Frota já chegou.

Para completar tudo o que pedes, só poderei ir depois do Natal, mesmo porque as "fardas" bombachescas da garotada estão em confecção.

Beija-te com todo o carinho tua filha **Alzira**

1949

227 \ G · [Estância Santos Reis], 16 de dezembro

Rapariguinha

1949   Recebi tua carta de 13 do corrente, com novas encomendas. O Bejo será o portador desta. Aproveito-o ~~portador~~ para enviar junto mais 3.000 cruzeiros. Creio que isso dará para o resto das encomendas e as tuas <u>estrepolias</u>. O Roberto Alves ainda não me apareceu. Os óculos que ele deve trazer são os da receita do Syrio ou são outros? Não me disseste se havias recebido uma carta que enviei pelo Major onde remetia as últimas notas de 2 pilas autografadas. Aí parece que falava nas últimas encomendas – meia dúzia de camisas esporte, de cor, e um vidro de água de colônia comum, barata, para passar no rosto depois de barbeado. Este assunto de encomendas vai sempre espichando. Nunca termina. Mas agora está encerrado. Não me surpreende que os seis pacotes não chegassem. As coisas estão mesmo bicudas. Além do sortimento para a dispensa do Itu, mandei mais uma estante para os meus livros, um sofá para a varanda aberta, presente do seu Manhães, e dois colchões que mandei fazer. A Glasfira fez três travesseiros de paina para as crianças e mais umas cobertas de cama para as empregadas. As vindas daí – uma caixa trazida pelo seu Manhães e um atado pelo Epitacinho, também seguiram. Agora veio outro pequeno trazido pelo Frota. Creio que em matéria de roupa de cama já temos para mais, embora eu pouco entenda desse assunto. Quanto a charutos, parece que estou abastecido por dois a três meses. Disseram-me que o Carlos Martins pretendia visitar-me. Seria preferível que aguardasse minha ida para o Itu.

Em matéria de encomendas não compradas ou gratuitas, ainda temos: 1º) mudas de pau-brasil e cambucá; 2º) sementes que o Oswaldo ofereceu, escreveu dizendo ter remetido pelo Bejo, mas não vieram; 3º) sementes de acácia-javanesa (javanica).

Devido à falta de chuva, as pastagens e as aguadas estão secando e as plantações perecendo. Não há milho, nem feijão-verde, abóboras, mandiocas e hortaliças em geral. O leite está diminuindo. A alimentação quase se reduz a carne e farináceos. Junto vai uma carta para entregar ao Miguel Teixeira.

Saudades a todos e um beijo do teu pai **Getulio**

E o Júlio Santiago, que notícias?

166 \ A · [Rio de Janeiro, de 19 a 21 de dezembro]

Meu querido pai

Recebi as cartas trazidas pelo Major e pelo Bejo e o respectivo reforço de verba. As tuas encomendas reais: máquina, desnatadeira, roupas, munição, remédios, óculos e charutos praticamente esgotaram os seis pacotes, sobrando apenas uns 500 pilas. Tinha anotado quando estive aí a falta de muitas coisas, tais como roupa de casa, pequenos utensílios de cozinha e alguns móveis que pretendia levar. Nas roupas, D. Dadá carregou a mão de modo que ficaram por 1 conto de réis. As camisas *sport* vais ganhar de presente do homem das notinhas, Sr. Gentil Ribeiro, as meias o Isnard e Regina te mandam de festas, de modo que as coisas melhoraram.

1949

21 de dezembro · Mais uma carta minha que gorou. Esta vai pelo Ernani, que será a carta falada dos últimos acontecimentos, inclusive o resultado da missão do Bejo. Seu Peixoto me logrou. Pediu-me para esperar aqui o Natal e a passagem do ano, para facilitar sua vida, e de repente em 24 horas me ganha o tirão e se toca para aí. Enfim, como meu dia chegará, não faz mal.

Dentro da caixa de encomendas, bem em cima, está a água para barba. O resto é para o Itu. Como a viagem foi resolvida em cima do laço, não pude mandar mais coisas. Vão mais notinhas para assinar. Meus prognósticos políticos estão se realizando. S. Excia. está colocado entre dois fogos, ou por outra, entre dois medos: o do Brigadeiro e o de ti.

Qual será o maior?

Estou moída de cansaço e ainda não terminei de arrumar as coisas. Esprema bem o Ernani e terás minha carta.

Um abraço e um beijo carregado de saudades e de carinho de tua filha **Alzira**

1949

*Reunião da UDN em apoio à candidatura
do brigadeiro Eduardo Gomes
à presidência da República.
Rio de Janeiro, DF, 7 de dezembro de 1949.*

228 \ G · [Estância Santos Reis], 19 de dezembro

Rapariguinha

Pelo Bejo enviei-te a última carta sobre encomendas. Por ele devia também responder a uma carta do Napoleão. A resposta só vai agora.   **1949**

Agora tua mãe, os filhos e netos, todos os que me deixam aqui só, como carancho na tronqueira, mando, por este bilhete, um feliz Natal e boas entradas e a todos um saudoso abraço do **GVargas**

229 \ G · [Estância Santos Reis], 26 de dezembro

Rapariguinha

Vieram as encomendas. Faltam apenas três camisas esporte de cor, manga curta. Se houver tempo pode vir uma de xadrezinho, como a que Celina mandou ao Maneco.

Digo que faltam três, porque foi o número que trouxe o Ernani e eu pedi meia dúzia. Dia 29 sigo para o Itu com o Luthero, Cândida e a cozinheira. Vou esperar-te lá.

Saudades a todos e um beijo do teu pai **Getulio**

1950

Material de propaganda usado na campanha presidencial de 1950.

1950

167 \ A · [Rio de Janeiro], 1 de janeiro

Meu querido pai

Quando aí estive em setembro, propus-te uma manobra, que achaste interessante. A dita, com algum trabalho, muita sorte e várias circunstâncias favoráveis, deu como corolário a missão Ernani. Deslocou-se inteiramente o eixo da política nacional do Catete para São Borja e passaste a ser o "gostosão" de todos os partidos, o eleitor de todos os brasileiros.

1950

As entrevistas que Seu Peixoto deu a seguir sobre o assunto derrubaram a fórmula Jobim, o acordo interpartidário e as esperanças dos quatro gasparinos mineiros;[1] deixaram o Catete em sinuca, os militares mansos e o Adhemar enfraquecido. O governo, mantido entre os [ilegível] medos, era obrigado a ficar quieto para não perder um restinho de força.

Eis que ontem espocou a tua mensagem de Ano Bom, que, como tua segunda consciência, sou obrigada a dizer que não gostei: 1º os dados que te forneceram não correspondem inteiramente à verdade e ofereces um flanco para seres atacado; 2º está um tanto ou quanto "agreste" para um dia de confraternização universal; 3º resolveste cutucar a onça, quando ela já estava prontinha para se exibir no circo, como fera domada; 4º assustaste os cordeirinhos do PSD, antes de entrarem de volta ao redil.

Os destinos do Brasil para este próximo quadriênio, ou lá o que seja, quer queiras, quer não, estão em tuas mãos. Poderás escolher o golpe, ou a revolução civil; a eleição livre de um candidato X, Y ou Z, ou a tua própria, ou uma eleição controlada após violentas campanhas das quais sairá ainda mais enfraquecida a tenra plantinha do Mangaba.

Neste momento de um espirro teu poderá sair o candidato único ou vários candidatos; a cisão em todos os partidos, ou a união de todos. Peço-te que nada decidas, nem orientes, antes de nossa chegada aí, que será no máximo dentro de uma semana.

Sei que não é sopa a escolha que tens diante de ti e é por isso que desejo estar aí perto, para te servir pelo menos de desabafo.

A situação do PSD é a de um menino a quem a governanta severa (Dutra) proibiu de brincar com o menino do vizinho, o PTB, por ser muito trêfego. Acontece que agora o PSD descobriu que pode brincar à vontade porque a governanta já não pode castigá-lo. Se, porém, o vizinho se recusar a brincar com ele, sua volta ao domínio da governanta será mais séria, porque será voluntária.

Não tenhas dúvida, o arranco de coragem do PSD foi motivado por um cochilo do Catete; mas não te iludas que, hostilizados pelos respectivos governos estaduais (exceção feita a Rio Grande do Sul e Pernambuco), mantidos em fogo lento pelo governo federal e ainda repelidos pelo PTB, eles não lutarão. Escolherão a quem se entregar esfaceladamente e obedecendo a um ~~esfor~~ impulso de interesse local, pura e simplesmente.

---

1. Refere-se aos partidários de Eurico Gaspar Dutra.

1950   A UDN está dividida em dois grupos: um, que para subsistir pretende a candidatura Brigadeiro e busca teu apoio, outro, que está pronto a se unir ao PSD dutrista para fazer o nome das predileções do Catete, provavelmente um militar. – Minha impressão é que estas duas cisões (no PSD e na UDN) dar-se-ão inevitavelmente, mas ainda é cedo para provocá-las. Mais um pouco e ficarás na situação de poderes te dar ao luxo de: se quiser ser candidato, escolher por que partido, se não quiser, decidir se haverá eleições ou não e, se houver, quem será o futuro.

Ernani pede para retificar: não matou a fórmula Jobim, apenas mudou-lhe o conteúdo. Em vez de ser PSD-UDN que consultarão os partidos, será a dupla PTB-PSD.

Contar-te-ei aí as coisas gozadas que estão acontecendo agora.
Ainda há tempo, se quiseres mais alguma coisa. Quando vais para o Itu? Iremos direto para lá.
Beija-te com todo o carinho tua filha **Alzira**

Campanha para as eleições presidenciais de 1950 no Distrito Federal e no Estado do Rio. Entre 9 de agosto e 30 setembro, 1950.

168 \ A · [Rio de Janeiro], 2 de março

Meu querido pai

Aproveitando a gentileza do Helvécio, que segue na comitiva do homem, envio esta carta para dar notícias de nossa viagem e algumas informações de certa importância.

Graças à intervenção do pessoal da Savag[1] e de meus amigos de Porto Alegre consegui chegar ao Rio no mesmo dia, embora às 8:30 da noite, quando já quase ninguém me esperava.

Em primeiro lugar a última notícia — que por sua importância e gravidade torna obsoletas as outras que te darei depois.

O Centauro, ao voltar de Buenos Aires, passou por Porto Alegre, procurou o governador e lhe declarou que tu eras candidato à presidência da República e que mandavas pedir-lhe o apoio. O Jobim, que é candidato ainda, chamou o Marcial Terra e o despachou com urgência e em segredo para o Rio, para relatar o fato ao Dutra e pedir-lhe que auxiliasse a reestruturação do PSD em torno do nome do Nereu, como meio de te combater. Dutra mandou chamar hoje cedo o Benedito e relatou-lhe o ocorrido. Este, nervoso, chamou o Ernani e despejou o saco.

Ignoro ainda os detalhes e até que ponto tudo isso é verdade, e mais: qual o objetivo dos atores desta pantomima. As consequências, porém, são presumíveis. O Luzardo, provavelmente sentindo que as possibilidades estão de seu lado, quis prestar serviços e ser o primeiro soldado. O Jobim, cujos entendimentos com o Dutra ainda não pude apurar, decidiu-se a atrapalhar, pois não pode ver com bons olhos essa solução. O Dutra, por sua vez, chamou o Benê, que é sua ponta de lança no PSD. E este contou ao Ernani, para poder ficar bem de qualquer lado. A resposta que ele deu ao Dutra foi muito boa, em que pesem as restrições que lhe faço. Disse que considerava isto uma leviandade do Luzardo, que não estaria autorizado a fazer essa *démarche* e que o Jobim, que era candidato, estava manobrando em causa própria. A esta voz S. Excia. não gostou, porque também não vê com bons olhos a candidatura Jobim.

Tudo isso pode precipitar os acontecimentos, provocar a reunião de todos os desesperados em torno da candidatura Canrobert, avocar pretextos para o anunciado golpe ou outra bobagem qualquer.

As outras notícias, já mais antigas, são as seguintes: Napoleão foi procurado pelo Palmeiro em nome do Canrobert para que te dissesse que não havia possibilidade de golpe de ninguém, porque ele reagiria e faria realizar as eleições e daria posse a quem fosse eleito. Se temias isso para te lançares poderias ficar tranquilo. Naturalmente, isto foi dito antes do movimento desta semana da UDN em torno desta candidatura. O Mendes de Moraes está estremecido com o Dutra e a um aceno qualquer estaria disposto a entrar para o PTB, dentro do prazo regulamentar, isto é, depois de abril. Isto me foi confirmado pelo Chico Elísio, a quem dei vagas esperanças. Napoleão se sente peado pela ação do PTB local, que não compreende o interesse da manobra de envolver um dos heróis do 29, e pelo Salgado, que trabalha pró-Artur Pires. A terceira notícia que me deu foi o oferecimento que fez ao Zé da

---

1. Sociedade Anônima Viação Aérea Gaúcha.

1950 legenda do PTB, sem compromisso algum da parte deste. Neste ponto pediu confirmação tua e eu concordei, em teu nome. Virá a furo qualquer dia.

    O assunto Benê-Luzardo é por enquanto <u>absolutamente secreto</u> e eu te peço para não fazeres por enquanto uso da informação. Os dois barriga-fria detentores do segredo não tardarão a propalá-la, mas convém que por enquanto nada saibas.

    O portador já veio buscar. Breve escreverei mais.

    Já repleta de saudades.

    Um beijo carinhoso de tua filha **Alzira**

230 \ G • [Fazenda do Itu, de 2 a 3 de março]

Rapariguinha

Estou com a casa cheia e escrevo-te esta apressadamente para aproveitar a saída repentina do seu Manhães. Fiquei estarrecido com umas declarações e atitudes do Luzardo, publicadas nos jornais. Sua falta é atribuir a mim a iniciativa de coisas que provavelmente surgiram na cabeça dele. Não o encarreguei de fazer propostas em meu nome [sobre] assuntos políticos. Se ele sugerir qualquer cousa, que o faça em seu nome e sob sua responsabilidade. É preciso contê-lo. O seu Manhães deseja conseguir, por intermédio do Ernani, colocação para um seu amigo, O. da Rocha Melo.

Aguardo notícias.

Saudades a todos e um beijo do teu pai. **Getulio**

1950

Nas duas páginas, Getulio Vargas em campanha para as eleições presidenciais no Distrito Federal e no Estado do Rio.
Entre 9 de agosto e 30 setembro, 1950.

169 \ A · [Rio de Janeiro], 3 de março

Meu querido pai

1950 Havia uma terrível gripe à minha espera no aeroporto do Rio. Consegui me aguentar no primeiro dia, quando te escrevi, mas ontem já derrubei o bico e hoje mal consigo raciocinar de tanto sedativo que tenho tomado para poder sustentar as conversas com as visitas.

Na carta levada pelo Helvécio faltaram as seguintes notícias:

1º Oswaldo está trabalhando muito em causa própria, tentando recompor a UDN em torno do Brigadeiro ou dele. Assegura que está por ti autorizado a garantir apoio ao candidato que reúna a unanimidade da UDN. Isto parece que foi bom, pois adiou por alguns dias a manifestação oficial desse partido em favor do Canrobert.

2º A mexida do Luzardo movimentou todo o meio politico, que está em absoluta efervescência há 24 horas. O Dutra desceu de Petrópolis para conversar com o Benê, o Lyra despencou-se serra abaixo, o Ernani está sendo novamente convidado a visitar S. Excia., o Marcial voou para cá e o PSD está rodando num pé só. Meu coco não dá para enumerar as várias peripécias, mas o resumo é o seguinte. O Jobim, passado o primeiro susto da informação [do] Luzardo, desencarnou de vez e mandou o Marcial negociar a recondução do Nereu à presidência do partido e articular a candidatura deste ou do João Neves para a sucessão. A primeira parte está destinada a fracassar, pois a resistência do grupo mineiro à volta do Nereu encontrará a solidariedade dos paulistas sensibilizados por esta demonstração pública de falta de confiança do Cirilo. A segunda parte (candidatura Neves) por enquanto está caminhando bem. Marcial regressou agora de São Paulo, aonde foi tentar impedir a ida do Adhemar a São Borja, trazendo a promessa deste de levar a teu exame o nome daquele. O indigitado candidato esteve aqui ao meio-dia e mostrou-se a princípio muito surpreso com a notícia que lhe deu Ernani da proposta Marcial, mas acabou no decorrer da conversa confessando que já o sabia desde ontem à noite. Não ficou aborrecido com a lembrança, é claro, mas reafirmou que estava trabalhando de graça sem nenhum interesse próprio. Disse-lhe que tinha voltado daí convencida de que tu desejavas acima de tudo que se encontrasse uma saída honrosa e que, se fosse possível encontrar uma solução que, garantindo a sobrevivência do PTB e a manutenção de sua integridade política, te permitisse ficar de fora, com muito prazer não serias candidato. No entanto era necessário que levassem em consideração que sua posição era muito delicada e difícil. O PTB não tem homogeneidade, nem espírito de equipe. Se te forçassem agora a posição de declarar que não eras candidato e que apoiarias este ou aquele nome, podiam desistir do pleito. O povo, que não pertence a partidos, não votaria em candidato indicado assim e os chefes e chefetes do PTB seriam postos em leilão a quem desse mais ou quem oferecesse maiores vantagens. Se, porém, demorassem um pouco mais e prorrogassem a solução por mais tempo, ainda seria possível.

O Ruy já chegou, de modo que só um último assunto. A reestruturação do Distrito nos mesmos moldes de São Paulo é absolutamente necessária. O Segadas está de dono absoluto da convenção e só entrará na chapa do Distrito quem ele permitir. Os candidatos dele e do Salgado a senador são o Artur Pires e... Assis Chateaubriand. Uma comissão de reestruturação que tenha como um dos membros o próprio Segadas não o prejudicará **1950** eleitoralmente, mas tira-lhe a força ditatorial que ele tem dentro do Regional. A não ser os cupinchas do próprio, toda a bancada de deputados e vereadores, inclusive o próprio Baeta estão desgostosos com ele, mas o temem. O Salgado provavelmente será contra, como o foi em São Paulo, mas podemos ajeitar os votos do Landulfo e do Fiori, desde que estejas de acordo.

  E o resto é barulho.
  Beija-te com todo o carinho
  tua filha **Alzira**

Getulio, com a filha Alzira, ainda na campanha para as eleições presidenciais no Distrito Federal e no Estado do Rio.
Entre 9 de agosto e 30 setembro, 1950.

231 \ **G** • [Fazenda do Itu], 4 de março

Minha querida filha

1950   Recebi tua carta trazida pelo Helvécio. Ainda estou com a casa cheia e escrevo para aproveitar o portador. A trapalhada do Luzardo deu no fim alguns resultados benéficos. Caíram algumas máscaras. O Jobim mandou o Marcial ao Dutra e ao Adhemar. Ao Dutra para assustá-lo com o meu nome e promover a arregimentação do PSD contra mim, e ao Adhemar para evitar sua vinda até aqui e apresentar-lhe numa bandeja os nomes do PSD para que ele escolhesse. Ele não escolheu e veio. Agora vai falar ao Jobim e levar-lhe um recado meu. Antes de enviar emissário ao Dutra, devia perguntar-me se realmente eu lhe fizera tal proposta, e a prova de que eu nada pretendia era que, se ele apresentasse o nome dele, Adhemar, eu o aceitaria. Isto é o principal. Estou muito atrapalhado com a freguesia.

Abraços a todos e beijos do teu pai **Getulio**

232 \ G • [Fazenda do Itu], 6 de março

Rapariguinha

Já fiz minhas declarações sobre a pretendida proposta do Luzardo. Se este e o PSD ficarem quietos, eu também nada mais direi e as negociações entre PSD e PTB poderão prosseguir no seu curso normal. Ainda agora está aqui o Ernesto, portador duma carta do Agamenon, com nova fórmula, aguardando resposta. O Luzardo, com boas intenções, avançou o sinal e deu numa estralada. Ela me serviu de aviso, a respeito de certos setores. Parece haver um plano de precipitação, baseado em suposições.

Diga ao Neves que recebi a cópia da carta que me mandou, com ligeira nota. Agradeço as informações que são interessantes.

Saudades a todos e beijos do teu pai **Getulio**

1950

Nas duas páginas, Getulio em campanha para as eleições presidenciais em Minas Gerais. Entre 9 de agosto e 30 de setembro, 1950.

233 \ **G** • [Fazenda do Itu], 7 de março

Rapariguinha

1950
Nada de novo. O Ernesto levará minha resposta à carta do Agamenon. Aproveito o portador para enviar-te alguns documentos para o arquivo. Estou esperando desembaraçar-me das últimas visitas para regressar a Santos Reis.
Abraços do teu pai **Getulio**

PS.: Vai esse cartão para entregares ao Maciel

Getulio Vargas em campanha
para as eleições presidenciais em Minas Gerais.
Entre 9 de agosto e 30 de setembro, 1950.

170 \ A ▪ [Rio de Janeiro], 7 de março

Meu querido pai

Vou fazer para teu uso um ligeiro resumo do chamado caso Luzardo, para que melhor possas aquilatar de sua importância. Já de posse de dados complementares a visão panorâmica pode mudar, como mudou para mim.

23 de fevereiro ▪ Luzardo vai ao Itu, conversa com Getulio, confessa-se partidário de sua candidatura e se propõe trabalhar por ela. Silêncio de Getulio interpretado por aquiescência. – Luzardo em Uruguaiana telegrafa a João Neves nos seguintes termos: – Trago excelente impressão da atitude Cacique do Itu. Aguarde minhas notícias.

25 de fevereiro ▪ Dutra chega a Porto Alegre. Jobim candidato, procura as boas graças de S. Excia., atacando Getulio.

1° de março ▪ Luzardo chega a Porto Alegre logo após o bafejo oficial e diz a Jobim que Getulio, caso venha a ser candidato, desejaria ter com ele entendimento prévio para resolver situação do Rio Grande de comum acordo. Jobim, ainda candidato, se assusta e resolve atrapalhar Luzardo mandando comunicar a Dutra o plano tenebroso de Getulio. Para facilitar sua ação Luzardo é retido em Porto Alegre por falta de condução, enquanto que para Marcial Terra se encontra uma vaga. Marcial vai direto do aeroporto a Petrópolis para informar Dutra. Este se assusta e convoca Benedito pelo telefone. Benê o tranquiliza, declarando não acreditar que tenhas tomado esta resolução e [que] se tivesses não incumbirias Luzardo de agir em teu nome. Já é meia-noite.

2 de março ▪ Bem cedo Benedito procura Ernani, comunica-lhe o ocorrido e a resposta que deu, avisa que Dutra resolveu descer de Petrópolis para retomar contato com Marcial e outros próceres. Durante o dia Marcial se movimenta e aborda sucessivamente Agamenon, Cirilo, Nereu, Benedito, Neves. Ernani, com cautela, propondo a uns a volta do Nereu à presidência do PSD, a outros lembrando o nome do Neves como capaz de aglutinar os votos do PSD, teus e do Adhemar. Nessa tarde chega Luzardo e conta a João Neves as peripécias de sua missão, ainda eufórico do papel que representava.

3 de março ▪ Marcial parte para São Paulo conferenciar com Adhemar e tentar dissuadi-lo de ir a São Borja. Benedito fala pelo telefone com Adhemar sobre os nomes apresentados, mas, contrariamente ao que se afirma, não mencionou teu nome, nem contra nem a favor. Houve testemunhas. Ao meio-dia João Neves nos procura e relata a palestra que tivera com Luzardo, em que fica patente a boa-fé do Centauro e a má-fé do Jobim. Neves procura justificá-lo confessando pela primeira vez que o ilustre governador gaúcho, também, não rebenta paredes. Ernani aborda, com toda a simpatia, a questão de sua candidatura e Neves, a princípio surpreso, acaba reconhecendo que não ignorava esta iniciativa de Jobim através do Marcial.
  Marcial regressa de São Paulo e reúne os maiorais. Diz-lhes que Adhemar havia lembrado o nome João Neves e se propusera levá-lo a teu exame. Não conseguira evitar sua ida ao Itu, devido à intervenção do Danton, através do Salzano.

1950

1950 Na euforia da possibilidade de união e pacificação em torno do nome do Neves passam-se os dias 4 e 5 (sábado e domingo)

6 de março • Estoura a bomba. Getulio desmente Luzardo categoricamente. Adhemar afirma a Getulio que foi Marcial quem lhe propôs o nome de Neves e que Benedito tentou evitar sua viagem. João Neves, convencido da boa-fé de Luzardo, aconselha-o a evitar a imprensa. Este, desejoso de não te colocar em xeque, mas não querendo passar por mentiroso, viaja para São Paulo para se entender com Adhemar. O que conversaram ainda não sei.

7 de março • Adhemar remete Salzano para o Rio a fim de declarar a Marcial que, em vista dos fatos ocorridos, se considera desligado da fórmula Jobim. Horas depois telefona a seu emissário, dizendo que em vista da palestra que tivera com Luzardo não deve dar o recado primitivo ao Marcial.

Reina a mais absoluta confusão. Sabermos que o Luzardo é trêfego e insofrido, que o Adhemar é mentiroso e inconsequente, que o Jobim é mal-intencionado, que o Benedito é medroso, que o Marcial é curto e ingênuo e que as ambições e as intrigas andam de rédea solta. A verdade verdadeira jamais virá à tona. Se tu tiveste um cochilo ou menosprezaste os ardores do cristão-novo Luzardo. Se este agiu de boa-fé ou se foi agente provocador e de quem. Se o Jobim acreditou no que ouviu ou se pretendeu ouvir outra coisa. Ninguém se entende e uns desconfiam dos outros.

Se o chamado PSD queremista dispusesse da maioria do conselho, seria o momento de tomarem o freio nos dentes. Mas não dispõe. Nessas condições têm de ficar quietos, aguardando a conclusão do acordo, ou outra chance melhor, sob pena de ficarem e deixarem sem legenda seus amigos e partidários nos estados. Nem sequer podes te dar ao luxo de oferecer-lhes a legenda do PTB como abrigo. Primeiro porque não poderiam aceitá-la sem perder controle, autoridade e prestígio, entre os seus. Segundo porque não seriam aceitos pelo PTB, simples oficiais sem tropa, meros concorrentes aos cargos eletivos tão açodadamente defendidos pelos trabalhistas.

7 de março à noite • Salzano chegou e pediu ao Marcial um prazo de 15 dias para dar sua resposta definitiva. Considerava que Jobim havia rompido a fórmula, mas depois das explicações apresentadas por Luzardo estava pronto a reconsiderar. Marcial respondeu-lhe que, em nome do Jobim, o desligava de seus compromissos. Recebera instruções para fabricar um candidato imediatamente e não poderia esperar 15 dias. Ia ter um entendimento com Kelly às 21 horas e pedira ao Ernani, Neves, Nereu etc. para o encontrarem mais tarde em casa do Agamenon. Voltaria a Porto Alegre amanhã pela manhã para dar conta de sua missão e regressaria ao Rio assim que fosse conhecido o resultado da mesa-redonda mineira a realizar-se esta semana.

Adhemar teria dito que tu e ele teriam o compromisso de apoiar um ou outro que viesse a ser candidato ou então [de] ambos apoiarem um candidato comum.

Valadares levantou a hipótese do Dutra forçar o Adhemar a ser candidato ou de vir a apoiar o nome do Catete. Esta hipótese deve estar dentro dos planos do Copa e Cozinha do Guanabara, visto constar que o Novelli seria convidado a renunciar, elegendo um presidente da Assembleia do paladar do Adhemar. Toda essa mixórdia pode facilitar os planos de prorrogação dos mandatos, não esquecendo o que lembrou o Ernani há pouco, que a partir de 3 de abril este projeto receberá o apoio decidido dos 20 governadores, ministros e secretários que, por força das circunstâncias, não se poderão desincompatibilizar. Serão os aliados naturais do Dutra, além dos deputados e senadores em agonia.

Ernani estava fazendo corpo mole para não ir à reunião do Marcial em casa do Agamenon, quando chegou tua carta trazida pelo Zé. Pediu-me para com ela poder tranquilizar o pessoal e eu autorizei. O estado de espírito do pessoal, e principalmente do Luzardo, que caiu em prostração total, é de desassossego e insegurança tamanhas que a tua frase de que as negociações PTB-PSD podem continuar servirá de analgésico.

Avisei-te aí que o Landulfo veria mal a candidatura Pinto Aleixo na Bahia. De fato hoje o Aleixo muito triste declarou que soubera pelo Joel Presídio que o Landulfo aceitava qualquer nome para a Bahia que não fosse o dele. Não creio que o Landulfo tenha feito qualquer declaração nesse sentido, mas, como é conhecida sua mágoa em relação ao General, não faltou quem esclarecesse seu estado de espírito. De qualquer maneira é mais um membro do conselho do PSD que sente suas esperanças em vias de serem frustradas. E, como política se faz com a ambição... dos outros...

Quanto ao caso da reestruturação do Distrito, Epitácio me procurou hoje de manhã, pedindo para te dizer que se limitou a transmitir o recado ao Salgado. Que o resto foi seu companheiro de viagem quem fez. Para que o Pitinha me procurasse hoje às nove da madrugada com tantas explicações que não costuma me dar, algo deve haver. O meu papel é apenas informativo.

É possível que o portador desta seja o Segadas. Ernani me informou que ele parte amanhã.

O caso de Alagoas está brabo porque o Ismar foi indicado pelo PSD local para assumir o lugar no conselho, em lugar do Góes.

Recebi também a carta trazida pelo Helvécio.
Onde estás agora e quais teus planos para os próximos 20 dias.
Muitas saudades da Celina, abraços do Ernani e um beijo muito carinhoso de tua filha,
Alzira

234 \ **G** · [Fazenda do Itu], 8 de março

Rapariguinha

1950 Junto envio-te uma fotografia para entregar ao Miguel Teixeira, por ele solicitada, e umas pequenas em envelope separado, para devolver ao Dr. Mello Barreto e agradecer-lhe a carta e fotos que guardei.
Nada mais de novo
Beijos do teu pai **Getulio**

PS.: Estava com isto pronto quando recebi tua carta trazida pelo Epitacinho. Ela esclarece muito a situação criada aí, após a chegada do Luzardo, que eu ignorava. Espero que continues a informar-me sobre os acontecimentos. Agora virá a reunião mineira. Estou ainda no Itu, por poucos dias, aguardando umas visitas. Depois regressarei a Santos Reis. Já desfiz a cozinha e passei a fazer refeições com o Amaraldo.

Getulio Vargas em campanha para as eleições presidenciais em Minas Gerais. Entre 9 de agosto e 30 de setembro, 1950.

171 \ A · [Rio de Janeiro], 10 de março

Meu querido pai

Acabo de receber a notícia de que o Vergara vai para aí amanhã. Ontem, pelo Epitácio, seguiu um vasto relatório sobre os últimos acontecimentos. Aí vai o resto.

1950

Estou inteiramente convencida de que o Jobim tentou queimar o João Neves para ficar com o campo livre e ao mesmo tempo fazer um *test*, e se serviu da inocência do Coronel Marcial que em matéria de política é um dos "anjos" mais acabados que já vi. Queria a todo o pano voltar para o Rio Grande com o nome do candidato no bolso. Quando seus colegas de partido objetaram que não eram eles e sim o povo quem iria eleger o candidato, quase caiu das nuvens. João Neves está um tanto irritado com o desfecho do caso Luzardo e a maneira como foi focalizado seu nome. A mosca estava muito mais profunda do que imaginei. Como corresponsável por esta cultura combinei com Danton amainarmos a coisa. Uma carta tua para ele seria interessante. Sua ação, embora às vezes desconcertante, é preciosa, devido às ligações que mantém.

Desenvolvi hoje grande atividade. Estive com Landulfo, que parte amanhã para a Bahia, e obtive dele a promessa de não hostilizar o Aleixo. Gashypo e Danton estiveram longamente comigo e os assuntos são interessantes. Como ambos deverão ir aí no começo da semana, é melhor que to digam pessoalmente.

Danton pretende levar aí o João Alberto, que também quer Luzardear. Prepara-te.

Soube de fonte segura que o General que aí esteve há pouco mordeu a isca e pretende ser o candidato das forças populistas totais. Os vermelhos, que desejam a criação de ambiente golpista, seriam os maiores artífices desta manobra. É possível que o Canrobert, forçado pelas circunstâncias e insuflado pelo Adhemar, venha a se candidatar. Nesse caso seu substituto será um homem do Góes. As forças do Prestes estão divididas sabiamente entre os dois militares para assegurar a criação do caso militar.

Diz ao Jango que a manobra que combinei com ele, antes de vir, sobre a sucessão rio-grandense é mais interessante que nunca.

Junto vai o cartão de um português que te mandou três cestinhas de um fabuloso vinho. Dizem que cada gole vale 500 cruzeiros. Os portadores foram a Ilka e o Hidal (Ilka Labarthe), que vieram de lá recentemente. Manda um cartão agradecendo. Os vinhos estão guardados aqui em casa até que surja um portador honesto.

Maciel está em Petrópolis, por isso o cartão não foi entregue.

Nada respondeste em relação ao caso do Distrito. Preciso saber para acalmar e dispersar o pessoal. Já lhes disse que acho muito difícil, o Segadas é páreo muito duro para mim.

Hoje o tempo não permite maiores divagações. Já choveu aí?

Beija-te com todo o carinho

tua filha **Alzira**

235 \ **G** · [Fazenda do Itu], 11 de março

Rapariguinha

1950 Recebi tua carta trazida pelo Vergara. O Luzardo esteve aqui e nos entendemos. Ele estava de boa-fé e disse o que pensava. Quem fez toda a mexida foi o Jobim. Estrilou porque era candidato e sentiu a derrocada de seus sonhos. Estava a duas amarras, nas suas relações com o Dutra, de um lado, comigo e Adhemar de outro. Entre os papéis que tens aí para o arquivo está uma exposição de próceres do PSD gaúcho, atacando fortemente o Dutra e propondo meu apoio à candidatura Jobim, para este romper com o outro. Isto foi remetido pelo próprio Jobim, por intermédio do Protasio. A pedido deste devolvi os papéis com a resposta de que não podia assumir esse compromisso. Tirei uma cópia parcial que deve estar nos papéis remetidos para o teu arquivo. É do ano passado.

Dize ao Neves que nada tenho contra o seu nome e reconheço a lealdade com que ele agiu para comigo. A solução desses entendimentos entre PSD e PTB está, da parte do último, a cargo do Salgado.

Quanto ao assunto do Distrito, aconselho a não te envolveres nisso. Está muito futricado.

Estou com a casa cheia, hospedando uma dúzia de gente e sem tempo para mais.

Saudades a todos e um beijo do teu pai **Getulio**

236 \ G · [Fazenda do Itu], 12 de março

Rapariguinha

Aí vai o cartão de agradecimento ao homem dos vinhos, embora eu só tivesse recebido uma cestinha com três garrafas e não três cestas como anuncia o cartão. Estou no Itu com o Maneco e Dinarte. Eles seguem amanhã para São Borja e eu para Santos Reis.

Como última novidade política, sei que os mineiros aceitaram a fórmula mineira. Tenho a impressão que é assunto resolvido, só faltando o resto do PSD engolir. Estou aqui isolado e nada mais sei. Aguardo tuas informações.

Saudades a todos e um beijo do teu pai **Getulio**

1950

Nas duas páginas, Alzira e Getulio em encontro com parlamentares do PTB, durante a campanha para as eleições presidenciais. Juiz de Fora, MG, agosto de 1950.

172 \ A · [Rio de Janeiro], 14 de março

Meu querido pai

1950   Recebi ontem a carta trazida pelo Vergara, que veio me tranquilizar em parte. As informações alarmistas transmitidas pelo Segadas ao Ernani deixaram-me bastante apreensiva. Também a interpretação que o Chinês deu ao recado dado pelo Ernesto era de molde a nos fazer cair em pânico. Em resumo, diziam que estavas muito "queimado" com o caso Jobim-Luzardo e que te dispunhas a ser candidato de qualquer maneira, mesmo caminhando para uma derrota, como um protesto e um desafio ao Dutra. Certos sintomas do PTB nos estados levavam a acreditar que isto era exato: renovamento das hostilidades ao PSD, negociações com o inimigo e intratabilidade.

Peço que relembres o que te escrevi em princípios de janeiro: dentro de dois meses o futuro deste país repousará inteiramente nos teus ombros, poderás escolher se vai haver paz ou guerra, se o Brasil irá para frente, para trás, ou apenas continuará a marcar passo. – A tua derrota a ninguém aproveita e poderá ser para o Brasil o princípio do caos. Só poderás ser candidato, como bem disse o Neves, depois de olhar a boca do baralho, com a garantia 100% de vitória. Isso é mais do que viável e depende de ti exclusivamente. Se não quiseres ser candidato, poderás eleger quem melhor te pareça e também está em tuas mãos.

A situação do grupo pessedista continua a mesma: ou marcham contigo para a vitória, nesta ou naquela posição, ou se dividem e perecem.

Tenho a impressão, sem provas, de que existem dois movimentos paralelos com o objetivo de te isolar dentro das fronteiras do PTB, um do Adhemar e outro do próprio PTB, auxiliado pelo PSD dutrista. Ainda não consegui entender bem a manobra Canrobert. Ele não é positivamente o candidato do Dutra, com quem está em estado de desconfiança mútua. No entanto o partido da Copa [e Cozinha do Guanabara], o Partido Orientador Trabalhista, vem lançando com grande estardalhaço e pouca repercussão o nome do ministro da Guerra. Há mesmo uma espécie de ostentação que eu interpreto da seguinte maneira. O Dutra já não confia no Canrobert e quer afastá-lo do ministério, permitindo que se crie em torno dele uma aura de candidato que o obrigue a pedir demissão a 2 de abril. Ao mesmo tempo manda por intermédio do Lyra torpedear o apoio da UDN. – Consta que o Benedito, que fora para Belo Horizonte na disposição de fazer uma mesa-redonda marmelada, recebera depois instruções para que permitisse a saída de uma solução qualquer, mesmo a palhaçada Afonso Pena, para impedir um pronunciamento futuro pró-Canrobert.

Ontem Danton me avisou que recebera telefonema do Adhemar para esperar um portador seu com missão especial. Era o Salzano, que vinha a chamado do Canrobert em estado de grande euforia. Ainda não soube dos resultados que o Danton provavelmente te comunicará diretamente. – Epitácio disse-me hoje que soubera do Góes que o Adhemar pretendia mandar-te via Gabriel Moacyr um protocolo já assinado por ele para receber também tua assinatura. Trata-se de um golpe do Adhemar que não deves aceitar. É só o que sei por enquanto.

O Lupion, por sua vez, está fazendo o jogo de aproximação Adhemar-Dutra, visando sua própria candidatura. Esteve também com o Estillac. Este também já mordeu a isca, açulado por elementos de esquerda.

Ontem recebi um recado de elemento juracisista. Este prócer deseja ir ao beija-mão. Está **1950** claro que vou animá-lo.

Conversei longamente com o Neves, mostrei-lhe tua carta, que o satisfez e surpreendeu. Disse-me ignorar inteiramente a iniciativa do Jobim descrita em tua carta. Prometi procurar a cópia de que falas para mostrar. Se puderes precisar mais ou menos a época para que eu a possa achar não era mau. Passei a manhã remexendo na papelada sem êxito. Repetiu-me ele, João Neves, o que está cansado de dizer. Deves ser candidato com todas as garantias ou escolher o candidato se sentires que não deves correr. A iniciativa no entanto deve partir de ti e somente depois de 19 de abril, depois que o PTB lançar teu nome como se propala. Nessa ocasião, já várias dificuldades dirimidas, poderás dizer sou candidato e grande parte do PSD te acompanha, ou não sou e quero fulano. Quanto à sua posição pessoal só aceitará nessas condições e com sacrifício, pois não deseja nem se sente com saúde para o cargo. A posição do Nereu é mais delicada, pois, segundo me revelou o Neves, com surpresa, sua situação financeira é precaríssima e precisa do subsídio para viver. Pretende concorrer à deputação por seu estado se chegarem ao acordo em curso. Do contrário nem isso poderá pretender.

Quanto ao caso do Distrito, ainda não me meti. Limitei-me a te mandar contar. Mas não te garanto nada quanto ao futuro. Se esse malandro que aí esteve continuar a perseguir e prejudicar os meus e teus amigos, que não pactuam com suas patifarias e são aqueles com quem contamos nas horas necessárias, serei obrigada a fazer qualquer coisa. Chegou daí fazendo uma bruta intrigalhada com o Carlos Maciel, dando-lhe a entender que não desejavas sua participação no Partido. O que estão fazendo com esse rapaz é uma indignidade, chegando ao cúmulo de campanhas de difamação e proibição de sua entrada na sede. Se puderes mandar-lhe um retrato teu com dedicatória, pedida já há muito tempo, ou uma palavra qualquer para consolar, seria bom. O Dr. Amaral está passando mal do coração novamente. O resto ficará para depois.

Um beijo afetuoso da **Alzira**

237 \ **G** · [Estância Santos Reis], 16 de março

Minha querida filha

1950 Recebi tua carta de 14. Ignoro o que disse o Segadas. O fim principal de sua visita era o lançamento da chapa do Distrito agora, antes da solução nacional. ~~Int~~ Não concordei. Interessei-me pelo Carlos Maciel e ele disse-me que tinha boa vontade quanto ao mesmo, mas que o caso se tornava difícil porque o Maciel fazia campanha pessoal contra o Salgado. Respondi-lhe que o aconselhasse a cessar essa campanha para que se pudesse acomodar sua situação. Sabes que me interesso por ele. ~~Hor~~ Quanto a retrato, já lhe dei ou remeti. Ele fora autorizado a promover uma organização com esses elementos repelidos pelos exclusivistas que se arvoram em donos do PTB. É o que te posso dizer sobre isso, com a pressa que estou escrevendo.

Quanto ao assunto Luzardo está encerrado e os entendimentos PSD-PTB continuam aí no Rio.

A hostilidade está partindo do PSD daqui, promovida ou consentida pelo Jobim. São entrevistas dos elementos paimzistas, são convocações da executiva pessedista para expulsar os queremistas, são entrevistas do Marcial Terra desautorizando em nome do PSD a entrevista do Ernesto etc.

Limitei-me a desmentir as pretendidas propostas do Luzardo. A ninguém disse que ia me apresentar candidato, ao contrário declarei que não autorizava a ninguém lançar meu nome. Fico prevenido sobre as ciladas. Não continuo porque tenho de despachar o portador.

Saudades a todos e beijos do teu pai **Getulio**

Os papéis que pedes devem estar entre os que te entreguei no Itu ou remetidos pouco antes. São cópias a lápis, com a minha letra.

173 \ A · [Rio de Janeiro], 16 de março

Meu querido pai

Esta carta é complemento da que foi levada pelo Gashypo. O velho Amaral andou novamente passando mal com ameaça de edema e outras complicações. Embora seu estado ainda seja delicado, está passando melhor, mas a enfermeira tenho de ser eu, senão não se submete. Levei-lhe em teu nome um caderninho de notas e um chaveiro. Ficou feliz.

1950

Peço-te que uses dos assuntos que vou te relatar agora com muito cuidado, para não atrapalhar os atores e informantes, cuja posição é delicada.

1º) Logo após receber a carta trazida pelo Vergara conversei longamente com o Neves. Tinha por objetivo restabelecer-lhe a confiança em ti, afastá-lo um pouco do Jobim e ressuscitar-lhe as esperanças. Consegui as três coisas além da expectativa, inclusive porque ignorava a consulta do Jobim a ti para favorecer seu próprio nome.

2º) Ernani, por sua vez, interpretou tua carta como um desejo de que os entendimentos se processassem aqui e através do Salgado, resolveu retomar a iniciativa dos acontecimentos e começou a agir. Procurou em primeiro lugar o Salgado.

3º) Este está um pouco ressentido porque só o procuram para os entendimentos do programa e nunca para os assuntos políticos que se processam contigo diretamente. Disse que acha possíveis os entendimentos e que ele garante a aceitação do PTB, mesmo porque acha que, sendo este seu desejo, poderá haver alguns descontentes ~~mais~~ e ele ficar malvisto, mas é conseguível. Quanto ao processo de escolha de nomes, uma vez aprovado por ambos os partidos o programa comum e terminadas as *démarches* preliminares, os dirigentes do PSD te escreveriam uma carta particular comprometendo-se. Se aceitasses o nome sugerido responderias e então o partido ratificaria publicamente. Na escolha de nomes, Salgado lembrou que se deveria dar preferência a um gaúcho, para facilitar o acordo estadual. Ernani apresentou o nome do Neves que Salgado ~~vetou~~, por causa do "Acuso" e outras restrições que lhe poderiam ser feitas, [palavra ilegível riscada] ~~tempo~~, achou difícil. Lembrou, porém, o nome do Ernesto, como tendo maiores possibilidades. Ernani prometeu consultar Nereu, Benedito, Cirilo e Agamenon e responder-lhe depois.

Naturalmente o nome que o PSD te apresentará, e não listas como até agora, só será feito depois que tu mesmo decidas qual o que deve ser apresentado. A escolha será tua e não deles. A apresentação por carta será o compromisso deles prévio ao pronunciamento partidário.

4º) Encontrou-se a seguir com Benedito, que vinha de sua entrevista com Adhemar. Narrou que este, Adhemar, lhe declarara não ser candidato e ter contigo (que também não serias candidato) o compromisso de apoiar o mesmo nome. Valadares manifestou o desejo de entrar nessa combinação, dizendo que para a sua situação pessoal em Minas o melhor candidato à presidência seria Getulio. Com esse nome por bandeira estaria seguro de derrotar a UDN. Temia no entanto que Getulio candidato, com possibilidades de vitória, não se chegaria às eleições. Reafirmava, porém, que somente Getulio deveria indicar o candidato de sua escolha. Dentro desse esquema estava pronto ~~a colaborar~~ e desejoso de colaborar. — Adhemar lembrou vários nomes aos quais denominou "gerentes" e que seriam aceitos por ti. Em primeiro lugar Lodi, Daudt e Morvan e a seguir Aranha ou Bias, sendo este último destinado à exclusão por estar demasiado ligado ao Catete, o que te repugnaria. Confiden-

cialmente disse ao Benê que para sua situação pessoal em São Paulo o melhor candidato era Canrobert, pois ninguém mais o amolaria, se fosse conhecido seu apoio ao candidato militar. Prontificou-se a enviar um emissário a Getulio que se faria acompanhar do Danton para te ouvir sobre a proposta Valadares e, em breves dias, lhe daria a resposta. Benedito afirma que se limitou a ouvir os nomes sugeridos, sem emitir opinião sobre qualquer um.
— Combinou a seguir com Ernani que, enquanto esperam a resposta de Adhemar, continuarão os entendimentos com Salgado.

5º) Agamenon, que tem demonstrado muito entusiasmo pela candidatura Afonso Pena, declarou que não o está fazendo por simples espírito de revanche ou com intuito de criar confusão, porém em legítima defesa. Afonso Pena é seu amigo pessoal e também de Barbosa Lima. Caso o nome dos mineiros seja recusado pelo PSD, a UDN lançará o Brigadeiro, *in extremis*, tornando inevitável a candidatura Canrobert. Com este nome por bandeira ela não irá à luta, mesmo que com isto acabe de se esfrangalhar. Sua situação em Pernambuco é muito difícil, pois Barbosa Lima jamais enfrentará um candidato militar, largando-o a lutar sozinho. Na melhor das hipóteses, Barbosa renuncia ao governo antes das eleições, deixando-o com o problema de eleger-lhe um substituto (não há vice-presidente). As hostes do Chinês dividir-se-ão automaticamente nesta hipótese porque o grupo do Etelvino não tolera o do Osvaldo Lima e vice-versa.

6º) A situação do Nereu é semelhante à do Chinês. Não marchará com candidato imposto pelo Catete e não tem possibilidades de marchar contra. Caso não consigam entrar em acordo contigo limitar-se-á a se candidatar à deputação federal abrindo mão da luta estadual.

7º) A posição do Rio Grande já é tua conhecida. Os vários grupos se digladiam sob o olhar impotente do Jobim que, em vão, busca as boas graças do Dutra para obter o empréstimo de que necessita para terminar mais ou menos decentemente seu governo.

8º) Cirilo também não tem força para conseguir coesão em seu partido e, embora solidário com seus colegas nacionais, está transformado, por seus interesses, em peteca no triângulo: Getulio — Adhemar — Catete.

9º) Ernani procurou o Ernesto e relatou-lhe a palestra que tivera com o Salgado e declarou que iria fazer o trabalho dentro do PSD em torno de seu nome. Ernesto espinoteou logo e respondeu que daria uma entrevista que tornasse isso impossível. Ernani, a custo, acomodou-o dizendo: quem pleiteia um cargo como o de presidente da República em causa própria é um cretino, mas ninguém tem o direito de recusar, desde que as circunstâncias o encaminhem para isto. Nem eu nem você podemos ser juízes. Se for esta a melhor solução para o país em primeiro lugar, para o Dr. Getulio e para o Partido você tem o dever de não impedir. Sob estas e outras alegações, Ernesto prometeu ficar quieto.

A seguir Ernani juntou Benedito, Agamenon, e expôs-lhes a situação. O Chinês concordou em pedirem um prazo até quinta-feira próxima para responder à consulta em torno do Afonso Pena, para esperarem uma resposta tua. Benedito e Juscelino sob a pressão dos argumentos acabaram reconhecendo que poderiam impingir o Ernesto aos mineiros como meio-sangue, considerando o prestígio de que goza até hoje nas alterosas.

1950

Em resumo: o PSD está debaixo de pressão. Precisam até o próximo dia 23 uma palavra tua, como óleo canforado, para poderem resistir. Esta palavra tanto pode vir por meu intermédio via Ernani, pelo Salgado ou diretamente. Isto não importa em compromisso teu de apoiar este ou aquele nome. O nome do Ernesto não apareceu, nem deve aparecer porque deve ficar como trunfo, no caso de julgares essa solução a melhor. Se as circunstâncias possibilitarem a tua candidatura a turma já estará amarrada. Bastará que mandes concretizar com eles as aspirações que alimentam. – O Adhemar afirma que nem tu nem ele sois candidatos, no entanto manda elementos dele lançarem o teu nome. É possível que seja uma manobra para lançar o PSD no desespero, isolando-o de ti, e depois ele próprio se lançará deixando que a confusão resultante faça o resto. Não há dúvida que está com jogo duplo e misterioso. – O Dutra, através do João Alberto, já encara a possibilidade de se entender contigo para ter uma saída honrosa. João Alberto teme o Góes, que segundo ele pretende fazer o Newton Cavalcanti substituir o Canrobert, com intenções pouco claras.

O Pestana acaba de anunciar que deixa o ministério no dia 30 e que não sairá só. Parece que sua desincompatibilização visa facilitar a saída do Ministério da Guerra e da Justiça. Agamenon continua pessimista e desconfiado. Benedito está esperançado.

Tenho te mandado todas as informações que sei e preciso adivinhar as coisas que desejas que sejam feitas aqui nas entrelinhas. Estou agora trabalhando com o Danton também. Preciso que nos esclareças de vez em quando. Ernani não sabe se está agindo de acordo com teus interesses ou contra. Acende a luz.

Ontem houve a reabertura do Congresso. Representando o D. Senado[sic], compareceu o Dom Rosalvo Costa Rego que, quando se encontrou com o Ernani no gabinete do Acúrcio, fez um verdadeiro *show*. Abraçou-o, perguntou por ti e depois virando-se para a direção do Adroaldo e alteando a voz propositadamente declarou: O Dr. Getulio foi o maior amigo que a Igreja já teve, foi o presidente que mais colaborou com a Igreja e que mais satisfez seus anseios. Jamais lhe negou coisa alguma. – Rememorou os vários decretos que os haviam favorecido e terminou dizendo: "Foram 15 anos de Paz e de Felicidade para os Católicos".

É preciso também um máximo de cautela com o Seu Borghi e seus emissários. O Hilton Santos foi mandado a Buenos Aires para verificar quais as atividades desse cavalheiro e quais as ligações que mantém contigo. Está se fazendo passar por teu emissário junto ao Perón. A embaixada aqui já foi avisada. Atrás disso andam eles há muito.

Epitácio deu-me um recado teu para conversar com o Sr. Soares; como minhas relações com esse cavalheiro são pecuárias encarreguei o Danton que aí conversará contigo. Consta que ele pretende se candidatar a deputado federal pelo PTB em Petrópolis. Peço-te, por favor, que não dês nenhuma palavra em seu benefício, pois ocasionaria uma trapalhada dos diabos. Se nada disseres ele não entrará. Comprou em benefício do Edmundo o líder do PTB no estado, o Mario Fonseca, que por essa razão está ameaçado até de expulsão pelo Matta.

1950 Cheguei agora da casa do velho Amaral, onde fui dar-lhe a segunda injeção. Já está mais claro e pediu que te agradecesse os presentes. Deu-me o direito por causa disso de ministrar mais duas injeções com dor.
Por hoje chega. Celina e Ernani mandam abraços e saudades.
Beija-te com todo o carinho
tua filha **Alzira**

174\A • [Rio de Janeiro], 16 de março

Meu querido pai

Já te escrevi hoje um longo relatório que irá pelo Sr. Gentil ou pelo Saddock, o que seguir mais rápido. Este é apenas para te pedir que faças chegar às mãos do Calafanges, quando puderes, esta encomenda. Não houve meios desse rapaz me cobrar a viagem, de modo que mando um presente para a senhora dele.
A gurizada anda toda saudosa do Itu e sonhando com outra permanência aí.
Um beijo muito carinhoso de tua filha **Alzira**

Getulio Vargas em campanha para as eleições presidenciais em Minas Gerais. Entre 9 de agosto e 30 de setembro, 1950.

238 \ G · [Estância Santos Reis], 17 de março

Rapariguinha

1950 Quando entreguei a carta ao Frota soube que ele ainda viria no dia seguinte. Assim rabisco estas linhas, a título de adminículo, como diria o Ornellas.

Confirmo o que disse na carta anterior. Não perdi a calma, nem virei ferrabrás. Estou sendo ameaçado de hostilidade pelo homem de fórmula para se recomendar junto ao Grão de Bico. Só isso poderá trazer algum desequilíbrio, porque reagirei.

Dize ao Luiz que recebi sua carta e que me congratulo com ele pela merecida e honrosa distinção.

O livro de Almir de Andrade já foi posto à venda, que aceitação teve?

E o meu, quando sai? Pergunta isso ao José Olympio e informa.

Como vai o Ernani com a candidatura dele? Está trabalhando? As informações que tenho são muito favoráveis a ele.

E a Celina, como vai? O que ela se recorda mais de sua estadia no Itu?

Abraços do teu pai **Getulio**

Getulio Vargas em campanha para a presidência. Vitória, ES, entre 9 de agosto e 30 de setembro, 1950.

175 \ A · [Rio de Janeiro], 18 de março

Meu querido pai

Estou hoje sem saber se sou café, chá ou chocolate, dividida entre a cabeceira do Dr. Amaral, os problemas permanentes da Mamãe e as trepidantes perspectivas políticas. Que saudades do Itu!, onde minhas preocupações eram só de ordem culinária e doméstica. Apartar brigas de criança, fazer camas, varrer a casa, pintar vacas surrealistas parecem-me agora uma antevisão do "nirvana" ao comparar com minha vida atual.

1950

Mergulhemos corajosamente na confusão.

Em primeiro lugar, o presente da Neusa custou 2.400,00, não me disseste se ela gostou, nem como te foste de casamento, mas isso já é quase história antiga.

O Danton te contará aí com mais detalhes do que comporta uma carta. Em linhas gerais, temos os mesmos pontos de vista e estamos agindo de comum acordo, apenas o pincel que ele usa é verde e o meu é vermelho.

Tenho medo do medo. O "diadema" em que me debato é tal, que chego às vezes a desejar que isto estoure de uma vez e que possamos todos sair desta enrascada com as mãos limpas e sem responsabilidade. É possível mesmo que os meus temores sejam apenas um reflexo de meus mais secretos pensamentos.

Honestamente não desejo nem que o Ernani volte para o Ingá, nem tu para o Catete. No entanto não vejo escapatória, nem solução honrosa. Ou egoisticamente abandonamos toda essa gente que sofreu e lutou conosco e nos aniquilamos moralmente ou abandonamos nossos próprios interesses e inclinações e deixamos que nossas vidas particulares fiquem para sempre a serviço dos outros.

Quando estou preocupada, dou para fazer filosofia barata. Aos assuntos.

Depois do nome do Ernesto, ontem à tarde voltou ao cenário o nome do Ernani, sugerido pelo Benedito e aceito pelo Agamenon. Esta hipótese, se for conhecida dos demais membros do Partido, ainda é mais perigosa que a hipótese Ernesto. Torna a tua posição e a nossa ainda mais delicada, sem diminuir os outros perigos. Aviso-te para que estejas prevenido em todas as situações, nunca esquecendo que haverá um divórcio na família. — O principal por agora é o ponto de apoio para resistirem à candidatura Afonso Pena, sem mergulhar na Canrobert. Terça-feira haverá reunião preparatória no PSD, conforme o resultado da missão Danton receberás a seguir um emissário credenciado do PSD que se fará acompanhar do Salgado para conversarem contigo.

Uma coisa importante que deves conversar com o Danton é o preenchimento das vagas do PTB por gente de tua confiança. Não é possível continuar nessa situação. É até possível que algum espírito de porco exija um exame nos atos da atual comissão, deixando o Partido em situação difícil. Grande parte dos atos cometidos pelo triunvirato são ilegais à luz dos estatutos. Seus poderes são limitados. É preciso regularizar e legalizar o que existe, pois não somos nós os únicos a conhecer os fatos.

Confesso-te que minha cabeça não dá para mais nada. O Danton sabe quase tudo o que eu sei, faze-o falar.

Beija-te com todo o carinho tua filha **Alzira**

239 \ G • [Estância Santos Reis], 18 de março

Rapariguinha

1950 Recebi tua carta de 16. Vocês estão fazendo umas travessuras muito interessantes. Vão continuando. Não tenho compromissos com ninguém. O Salgado está encarregado de tratar esses assuntos com o PSD. Que vá continuando.

Dize ao Dr. Amaral que espere por mim, para irmos juntos a um baile das artistas. Ele servirá de guia.

Vão alguns papéis para o arquivo.

Saudades a todos e beijos do teu pai **Getulio**

PS.: Ignorava as artes do Sr. Soares. Meu cartão era agradecendo uma carta dele.

240 \ G • [Estância Santos Reis], 20 de março

Rapariguinha

Junto vão umas cartas, com anotação minha a quem devem ser entregues. Devia enviá-las pelo Danton e esqueci.

É só **Getulio**

PS.: Vou fazer novo passe para tua mãe e desse dinheiro ela deve pagar o presente da Neusa. Ela apreciou muito e colocou imediatamente no [sic] casando já com ele. Junto vão também uns retratinhos.

A campanha de Getulio Vargas no Paraná.
Entre 9 de agosto e 30 de setembro, 1950.

241 \ **G** · [Estância Santos Reis], 21 de março

Rapariguinha

1950 Junto a esta vai outra carta. Lê, fecha e entrega ao destinatário, S̶e̶ imediatamente. Se tiveres alguma sugestão a respeito, manda dizer quando me escreveres. Que há de novo? O Francisco Brochado segue para aí, propor, em nome do Jobim, a candidatura João Neves.

Mandei um passe de 12.000 cruzeiros a meu crédito. Dessa importância deve ser pago o presente a Neusa. O restante é para Darcy.

Como vai o Dr. Amaral? Depois de amanhã sigo para o Espinilho com o Protasio e de lá para o Itu. Se puderes evita outras visitas que não sejam necessárias.

Saudades a todos e um beijo do teu pai **Getulio**

Getulio Vargas em campanha no Paraná.
Entre 9 de agosto e 30 de setembro, 1950.

176 \ A · [Rio de Janeiro, de 22 a 23 de março]

Meu querido pai

Não gostei e não estou entendendo coisa alguma das últimas notícias trazidas pelo Danton. Ainda não pude conversar a sós com ele para saber exatamente o porquê de toda essa marmelada. Em uma de minhas últimas cartas tinha te mandado prevenir contra o tal papel que o Adhemar desejava que assinasses e cujo teor e alcance eu ainda ignorava. Se os termos são os que me informou o emissário, o fato de não o teres assinado, e sim o dito, em tua presença e com teu consentimento, a meu ver tornam o caso ainda mais brabo. O Salgado, empolgado atualmente pelos entendimentos com o PSD, ainda ignora o que se passou aí, porém pelos meus cálculos não tardará a saber, de uma forma ou outra. Acredito que não lhe seja agradável a perspectiva de, em futuro próximo, vir a ser liderado politicamente pelo Adhemar. Não sei se terá coragem ou vontade, mas razão teria de sobra para uma renúncia espetacular. E o resto do Partido, como encararia a hipótese de se fundir com o PSP, sob as ordens do homem que até aqui vêm considerando como rival e inimigo teu?

Afirma-me o Danton que o acordo será mantido em segredo até depois das eleições e que depois haverá muito tempo para desfazer o que foi feito. Mas quem nos garante e o quê, que Adhemar não será o primeiro a divulgar estes fatos? Que confiança poderemos ter nesse homem, que não deve ter ainda esquecido que foi demitido de interventor com auras de ladrão? O seu interesse pessoal e político, suas ambições, seu espírito de brasileiro? Nada disso está de nosso lado, pelo contrário.

Com ou sem razão ele está convencido que fará seu sucessor de qualquer maneira, portanto acredita não precisar de ti para se garantir no estado. Precisa vitalmente do auxílio federal, pois a partir de abril não terá mais dinheiro para pagar o funcionalismo. Sua única ambição no momento é ser o sucessor do Dutra e, embora afirme e reafirme que já desistiu, seus atos anteriores e posteriores ao acordo o desmentem. Não creio tampouco que ele confie em ti e nem no PTB, que já por duas vezes o deixou a ver navios. Mais facilmente ele fingirá fazer o nosso jogo, fazendo na realidade o dele próprio e talvez o do Dutra, do que o nosso, fingindo fazer o do governo.

Sempre supus que o jogo com o Adhemar era forçá-lo a ser candidato, evitando que se lançasse nos braços do Dutra e apoiasse o candidato dele. Mas o que vejo é exatamente o contrário. Quem poderá afirmar que ele não fez com o Canrobert ou o Adroaldo, com quem conversou longamente, no mesmo dia em que Salgado e Danton seguiram para aí, o mesmo tipo de acordo que fez contigo? Os partidários do Canrobert estão absolutamente seguros do apoio do Adhemar, no momento preciso. Não fará tudo isso parte de um grande plano para te isolar e comprometer, afastando de ti os aliados naturais do PSD?

Se os termos do acordo feito aí são os que me contou o Danton, sua divulgação em nada compromete ao Adhemar e a ti muito. Para obter seu apoio agora não só lhe entregas o teu partido, como ainda empenhas-lhe tua sucessão. Tenho esperanças de haver entendido mal.

———

Papai, quero que te lembres bem que além de minha devoção e carinho por ti, que és o único pai que tenho, existe ainda a admiração pelas qualidades de homem público e respeito

1950

1950 pela tua capacidade. Não vejas no que te escrevo a menor intenção de te magoar ou ferir e sim o desejo de que, qualquer que seja a solução que nos reserve o futuro, tenhas as mãos limpas e a segurança de haver feito o que te cumpria fazer. Fico preocupada em pensar que possas ser levado a agir, nesta ou naquela direção, devido às precárias informações que te dão ou pelo entusiasmo imprudente de pessoas bem-intencionadas. Culpo-me às vezes de não poder te informar com maior precisão.

_____

Conversei hoje, 23, com o Danton e ele segue amanhã para São Paulo. Está tranquilo e não compartilha de minhas dúvidas. Tomara que ele tenha razão.

_____

Benedito e Salgado estiveram ontem aqui. Ernani e eu temos animado os entendimentos para que tudo corra bem e como deve ser.

_____

O Maciel será o portador desta. Depois escreverei mais. – O Dr. Amaral felizmente melhorou bastante, o suficiente para ameaçar-me de fazer queixa de mim a ti pelas espetadelas diárias que lhe dou.

Beija-te com todo o carinho tua filha dedicada **Alzira**

Campanha de Getulio Vargas para as eleições presidenciais no Paraná. Entre 9 de agosto e 30 de setembro, 1950.

177 \ A · [Rio de Janeiro], 24 de março

Meu querido pai

São três horas da manhã. Ernani, Ladislau e eu estamos aqui em casa do Dr. Amaral fazendo o plantão noturno. Felizmente a crise já passou e esperamos que amanhã possa sair da tenda de oxigênio. Não confiamos em que volte a ter a antiga vitalidade, mas desta ele se livrou.

1950

Em continuação à carta entregue ao Carlos Maciel aí vai mais.

Reina a maior confusão e disparate nos arraiais ademaristas, não se sabe se provocada e proposital ou real. As notícias que chegam de lá são contraditórias: ao meio-dia Adhemar não se candidataria; às duas horas havia marcado o dia da renúncia; às quatro Novelli anunciava que seguia para São Paulo assumir o governo; às 10 da noite telefonava para o Danton pedindo sua ida lá com urgência e dizendo que sob a pressão das tentações e das ameaças estava custando a resistir.

Danton afirma que o homem manterá a palavra. Ernani e eu supomos que ele esteja fazendo toda essa fita com algum plano: ou de se sentir coagido pelo partido a ser candidato, o que será a melhor solução, ou de vir a se ligar ao governo federal para poder terminar o período que lhe resta.

Adhemar tem feito constar que Adroaldo lhe propôs a vice na chapa Canrobert e que ele recusou. Canrobert só deixará o ministério se até o dia 1º for lançado por algum grande partido, o que parece não acontecerá a não ser que o PSP mude de orientação. Se fracassar a fórmula Afonso Pena a UDN terá que se resignar a correr com o Brigadeiro. E o PSD, se fracassarem as negociações com o PTB, é provável que fique sem candidato.

O Seu Soares, interessado em arrancar do Cirilo a negociata da Organização Lage que ainda se arrasta pelas comissões da Câmara, o está engodando com a perspectiva de obter teu apoio para ele. Foi surpreendido anteontem telefonando do gabinete, e na presença do Cirilo, para o Lyra sugerindo o nome deste como solução para ti e para o Dutra.

Agamenon informou ao Ernani que soubera ter o Adhemar declarado que só apoiaria teu nome, tendo no bolso assinada tua renúncia. Afirma que só desejas governar um ano e que a seguir realizarias nova eleição para o eleger. Quando lhe lembraram que não cabia nova eleição, a não ser que o vice eleito também renunciasse, deu-se por roubado.

Dutra, em conversa com o Júlio Mesquita, hoje declarou que o Afonso Pena estava muito velho e surdo e não aguentaria o "serviço", e que era muito tarde para se coordenar o nome do Canrobert. Portanto o candidato do Dutra ainda é o comandante do "navio fantasma".

Pedroso Horta prometeu-me escrever-te sobre a situação política de São Paulo, que ele considera má para o PTB, dada a falta de orientação e coordenação de nosso pessoal que continua com a mesma técnica "*Lend-lease*", "empréstimo e arrendamento". Venda, nunca.

A situação no Distrito não é melhor. A chapa em confecção ainda é pior que a de 47 e acabo

1950   de saber que o PTB mais uma vez, por ordem do Segadas, entregou a presidência da mesa da Câmara Municipal à UDN.

―――――――――

O Carvalho Sobrinho e o Wallace Simonsen estão anunciando que te irão visitar. E outras pombas voltarão ao Pombal.

―――――――――

Benedito confessou ao Ernani que, se não fosse o medo que tem de um bochincho, teu nome seria o mais viável. Inclusive as filhas e a senhora já lhe declaram que só votam em ti. Odette não é eleitora e se alistará apenas se fores candidato.

―――――――――

Com jeito e juízo todos entrarão para o bom caminho.

―――――――――

Peço-te que faças o Carlos falar. Ele tem medo que penses que deseja fazer intrigas, e há muita coisa que precisa desembuchar sobre São Paulo e o Distrito.
Ernani te manda um abraço e eu um beijo carinhoso
tua filha **Alzira**

Getulio Vargas em campanha para as eleições presidenciais no Paraná, tendo ao lado Café Filho.
Entre 9 de agosto e 30 de setembro, 1950.

242 \ G · [Fazenda do Itu], 26 de março

Minha querida filha

Recebi tuas cartas de 22 e 24 trazidas pelo Carlos Maciel. Confesso-te que fiquei um tanto alarmado. O Danton é meu amigo. É um homem sincero e leal. Entre o que me informas em tua carta e o que me recordo ter-se passado aqui, há discordâncias que somente podem ser atribuídas a um mal-entendido meu ou do Danton. Não assinei nem autorizei a assinatura dum pacto com o Adhemar. Foram lidos certos itens escritos a título de sugestão. Esses itens deviam ser submetidos ao Adhemar e depois submetidos novamente a mim. Foi isso o que entendi. Fala ao Danton para que ele volte aqui trazendo-me esses dois papéis. Precisamos conversar novamente. Essa é a parte da conversa com ele.

Digo-te agora que estava no meu pensamento, ao ter essas conversas, aguardar o resultado dos entendimentos entre PSD e PTB. Se tais entendimentos chegassem a um ponto de acordo, consultar então ao Adhemar para trazê-lo ao bloco, tornando-o mais sólido. Naturalmente teriam de ser feitas concessões a ele e só então seriam discutidas em caráter definitivo. Entendo que nessas conversas com o PSD ~~deven~~ e PTB devemos nos esforçar para chegar a um acordo. Soube, de fonte segura, que o Grão de Bico dissera que só apoiaria a candidatura Canrobert como uma candidatura forte, se os políticos ou os partidos não chegassem a um entendimento. É difícil esse entendimento de todos os partidos num só bloco. Não o é, porém, em grupos de partidos. O que mais desejo é uma solução em que eu possa me descartar dessa embrulhada política, airosamente.

Logo que cheguei no Itu, soube do desaparecimento da Flauta.[1] Saíra acompanhando a carreta do Juvenil e se extraviara. Toda a vizinhança tem sido batida, para procurá-la, sem resultado.

Estou esperando o Salgado, que deve chegar ~~também~~ amanhã. Aguardo a chegada do Seu Manhães com um caminhão de mudas. Ouvi dizer que também viria o Major. Deve estar um tanto envergonhado do papel que fez sua gente na eleição da mesa paulista.

Saudades a todos e um beijo do teu pai **Getulio**

1950

---

1. Refere-se à cadela Flauta.

178 \ A · [Rio de Janeiro], 27 de março

Meu querido pai

1950 Recebi hoje a carta e a pessoa do inefável Baeta, que me remeteste. Desta vez estamos de acordo.

O mingau que aquele meu nobre amigo está fazendo dentro do diretório regional vai dar dor de cabeça em futuro próximo.

A melhor solução ainda é a comissão de reestruturação. Pensa bem e dá as ordens.

Há uma quantidade enorme de gente boa, decente, getulista cento e quinhentos por cento que deseja entrar para o Partido e não consegue. A Lucia Magalhães telefonou-me pedindo para entrar pela minha mão. Disse-lhe que esperasse um pouco, porque, se não for encaminhada pela mão do Segadas, ficará no sereno, e se entrar pela mão dele será dar-lhe mais força ainda para continuar suas manobras.

Soube, sem provas nem confirmação, que o Mendes de Moraes já estava cansado de dar-lhe dinheiro.

As negociações com o PSD vão indo bem, apesar do interesse que tem todo mundo de atrapalhar.

Dr. Amaral está te mandando um abraço e diz que está à tua espera para fazer queixa de mim, que o estou judiando muito.

Não precisava tanta pressa em remeter o dinheiro. Já paguei o Isnard e ainda não estou apertada. Mandei te dizer porque assim o determinaste.

Como vão os negócios? Já abriram o preço do gado? As perspectivas estão boas?

A boataria em torno dos entendimentos com o Adhemar é enorme. Danton ainda não voltou. Antes de seguir disse-me que suspeitava ir ser convidado para assumir posto no governo do homem. Não me parece aconselhável, devido ao temperamento de ambos. Pedi-lhe que se suas suspeitas se confirmassem pensasse bem antes de responder.

Todas as notícias importantes mandei-te ontem, hoje dormi durante o dia, de modo que só recebi o Baeta e a Maria Martins. Esta me informou que o Cirilo está inteiramente encarnado como candidato e acha que o Rio Grande já governou demais. E que o Dutra declarara que o Canrobert era inviável, por falta de tempo.

No estado do Rio a propaganda do Ernani é feita até pelos inimigos: "combatamos o Ama- **1950** ralismo, votando com Hugo Silva". Se for assim é de colher. Parece, porém, que o Prado Kelly à última hora pretende ser o candidato da UDN apoiado pelo Edmundo.

Por hoje, chega.

Beija-te com todo o carinho

tua filha **Alzira**

No Paraná, Getulio e a multidão durante a campanha para as eleições presidenciais.
Entre 9 de agosto e 30 de setembro, 1950.

179 \ A · [Rio de Janeiro], 27 de março

Meu querido Pai

1950   Desde sábado que a Mequinha, como o pessoal chama nossa casa, está atraindo gente aos magotes. Já não tenho tempo nem para raciocinar, só para ouvir.

Reina a mais absoluta confusão em todos os setores e as informações são as mais desencontradas. – No sábado dizia-se que o Salgado levara para teu exame uma lista de 12 nomes; as chapas Cirilo-Salgado, Góes-Salgado e Nereu-Salgado, que o Canrobert não seria mais candidato etc. O que há de positivo.

1º) Brochado esteve com Dutra na companhia do Fausto para levar o pensamento do Rio Grande. Dutra disse que achava difícil que o PSD se acordasse em torno de um nome partidário e nessa hipótese era necessário examinar os extrapartidários: Afonso Pena e Canrobert. Quanto ao primeiro, devia se lembrar que o Catete não era passagem para o cemitério. Restava o segundo, que era amigo dele, e a quem considerava. Que ele, Dutra, havia sido Cavalheiro com o PSD e esperava que este lhe retribuísse. Fausto respondeu que seria arriscado, porque os populistas poderiam responder com o nome do Estillac. Dutra declarou que não temia esta hipótese pois não acreditava nela. Retiraram-se os dois para consultar os outros pessedistas, prometendo voltar hoje com a resposta. Estão, porém, dispostos a resistência.

―――――――――――

2º) Nereu e Agamenon estão animados com a perspectiva de luta e dispostos a resistir também. Continuam blasonando sobre o Afonso Pena apenas para irritar.

―――――――――――

3º) Cirilo já constitui um problema sério. Deixou-se dominar inteiramente pelo Seu Soares e está convencido que por intermédio deste maquiavélico personagem obterá a complacência do Dutra, via Lyra, teu apoio, a unanimidade do PSD e ainda uma parte da UDN. Todo ele é uma gigantesca mosca azul. Contou-me que fora chamado pelo Newton Cavalcanti, que o ameaçara com o perigo comunista, elogiara muito o Góes e dera-lhe um aperto em regra para apoiar o Canrobert.

―――――――――――

4º) Benedito, com surpresa geral, declarou que vai resistir à candidatura militar e em última instância aceitará a chapa Cirilo-Salgado. É preciso constatar que Benedito e Cirilo não estão em boas graças um com o outro.

―――――――――――

5º) Amanhã às 10 da manhã, haverá reunião preliminar do PSD em casa do Góes: a fina flor do Estado Novo. O próprio, Nereu, Cirilo, Benedito, Agamenon, Ernani e Brochado, para combinarem a resistência.

―――――――――――

6º) Adhemar encontrou-se hoje em Cruzeiro com o Milton Campos. Ignoram-se ainda os detalhes. No setor São Paulo a confusão é enorme. Danton está absolutamente convencido de que o Adhemar não terá candidato e te apoiará oportunamente. Não há argumentos que o desmontem. Piza e Horta, pelo contrário (Caio também), acham que o homem larga o governo agora e se não largar terá de ficar com o Dutra para sobreviver. Na convicção de que passaria o governo ao Novelli em abril preparou-lhe uma cama de gato. Não lhe é agradável dormir agora nessa cama. No entanto, as contradições continuam. A última é que se candidatará a Senador.

1950

Quanto ao caso do Danton (recebi tua carta agora) acredito que, em seu entusiasmo, considere isso um acordo. Diante de tuas informações estou mais tranquila. Dar-lhe-ei o recado amanhã.

O Maciel após dois anos de ausência e hostilidade telefonou, pedindo para ser recebido por mim. Depois da conversa mole do Cirilo, achei melhor fingir que não me importara e atendi o bicho. Fez milhões de rodeios para explicar que precisara "fazer de conta" que havia rompido contigo e com o Ernani para se defender e também para poder penetrar no santuário dutrista e melhor prestar serviços. Cumprimentei-o pela admirável *mise-en-scène*, e o bichão respirou e passou a contar garganta. Era já o dono do Guilherme da Silveira e do Lyra etc. Para provar suas boas intenções havia convencido o Catete a adotar a melhor candidatura para ti e para o Ernani, o Cirilo. Expôs brilhantemente as *démarches* que fizera, como retomara o comando e as inefáveis virtudes do candidato e terminou pedindo-me que embarcasse amanhã em avião que poria à minha disposição para uma viagem direta, para conversar contigo e te pôr a par de todos os adminículos. O homem é fabuloso! Anda com a roda da fortuna.

O João Neves está de cama, mas do hospital onde se acha em tratamento está vibrando de impaciência e interesse pela marcha dos acontecimentos. Mergulhou de cabeça na missão Brochado e também está esperando sua vez.

Apesar de todos os palpites em contrário e de eu ser considerada visionária, minha tese continua a ser: o Dutra não quer o Canrobert candidato, deseja apenas ver-se livre dele no ministério, forçando a indicação de seu nome pelo PSD. No fundo age em função dos interesses do Góes, com quem deve ter um compromisso ou *modus vivendi* qualquer. Certos movimentos contraditórios só se explicam assim.

Estou desolada com o desaparecimento da Flauta. E o Pito, também? Mamãe está aqui. Manda agradecer o ajutório e saudades. Vai escrever depois.

Beija-te com todo o carinho

tua filha **Alzira**

---

243 \ **G** · [Fazenda do Itu], 28 de março

Rapariguinha

1950 Recebi tua carta de 27 trazida pelo Salgado. Ele levará minha resposta ao PSD. Quanto ao PTB, ele [sic] os nomes para preencher as vagas do Nacional e do Regional. Neste acomodei o Maciel, o homem das notinhas, o Paranhos, D. Lúcia e outros. Não vou tratar de restruturação, nem de quem pretende entrar, pois já estou pensando mais é em sair.

Amanhã ou depois devemos seguir para o Espinilho e de lá regressar a Santos Reis.

As perspectivas de negócio não são boas. A seca continua, prejudicando os engordes, e os frigoríficos ainda não abriram preços.

Dize ao Dr. Amaral que quando nos encontrarmos ajustaremos contas contigo, pelas tuas judiarias para com ele.

Saudades a todos e um beijo do teu pai **Getulio**

PS.: Agora espero o Danton e os faisões.

244 \ G · [Fazenda do Espinilho], 31 de março

Rapariguinha

Junto vai essa notícia. A história está mal contada e precisa ser retificada. Quem escolhe os candidatos do PSD é o próprio PSD. Esses nomes serão submetidos ao PSD, que escolherá dentre eles. É natural que, havendo preferência por um nome, esse nome deve constar da lista, para que a solução do caso não tenha um caráter de imposição. Isso parece-me mais razoável. Quanto a mim, tenho de ouvir ainda a opinião do Adhemar. Chama o Salgado e combina essas cousas com ele.
Como vai o Neves? Faze-lhe uma visita telefônica em meu nome.
Saudades a todos e um beijo do teu pai **Getulio**

1950

Nas duas páginas, Getulio Vargas em campanha no Paraná.
Entre 9 de agosto e 30 de setembro, 1950.

180 \ A · [Rio de Janeiro], 31 de março

Meu querido pai

1950 Soube que o Frota vai para aí nestes três dias e, aproveitando a ida do Carlos Maciel para São Paulo, começo esta. O assunto aparente da ida dele é um; o outro, o escondido, é mais sério. Ele te contará.

Quero antes de tudo fazer-te um pedido. Não esqueças nunca, apesar de minhas travessuras, bisbilhotices, intromissões e atrevimento, que em primeiro lugar e acima de tudo sou tua filha. Nas coisas que faço, no que digo e principalmente nas informações que te dou vai um pouco de meu carinho e interesse por ti. Se estivesse em minhas mãos dar-te apenas as notícias boas e evitar-te aborrecimentos, ficaria feliz. Passei várias horas angustiada, antes de me decidir a te mandar aquela carta sobre o caso de São Paulo. Várias vezes tentei refazê-la, mas qualquer coisa dentro de mim, o desejo de repartir contigo minha ansiedade, a noção de meu dever de lealdade para contigo, ou seja lá o que for, impedia sempre. Quero apenas uma coisa, que possas sair de toda essa embrulhada, para o Catete, para São Borja ou para qualquer outro lugar com as honras que te são devidas e a honestidade que sempre caracterizou tua vida. Para isso trabalho e luto e respondo pelo que faço. Não me responsabilizes pelos atos de mais ninguém.

Gostaria que me dissesses, sempre que julgasses necessário, quando algum fato importante ou alguma atitude nova alterar a orientação que adivinho ser a tua. Do contrário muitas vezes posso atrapalhar ou fazer mau juízo de teus emissários reais ou supostos. Foi assim com o Danton, não que tivesse posto em dúvida por um segundo sua devoção a ti, mas porque conheço seu temperamento facilmente inflamável. E está sendo assim agora com o negócio dos nomes para o diretório, tanto nacional, como regional. Há muita gente que não crê no Salgado e muito mais ainda que <u>teme</u> as informações do Segadas. Perguntam-me a toda a hora se é verdade que indicaste fulano ou beltrano e sou obrigada a confessar que ignoro.

Notícias. 1º) Ontem realizou-se a reunião do PSD para tomar conhecimento da proposta Afonso Pena. Durou 20 minutos e ninguém falou em Afonso Pena. Ernani andou feito lançadeira anteontem e preparou o espírito de todos, de modo que nada aconteceu do que esperavam. O PSD está atualmente dividido em quatro grupos que só se entendem entre si através do Ernani. O grupo dutrista, chefiado pelo Benedito, o grupo antidutrista, sob o controle de Nereu-Agamenon, o grupo gaúcho, que quer apressar a solução para resolver os casos internos e o grupo Cirilo, que deseja adiar o mais possível para diminuir o mundo dos concorrentes.

Em vez de examinarem o assunto para o qual se haviam reunido, trataram apenas dos resultados da missão Salgado. A decepção foi enorme. Os partidários do Canrobert estavam todos nas antecâmaras do Partido. A filha dele interpelou o Cirilo, acusando-o de sabotar a candidatura do pai, e declarou que isto não tinha importância porque ele se desincompatibilizaria de qualquer maneira, indo chefiar a Casa Militar, vaga com a nomeação do Valdetaro para o Ministério da Viação.

Hoje Dutra chamou o Ernani. Estava reservado e cauteloso. Não falou em Afonso Pena, nem em Canrobert. Limitou-se a dizer: "O Dr. Getulio quer um candidato que seja amigo dele, eu me contento em querer um que não seja inimigo". Está com muito medo do nome do Nereu ou do Neves.

Seu Soares parece que anda assustado ou acossado. Queria que eu fosse com ele a São Borja na segunda-feira. Disse-lhe que não julgava conveniente para não mostrar muito interesse. Ficou radiante, como um homem que tira um peso da alma. Convenceu o Cirilo de que ele seria teu candidato e do Dutra e agora o homem não quer desencarnar.

O caso de São Paulo continua nebuloso. O próprio Adhemar está criando a confusão. Afirma a uns que larga o governo e a outros que continuará. Uma verdadeira guerra de nervos, bem de seu estilo. Danton é o único que tem certeza de que o homem não sai e te apoiará. Pretende ir para São Paulo pegar o homem e seguir com ele para São Borja. Há ainda uma hipótese que me foi sugerida pelo Estillac e depois confirmada por Gashypo e Frota de que Adhemar espere um momento propício para desencadear uma bagunça.

Passado o Rubicon do dia 3, Ernani vai começar a coordenar o nome do Ernesto. O outro nome de tua lista, eu vetei. Deixa de ursadas comigo, senão eu me passo para a UDN. Isso não se faz!

Vou terminar esta aqui que está na hora.
Beija-te com todo o carinho
tua filha **Alzira**

Getulio discursa em Alagoas durante a campanha para as eleições presidenciais de 1950.
Maceió, entre 9 de agosto e 30 de setembro, 1950.

245 \ G · [Fazenda do Espinilho], 2 de abril

Rapariguinha

1950 A confusão política que reina por aí está se refletindo aqui, no número e frequência de visitantes que não me deixam em paz.

O Salgado não gosta do João Neves. Da penúltima vez que ele aqui esteve, entreguei-lhe uma carta ao Neves, para que ambos se pusessem em contato. Na última vez que aqui esteve, disse-me que não havia entregue a carta e fez muitas restrições ao outro, a meu ver injustas.

Quanto ao Sr. Soares, já recebi duas cartas suas. Na primeira advogava fortemente a candidatura Cirilo. Respondi, verbalmente, pelo Salgado, dizendo-lhe que a escolha não era minha e sim do PSD. A segunda, trazida pelo Galvão, falava na conversa contigo, dizendo que te encontrara muito esquiva e desconfiada. Convém cultivar o homem para distinguir a verdade da fantasia.

O candidato C...[1] também já me enviou um emissário, depois de ouvir o Góes e o Grão de Bico. Pedia meu apoio à sua candidatura. Respondi que estava em tratativas com o PSD, aguardando solução, e que nada podia prometer.

O Salgado da última vez que aqui esteve disse que o PTB quer a minha candidatura, mas ele, como amigo, pensa que não devo aceitar. De início manifestou-se favorável a uma candidatura extrapartidária como o ministro Nonato do STF (proposta Benê). Informou também que o mesmo está enfermo e talvez não vá ao fim do período. Boa oportunidade para ser vice. Como eu não me manifestasse favorável, falou no Ernesto. Dessa vez concordei. Desnecessário é dizer-te que essas informações são reservadas.

Até agora nada me disseste sobre o livro do Almir de Andrade e a publicação do meu. Se o José Olympio tem restrições posso providenciar por outros meios.

Saudades a todos e um beijo do teu pai **Getulio**

Estou a escrever-te à noite, do Espinilho, na data decisiva das desincompatibilizações, sem nada saber a respeito.

1. Refere-se possivelmente ao General Canrobert Pereira da Costa.

181 \ A · [Rio de Janeiro], 3 de abril

Meu querido pai

Soube agora que o Iris vai depois de amanhã. Como sigo amanhã para Cabo Frio passar a Semana Santa, aproveito para te escrever, contando as últimas.

1950

O Danton ganhou o primeiro *half-time*. O homem não saiu e declarou que a partir de hoje ele deixava de ser candidato e tu passarias a sê-lo. É impossível prever qual será seu comportamento futuro, porém de quatro dias para cá mudei de opinião quanto à conveniência de sua candidatura. A posição do governo federal é tão pecuária no momento que obter o governo de São Paulo, mesmo nas condições em que Adhemar o deixaria, seria uma recuperação de prestígio, nada interessante agora. Aguardemos a sequência normal dos fatos. O grande *show* do Adhemar ficou um pouco empanado pelo *show* do Canrobert, que está emocionando o mundo político. Hoje é segunda; na quinta-feira, por ocasião da reunião do PSD, a turma do General esperava lá fora, crente que do conclave o homem sairia candidato; na sexta o Coronel Paredes, cunhado e chefe do serviço secreto do ministério, andou tentando conquistar o Danton; no sábado o Carlos Maciel bateu aqui de manhã cedo. Havia sido chamado pelo dito Paredes e pelo Armando Guttenfrend, ex-chefe da Propago do Adhemar. Queriam ir a São Borja buscar em 48 horas um manifesto teu de apoio ao Canrobert. Carlos alegou a escassez de tempo para evitar que a tua recusa natural voltasse o homem contra nós. S. Excia. está uma bala contra o Góes e o Dutra que queriam lançá-lo em uma aventura. Deu ao Wainer uma entrevista meio queimada que já deves ter lido. Quando Adroaldo por sua alta recreação, alegando contar com o Rio Grande, Ceará, Maranhão e a Igreja, se desincompatibilizou, Canrobert foi chamado pelo Dutra e amavelmente convidado a seguir-lhe o exemplo. Recusou, e o Dutra ficou muito decepcionado.

A nomeação do Newton Cavalcanti para a Casa Militar, cargo de general de brigada moço e quando o pessoal do Canrobert esperava a indicação deste, tem dado margem a muitos comentários e boatos. Sabe-se que o objetivo foi tapar o buraco para evitar a desincompatibilização do Canrobert com possibilidades de força no Exército e supõe-se que o Newton acabe criando um caso de conflito de autoridade com o ministro da Guerra para provocar a saída deste. Confirma-se assim o que te dizia, desde o princípio: Canrobert nunca foi o candidato do Dutra e este tudo tentou para tirá-lo do ministério. Newton, que ainda não tomou posse, já está em grande atividade, conversando com políticos e chamando militares. Qualquer coisa pode resultar disto tudo. — Dutra tem se mostrado hostil aos nomes do Nereu e do Neves, reservado em relação ao Ernesto e Salgado e, quanto ao Ernani, disse: Isto é o mesmo que eleger o Dr. Getulio.

Dutra, Góes e Mendes estiveram em longa conferência, supõe-se que para resolver o caso Canrobert. Embora Adhemar tenha cumprido o que prometera, convém não esquecer que ainda faltam seis meses e que ainda lhe resta uma chance: a de provocar um bochincho.

Salgado esteve hoje aqui, otimista em relação ao acordo com o PSD e pessimista quanto à atitude do Adhemar. Declarou que, uma vez acertado o nome do PSD, em três dias obteria tua resposta e a aquiescência do PTB. Ernani lembrou a aproximação do dia 19, que te colocaria numa situação difícil, caso tivesses que indicar alguém, e Salgado aconselhou a apressar os entendimentos para colocar teu pronunciamento antes dessa data. Indagado sobre sua aceitação da vice-presidência, respondeu que não o desejava, mas cumpriria ordens.

1950 Situação dos pessedistas: Cirilo ainda profundamente encarnado. Sua desmaterialização está sendo feita pelo Agamenon, com aquele poder de persuasão que o caracteriza. Aceitará com algum trabalho a solução Dornelles. – Agamenon prefere Nereu, mas aceita bem o Ernesto. – Benedito ainda espera que um mineiro caia do céu, mas concorda em naturalizar o indigitado. – Toda a resistência vem do Rio Grande, através do Fausto, tanto ao nome do Ernesto, quanto a qualquer dos outros constantes das sugestões do Salgado, que não foram apresentadas como sendo tuas. Ernani tem a impressão que temem qualquer solução que os obrigue a entregar ao PTB o Rio Grande. Nereu aceita o Ernesto muito bem.

Hoje houve reunião em casa do Cirilo da Comissão Diretora: Ismar, Cirilo, Agamenon, Benedito, Aleixo, Nereu, Fausto e Ernani. Nada se resolveu, a não ser que Cirilo e Agamenon continuam em contato com o Salgado. O programa, com pequenas restrições na parte financeira, foi aceito. Ernani é de opinião que não se deve mostrar muito açodamento em resolver agora para não dar a impressão de que foi uma espera acintosa da passagem do prazo das incompatibilidades. Rio Grande é que está fazendo pressão. Durante a Semana Santa nada se fará, mesmo porque o elemento catalisador do PSD, que é o Seu Peixoto, propositadamente amanhã baterá asas para o interior. É esse o quadro.

Somente eu poderia deter no Rio e em São Paulo o movimento "queremista" que se esboça para comemorar teu aniversário. E eu não o farei. Quero que tenhas o prazer de aceitar ou recusar.

O velho Amaral já está quase bom, perguntando sempre por ti.

Beija-te com todo o carinho tua

filha **Alzira**

Nas duas páginas, Getulio em campanha para as eleições presidenciais de 1950 no Amazonas. Manaus, 25 de agosto de 1950.

246 \ G · [Estância Santos Reis], 5 de abril

Rapariguinha

Recebi tua carta de 3 do corrente. Estou intrigado com as tuas chamadas e sobressaltos de consciência. Explica mais claramente teu pensamento. Já te escrevi sobre o assunto Adhemar-Danton. As afirmações deste estão vencendo, apesar das hipóteses pessimistas.

1950

Dize-me agora que há sobre nomes para os diretórios daí, quais os que te referiram como indicados e quais os que pensas tenham sido injustamente esquecidos. Não tenho lista desses nomes e já não me recordo com precisão. Em conversa com o Salgado combinamos sobre nomes novos para vagas existentes nos diretórios nacional e regional do Distrito. Não tratamos da eliminação de ninguém. Pelo Newton mandei dizer ao Salgado que suspendesse essas providências até novo exame. Ignoro se ele deu o recado e quais as providências.

Espero que me informes sobre essa parte de nomes etc.

Sobre a questão sucessória, nada resolvi. Estou num dilema. De um lado há uma onda popular que quer o meu nome. Essa se avoluma, adquire forças e garantias. De outro lado o PSD pleiteia meu apoio para um candidato de sua grei e aqui no Sul hostiliza-me e provoca reações dos queremistas. Este é o panorama que se apresenta.

Até agora nada me disseste sobre o livro do Almir de Andrade e sobre a publicação do meu. Parece que chegou a hora. Se o José Olympio teme alguma cousa, tenho outros meios para conseguir editá-lo. Preciso saber a causa dessa demora.

Saudades a todos e um beijo do teu pai **Getulio**

Informa-me quando termina minha licença no Senado. O Frota é o portador desta e leva essa papelada para o arquivo. Dize ao Sr. Soares que convém ele vir até aqui, antes que seja tarde.

247 \ G · [Estância Santos Reis], 8 de abril

Rapariguinha

1950   Soube que irias descansar em Cabo Frio, nestes dias santos. Estou a escrever-te no sábado de aleluia, quando já se pode comer carne e pecar... Provavelmente ainda estarás por lá. E D. Celina, como se portou, gostou do passeio, não teve medo do mar?
Peço que me mandes, quando houver portador, três camisas de fazenda comum para meia estação, mangas compridas, e meia dúzia de lenços.
Quanto ao 19 de abril, pretendo esconder-me em lugar ignorado. Convém que não venha ninguém daí, porque não me encontrarão. Junto vai um cartão para o Danton.
Saudades a todos e um beijo do teu pai **Getulio**

Como vai o trabalho do lançadeira.

Campanha de Getulio para as eleições presidenciais em Goiás. Entre 9 de agosto e 30 de setembro, 1950.

182 \ A · [Rio de Janeiro], 12 de abril

Meu querido pai

Esta carta deve ir por intermédio do Danton. Estou novamente, para variar, com minha vida atrapalhada, de modo que o que eu não puder esclarecer bem, ele te transmitirá oralmente. – Nosso passeio a Cabo Frio foi de início uma grande tragédia. Pegamos uma tromba-d'água e passamos a noite inteira na estrada. De madrugada nos refugiamos na casa de uns pescadores, tendo saído do carro com água pela cintura. Milagrosamente Ernani, eu, Isnard e a Babá nada tivemos. Celina e Regina tiveram febre alta.

1º) A conversa que tive com Maciel ele deve ter te transmitido. Não repetirei, apenas o otimismo dele em relação à candidatura Cirilo é injustificado. Nada tem em São Paulo e no PSD sua posição é muito fraca. Nem mesmo a intervenção direta do Dutra poderá dar-lhe maioria. No mais, tirando-lhe os exageros naturais, está bem informado. Fez-me uma solene declaração de amor... fraternal, com lágrimas de crocodilo nos olhos!

2º) O caso do Distrito, conforme minhas previsões, está com cara de macaco devido à intransigência e personalismo do mestre Segadas. O grupo dos descontentes está se avolumando, ainda mais indignados com a absoluta parcialidade do Salgado. Consegui fazer com que desistissem do nome do Luthero, como candidatura de combate. Disse-lhes que era um erro arriscá-lo a uma derrota e ainda mais errado obter uma vitória que equivalia a uma grande cisão no PTB feita em teu nome. Substituíram-no pelo Baeta, em caso de luta. Aconselhei-os a tentarem uma acomodação, conservando o Segadas na presidência e dando a secretaria ao grupo dissidente e o resto do diretório, 50%. Segadas negou-se e agora a luta é inevitável. É possível que o grupo dissidente composto de elementos mais getulistas e em torno do Luthero, Napoleão e outros ganhe. De qualquer maneira a coisa vai ser feia.

3º) O José Lionel (isto é segredo) procurou-me para dizer que pelas vias que conheces está seguramente informado que vai se processar um movimento para o *impeachment* do Adhemar, liderado pelos elementos do PSD, Caio e Novelli, que sabem não obterão dele nem água. Alguns elementos da bancada do PTB engrossarão com prazer esse movimento. Diz ele que temos uma possibilidade de, com a prévia renúncia do Novelli, eleger através da Assembleia um elemento nosso, quer do PTB quer do PSD, para terminar o governo paulista. Segundo a Constituição pode ser qualquer pessoa fora da Assembleia. Pensa no assunto. Verificada essa hipótese, o Adhemar correrá para ti e ficarás em situação difícil. Ordenar à bancada que evite o *impeachment* e não seres novamente obedecido ou ficar favorável e criar um caso com São Paulo. Há aspectos bons e ruins no caso. Pode acontecer ou não. Vai meditando no assunto.

4º) O Piza pede para te dizer que vai entrar na muda para que não se diga que está atrapalhando o Adhemar. Nos olhos dele, li coisa muito diferente. Ele vai tentar um golpe baixo qualquer, para se salvar e aos amigos do Adhemar. Disse-me que este já vendeu 50 mil contos em bônus do estado por 40 mil ao Matarazzo para pagar o funcionalismo e daí será para pior. Em sua opinião, na hipótese menos possível de que o Adhemar te seja fiel até o fim, será um peso morto, sem prestígio e sem dinheiro. Ônus a carregar e não auxílio com que contar.

5º) A reunião do PSD ontem pela manhã, com a ausência do Ernani e do Benê, deliberou lançar o Nereu. À noite nova reunião com a presença dos dois. Ernani liderou o troço e disse

1950 que considerava pôr em votação o nome do Nereu uma descortesia ao PTB e uma declaração de rompimento nas negociações contigo. Não era isso o que haviam assentado. O Fausto, com grande inabilidade, quis forçar o pronunciamento em favor do Nereu. Ernani conseguiu vencer. Vou contar ao Danton para te descrever.

6º) O Góes está embandeirado de candidato. É possível que o Volpato apareça aí nessa qualidade.

Um beijo afetuoso de

tua filha **Alzira**

Getulio Vargas desfilando em carro aberto durante a campanha para as eleições presidenciais em Pernambuco. Entre 9 de agosto e 30 setembro, 1950.

183 \ A · [Rio de Janeiro], 13 de abril

Meu querido pai

Esta carta é mais um relatório do Ernani do que meu. Minha cabeça virou farofa.

1950

1º) Durante a reunião do PSD de anteontem, o representante do Rio Grande tentou forçar a escolha de um nome do PSD, em consequência lógica à recusa do nome Afonso Pena. Ernani conseguiu controlar a situação sob a base de que isto significava um rompimento das negociações com o PTB. Foi acompanhado pela maioria, mas teve que se submeter a um prazo fixo que seria o tempo suficiente para que fosses ouvido e este prazo é segunda-feira.

2º) Cirilo sendo francamente candidato, animado pelo Maciel, estava coordenando a própria candidatura e não o partido. Nereu francamente repelido pelo Catete e tendo forte oposição, dentro do próprio partido, teve que ser posto em observação. Nestas condições os três únicos que não estavam em causa, Agamenon, Ernani e Benedito, resolveram tomar a iniciativa e junto com o Salgado encontrar o nome do Diógenes. Chegaram eles à conclusão de que o nome melhor aceito pelo PTB, não diretamente pelo Salgado, seria o do Ovídio. Para este nome encontrariam o apoio da maioria e nenhuma ou fraca oposição do Catete. Agora à noite Salgado irá levar a S. Excia. a solução e amanhã segue para aí, para te expor tudo. Foi oferecida ao PTB a vice-presidência e o nome será indicado por ti ou pelo partido. É uma solução, no meio de todo esse caos. Não estou em condições mentais para examinar se é a solução.

O programa proposto foi aceito e está nas mãos do Agamenon para ampliá-lo na parte financeira, dentro do espírito de teu governo.

Ontem fui procurada por um intermediário do Góes, para saber qual seria tua posição em face do candidato ser ele. Havia ainda esse perigo a evitar, visto que a coisa estava tomando vulto. Hoje os jornais anunciam a próxima nomeação do Góes para o Ministério da Justiça. Quais serão as intenções. O Mendes de Moraes substituiu o Henrique na presidência do PSD local, constando que seria o substituto do Góes no conselho, visto ser o Ismar o representante de Alagoas.

Se as coisas marcharem assim, o Ovídio, logo após a escolha e aprovação, irá aí te agradecer e convidar a voltar com todas as honras. Terás a possibilidade também de fazer governos petebistas em vários estados e pessedistas amigos em outros.

O Salgado te contará o resto.

Perdoa o desalinhavo.

Celina está aqui me atucanando para dizer que está com muitas saudades tuas.

Ernani te manda um abraço e diz mais, que ele e Ernesto haviam se proposto a acompanhar o Salgado, porém este achou preferível ir só para não parecer que estavam exercendo pressão. Pergunta se está agindo de acordo com o que desejas.

Beija-te com todo o carinho

tua filha **Alzira**

248 \ G · [Estância Santos Reis, de 14 a 15 de abril]

Rapariguinha

1950 Estiveram aqui o Maciel, Danton e outros acompanhantes. Não tive tempo de escrever por eles e esqueci-me até de dizer-lhes algum assunto que precisava. Por isso, só depois que eles partiram estou a escrever-te esta, sem ter portador para remetê-la. Ficará esperando e talvez chegue tarde. Quanto à política nada tenho a dizer. As cousas se deslocaram para aí. Apenas ao Ernani desejo saber como vai ele em sua política no estado, se está sendo muito martelado pelo peitão[1] etc. Penso que, em qualquer emergência, ele poderá contar comigo. A menos que eu fique inteiramente de fora e não tome parte nessa contradança sucessória. Começo a ter desconfiança que há alguma coisa sobre golpes. Há sintomas de que se pensa nisto do lado do governo.

Vamos a cousas domésticas. Falei-te em carta anterior numa encomenda de três camisas e meia dúzia de lenços. As camisas devem ser de mangas compridas e de cor. Quanto à fazenda, prefiro uma ~~fazenda~~ como essa da amostra junto. De charutos vamos bem. Recebi a remessa ~~enviada~~ trazida pelo Danton. Tinha no meu caderno uma nota para falar ao Danton e esqueci-me. Em todo caso fala-lhe sobre dois assuntos e depois me informa: 1º) ele deve dizer ao Miguel Teixeira sobre deputação federal pelo Rio Grande [e] que, preliminarmente, ele precisa de alguns diretórios municipais que indiquem o seu nome; 2º) pergunta-lhe (Danton) sobre os faisões. Estou com o material, instalações, pronto. Por hoje, 14-4-950, fico aqui.

15 de abril · Estava com esta pronta quando chegou o Salgado. Disse-me que não trazia proposta do PSD. Apenas a vaga sugestão do nome do Ovídio. Fez-me uma descrição de suas conversações muito cordiais com Dutra, Góes, Canrobert e a boa aceitação do seu nome nos meios militares. E finalmente propôs como solução dar-lhe eu uma declaração por mim escrita e assinada, sem ser dirigida a ninguém, sugerindo o nome dele, Salgado, como candidato de conciliação, recheada de outros condimentos elogiosos. Enfim, uma carta de prego para ele negociar sua candidatura, inclusive com a UDN. Achei muito interessante, mas que eu precisava ouvir o Adhemar, pois tinha com ele esse compromisso de não me comprometer ~~sobre~~ com nomes, antes de ouvi-lo. Ficou ele encarregado de falar ao Danton, para que este vá ouvir o Adhemar e venha trazer-me a resposta. Está dito tudo. Transmito-te em caráter reservado. O Ernani deve saber para seu uso. Pergunta-lhe o que ele pensa. Também o Danton, que deve desempenhar a missão, precisa ser prevenido.

Sobre política é só. Agora V. merece um pequeno puxão de orelha porque não me responde sobre dois assuntos que tenho perguntado em cartas anteriores: a publicação do livro pelo José Olympio e quando termina minha licença no Senado. Creio que já terminou.

Saudades a todos e um beijo do teu pai **Getulio**

---

1. Refere-se possivelmente a José Eduardo de Macedo Soares.

PS.: Como o Salgado vai falar ao Danton, este nada deve dizer ao outro, nem a ninguém, o que ouviu de ti.

Desses nomes que o PSD tem me proposto o melhor ainda é o Nereu.

*Getulio durante a campanha
para as eleições presidenciais, em Pernambuco.*
Entre 9 de agosto e 30 setembro, 1950.

184 \ A · [Rio de Janeiro], 16 de abril

Meu querido pai

1950   Estes 15 dias de abril têm sido de tal maneira atrapalhados e confusos que não tenho tempo de raciocinar.

Hoje é domingo, Ernani está viajando e Celina em casa da Jandyra. Aproveito no intervalo das visitas que marquei, para reler, ordenar tuas cartas e enfim conversar um pouco contigo. Tenho feito tantas estrepolias e me metido em tantas funduras e trapalhadas, que não deves estranhar se às vezes, vencida pelo cansaço e esgotamento cerebral, te escrevo como se estivesse ruminando sozinha. Minhas crises de consciência são mais frequentes do que imaginas e agora mesmo acabo de sair de uma, que durou três dias. Se te dei conhecimento da penúltima (caso Adhemar-Danton) é que, certo ou erradamente, notei um desencanto novo em uma de tuas cartas, um tom diferente, na irradiação feita pela Tupi, às vésperas das desincompatibilizações, e soube que andavas muito brabo e irritado. Ainda, certo ou errado, tornei responsáveis por esse teu estado d'alma as informações amargas e preocupadas que te havia transmitido por aqueles dias. Não é raro chegar a meu conhecimento o que alguns dos espíritos de porco, que tanto combato dentro do PTB, dizem de mim. Trabalho apenas aparentemente para ti, na realidade estou apenas buscando "salvar" o futuro do Ernani: é o que espalham de mais suave. Misturei de tal maneira o destino de vocês dois que não consigo compreender um sem o outro, e sei que é esta mesma a posição do Ernani. Ainda que não fossem levadas em consideração a amizade, o respeito e a admiração que ele sente por ti, valeriam seus sentimentos por mim. Sei que mais de uma vez tem deixado de assumir atitudes mais belicosas, para que não sejas atingido na pessoa dele e nem sejas obrigado a tomar posição por causa dele. Ficou feito criança que ganha sua primeira bicicleta, quando soube que havias lembrado seu nome para a lista. No entanto nem por um segundo permitiu que isto transpirasse e trabalhou honesta e sinceramente pelo Ernesto. – Por ~~entanto~~ isso, quando ouço essas acusações a mim, obrigo-me a pensar que atitude ou palavra minha poderia ter lhes dado origem e fico matutando se tu também não as interpretarás assim.

Foi por isso que te pedi que não esqueças nunca que acima de tudo sou tua filha, que a tua saída, qualquer que ela seja, será a nossa. Nem sempre consigo pensar no que te escrevo, quanto mais rever. Disse e repito, só desejo uma coisa: se fores candidato, que o sejas com todas as garantias honestas, se não o fores, que a tua saída seja com todas as honras e consideração a que tens direito. Confere? – Agora passemos a outro programa.

1º) O livro do Almir já saiu e está tendo sucesso e procura, mas nenhuma repercussão de imprensa, como aliás seria de esperar. Quanto ao teu, está esperando apenas que o Capitão Queiroz termine a longa revisão. Estou apertando com ele.

Meu destino é escrever-te sempre às carreiras.
Recebi o Eurico e o Ruy, o Salgado e a Maria Martins.
Os primeiros vieram tratar do caso do Distrito. Estão envenenadíssimos contra o Segadas e não deixam de ter razão. O sujeito é das Arábias. (Soube depois que saíram e por mero acaso que é o intermediário do Seu Soares junto ao Cirilo.) Pedem-te que, no caso de

manteres o Segadas na presidência, não esqueças que o presidente tem dois votos em caso de empate. Lembro o nome do Rego Monteiro que é bem aceito pelo Salgado para qualquer composição. O Danton te contará os detalhes da reunião. Lembro-te que ele e o Napoleão se desgostam cordialmente.

Salgado está se portando muito bem com o ... PSD. Gostei da resposta que trouxe; é hábil e benfeita. Está, porém, muito apressado em se descartar do Adhemar, o que não convém ainda. Este mandou dizer pelo Vidigal que aceita prazerosamente o nome do Ovídio (*et pour cause*).

Maria informou-me que o <u>futuroso</u> candidato está quase noivo da filha da Zita (que por sinal é linda), daí o interesse demonstrado por Grão de Bico: ser sogro ainda é melhor do que genro. O idílio que havia arrefecido está novamente a 40°.

Os 10 nomes apresentados ao Regional e eleitos já como indicados por ti são: Lucia, Gentil Ribeiro, Paranhos, Maciel Filho, Carlos Maciel, Eurico, Rego Monteiro, Fadel, Dulcídio e Edson Passos. Já estão tomando parte nas reuniões para a eleição da Executiva. Quanto ao Nacional nada sei.

Tuas camisas mandarei por outro portador e serão nosso presente de aniversário. Não comprei porque hoje é domingo. Queres brancas ou de cá qué cô.

O Danton já chegou e está apressado.

Beija-te com todo o carinho tua filha **Alzira**

Getulio Vargas durante a campanha para as eleições presidenciais na Paraíba, vendo-se à sua esquerda Epitácio Pessoa Cavalcanti de Albuquerque e Batista Luzardo. Campina Grande, PB, 1950.

185 \ A · [Rio de Janeiro], 18 de abril

Meu querido pai

Esta carta é quase um pedido de socorro, um SOS de quem está fazendo acrobacias sem rede. Estou em pane, já não sei em quem acreditar, nem o que pensar. Vou historiar os fatos para que me orientes. Peço-te que me respondas com a possível brevidade, porque muita coisa depende disso. Historiando os fatos ficará mais fácil.

1º) Nos últimos dias de março, Salgado aí esteve em busca de uma resposta tua para o acordo com o PSD. Voltou dizendo a) que os nomes de tua predileção seriam Ernani, Ernesto e ele próprio, b) que para qualquer dos três ele poderia responder sem nova consulta a ti, b) que não pensassem mais no Nereu porque seria difícil fazê-lo aceitar pelo PTB, c) que o João Neves e o Oswaldo Aranha desaconselhavam por julgá-los incapazes de te serem fiéis, d) que dentre os nomes mineiros o que seria mais aceitável pelo PTB era o do Ovídio, por ser um homem de origem modesta, bancário antes de ser banqueiro etc. Tudo isso foi dito em conversas sucessivas e não de uma vez só ao Ernani, que sempre se muniu por precaução de testemunhas. Eu presenciei algumas destas afirmações.

2º) Diante disso, Ernani inicialmente trabalhou pelo Ernesto, tendo encontrado algumas dificuldades que estava removendo com cautela. Quando surgiu a hipótese Ovídio, levantada pelo Salgado, mais fácil em alguns aspectos que a candidatura Ernesto, mudou de rumo. Como quatro conjurados, Agamenon, Benê, Ernani e Salgado combinaram que o último te levaria o nome do Ovídio, sob o mais absoluto sigilo, que só seria quebrado se a tua resposta viesse afirmativa. Naturalmente, seriam informados também S. Excia. pelo Salgado às vésperas de sua viagem, e a vítima. Dutra com a discrição que o caracteriza contou a alguns e a coisa transpirou, porém, sem repercussão.

3º) Maciel, ao comunicar-me sua viagem, perguntou quem eu queria que fosse o candidato. Respondi-lhe que aquele que melhor te conviesse, não me importando quem fosse. Respondeu que era esse também o seu partido e que após longo exame chegara à conclusão que o nome ideal era o do Cirilo, por ser fraco, por ser nosso amigo e não provocar reação do Catete. No entanto, só poderia continuar a agir de acordo comigo ou sair do cartaz. Se o Catete notasse qualquer falta de unidade no bloco o serviço todo estaria perdido.

4º) Maciel chegou na sexta-feira 14 à noite e me telefonou pedindo para conversarmos. Despistei durante dois dias para aguardar a volta do Salgado. Danton chegou sábado e me contou que encontrara o Maciel, que tu o chamaras e lhe disseras que o Maciel te havia proposto o nome do Cirilo e que tu lhe havias respondido que desistisse, por ser um nome muito vulnerável.

5º) Salgado chegou no domingo e me procurou logo para entregar o bilhete do Danton. Estava um tanto misterioso. Contou suas conversas com Dutra e Canrobert, afirmou que há dois meses não via o Góes, o que não é verdade, disse cobras e lagartos do Adhemar, que apoiaria com prazer o nome do Ovídio por causa do Banco do Brasil, que não trazia nada positivo de tua parte porque esperavas primeiro o pronunciamento do Adhemar. À noite reafirmou ao Ernani e Benedito juntos o mesmo, mas que nada tinhas contra o nome do Ovídio, que o aceitarias depois de ouvido o Adhemar e ratificado pelo Partido.

6º) Chamei o Danton, dei-lhe teu recado para se avistar com o Newton e este me informou que recebera do Salgado a missão de sondar o Adhemar quanto ao nome do Ovídio.

7º) Ontem, segunda-feira 17, reuniram-se aqui em casa os quatro conjurados [palavra riscada ilegível] e mais o Cirilo para ouvir o relato do Salgado, que é o mesmo já citado com a exceção de não se ter focalizado o nome do Ovídio em consideração ao Cirilo. Retiraram-se todos muito satisfeitos e eufóricos, resolvidos a adiar para mais alguns dias a sessão do PSD.

8º) Às quatro da tarde recebo tua carta trazida pelo Major, na qual me dizes: a) que o Salgado falou apenas vagamente no nome do Ovídio, b) que é candidato, c) que nada opões em relação ao Nereu, d) que o Danton falaria com o Adhemar sobre o Salgado.

9º) Às cinco recebo o Maciel que me relata a palestra que teve contigo, que por eliminatória chegaste com ele à conclusão de que o candidato ideal é o Cirilo, que este está convencido que Ernani e eu somos os defensores do nome dele, que o Danton se havia rendido às suas razões, que o Salgado estava debaixo de seu controle e o Catete também. No entanto, mais uma vez perguntava o que era que eu queria. Nada faria contra mim, porque seria te oferecer uma "vitória amarga". Pediu que exigisse qualquer prova de sua sinceridade de propósitos e que examinasse com calma qual a melhor solução. Disse-lhe que precisava um pouco de tempo e que acreditava que o Salgado já estava fora de seu controle, porque fora ele próprio quem lembrara o nome do Ovídio. Prometeu chamá-lo à ordem e dizer-lhe que a não ser que todas as coisas fossem resolvidas de acordo entre nós três (ele, eu e Salgado) o abandonaria. Hoje de manhã, a um pretexto qualquer, Salgado telefonou-me o que há muito tempo não fazia.

Como bem podes imaginar, Ernani e eu estamos em pane, diante de tantas informações contraditórias, e já não sabemos se estamos servindo ou desservindo e em quem se pode confiar. Preciso que me respondas: 1º) se concordaste com o Maciel quanto ao nome do Cirilo; 2º) se disseste ao Danton que não havias concordado. Se nenhum dos dois mentiu, compreendo a manobra e, se ambos ou um avançou o sinal, preciso saber qual para salvar a manobra; 3º) se o Danton foi a São Paulo consultar o Adhemar pró-Ovídio ou pró-Salgado. Digo-te que pró-Ovídio já se pronunciou dependendo das compensações; 4º) se convém estourar o Salgado dentro do Partido já ou daqui a pouco; 5º) se o bode expiatório deve ser Nereu, Cirilo ou Ovídio. A reação do partido vai ser brutal a qualquer desses nomes. Já experimentei. – Quanto ao mais, deixa correr o barco que o negócio irá bem. – A primeira etapa está quase vencida. A UDN vai ser obrigada a lançar o Brigadeiro. O PSD sozinho não poderá mais voltar para os braços do Dutra, de modo que a segunda etapa está por entrar na bica. – Isto tem me custado dias de vida e noites de sono, mas vai. – A licença que pediste no Senado foi de dois meses. Se já se esgotou faz um ou dois dias. Ainda não pude verificar a data certa.

Góes mandou fazer um apelo para que não atacasses o Dutra, que está nas últimas, e disse ao Maciel que achava que o PSD por deferência deveria primeiro oferecer-te a presidência e depois tratar dos seus...

Amanhã estarei em pensamento contigo. Celina está ansiosa pelo <u>aniversário</u> do vovô.

Nós três enviamos-te com nosso abraço, nosso carinho e amizade, **Alzira**

1950

249 \ **G** · [Fazenda do Itu], 20 de abril

Rapariguinha

1950   Não pude esconder-me dia 19 e tive de falar.
Não é uma ameaça, nem uma resolução, mas um aviso. Esse PSD está uma bola. Não quer o meu nome, nem os dos amigos em quem confio, dentro do próprio PSD. Quer porém transformar-me em dromedário e leva a me jogar carga para que carregue às costas! E o sentimento do povo, não entra em conta?
Isto é um bilhete feito às pressas. Saudades a todos e beijos do teu pai
Getulio

Getulio Vargas durante a campanha para as eleições presidenciais, em Mato Grosso. Entre 9 de agosto e 30 setembro, 1950.

186 \ A · [Rio de Janeiro, de 20 a 21 de abril]

Meu querido pai

Ernani segue para aí amanhã e te contará pessoalmente os sobressaltos, angústias e vexames que temos vivido nestes últimos 15 dias. Fico estarrecida ao ver que estás entregue a uma turma de vendilhões traidores ou levianos e irresponsáveis que pensam que as coisas vão se passar como eles desejam e não exatamente ao contrário. Tenho raiva de não ser burra e primária para dizer como eles: o Dr. Getulio quer ser candidato e já está eleito e empossado. E chego a pensar que o Ernani e eu é que somos antigetulistas e eles é que são da família. — Quando em setembro de 48 te propus em Santos Reis a jogada com o PSD, te disse que bastava que concordasses e deixasses correr o marfim e que a parada era de quem tivesse paciência, tinha meditado bastante no que te propunha. Era o melhor caminho, quer fosses candidato, quer preferisses não ser. Nestes dois anos, com uma paciência de mandarim, temos feito e desfeito candidatos, animado e aguentado a óleo canforado os fracativos do PSD, obedecendo ao esquema. Primeira parte: destruir o acordo interpartidário, arrancar a UDN do governo e deixá-lo sem massa de manobra. Segunda parte: entregar-te o PSD em bandeja, com Dutra, sem Dutra ou contra Dutra.

1950

No dia justamente em que se consegue a maior vitória: a UDN enraivecida e sem fôlego é obrigada a lançar a candidatura do Brigadeiro, recebemos um croque na cabeça que a mim deixou quase fora de combate. Ontem, dia de teu aniversário, para não aparecer nas comemorações com cara de sétimo dia, tomei um pilequinho.

Às sete horas do dia 19, depois de uma breve caça e ainda entusiasmada com o bom êxito de minhas previsões, consigo me avistar com Danton. Ernani tinha o máximo interesse em vê-lo antes que ele falasse com qualquer pessoa que era para ir controlando a situação. À nossa pergunta, qual a resposta do Patrão, respondeu: — Ele mandou dizer em resumo que está farto, que o PSD não chateie mais, que não amole, que lance quem bem entender porque ele não quer mais saber de conversa e é candidato. Quem quiser vir com ele que venha, quem não quiser que vá para onde bem entender. A resposta mal-educada para não dizer brutal nos deixou em estado de choque, enquanto ele fazia digressões sobre o maravilhoso estado de espírito em que estavas etc. Ernani foi o primeiro a recuperar a palavra e perguntou: — É essa a resposta que você vai dar ao PSD? Danton retrucou: — Não, quem vai dar a resposta é o Salgado, e eu a trouxe escrita, foi ditada pelo Dr. Getulio a mim, mas os termos são esses, em outras palavras. Contou depois a carta que receberas do Oswaldo e o perigo que isto representava pois não terias coragem de recusar ao Brigadeiro a retirada de teu nome e do dele em benefício do Oswaldo. Que a carta era uma maravilha de bom-senso e clareza, de franqueza e lealdade, que tinha feito algo que o PSD jamais se havia lembrado de fazer, oferecer-se para trabalhar pela tua candidatura em primeiro lugar. — Ernani disse-lhe que não era verdade, pois, quando fora pela primeira vez a São Borja, perguntara se desejavas ser candidato, para que ele se orientasse de determinada maneira. Somente após a tua recusa havia trabalhado pelo acordo em torno de um pessedista, sem no entanto jamais fechar a possibilidade de vires a ser candidato. — Não sei se o *show* do Danton foi provocado por um desabafo de quem está fisicamente exausto ou se tentou assustar o

1950 Ernani, ou ainda se está sendo instrumento inconsciente de quem tem interesse em que o acordo não se faça. – Ainda se ele ficasse calado... Já mostrou a várias pessoas no Jockey a carta que mandaste para o Salgado, afirmando que foi ele próprio quem redigiu. Tu apenas a assinaste. – Por outro lado a executiva do Distrito, que ontem foi eleita em teu nome, é 90% do Salgado. Dos 19 membros, somente cinco podem ser realmente getulistas, e isto se não forem trabalhados ou embrulhados. Dos meus amigos e do Luthero, aqueles, por quem me responsabilizo de sua sinceridade, nem um só foi contemplado, nem mesmo aqueles como o Soares Sampaio, que já faziam parte do diretório. Não te escrevi sobre os nomes porque pensei que o Danton fosse melhor conhecedor; me havia prometido 50% para cada lado. – O Carlos Maciel acaba de me comunicar que vai pedir demissão do Partido, e tive de lhe dar razão. Depois de passar três anos lutando com um grupo reduzido contra a camarilha, ser entregue pelo Chefe a essa camarilha é duro de roer. Ele sabe que não és responsável direto por isso e não deixará de me acompanhar e ajudar, mas sou forçada a reconhecer que é preferível pedir demissão do que passar pelo vexame de ser expulso pelo Segadas. E antes que me expulsem também por antigetulista, vou tomar umas férias de PTB. Já não entendo mais o que pretendes fazer.

---

21 de abril • Foi bom o Ernani não ter seguido hoje porque deu tempo de refrescar o coco e saber mais coisas. – Consegui bater um papo com o Danton a sós e fiz-lhe um apelo para que moderasse seus entusiasmos. Não assustasse, nem atropelasse ninguém. A UDN está furiosa porque foi obrigada a engolir a candidatura do Brigadeiro e está tentando novas composições, em torno dos nomes do Nereu (através da bancada do Rio Grande), do Oswaldo ou algum outro que lhe dê direito ao aconchego governamental.

    Não tive mais tempo para continuar. O Ernani te relatará o resto – a conversa com o Góes na presença do João Alberto e do Oswaldo, as travessuras deste, o encontro Adhemar-Benê, o pânico causado pela notícia da ida do Ernani e o entusiasmo alucinante do povo. No ponto em que estão as coisas dificilmente te livrarás do abacaxi de ser candidato. Seria quase considerada traição ao povo tua recusa. É preciso apenas agir com calma para que a coisa marche com segurança e não se transforme em aventura inglória. – São tantos os abraços que recebi para te transmitir que já não tenho onde guardá-los. – Manda-me pelo Ernani uma camisa que esteja boa para fazer as outras bem certas. – Vão umas roupas velhas da Celina para dividires entre Auristalina e D. Felícia.
    Aqui fico entregue aos dromedários e com inveja do Ernani.
    Beija-te com todo o carinho
    tua filha **Alzira**

250 \ G · [Fazenda do Itu], 22 de abril

Rapariguinha

Recebi tua carta de 18 muito perturbada pelas notícias contraditórias e confusas que te levam diferentes emissários. Assim, em tese, quem tem falado a verdade é o Danton, nas notícias que te transmitiu. Na penúltima viagem do Salgado eu citei entre os nomes que me inspiravam confiança o Ernesto, o Ernani e o dele. Quando ele veio pela última vez disse-me o que já te narrei na carta levada pelo Major. Disse mais que o nome do Ernesto tinha sido impugnado pelo Fausto, como representante do PSD do Rio Grande. Falou no Ovídio. Respondi que precisava ouvir o Adhemar. Regressando ao Rio ele devia chamar o Danton, despachá-lo para ouvir o Adhemar e vir trazer-me a resposta. Assim se fez. Essa resposta podes ouvir do próprio Danton. O que tenho dito em resumo e de modo invariável é a impossibilidade dum compromisso pessoal sobre nomes, uma vez que depende de aprovação da convenção do PTB. Sobre o Nereu eu disse, apenas em carta a ti, que ele me parecia o melhor entre os diferentes nomes que o PSD tinha me submetido. Mas entre esses nomes não vieram os da minha preferência. Agora as cousas estão mais difíceis. O Danton levou, porém, algumas normas ditadas por mim, colocando a questão nos termos que me parecem mais razoáveis.

Estava com essas linhas escritas quando chegou o Ernani, trazendo tua última carta.

Reitero o que já havia escrito. Não mandei carta ao Salgado. Ditei ao Danton algumas normas a examinar e disse-lhe que entregasse ao Salgado. Foi essa a minha resposta. O que o Danton disse é o pensamento dele. É o que ele disse também a mim.

Agora confesso-te que já não estou te entendendo bem. Falas em entregar o PSD numa bandeja. Realmente essa bandeja tem vindo, mas sempre com nomes do PSD para eu escolher. Não há outra alternativa. Agora que queres, que escolha um nome da bandeja? Posso escolhê-lo e submeter à Convenção do PTB. Aceito por esta, posso dar quitação e ficar quieto no meu canto. E bem satisfeito por uma solução que me restitui a tranquilidade e me liberta de compromissos políticos. Confere? Estou com 15 hóspedes em casa, com uma correspondência a ler, examinar e responder, além das palestras pessoais. Confesso-te que às vezes nem tenho tempo para pensar.

Quando Ernani voltar talvez [esteja] em melhores condições para responder.

Saudades a todos e um beijo do teu pai **Getulio**

1950

187 \ A ▪ [Rio de Janeiro], 23 de abril

Meu querido pai

1950   São cinco horas da manhã e te escrevo à luz de uma vela, como nos tempos históricos, pois a luz do apartamento queimou e com a ausência do Seu Peixoto, que se diz eletricista, estamos às escuras. Aproveitando a ida de um dos emissários do Carlos Maciel, mando-te estas linhas.

Gostei muito de teu discurso, da entrevista do Wainer e da carta que o Salgado não mostrou, mas Danton divulgou. Em contraste com o que me havia anunciado o fogoso embaixador do Adhemar, impressionou pela serenidade e justeza de todos os conceitos. Pelo amor de Deus, não me dá mais sustos desses que eu sofro do coração. — Ontem à meia-noite telefonou-me qual nova encarnação do amigo da onça, para que impedisse a viagem do Ernani a todo preço, porque estava sendo muito mal interpretada etc. e tal. Essa é a nova tática, pôr em dúvida a atitude futura do Ernani. Já mandei vários plantar batatas.

De ontem para hoje surgiu um novo coordenador, o General P. Góes. João Neves telefonou-me avisando que havia sido convocado. Se tivesse algo de interessante me diria depois. Como nada disse, suponho que tenha sido lero-lero.

Mando-te o livro do Almir com a parte assinalada a lápis para leres. Ficou encantado com as referências que lhe fizeste em uma entrevista.

A velinha está acabando.
Beija-te com todo o carinho
tua filha **Alzira**

*Getulio Vargas durante a campanha
para as eleições presidenciais em Mato Grosso.
Entre 9 de agosto e 30 setembro, 1950.*

251 \ **G** · [Fazenda do Itu], 23 de abril

Rapariguinha

Em continuação da carta que escrevi ontem vai esta para dizer-te, quanto à composição da executiva do Distrito, foi feita pelo Danton, que me apresentou como conciliação entre os dois grupos. Não fiz modificações porque não me ocorreram, no momento. Além disso eu te pedira a indicação dalguns nomes e não me mandaste. Tenho pena que o Maciel não faça parte da executiva, por esquecimento meu que indiquei-o para fazer parte do diretório. Mas se isso é motivo para renúncia, paciência. Então é que o empenho pelas posições é maior que o empenho de servir.
Junto vai a camisa para modelo ou antes para sinuelo. Apesar de mal lavada e malpassada é ainda nova.
Manda-me também, quando houver portador, sementes de verduras – repolhos, couves, alfaces, cenouras, tomates, couve-flor, beterrabas etc. As sementes que plantei falharam. Certamente eram velhas como eu.
Recebi as cartas da tua mãe e da Jandyra, mas não tive ainda tempo de respondê-las.
Diga a D. Celina que gostei muito da cartinha dela, que nada tinha com o presente, mas gostei do presente também, porque estava precisando. Pergunta-lhe se foi ela que marcou os lenços.
Até agora ainda nada pude combinar com o Ernani, por falta de tempo.
Saudades e beijos do teu pai **Getulio**

Junto vai um cartão para fazer entrega ao Sr. Soares.

1950

252 \ G · [Fazenda do Itu], 23 de abril

Rapariguinha

1950   Recebi tua carta de hoje, trazida pelo Carlos Maciel, desta [sic] já tranquila porque se encarregaram de mostrar que tudo era muito diferente do que te haviam informado. A nota que ditei ao Danton foi vazada em termos cordiais e sensatos, como reconheceste. A vinda do Ernani foi muito útil. Aproveito o portador para enviar-te alguns documentos para o arquivo. Entre eles uma cópia incompleta dos papéis enviados há tempos pelo Jobim, por intermédio do Protasio. Encontrei-os numa gaveta. São reservados e não pretendo fazer uso deles.

Saudades a todos e um beijo do teu pai **Getulio**

Campanha de Getulio Vargas para as eleições presidenciais no estado da Paraíba.
Entre 9 de agosto e 30 setembro, 1950.

188 \ A • [Rio de Janeiro], 24 de abril

Meu querido pai

Recebi a carta trazida pelo Ernani e estou esperando a outra anunciada pelo Major. Fiquei com pena de ti quando soube da sinuca em que andas metido por aí com a casa cheia de penetras e sem ninguém para te ajudar. Fico com vontade de ir para aí e ao mesmo tempo sinto que precisas de mim aqui. Sou o único controle autorizado contra as maluquices de certos "progenitores" da tua candidatura. Todo mundo quer fazer farol nas tuas costas, sendo getulistas 100%, e não se preocupam, nem com a tua segurança pessoal, nem com o bom ou mau êxito das aventuras em que se lançam. Berram por aí que tua eleição é um passeio na pista, ganhas com o pé nas costas, mas não saem da avenida e ninguém vai fazer força no interior do país, quando a hora chegar. Pelo menos não atrapalhem quem está trabalhando. O sentimento de devoção popular a ti é algo comovente e impressionante, quase assustador pelo compromisso que isso representa para quem o conquistou. Confesso [que] tenho pena de ti, desde já, quando fores posto frente a frente com esta multidão que hoje em dia crê em ti, como em N. Sra. das Graças. Só que ela não é de carne e osso, não leva empurrão, nem sofre com os sofrimentos dos outros. E, apesar de tudo vejo entre apreensiva e orgulhosa que não poderás te furtar a correr este páreo.

1950

No entanto, não é possível continuares aí sem unidade de comando e sem estado-maior para fazer tua política. É incrível o número de borra-botas que dizendo-se autorizados por ti fazem convites, dão entrevistas e prestam declarações. Mais de 10 indivíduos de cores e tendências opostas já foram convidados para teus companheiros de chapa. Imagina se todos esses fregueses aceitam!

Ninguém ganha eleição com palmas e comícios e declarações de amor. É preciso organização, trabalho e dinheiro. Este último é o que menos me preocupa, porque, se as coisas marcharem, como espero, ele virá quase que espontaneamente. Falta-nos o resto, que só poderemos obter através de alianças nos estados com os partidos que já estejam organizados. Nas grandes capitais o voto é realmente livre, mas no interior a história é outra. Se os governos municipais, estaduais e federal e mais a justiça eleitoral estiverem contra nós, o eleitor nem enxergará a cédula de Getulio Vargas. Dizem, poderás ganhar assim mesmo. É exato. Porém qualquer candidato outro poderá ter qualquer vitória; a tua só poderá ser espetacular ou equivaler a uma derrota.

As notícias trazidas pelo Ernani até certo ponto me tranquilizaram quanto a teu estado de espírito, porém fiquei assustada com a pressão que continuas sofrendo de toda essa turma.

Na passagem por Porto Alegre, Ernani foi raptado pelo PSD para conversar com o Jobim. Encontrou-o muito irritado com o Adroaldo e furioso com o Dutra, a quem culpa de todo o fracasso de seu governo. Afirma que em hipótese alguma o Rio Grande irá para um candidato militar ou saído do bolso do Catete. Disse saber que o Grão de Bico estava prendendo o empréstimo para obrigá-lo a uma decisão, porém estava disposto a dizer em um manifesto que as obras de seu governo não haviam sido feitas porque S. Excia. não permitira que fizesse o empréstimo externo nem autorizara o do Banco do Brasil. – Suas inclinações

1950 naturais eram pelo Nereu. Ernani disse-lhe que não havias vetado o nome do Nereu e havias oportunamente lembrado o de dois gaúchos: Neves e Ernesto. No entanto, o PSD é que não se havia entendido, devido à pressão do Catete. Jobim está valente e declarou que já era tempo do partido se libertar disso.

―――――――――

Ernani esteve hoje com o Neves e sugeriu que fosse para o Rio Grande para restabelecer as relações do Jobim contigo. Ernani é de opinião que deves ter pelo menos o Rio Grande unido atrás de ti antes de qualquer outro passo. Lembrou ainda levantar o nome do Ernesto, que terá a natural oposição do Catete e obrigará o governo do Rio Grande a se unir a ti para a resistência. Neves concordou em gênero e número e prometeu agir, no sentido de comprometer o Jobim contigo através da fórmula Ernesto.

―――――――――

Recebi agora as cartas trazidas pelo Major e pelo Carlos e a correspondência. Quando te digo o PSD em bandeja, é isso mesmo. Este jogo de candidatos, ora um, ora outro tem desgostado um a um todos os elementos. De modo que o medo do Dutra diminui com o tempo e o interesse por ti aumenta. Com esses avanços e recuos <u>pretendo</u> que dentro em pouco tenhas o PSD inerme e à tua disposição para o que der e vier. Serve?

Foi para saber qual era a orientação que o Ernani esteve aí. Destroçar o PSD hoje em dia é facílimo, basta entregá-lo à própria sorte. Se o temos mantido até agora com óleo canforado é para dar tempo da UDN se consolidar e para que eles se convençam de vez que só há um caminho. Depois serás o juiz de tua própria decisão. Nossa parte estará cumprida. Meu único prazer será, como já te disse, ver um por um te devolver o que tentaram tirar.

Celina ficou encantada com o reaparecimento da Flauta.

Esta vai por intermédio do Calafanges, que se ofereceu. Vão algumas sementes e este recorte para que vejas se tenho razão de ficar maluca de vez em quando.

Beija-te com todo o carinho

tua filha abelhuda **Alzira**

―――

253 \ **G ·** [Fazenda do Itu], 24 de abril

Rapariguinha

É portador desta o Seu Manhães que, juntamente com a Sra., passou alguns dias aqui. Ele, a Sra. e Ivete usaram tua indumentária e a do Ernani mas prestaram bons serviços.

Assim que receberes esta, peço-te que entregues ao Sr. Soares o cartão junto.

Agradece por mim à embaixatriz Maria Martins a caixa de uísque que me enviou. Foi um presente muito apreciado.

Saudades a todos e um beijo do teu pai **Getulio**

1950

254 \ **G ·** [Fazenda do Itu, entre 24 e 29 de abril]

Rapariguinha

O Carlos Maciel informou-me do golpe contra o Cirilo para colocar o Valadares. Não será cedo para fazer isso já? Não seria preferível ainda contemporizar um pouco enquanto as cousas marcham e o Góes coordena? É uma ponderação apenas. Vocês aí devem estar mais ao corrente.

Um abraço **Getulio**

E as minhas camisas?

Campanha de Getulio Vargas para as eleições presidenciais na Paraíba. Entre 9 de agosto e 30 setembro, 1950.

189 \ A · [Rio de Janeiro], 26 de abril

Meu querido pai

1950   Esta irá provavelmente pelo Danton, se não surgir outro portador antes. Nossas dissensões são apenas quanto à maneira de proceder e não quanto à essência. Ele quer levar tudo de roldão e eu sou partidária de uma espera cautelosa. Somos os únicos que não temos pressa; nosso candidato não precisa praticamente de propaganda, pode ser registrado até na véspera sem prejuízo. Não possuímos, porém, veículo eleitoral em grande número de estados e precisamos ou de tempo para organizar ou animar acordos que nos deem o que não temos. A desagregação dos partidos indecisos e fracos nas atitudes que tomam, a confusão política reinante é o nosso clima. Deixemo-lo prosperar mais um pouco, maior será o número de desiludidos da <u>democracia atual</u> e mais fácil o caminho.

Ernani esteve ontem com o Góes. Estava muito nervoso porque os jornais haviam noticiado que tu mandaras por seu intermédio três nomes, Ernesto, Neves, Nereu. Ernani desmentiu declarando o que já dissera à imprensa. Fora aí apenas em busca de orientação pessoal, não levara propostas, portanto não podia trazer respostas. Dissera propositalmente a alguns amigos que a culpa de não ter havido até agora entendimentos contigo era do PSD, porque sabia que em ocasiões diversas te havias manifestado favoravelmente a estes nomes, entre outros. O PSD é que se havia revelado incapaz de se unir em torno de qualquer deles, destruindo os próprios companheiros. Góes sugeriu então uma fórmula para a escolha do candidato pessedista. Cada representante do conselho votaria em um nome qualquer de acordo com o número de votos que cabe a cada um (o número de deputados por estado). O que atingisse 2/3 seria o candidato, e se nenhum atingisse aqueles que tivessem 1/3 da votação seriam levados à escolha do Dutra. Ernani recusou alegando que bastava a união de São Paulo e Minas com um pequeno estado para obterem os 2/3 exigidos e escolherem um candidato que não satisfizesse aos outros. Góes confessou que sua fórmula havia sido recusada também por Agamenon, Benedito, Barata e outros. Disse que Dutra estava realmente desinteressado do problema sucessório e que se havia recusado a demitir os ministros da UDN, após o lançamento do Brigadeiro. Chegara a dizer que era possível que "outros saíssem antes deles". Isto poderia ser uma ameaça velada ao PSD se este ainda tivesse algum cargo no governo. O único ministro pessedista no momento é o Honório Monteiro, da corrente Novelli.

Alguns elementos da UDN têm declarado que o lançamento do Brigadeiro foi apenas um meio de galvanizar o partido para negociar depois provavelmente com o Dutra. Daí, para poupar o candidato, não ter este feito nenhuma declaração bem assim como os principais próceres. Os únicos que já se pronunciaram publicamente foram Oswaldo e Zé. Também não deram início à propaganda, sob a alegação de que isto só deverá entrar nas cogitações depois do lançamento oficial em maio.

Ontem houve um *cocktail* em casa do tio Florêncio. Estavam lá quase todos os candidatos: Nereu, Ovídio, Neves, Ernesto, todos num bom humor notável. Foi o meu divertimento. Ernesto agrediu logo o Ernani: "Então você deixa o Ovídio ser candidato 48 horas e a mim nem 24?" Ovídio o procurou – "tem paciência, mas hoje o candidato de serviço sou eu, você está de folga". Eu me opus declarando que quem estava de dia era o Ernesto e Ovídio se conformou. Nereu e Neves entraram no brinquedo com o mesmo espírito. Ernesto disse que, já que estava de serviço, ia dar a tal entrevista. "Deixa de ser assanhado, respondi, cala o bico que ainda preciso de ti, depois podes dizer as bobagens que quiseres."

O Danton levará as notícias mais recentes. O PSD entrou em greve branca com o novo coordenador. Ninguém fala, nem age. Estamos em ponto morto. Junto vai uma foto para dedicares a Pablo Palitos. É um artista, *fan* teu e do Perón. Quer ir te ver e faz propaganda em todos os seus *shows*.

Beija-te com todo o carinho

tua filha **Alzira**

1950

Getulio em campanha para as eleições presidenciais no Rio Grande do Sul, tendo Ernesto Dornelles ao lado. Entre 9 de agosto e 30 de setembro, 1950.

190 \ A · [Rio de Janeiro], 27 de abril

Meu querido pai

1950 Reitero o que te mandei dizer pelo Danton: não te precipites, o negócio está indo melhor que a encomenda.

Acaba de sair daqui o João Alberto (!!). Disse ao Ernani: só há dois candidatos possíveis – Brigadeiro e Getulio. Entre os dois, Dutra cruza os braços e o páreo fica limpo. Góes declara que nessa contingência lutará a teu lado contra o Brigadeiro, de quem diz horrores. Eduardo diz que, se o candidato for o Góes, ele irá para a revolução. O PSD continuará ainda alguns dias na resistência, levantando e queimando nomes impossíveis de serem aceitos pelo Catete. Quanto mais tarde for o lançamento de tua candidatura, mais fácil e menos dispendiosa será a campanha.

Tudo está se desagregando em torno do governo, até o Vitorino já está interessado em vir para o lado de cá. Precisamos apenas agora dar tempo da UDN e Dutra brigarem. João Alberto disse que é possível que venha a ser chefe de polícia e Góes ministro da Justiça, e se encarregarão de criar o caso. Que tal um 29 de Outubro às avessas?

Ernani, Agamenon, Luzardo e Neves estão perfeitamente entrosados e já enquadraram o Benê.

Mando-te esse papel que o Landulfo me entregou hoje para que opines a respeito. É uma união de todas as correntes (inclusive o Mangaba) contra a candidatura Juracy. Serão signatários a ala dissidentes da UDN, o PSD, o PRP e o PTB. O candidato provável do grupo será o Landulfo, que está pronto a abrir mão para negociações futuras. Achei a fórmula boa, porém aconselhei-o a esperar tua resposta. Disse-me ele que urge qualquer providência para se contrapor às audácias do Juracy, que diz temer apenas esta hipótese. Se puderes responde logo.

O governo está entregando os pontos devagarinho. É melhor não acuá-lo e reduzi-lo à impotência por falta de combatentes.

Ernani manda te dizer que a hipótese que levantou em dezembro, quando esteve aí, está prestes a se verificar. Recuperação de todo o teu estado-maior para o que der e vier.

Um beijo carinhoso de tua filha **Alzira**

191 \ A · [Rio de Janeiro], 28 de abril

Meu querido pai

Tenho te escrito tanto e tão açodadamente nestes últimos dias que às vezes fico com medo de não ser suficientemente clara e de entrar em contradição comigo mesma.

Há um ponto, porém, em que faço questão de frisar sempre. Não te apresses, nem deixes que os mais entusiastas tomem o freio nos dentes. O tempo está a nosso favor.

1950

Ontem o Góes almoçou em casa do Edmundo Macedo Soares, aqui no Rio, em companhia do Zé Eduardo e outros bons elementos da UDN. Não se sabe ainda exatamente o que se passou, porém Ernani crê, em vista de certos antecedentes, que seja a velha manobra do Góes para fazer o Eduardo abrir mão da candidatura dele. Como o Prado Kelly é um dos poucos sustentáculos dessa candidatura na UDN, para que ele se deixe levar no canto da sereia, o almoço seria para proporcionar-lhe compensações no Estado do Rio de tal monta que valessem o abandono do Eduardo. Este não quer saber de histórias, é candidato no duro. Foi cantado durante duas horas pelo Oswaldo para ir conversar com o Dutra e respondeu que lá só iria a chamado e compareceria fardado.

A manobra do Góes está começando a ficar clara demais. O eterno trio Góes – Oswaldo – João Alberto está agora em franca atividade, todos eles favoráveis ao lançamento imediato de tua candidatura. Fabricam depois um simulacro de reação, exibem provas de que o Adhemar está comprando armamentos e conspirando, como já começaram a espalhar, e depois invocam teu patriotismo, embrulham o Eduardo e mais o Cristo que querem lançar pelo PSD, *malgré tout*, e surge o Sr. *Tertius*, que deve ser um deles. Para isso eles precisam forçar logo a primeira fase para entrar na segunda.

O embrulho que vai junto é para a tia Alda. Tuas camisas ainda não estão prontas.

Muito carinho e um beijo

de tua filha **Alzira**

192 \ A · [Rio de Janeiro], 28 de abril

Meu querido pai

1950 Em continuação à que te escrevi há meia hora: esteve aqui o Ruy de Almeida, confirmando quase tudo o que te contei em relação ao Góes. Pede que te diga que tem acompanhado sempre o Caio e o Guttenfrend nas visitas que estes lhe fazem para controlar. Que o homem não ficou nada aborrecido com a proposta que lhe fizeram, mas sua impressão é de que aspira um pouquinho mais.

Estou de acordo com ele e parece-me que a mexida toda é para ver se sai o Oswaldo ou ele próprio.

Junto vai um jornal com suas atividades entre os sargentos e mais o *Sei Tudo* do mês.

Recebi neste momento o bilhete, trazido pelo Manhães. Abri o cartão do Seu Soares para ver se havia tempo para alguma coisa. Mas o homem já havia ido. De modo que as ordens estão cumpridas.

Vai haver nova mexida no caso do diretório do Distrito. Está todo mundo atravessado com o Danton, a quem acusam de haver traído todos os grupos, sem maiores vantagens para os getulistas. Desta vez não vou me meter, para não perder de novo.

Soube que os gafanhotos bateram nas minhas fardas. Vou cobrar o aluguel. Preciso que me mandes os nomes que indicaste para o Diretório Central. O trabalho vai começar e o Salgado já está se mexendo, inclusive já convidou o Lourival para o lugar do velho Landulfo, sem ter falado antes com ele.

O Fiori já chegou.

Um beijo carinhoso da **Alzira**

---

255 \ G · [Fazenda do Itu], 29 de abril

Rapariguinha

Recebi tuas cartas de 27 e 28. Parece que está começando a virada. O Carlos Maciel deu-me um recado do Ernani e vai junto um cartão para ele.

Não sei se será conveniente usar, ante a proposta do Landulfo. Deixo pois a critério dele usá-lo ou não. Sobre a resposta ao Landulfo, o Major Newton vai encarregado de transmiti-la.

Sobre os 10 nomes para o Diretório Nacional é bom enviar algumas sugestões. Já organizei aqui uma lista, de acordo com o Salgado, que a levou. Não me recordo bem dos nomes, pois não guardei cópia.

Saudades a todos e beijos do teu pai **Getulio**

O Maneco leu cartas e pensa que estás muito otimista e que João Alberto é Góes e Oswaldo, isto é, cabeça de ponte destes junto a vocês.

193 \ A · [Rio de Janeiro], 4 de maio

Meu querido pai

A carta que te prometi será a palavra do Jango, que viu e ouviu tudo. O tempo hoje é escasso. Ele te dirá o efeito perigoso das entrevistas do Danton, a conversa do Ernani com o Dutra, o ambiente do PSD e as perspectivas da UDN. Os casos do Distrito e do Estado do Rio também ele está ao par. Estou agora mais tranquila porque sei que as conversas do meu efervescente amigo não te abalaram.

Há um cheiro de chamusco no ar e as profecias do Professor estão ameaçando começar. Vão as camisas, que são presente nosso. É muito feio reclamar presentes.

Um beijo afetuoso da **Alzira**

Aspecto da multidão na rua durante a campanha presidencial de Getulio no Rio Grande do Sul. Entre 9 de agosto e 30 de setembro de 1950.

256 \ **G** · [Fazenda do Itu], 5 de maio

Rapariguinha

1950 Junto envio-te as notinhas assinadas que recebi com o teu cartão.
Dize ao Sr. Soares que recebi seu relatório e aguardo a prometida visita.
Leste esse relatório, que achas dele? Li-o em boa-fé. Não tenho prevenção. Desejo saber o que pensas.
Estou hoje com nove hóspedes para aguentar.
Tem vindo muito portador daí, mas ainda não vieram minhas encomendas.
O Noé, que está me fazendo mate enquanto escrevo esta, pede lembrar ao Ernani umas botas usadas que ele ficou de enviar-lhe. Se não vierem essas, ele terá de comprar umas novas, porque está precisando, mas prefere não ter de comprar.
Saudades a todos e um beijo do teu pai **Getulio**

Getulio, em campanha para as eleições presidenciais no Rio Grande do Sul, tem à sua esquerda Ernesto Dornelles e Batista Luzardo (discursando). Entre 9 de agosto e 30 de setembro, 1950.

194 \ A · [Rio de Janeiro], 6 de maio

Meu querido pai

Parece que desta vez sai a carta para seguir amanhã pelo Neves.

1950

Segundo meu estrategista, Cel. Gashypo, há uma zona de decisão que não se deve perder. Não atacar antes, nem depois. O diabo é descobrir onde a dita começa e onde acaba. Nestes 15 dias alguns fatos novos a acontecer deverão determinar nosso compasso: esperar ainda, trotar ou tomar o freio nos dentes. Em ordem cronológica, o 1º acontecimento será a reunião do PSD gaúcho de hoje. Conforme o resultado saberemos a quantas andamos. Consta por aqui que haverá rompimento com o Catete. Como não sou otimista, espero no máximo um arranca-toco com cisão, o que já não será mau.

O 2º é a convenção da UDN marcada para o dia 12. O Brigadeiro será lançado porque já não poderão recuar. No entanto, alardeiam alguns próceres malcontentes que haverá ainda possibilidade de desistência do candidato em favor de uma solução mais alta. Tomariam então eles a iniciativa de propor aos partidos, inclusive PSP e PTB, a união de todos os partidos em torno não mais de um *Tertius*, porém de um *Quartus* no setor nacional, reservados os acordos e combinações estaduais para outros entendimentos. Não me parece que o Góes esteja alheio a isto, considerando a euforia e otimismo que atualmente alardeia.

Somente nessa hipótese, creio eu, o Brigadeiro desistiria, pois está francamente encarnado e seus mais chegados alimentam-lhe as esperanças de uma estrondosa vitória, desde que sejas mantido fora do páreo, ou que o acordo PSD-PTB não se conclua.

Pela conversa do Dutra com o Ernani, que te mandei relatar pelo Jango, parece que aquele espera também uma cisão na UDN para voltar à fórmula mineira. Depois da conversa, Ernani soube que S. Excia. esperava que ele pedisse socorro no Estado do Rio, para entrar então na conversa que o interessava. O homem parece que tem uma inibição qualquer e não tomava a iniciativa nas conversas. Queixou-se ao Acúrcio que o Ernani não lhe havia dado oportunidade de entrar no assunto. Ele, para dizer qualquer coisa, havia contado que Ivo de Aquino lembrara o nome do Lodi e Ernani se fechara em copas, dizendo que era necessário que o candidato tivesse *"appeal"* popular. Como vingança, que não lhe passou desapercebida, Ernani voltara com o nome do Ernesto. E isso, que S. Excia. passara 24 horas mandando recados.

Não convém perder de vista que a situação na Europa está outra vez ameaçadora e que qualquer coisa poderá ser aproveitada pelo Sr. Cohen Monteiro,[1] que já diz em segredo que possui provas arrasadoras da conspiração do Adhemar e das manobras comunistas.

A posição do Adhemar continua uma incógnita, apesar dos veementes protestos do Danton, que afirma e reafirma que seu homem está superfirme. Não sei se ele está sendo tapeado ou se está procurando tapear. A realidade é que Adhemar, a pretexto de estar sendo hostilizado pelo PTB, está em entendimentos positivos com o Benedito em torno de um mineiro, Bias ou Ovídio, dizendo que os compromissos que tem contigo são de apoiar um candidato comum e mais nada. Ontem Benedito suplicou ao Ernani que telefonasse para o Adhemar porque este manifestara o desejo de uma conversa com ele e com Agamenon.

---

1. Alusão à participação de Góes Monteiro no Plano Cohen, que servira de justificativa para a instauração do Estado Novo.

1950   Luzardo contou ao Ernani que estava "cantando" o Geraldo Rocha para vir com seu jornal para o lado de cá. Este topara e já fizera dois artigos preparatórios. Ontem, porém, fora a São Paulo e voltara dizendo o que ouvira do Adhemar. – Seus entendimentos com Getulio eram para apoiar um candidato comum e nunca Getulio pessoalmente, pois considerava uma aventura perigosa na qual ele não arriscaria São Paulo. – Danton no entanto continua afirmando que tudo isto são manobras combinadas com ele. Meu estrategista se propôs ir botar o termômetro no gostosão. Como ele é muito positivo e arranca as coisas militarmente, concordei, desde que ele o fizesse sem magoar o Danton. Esquecia, Adhemar disse ao Geraldo que Danton era um alucinado e que já não sabia como se ver livre dele. Agamenon, cujo informante Ernani supõe ser o Olavo de Oliveira, e agora o José Lionel também repetiram a tese do Adhemar: com Getulio e não para Getulio. Este último me disse ser esta a ordem preferencial do Adhemar: Estillac, Salgado, Getulio.

Houve um ligeiro bafafá em São Paulo na comissão de reestruturação. Mando-te o relatório do Frota, sem comentários, pois ainda não ouvi o outro lado. Acredito que a solução não seja má. Aguardemos.

Quanto ao caso do Distrito, está na mesma paz armada por enquanto.

Estou esperando a lista do Diretório Nacional que me prometeram para te mandar as sugestões. Lembro desde já o nome do Edson Cavalcanti, que é Presidente de Honra do PTB no Espírito Santo e mora aqui, o Lourival, o Horta ou Lionel.

Danton queixou-se muito do Jango, dizendo que o Wainer recusara publicar tudo o que este lhe dissera. Salzano teria afirmado que Jango estava demasiado ligado ao Caio por interesses financeiros para ver com bons olhos a aliança com Adhemar. Parece que esta campanha vai ser de "vale-tudo" de modo que achei bom prevenir ao Maneco para que este, com jeito para não criar caso, nem maiores animosidades, converse com o Jango. As camisas ficaram boas?
Um beijo de tua filha **Alzira**

---

257 \ G · [Fazenda do Itu], 8 de maio

Rapariguinha

Recebi tua carta de 4 do corrente. Já não sei quem trouxe, porque três aviões despejaram 10 visitas.

1950

É bom estar longe dessa confusão política, mas apesar disso sofro os seus reflexos.

O Danton está aqui. Disse-me que só deu uma entrevista e que o resto não corre por conta dele, mas prometeu moderar-se.

Quanto às camisas, agradeço o presente que ainda não recebi, mas, como tinha encomendado, reclamei porque estou precisando.

Saudades a todos e um beijo do teu pai **Getulio**

Junto vai um pouco de correspondência arquivável.

Getulio, em carro aberto, durante a campanha para as eleições presidenciais no Rio Grande do Sul. Entre 9 de agosto e 30 de setembro de 1950.

195 \ A · [Rio de Janeiro], 10 de maio

Rapazinho!

Que é que há comigo ou contigo? Será que rasgaram meu cartaz ou não te dão mais tempo? Quem está em dívida agora és tu. Eu estou quite. Mandei-te <u>diversas</u> cartas, várias consultas e duas fotografias para dedicar, autografar e remeter: uma para o cômico Palitos, teu *fan*, e outra para um desgraçadinho de Paraíba do Sul (RJ) com nome estrambólico. Só chegaram aqui as notinhas.

    Vão as botas para o Noé. Comprei novo lote de charutos. Como vai o *stock*? Precisa reforço ou não?

———

    Li o relatório do Seu Soares que até certo ponto corresponde à realidade. Ele e o Danton têm vários pontos de semelhança, embora trabalhem por métodos diferentes. Acredito que ambos sejam <u>teus</u> amigos dedicados e te sirvam com lealdade. É necessário apenas desprezar os exageros e controlar os excessos. A única diferença entre ambos é que o Danton estava presente quando Deus criou o mundo e o Maciel foi quem aconselhou o Padre Eterno a fazê-lo em sete dias. – Conheço teu temperamento e sei que, embora às vezes te deixes levar nesta ou naquela direção, mesmo sem concordar plenamente, o teu <u>dono</u> se esqueceu de nascer, mas os dois não sabem. Às vezes eu me assusto, mas depois recupero o fôlego, e como segunda consciência não posso falhar.

———

    O grupo governista está desorientado. Há uma ala que propugna o apoio do Brigadeiro como único meio de te combater (Antônio João e Lyra); – outra que se inclina por ti para combater a UDN (Benê, Góes). *Las intenciones*, porém, ainda não estão claras; – ontem, Ernani foi convocado pelo Benê, juntamente com o Chinês. Este, combinado com Ernani, não compareceu. Assim que Ernani chegou Benê chamou Lyra e Georgino e os três fizeram um *show*. Georgino dramaticamente declarou: o Bê não quer confessar mas ele está autorizado pelo presidente a coordenar um mineiro. S. Excia. sabe que você e o Agamenon podem resolver e ele está disposto a dar a vocês o que vocês quiserem. O Novais será demitido e o Agamenon indica o ministro da Agricultura; o Mariani sai e você faz o ministro da Educação; tudo o que quiserem terão. Ernani virou-se para o Lyra e respondeu: – É um pouco tarde para me oferecerem isto tudo, quando há quatro anos não consigo fazer nem um servente. Quando me dispus a salvar o Partido mesmo com um mineiro, vocês mesmo torpedearam, agora é tarde. Sozinho o PSD não fará coisa alguma a não ser que o governo federal se dispusesse a dar todo o seu apoio. Mas nós não acreditamos mais nisso. – A essa altura o Chatô telefonou e leu para o Benê o texto do acordo com o Adhemar, que está muito benfeito. Aí o Benê desabou e o Ernani se retirou em ordem.

    Estive com o Wainer pela primeira vez e já nos entendemos. Agora o tempo é curto para que esta vá ainda pelo Frota.

A jovem Ivete está se tornando um tanto ou quanto perigosa, porque mete o nariz em tudo e agora resolveu renunciar a seu "papaizinho" para ser só filha da mãe. Anda dizendo que entrará de qualquer maneira na chapa mesmo com o sacrifício do Luthero. – Acho mais negócio ser sobrinho do que filho. Vou pedir demissão.

Beija-te com todo o carinho tua filha **Alzira**

1950

Aspecto do apoio popular à campanha de Getulio Vargas para as eleições presidenciais no Rio Grande do Sul.
Entre 9 de agosto e 30 de setembro, 1950.

G · [Fazenda do Itu], 11 de maio

Rapariguinha

1950   Estou a escrever-te na última destas folhinhas soltas de papel que vieram daí. Elas bem me serviram para os meus trabalhos e agora estão me fazendo falta. Assim, quando houver portador, faze-me outra remessa. ~~Mais~~ Que seja, mais ou menos, como essa – simples, solta, sem carimbos.

Como vão marchando por aí as cousas políticas? O Grão de Bico, assustado pelo queremismo, não irá lançar-se nos braços da UDN? Que tal se encontrassem um candidato da Copa e Cozinha, só para os partidários desta? Serviria ele de cabeça de turco para levar pancada junto com o seu protetor. Será por mera casualidade que só saíram os ministros do PSD e PR, permanecendo os da UDN?

Diz o Major que conseguiu vender meu terreno. Desejaria que a escritura fosse passada discretamente, evitando publicidade. Despesas por conta do comprador, como é de lei. Deixar um terço depositado aí no Província, na minha conta, e fazer-me um passe do resto, para a filial do Commercio aqui. O Major leva instrução para falar ao Matta, no sentido de auxiliar o Ernani nas votações da Assembleia.

Saudades a todos e beijos do teu pai **Getulio**

Aspecto da adesão popular à campanha de Getulio para as eleições presidenciais no Rio Grande do Sul. Entre 9 de agosto e 30 de setembro, 1950.

196 \ A · [Rio de Janeiro], 15 de maio

Meu querido pai

Estás a me dever várias respostas. Como ando projetando ir até aí para te informar do que se passa e receber novas instruções, esta vai apenas como batedor para aproveitar a ida da Ivete.

1950

Tua situação política melhora dia a dia, embora ainda não seja ideal. Também não posso desejar que o inimigo venha para o nosso lado, parece que já seria exigir demais.

Quanto à posição eleitoral nunca tive grandes preocupações, desde que se trate de tua pessoa; o caso militar melhorou em quase 80%, hoje apenas vozes isoladas e sem prestígio pregam no deserto ou buscam amedrontar os tímidos. Resta apenas, e é o que me preocupa, a questão política em si. O <u>Glorioso</u>, sem comando e sem percepção, nem sensibilidade através de suas vozes autorizadas, não autorizadas e desautorizadas, se desmanda em manobras de interesse pessoal e local. Interpretam as tuas ordens e exibem cartas tuas, velhas ou novas, ao bel-prazer do freguês que os escuta. O Salgado brilha pela ausência a mais completa e cada chefete comanda no seu setor.

Em São Paulo, o Major, bem ou mal acusado, representa a resistência ao Adhemar e é considerado massa de manobra do Caio, do Sesc, da bancada, do PSD.

O Frota é acusado de estar ligado ao Adhemar, ao Borghi, e de ser dominado pelo Danton. O Porfírio pende ora para um lado ora para outro, é comunista, é clerical, é cafajeste. E em torno deles os grupos se formam e desfazem da noite para o dia. Acredito que nada disso seja verdade e que todos estejam agindo na melhor das intenções. Tenho me esforçado ao máximo para que não briguem, dou conselhos, aturo cacetadas e malcriações.

Não sei o que há com São Paulo. Quando a coisa vai se aproximando do fim, surge uma encrenca qualquer que estraga tudo. Nesse setor, que é o que mais me incomoda, preciso de orientação. Os três mosqueteiros (Danton, Piza e Horta) reuniram-se aqui um dia e me pintaram tais quadros que quase embarquei para aí com eles. O que me salvou foi o travesseiro.

No Distrito as portas do partido continuam fechadas aos elementos novos e as rédeas do comando nas mãos do Segadas.

PS.: urgente: Frota acaba de me telefonar dizendo que conseguiu amansar o Major e reina paz armada em São Paulo.

Hoje aconteceu no PSD uma coisa absolutamente inesperada: surgiu um candidato, Cristiano Machado. E da maneira a mais inesperada. O trio gaúcho atucanado pela inabilidade do Benê, que na sessão anterior lançara o Adroaldo, resolveu se vingar. Na sessão preparatória de hoje o Fontoura declarou que diante da desistência do Nereu lançavam o nome do Cristiano. Agamenon, fazendo as ressalvas de 1° unanimidade do partido 2° teu apoio, aceitava; Ernani acompanhou, Benê cambaleou sob o choque mas aceitou acrescentando uma 3ª ressalva, de ter o apoio do Dutra. Góes, que é amigo do homem, mas não tem voto, aplaudiu com gosto. Os demais com grande surpresa para todos foram aceitando um a um. Ficou mudo e paralisado.

O grupo do governo, representado por Georgino Avelino, Mendes de Moraes, Mauro Renault. Mendes levantou-se e foi ao telefone falar ao Dutra e tentou a manobra dos vários

1950

nomes em bandeja. Foi repelido. E a bomba estourou. Estão agora todos assustados com o resultado. Os gaúchos não esperavam obter sucesso e contavam com o veto. O Benedito acreditava que o grupo do governo fosse mais forte e não o obrigasse a fazer boa cara à má fortuna. Cirilo está uma bala. Nereu indiferente deu ao Ernani a impressão de que o Fontoura havia avançado o sinal em relação a ele. Agamenon e Ernani estão como o mico da Arca de Noé, gozando os outros.

Dutra está furioso, pois há tempos havia dito ao Ernani que o Cristiano era um homem doente, que enfarto por enfarto preferia o do Góes, que era mais antigo, e que o neocandidato era dominado por um irmão comunista, o Aníbal Machado. Hoje pela manhã dissera ao Góes que não vetava ninguém. Poderia assumir três atitudes em relação ao candidato do PSD: 1° aceitar e ajudar; 2° aceitar e cruzar os braços; 3° combater. – Se o nome do Cristiano durar as 48 horas necessárias até a homologação, acredito que a 2ª atitude será a adotada. – Pela satisfação do Góes, Ernani ficou com a impressão de que ele não está alheio a essa jogada e que a fez contra o Dutra para se vingar de não ter sido apoiado em tempo. – A UDN está furiosa, porque a este nome estaria disposta a apoiar dentro do acordo interpartidário.

Enfim, a pane é grande. É cedo para fazer prognósticos. Acredito que o torpedeamento será grande e ainda haverá surpresas. Em todo caso foste lembrado e citado por todos os maiorais pessedistas que colocavam, na dependência de teu apoio, o deles ao candidato.

Ainda não consegui ver o Neves. Estou ansiosa pelas novas do Rio Grande.

Evitei novo encontro do Major com o Chinês 1° porque a manobra aconselhada já não cabia, depois do lançamento oficial do Brigadeiro, 2° porque o emissário deixara no Chinês uma dolorosa impressão. Achou-o com cara de tira da polícia e com jeito de traidor. – Luthero disse-me agora que o grupo do Segadas foi oferecer apoio ao Lodi. Temo que tudo isto esteja ligado ao teu terreno. Em me cheirando... fico quieta. – Espero em breve te ver e levar boas novas. Queres charutos? Vão mesmo as botas.

Um beijo afetuoso de tua filha **Alzira**

---

197 \ A · [Rio de Janeiro], 18 de maio

Meu querido pai

Recebi um recado do Roberto Alves reclamando as encomendas que me havias feito. Sementes, camisas e lenços já mandei. As botas e os charutos que não pediste seguiram pelo próprio. Nada mais tenho de teu. Estás me devendo várias respostas. Haverá alguma carta tua extraviada?

1950

Devolvo-te esta carta que veio junto à correspondência do arquivo. O homem mandou até envelope selado e só quer uma assinatura. Não custa satisfazê-lo.

A sujeira da trinca rio-grandense atrapalhou de tal maneira a sequência dos acontecimentos que só agora aos poucos pôde se recompor o xadrez. É pena que a vítima escolhida tenha sido o Cristiano, que é afinal de contas um bom elemento e que representa alguma coisa não só em Minas, como entre os revolucionários de 1930.

O perigo da UDN renunciar à candidatura do Eduardo aumenta. O único ponto de resistência é agora o Zé e o próprio candidato. Até o grupo paulista está disposto a conversar.

Quanto ao PSD está perante um fato consumado. Ganhou um elefante na rifa e não sabe o que fazer dele. O grupo dutrista não gostou, mas foi obrigado a aceitar pela surpresa. E o grupo queremista aceitou como um revide ao Dutra e por cansaço, disposto a abandonar o homem se fores candidato.

O Nereu já está entrando em contato com o PTB por intermédio do Brigadeiro Epa, o belo.[1] Não vai romper já com o PSD para não parecer despeito. Pretende aguardar a convenção e depois declarar que não havia falado antes para não quebrar a unidade do Partido. Mas, já que seu nome não fora aceito por ser "queremista" já não havia lugar para ele nesse partido, iria para onde o haviam encaminhado. Achei melhor assim também e respondi ao Ruy de Almeida, que foi o intermediário junto a mim, que o aconselhasse a não se precipitar. Ernani, Agamenon, Ludovico, Maynard etc., que estão na mesma situação, devem esperar também ou será que é preferível definir logo as posições, antes que os compromissos comecem a surgir?

Pretendia ir até aí conversar contigo. Mas depois do "acidente" acho melhor esperar um pouco, para evitar explorações. Não faltará espírito de porco que diga que fui aí buscar teu apoio para o PSD. E agora já não interessa mais criar confusão.

E as fotografias que estás me devendo, quando vêm?

O caso da Bahia, Joel te explicará. Góes mandou-me um recado há dias de que precisava entrar em contato comigo. Que quererá esse bicho?

O Joel chegou. Lê com atenção a carta do Neves. Há um pouco de dor de cotovelo, mas é a realidade.

Beija-te com carinho tua filha **Alzira**

Vai tua lâmpada.

---

1. Refere-se a Epaminondas Gomes dos Santos.

259 \ G · [Fazenda do Itu, de 19 a 21 de maio]

Rapariguinha

1950 Recebi tua carta de 15 do corrente, trazida pela Ivete. Estou sobrecarregado de correspondência e sem um secretário para auxiliar-me. No entanto, quanto a ti, sempre há exceção. Ainda agora, pelo Major Newton, enviei-te umas três cartas, duas atrasadas nos envelopes de correspondência para o arquivo e outra avulsa, e mais recente.

Agora recebo, com surpresa, a candidatura do Cristiano adotada pelo PSD. Tua carta escrita logo após participa da mesma surpresa. No entanto, as notícias posteriores parecem indicar que a mesma não é brincadeira do PSD, que tem o apoio oficial e que resultou duma prévia combinação entre o Góes e a delegação gaúcha. Estou ainda resistindo à pressão dos interessados para que eu me lance. Aguardo que me informes sobre as ocorrências posteriores à decisão do PSD.

Pergunta ao Napoleão como vai a publicação do livro? Será que o estão considerando uma carga pesada, um encalhe de livraria?

E o Sr. Soares, como vai, ainda supõe que foi ele que aconselhou o Padre Eterno? Achei muita graça naquela tua distinção entre ele e o Danton.

Pergunta ao Sr. Soares quando vem por aqui, que estou precisando conversar com ele.

A Ivete nada me pediu sobre candidaturas. Está trabalhando e pretende obter indicações paroquiais. O mesmo deve fazer o Luthero. Quem quer comer guabiroba sacode o galho. Diga-lhe que recebi sua carta, fiquei ciente de suas atividades e satisfeito pelas informações que me dá. O Jango contou-me o que aí havia combinado com ele e o Segadas. Soube aqui da morte repentina do Fernando[1] e mandei telegrafar à Lavínia.

Fiquei satisfeito com as camisas. Deus lhe pague.

Há dias estão me anunciando tua visita. Virás mesmo? Quanto a charutos, de nacional, estou bem. Tenho recebido algumas caixas e vou fumando e oferecendo aos filantes, para poupar os outros.

Saudades a todos e um beijo do teu pai **Getulio**

~~Estava~~ Dia 21. Recebi tua carta trazida pelo Joel e mais a do Neves. Chegaram quatro aviões, muita gente para atender e não tenho tempo de escrever. Dize ao Neves que estou ciente e de acordo com o que me diz. Depois escreverei, não havendo tempo para fazê-lo hoje.

Aguardo Salgado depois de amanhã. Antes nada posso dizer.

---

1. Refere-se a Fernando do Rego Falcão.

Na página ao lado, Getulio durante a campanha no Rio Grande do Sul, tendo à esquerda Batista Luzardo. Entre 9 de agosto e 30 de setembro, 1950.

198 \ A · [Rio de Janeiro], 19 de maio

Meu querido pai

Ernani me jogou fora da cama às 10 da madrugada (deitei às três) para te escrever. O Salgado vai passar aqui agora, como estou ainda com o cérebro obumbrado (bonito!) escrevo sob a inspiração dele. – O tempo está a teu favor, não deves te apressar para dar tempo ao PSD de preparar o estouro. Seria interessante que tua resposta viesse meio sibilina, elogiando as qualidades pessoais do homem, mas deves aguardar a decisão da convenção de teu partido. Cristiano falou com Ernani manifestando a intenção de ir até aí, te escrever ou falar com Salgado. Foi impedido pelo Cirilo, que avocou a si todas as iniciativas, inclusive a de nomear a comissão que deveria ir aí e está sabotando, não se sabe se de malandragem ou por despeito. A única coisa que fez foi conversar com o Salgado. Ainda há o perigo da UDN tentar uma recomposição com o PSD. Se for desistência do Cristiano não tem importância, mas se for o vice-versa, Brigadeiro em favor do Cristiano, o negócio fica mais sério. O homem não é Copa e Cozinha e foi o campeão logo no início da ideia do PSD se aproximar de ti.

Por outro lado a pressa de Dutra em aceitá-lo e submeter aos seus seguidores dá ideia de manobra à qual o Góes não estará alheio. Continua convidado para o Ministério da Justiça, aguardando oportunidade para aceitar. A vitória do Estillac foi espetacular e o bicho está mordendo o freio.

Vou agora à missa do Fernando Falcão, que, como deves saber, morreu repentinamente do coração. Lavínia está sendo consolada pelo Vitorino.

Beija-te com todo o carinho tua filha **Alzira**

1950

260 \ G · [Fazenda do Itu], 26 de maio

Rapariguinha

1950   Junto envio-te esses papéis que me esqueci de entregar-te para levares. São destinados ao arquivo. Quando tiveres portador manda-me um vidro de Nembutal. E escreve-me informando o que se passa.

Beijos do teu pai **Getulio**

---

261 \ G · [Fazenda do Itu], 27 de maio

Alzira

Parece, pelo noticiário dos jornais, que a candidatura Cristiano se firma oficialmente. Se assim for, não desejo que o Ernani prejudique sua carreira e sacrifique seus amigos. Prefiro eu, já velho e no fim da vida, desaparecer do cenário político.

Aguardo apenas que me informes sobre a marcha dos acontecimentos.

Saudades a todos e um beijo do teu pai **Getulio**

Convenci-me que o Sr. Soares está mesmo do contra e fazendo sujeira. A norma será aparentar que ignora e não confiar.

199 \ A · [Rio de Janeiro], 29 de maio

Meu querido Gê

O "Astral", que andou trabalhando de bandido em minha ida para aí, portou-se admiravelmente na volta. Consegui pegar o *Constellation* da Panair em Porto Alegre, bati longos papos com o Xavier da Rocha, Brochado do PTB e vários oficiais da Briosa queremistas. Cheguei às cinco e meia no Rio e dei uma surpresa na tribo, que já estava por conta comigo.

Encontrei o ambiente político inteiramente modificado e em polvorosa. Ernani soltara uma bomba de retardamento e depois se escondeu à espera do efeito. Em entrevista a *O Globo* declarara que, acompanhando o voto do Agamenon, ele e mais grande número de chefes pessedistas haviam aceito o nome do Cristiano, na dependência de teu apoio. Foi uma confusão dos diabos. Instado a confirmar o Chinês quebrou o corpo. Disse que fizera uma ressalva e não uma condição, mas que Pernambuco não faltaria a seus compromissos. O Ismar Góes confirmou as declarações do Ernani e o Pedro Aurélio insinuou que o Ernani iria desmentir a entrevista. Os jornais governistas procuraram criar confusão negando a autenticidade e dizendo que o PSD fluminense já estava cindido. Hoje em nova entrevista, Ernani vai confirmar tudo o que disse. O Catete entrou em pane e passou a cercar o rebelde por todos os lados, os queremistas se assanharam, o Maynard em Sergipe fez declarações getulistas, a pressão em torno do Adhemar se tornou ainda mais forte e o Benedito entrou em colapso.

1950

Duas notícias da maior gravidade chegaram a nosso conhecimento. Da 1ª não poderás fazer uso por enquanto para não comprometer o informante. Prepara-se um golpe branco contra ti através do Judiciário,[1] já que o militar e o político fracassaram. O Ribeiro da Costa já tem escrito um parecer negando o registro do teu nome como candidato à presidência da República, sob várias alegações constitucionais: rasgou duas constituições e não assinou a terceira etc. Dois outros ministros já acompanham o relator, não se sabe quem, mas supõe-se pelos antecedentes que sejam o Cunha Melo um e o outro Machado Guimarães ou Rocha Lagoa. Haveria portanto empate, na suposição de que os outros três votassem contra, e deveria ser decidido pelo Filhinho. O "desassombro e coragem" do rebento Andradino já ficaram conhecidos na decisão do processo dos comunistas. De modo que o provável é que vote com o governo. O Exército ficaria então perfeitamente à vontade para cumprir a decisão do Judiciário, como já tem sido tão aventado por seus líderes. Disse o informante: "Comandante não se iluda, quando surgiu aquela maluquice do Barreto Pinto contra os comunistas ninguém acreditou que fosse avante e no entanto aconteceu. Desta vez o que pretendem é uma verdadeira monstruosidade, mas não podemos pensar que é inexequível. O Costa Ribeiro é um "barriga fria", de modo que dentro em pouco ele próprio falará a outras pessoas, porém por enquanto só eu sei devido à minha posição e precisava informá-lo disto com urgência, para que o Sr. tomasse suas precauções."

---

1. Refere-se ao Tribunal Superior Eleitoral (TSE), presidido por Antônio Carlos Lafayette de Andrada (o "Filhinho" ou "Andradino") e composto, entre outros, pelos ministros Álvaro Ribeiro da Costa (do STF), Djalma Tavares da Cunha Melo (do TFR), Alfredo Machado Guimarães Filho (jurista) e Francisco de Paula Rocha Lagoa Filho (TFR).

1950   Da 2ª farás o uso que quiseres pois não me pediram segredo. Anteontem Gashypo trouxe-me aqui o Sr. Sebastião de Castro Costa que insistira para me transmitir uma informação pessoalmente. Disse-me não ser político, não ter pretensões, nem parentes que as tenham. É amigo íntimo do Estillac, de quem poderia tirar informações sobre sua pessoa, e sócio de um dos genros do Mendonça Lima. Ouvira na casa deste, que se diz porta-voz do Dutra, as notícias que me ia transmitir para que tomasses providências. Em resumo: 1º O Catete estava mal satisfeito com a solução Cristiano e pretendia queimá-la ou entregar à sua própria sorte. 2º O C.C.G. iria reforçar as hostes brigadeiristas, como meio de te combater. 3º Se ousasses ser candidato, o mais provável é que apesar de tudo serias eleito; 4º Não esquecessem, porém, que as eleições eram a 3 de outubro, que as apurações levariam no máximo dois meses para revelar o vencedor e que o governo seria o primeiro a saber; 5º Haveria ainda portanto uma margem de três meses até a entrega do governo, com todas as peripécias da apuração e do reconhecimento dos candidatos eleitos. 6º Nesses três meses o governo não trepidaria diante do menor obstáculo para te afastar, se necessário iriam até a agressão pessoal. 7º No entanto (e aí aparece o dedo do gigante) o Catete temia que, em vez de ser candidato, lançasses a chapa Estillac-Salgado. Esta teria todas as probabilidades de derrotar o Brigadeiro e obrigá-los a aceitar sem protesto. Seu Sebastião pediu-me muitas desculpas por ser o portador de notícias tão graves e desagradáveis, porém não tivera outro remédio. Tentara informar o Estillac, antes de seu embarque para o Sul, porém não conseguira. Como sabia que ele ia te visitar, pedia-me que transmitisse com urgência para aí, porque talvez pudesses aproveitar a presença do Estillac para combinar com ele a melhor solução. Isto ele não disse, mas insinuou – poderia o Estillac voltar daí candidato. – Seu Sebastião continuou dizendo que acreditava ter fundamento isto tudo, porque no dia da eleição do Estillac, quando fora comunicar ao Ary Franco, também amigo do General, soubera por este que jantara com o Lyra que o Dutra esperava a vitória do Cordeiro para modificar o ministério: Góes na Justiça, Cordeiro na Guerra, João Alberto na Polícia. Havíamos nos livrado de boa. Enquanto Seu Sebastião discorria, Gashypo informava ao Ernani que o Estillac estava alheio a essa manobra, preparada pelos elementos semicomunistas que o cercam. Ao Danton, Estillac dissera que não tinha pretensões políticas porque não pretendia ser o segundo Góes Monteiro.

Destas duas abordagens, a primeira honesta e a segunda duvidosa, pode-se concluir que as hostes governamentais estão em pânico e recorrendo a ameaças, porque quem quer atacar não participa. Acredito na sinceridade do primeiro informante, porém dou-me ao luxo de supor que não tenha sido por mero acaso que ele leu o parecer do ministro. Quanto ao segundo, a missão de agente provocador foi tão flagrante que, quando me perguntou se ia te transmitir, respondi: "Vou, mas com muito jeito e devagar, porque o 'Baixinho' quando sabe que há perigo aí mesmo é que se atira". Mas há mais ainda. O Chico Tinoco chegou de Itaperuna no dia da entrevista do Ernani e foi despachado pelo compadre Dutra à cata do Ernani. Newton Cavalcanti, que parece estar gagá, perguntou-lhe se podia contar com ele para aliciar gente no norte fluminense para pegar em armas, se fosse necessário. Largaram o Tinoco bem assustado para nos assustar. Newton o procura diariamente para destilar o veneno, enquanto Dutra pergunta por mim e jura por todos os santos do céu que só tem um desejo, sair do governo bem contigo.

É possível também que haja de fato preparo e *"malas intenciones"*, mas que eles preferem que o recuo seja nosso.

———

Cristiano está mais encarnado que pai de santo. Deve haver alguma incógnita por trás disso tudo. Sua confiança, a satisfação do Góes, o desespero do Benê, a aparente placidez do Catete, a indecisão do Nereu, o susto do Agamenon, o açodamento tardio do Salgado, as intriguinhas do Chatô, tudo isso deve ter uma razão de ser que ainda não peguei, mas que tem uma origem comum.

———

Nada sei aí do Rio Grande a não ser uma rápida e esperançosa conversa com o Luzardo que está projetando se lançar em grande luta. Ninguém confia muito no Jobim, daí a intranquilidade de todos. Agamenon espera que as coisas se definam primeiro, tem medo de que à última hora não possas ser candidato e ele ficará a ver navios.

———

Landulfo seguiu hoje para a Bahia. Conversou comigo e está receoso de que o PSD, desejando colocar o PTB diante de fatos consumados, o obrigue a romper o frágil acordo. A primeira edição do Epitacinho, o Arthur Caetano, procurou-o dizendo-se autorizado por ti para ajudá-lo na Bahia, propôs que convidasse o Barbicha Simões para teu companheiro de chapa. A ideia em si não é má, mas fui obrigada a alertar o Landulfo quanto ao homem.

———

O Adhemar está sendo imprensado para se separar de ti. Danton no entanto continua se responsabilizando por ele, e desta vez creio que o homem está bem seguro. – Vais receber uma sondada para que a chapa PSP-PTB nos estados seja conjunta, pelo menos é o que me deu a entender o Manhães Barreto ontem. Isso não será fácil, porque nosso pessoal não é bom de boca.

———

Meu distinto amigo Matta chegando aqui foi fazer uma cordial visita ao governador e comunicar a ele que será obrigado a derrubar-lhe o veto. Foi-se tudo quanto Marta fiou, pois o homem alertado tem tempo de manobra.

———

Seu Soares está aqui agora e como quem não quer nada deixei cair o teu recado por intermédio do Wainer para que ele o dê ao Góes, com quem vai se avistar agora. Tenho muito mais o que contar, mas já não há tempo.

Beija-te com todo o carinho tua filha **Alzira**

———

1950

262 \ G · [Fazenda do Itu], 30 de maio

Rapariguinha

1950
Estiveram aqui o João Neves e o Major Newton, o primeiro com notícias de Porto Alegre e o segundo de Minas.

A brecha está aberta. A má impressão que ditou minha carta anterior se desfez. Tudo melhorou. Falta agora a vinda do Danton e do Adhemar e as tuas notícias sobre as manobras do Ernani. O Jango breve estará por aí. Por ele saberás do que vai por aqui.

Desejo que me informes sobre a venda do terreno, como foi feita e que providências tomaram. Também desejo saber sobre a impressão do livro.

Saudades a todos e beijos do teu pai **Getulio**

200 \ A · [Rio de Janeiro], 1 de junho

Meu querido pai

Hoje estou bombardeada. As memórias do Burrinho[1] publicadas com escândalo nos jornais daqui deixam-me numa posição bastante desagradável.

Dei-lhe dados para que escrevesse seu trabalho, mas não lhe pedi que publicasse as minhas "memórias". Essas que venho engolindo com tanto sacrifício, há tanto tempo, só eu sou juiz de sua oportunidade. Escrevi ao Dinarte pedindo sua intervenção junto ao jovem para que parasse de fazer asneiras, senão serei obrigada a desmenti-lo.

A confusão aqui é grande e as ameaças continuam.

Precisamos de usar o coco para vencer esta última etapa de confusão.

Um beijo de tua filha **Alzira**

---

1. Refere-se possivelmente à coluna do jornalista gaúcho Rubens Vidal de Araújo, da *Revista do Globo*.

263 \ G • [Fazenda do Itu], 2 de junho

Rapariguinha

Recebi tuas cartas de 29 e 1º que respondo mui rapidamente pela escassez de tempo e afluência de gente. **1950**

Não sei se recebeste o cartão enviado pelo Wainer, um tanto pessimista, e a carta posterior, mais otimista.

A hipótese judiciária de que me falaste achei-a tão boa que receio não se realize. Para mim uma saída magnífica. Para eles uma confissão prévia de derrota. A outra é só para assustar. Agora pretendem mesmo realizar, são os riscos da luta. Parece mais, como confirmam tuas outras informações, recado encomendado. Resolvi antecipar a reunião do PTB, como te explicará o portador.

Já desautorizei as memórias da revista, muito inconvenientes.

Beijos do teu pai **Getulio**

E a compra do terreno?

201 \ A • [Rio de Janeiro], 2 de junho

Meu querido pai

Aproveito a ida do Wainer para te mandar mais umas linhas apressadas. As declarações atribuídas ao Canrobert sobre seu encontro com o Ernani provocaram uma grande onda contra os militares, que só acalmou hoje com a entrevista que o ministro da Guerra deu ao portador.

O tiro saiu pela culatra. Era para deixar mal o Ernani e saiu às avessas.

Hoje Pedro Brando contou-nos que estivera com o Adauto e o Carlos Lacerda, que haviam ambos confessado que este *show* te trouxera mais votos e que se o Ernani fosse amigo de sensacionalismo poderia ter tirado disto grande partido. Contaram também que Juarez havia redigido um manifesto te atacando, colhido assinaturas ainda desconhecidas e remetido por intermédio do Lima Cavalcanti ao Brigadeiro para que lhe desse publicidade, quando fosse mais conveniente.

A campanha do susto continua. Respondo invariavelmente. Não procurem assustar o bicho que é pior. Com jeito e carinho ele pode ficar quieto, ameaçado ele vem mesmo.

Parece que Dutra resolveu mesmo apoiar o Cristiano, prometendo mundos e fundos que provavelmente não cumprirá. Tua proposta de paz foi rejeitada. Agora é pra cabeça.

Um beijo da **Alzira**

264 \ G · [Fazenda do Itu, entre 3 e 5 de junho]

Rapariguinha

1950 Saiu hoje, 3, uma turma de visitantes e fiquei mais folgado. Aproveito para alinhar estas notas, do que desejo saber, a fim de enviar quando tiver portador.

1) Dize-me o que houve sobre a tão comentada palestra entre o Ernani e Canrobert. Qual o motivo desse entendimento.

2) Quando sai meu livro? Já foram entregues as provas ao José Olympio? Preciso dessa publicação como um documentário. Não tenho cópia dos mesmos. Este é um dos motivos da minha pressa. O outro é a sua oportunidade.

3º) A compra do terreno. Já foi efetuada, quanto foi pago, que providências tomaram?

4º) Pelo Epitacinho enviei-te a última correspondência para o arquivo, bem acondicionada. Recebeste?

5º) Tens conversado com o João Neves, que está ele fazendo?

Dia 4 · Entrega com urgência as cartas juntas ao Danton e Neves.
Manda-me um vidro de Nembutal.
Saudades a todos e beijos de teu pai **Getulio**

Dia 5 · A sugestão do adiamento da convenção do PSD foi apenas pela possibilidade dum novo exame para um candidato de conciliação. Não aceitaram, é porque preferem a luta. Ela virá.

Getulio no Rio Grande do Sul, com João Goulart à sua direita, na campanha para as eleições presidenciais. Entre 9 de agosto e 30 de setembro, 1950.

202 \ A · [Rio de Janeiro], 6 de junho

Meu querido pai

Antes de ir dar uma voltinha na Ilha da Trindade, se os planos tenebrosos se realizarem, creio que vou fazer ligeira vilegiatura até a Colônia Juliano Moreira.

O telefone e a campainha da porta não param e eu já tenho ganas de dar uivos cada vez que bate uma dos dois.

Esta vai aferventada como todas as outras por essa razão.

1°) A entrevista Ernani-Canrobert foi provocada para um papo entre os dois, explorada pela imprensa e já acabou. A repercussão foi exatamente ao contrário do que se esperava, muitos antigetulistas ficaram a favor, de raiva.

O drama do Ernani no Estado do Rio vai começar. Ele pede para te dizer o seguinte. Se estourar dentro da convenção fica ameaçado de perder a legenda. O Dutra está trabalhando através do velho Neves, que é o primeiro vice. O Edmundo também torce para que, perdida a legenda pelo Ernani, ele consiga se apossar do partido. — Nestas condições Ernani vai renunciar à presidência do partido e eleger o Hélio Macedo Soares, que comparecerá à convenção em nome do PSD para aprovar o Cristiano.

Depois fará nova reunião. Se o partido mantiver sua candidatura a governador está tudo muito bem e haverá liberdade no setor federal. Se não mantiver, ele renuncia e toca a trabalhar. — Não é possível passarem todos para o PTB, devido às incompatibilidades municipais criadas e também porque o PTB continua a homenagear o Edmundo, e ainda porque seria entregar a legenda. Se o PTB quisesse tomar a iniciativa do lançamento da candidatura do Ernani, seria o ideal para todos. Ficariam melhor situados no futuro e obrigaria o PSD, indeciso, a manter a palavra. Em caso de cisão Ernani conta ficar com pelo menos 50% do partido, e ele sendo candidato e tu também, 80% do eleitorado. Conversa isso aí com o Matta, como sugestão tua, senão ele não o fará.

Há uma certa inquietação nos arraiais políticos, embora ainda se espere que tudo corra em ordem. Tenho maus pressentimentos quanto às sequências futuras.

O novo representante do PC é o Pedro Pomar e a nova orientação se afasta de nós. Parece que em São Paulo vão se inclinar pelo Borghi.

A parte militar está superada, resta a parte política e já não há tempo a perder.

Não gostei 100% de nenhuma das três fórmulas que me foram remetidas (Neves, Lourival e Vergara). Falta a do Maciel, que Epitácio ficou de trazer.

O Baeta vai conversar contigo sobre o problema do Distrito, que é sério quanto à parte local de candidatos.

Amanhã tentarei escrever melhor.

Um beijo afetuoso de tua filha **Alzira**

1950

265 \ G • [Fazenda do Itu], 7 de junho

Rapariguinha

1950   As cousas estão fervendo também por aqui. Hoje desabou o Diretório do PTB com a comunicação do lançamento de minha candidatura. Levou a mensagem de resposta. Estou realmente desejoso que essa gente chegue a acordo quanto a um nome e deixe-me em paz.

Conversei com o Matta e disse-lhe que entrasse em entendimento com o Ernani para apoiar-lhe a candidatura.

Junto envio-te a lista do Segadas dos candidatos do Distrito, isto é, uma cópia da lista. Tive penosa impressão. Só agora posso ajuizar a respeito. Manda-me uma listinha de nomes esquecidos injustamente e que a mim mesmo não ocorrem. A impressão é penosa, parcialmente, apenas sobre alguns nomes incluídos e outros esquecidos.

Para que nem tudo seja enfadonho, mando-te uns versos do Chico do Rincão, lançando a tua candidatura.

Junto vai uma carta para tua mãe.

Saudades a todos e beijos de teu pai **Getulio**

João Goulart discursa durante a campanha para as eleições presidenciais no Rio Grande do Sul, vendo-se em primeiro plano, Getulio. Entre 9 agosto e 30 de setembro, 1950.

266 \ G · [Fazenda do Itu], 9 de junho

Rapariguinha

O Luthero desabou aqui com sua turma de cupinchas suburbanos. O rapaz está mesmo empolgado pela política e parece que bem encaminhado. **1950**

Lá se foi o ~~mem~~ manifesto. Não tenho fé no resultado do meu apelo. O PSD, com poucas exceções, seguirá como uma tropa de mulas, com o Góes na frente, tangendo o cincerro, e o Dutra atrás, estalando o chicote.

Quanto aos assuntos de tua lista – organização do serviço, estado-maior, jornal, distribuição de cédulas etc., tudo isso já conversei com o Jango. Breve ele estará por aí. Trata tudo isso com ele. Ele que fale com o Salgado, combine e organize. Quando eu for, isso deve estar pronto. Quanto ao pessoal para aqui, não há necessidade. Vou me arranjando com o Roberto e o Gregório.

Porque não me mandaste ainda o Nembutal? Não sabes o que é ter noites de insônia!

Sobre combinações políticas fala ao Neves para ver se ele se encarrega. Deve conversar com o Ismar Góes, Ludovico, com o pessoal de Minas – Bernardes, Negrão, Ribeiro Pena, Bias etc. Espírito Santo, Nereu, Lupion e outros.

Sabes que aquela ideia da recusa do registro é muito interessante. Tenho pensado nisso como uma excelente saída para mim. E que partidão eu poderia tirar. Talvez o Sr. Soares fosse o homem para ajudar essa manobra. Chama-o, conta-lhe o segredo e insinua para que ele seja o mestre da obra.

E o Danton, quando aparecerá por aqui?

Saudades a todos e beijos de teu pai **Getulio**

Seria interessante que o Cel. Gashypo aparecesse aqui para conversarmos.

203 \ A · [Rio de Janeiro], 10 de junho

Gê

1950   Quem te escreve hoje é tua segunda consciência. Peço-te, pois, que a leias em teu quarto à noite, procures compreender o sentimento que dita minhas palavras e acima de tudo tentes ver claro, dentro de ti mesmo.

    A sorte está lançada, já não é possível recuar. A jogada é séria e dura. Nela estão a prêmio não somente o teu destino e a sorte de teus amigos e satélites mas o próprio futuro do Brasil. Sei que estás consciente disso tudo porque sinto através de tuas hesitações e indecisões o drama íntimo que estás vivendo e que vem se refletir em mim, como em um espelho. E como um espelho fiel, preciso pôr diante de teus olhos todas as imagens para que vejas o que de fato se está passando e não te guies apenas pelo que te contam aí aferventadamente e intencionalmente, mal te dando tempo de meditar. Obrigam-te a tomar decisões em cima da perna, em desacordo com teu modo de agir, e mesmo essas nem sempre cumprem, porque sabem que não podes contradizê-los, não só porque não tens meios de informação suficientes como te faltam os veículos para os controlar. Salgado, cada vez mais apático, queixa-se porque o PTB procura-me mais do que a ele e no entanto é sua própria inoperância que me põe em foco. Agora mesmo telefonou-me para dizer que fora derrotado, em meu nome, nas eleições dos convencionais do Distrito. E é em parte verdade, porque ele está cada vez mais ausente dos problemas partidários. O momento requer atividade, presença, eficiência. Os casos estaduais estão aí à flor da pele, procurando suas soluções, dentro do PTB. São eles que estão atrás de nós procurando e nem isso se faz. Decida-se por um grupo ou por outro, faça propostas e contrapropostas, mas faça alguma coisa. Em vez disso, cada um de nós, e eu infelizmente me incluo entre eles, trabalha escoteiro em *teams* isolados animando e sugerindo na maioria das vezes em franca oposição aos outros grupos.

    Não vou examinar agora os vários estados, porque minha cabeça está cheia do problema maior, o federal. – A precipitação da convenção do PTB teria sido algo de espetacular se tivesse sido bem conduzida e aproveitada; tal como aconteceu transformou-se apenas em mais uma manobra na qual mal se consegue esconder o dedo do gigante. Há mais de uma semana Góes e Borghi sabiam que no dia 6 de junho aconteceria algo que te separaria definitivamente do Adhemar. Epitácio, com a habilidade costumeira, conseguiu manter o Danton na ignorância do que se projetava. Este soube-o por mim, quando já era tarde para contornar o assunto. Teu bilhete para ele chegou na noite da reunião e com isto ele conseguiu acalmar o Bonitão, mas não o fez recuperar o entusiasmo. Enquanto isto, Borghi em grande euforia prepara pacientemente sua candidatura ao governo de São Paulo explorando teu nome. Espero pacientemente o dia que te convenças que o Pitinha só é amigo dele mesmo, gosta mais de dinheiro do que de sua própria mãe, que usa e abusa de teu nome em proveito próprio e que um dia te causará mais aborrecimentos do que teus 15 anos de governo juntos. Já conheces o estofo moral do Seu Soares. Ambos pertencem ao tipo poltrona de molas nas quais a gente se senta porque são confortáveis e serviçais. Depois dá uma preguiça de levantar, de reagir, e acabamos nos entregando, esquecendo as duras cadeiras de madeira desagradáveis e cansativas, que nos obrigam a trabalhar e não lisonjeiam a nossa inércia. Tens à tua disposição milhares de cadeiras de madeira, prontas a prestar serviço. Não são confortáveis, bem sei, mas são seguras e não buscam teu aniquilamento. Enquanto Danton em termos mirabolantes conta nos dedos os recursos, os aviões e os projetos para tua campanha que Adhemar já programou, Epitácio por seu lado está capitalizando aviões, recursos, mapas e programas. Todo mundo quer ser o teu dono, o pai de tua eleição, o único eleitor, o Vitorino-condestável do futuro governo. E se hostilizam, dão pontapés e gritos se alguém mais quer ajudar. O barco do teu prestígio é muito pequeno; que se afoguem os outros contanto que o felizardo se salve.

É preciso pôr ordem nisso tudo, se não quiseres ser arrastado a uma aventura, cercado de aventureiros. Também eu tenho meu interesse nisso. Não quero que estragues o personagem de meu livro! É o único. Já te disse 1 milhão de vezes e repito outra vez. Para mim e para o Ernani o melhor negócio é não voltar a ser governo. No entanto, a posição dele em relação ao Estado do Rio é em ponto menor à tua em relação ao Brasil. Qualquer recuo parecerá covardia e significará o sacrifício frio e premeditado de todos aqueles que sofreram e amargaram durante cinco anos por tua causa e dele. Além do mais, se fores eleito, precisarás ter homens teus nos governos estaduais e nenhum é mais teu do que ele, já não digo pelos laços familiares que às vezes nada significam, mas porque se formou em política na tua escola e à tua sombra. Por isso te fiz na carta levada pelo Epitácio aquela sugestão da primazia do PTB no lançamento de sua candidatura. Não só daria ao PTB muita força como facilitaria o ingresso dos pessedista-getulistas e acabaria com a infiltração dutrista de vez. Não sei o que disseste ao Matta. O resultado vai aí nessa entrevista que deu ao *Mundo*. — Além disso, Epitácio, não sei com que intenção, me contou que ao terminar de ler minha carta lhe havias perguntado: "Mas e o Ernani, fica comigo?" E agora eu te pergunto: "Tiveste dúvidas algum dia?" Não estão aí como provas cinco anos de luta e de desvio? Ou supões por acaso que não o quiseram, que não foi convidado, lisonjeado, procurado? — São esses recadinhos inocentes, deixados cair como por acaso pelos interessados que magoam e ferem teus melhores amigos, colocados na situação difícil de recusar o prato que se lhes oferece e recebendo empurrões pelas costas. Se a mim que te conheço magoam, imagina aos outros.

João Neves queixou-se amargamente do Jango e do Dinarte, que estão pondo dificuldades ao acordo no Rio Grande, e pediu-me que te escrevesse para os acalmar. Não se pode exigir dos homens mais do que eles podem dar, foi o que aprendi contigo, principalmente, quando precisamos deles. Neves disse-me que da conversa com Jango chegara à conclusão de que ele estava convencido que o PTB sozinho poderia ganhar a eleição e que não precisávamos nem do Adhemar nem do Jobim. É possível que os votos deles não nos façam falta, mas sem pelo menos sua neutralidade funcional estamos fritos.

Ontem realizou-se a primeira parte da convenção do PSD pró-Cristiano. Não compareceram Ludovico, Maynard, Ismar, Ernesto, Ernani, embora as sessões estivessem represen-

1950 tadas para não perderem a legenda. Nereu está doente. Já a perderam Ismar e Maynard por enquanto. Ernani está ameaçado de expulsão e o velho Neves ronda dia e noite como um abutre. Decorreu em ambiente da mais absoluta frieza, dizem os que compareceram e os jornais.

Tua carta teve uma grande repercussão popular. Politicamente não se pôde tirar efeito. Salgado só se decidiu a agir depois que o Pitinha chegou. De modo que o Kelly se apressou a dizer que era tarde em entrevista. O PSD silenciou, porém os porta-vozes do Dutra declararam que o PXD[1] não recuaria. Como o apelo foi dirigido a ambos os candidatos, só depois que Kelly e Cirilo se encontrarem poderá ser dada a resposta ao Salgado, para te transmitir.

A revolta dos anjos continua. Depois do discurso do Centauro, a resposta do Vitorino no Senado deu margem a várias manifestações.

Ontem apareceram aqui dois cônsules: o Borja Magalhães e o Câmara Canto. Haviam sabido que o Etchegoyen ia ser nomeado para comandar Santa Maria para te controlar. Vinham se oferecer caso fosse necessário. Agradeci e prometi te comunicar.

A Ivete chegou hoje e compreendi a razão de tua pergunta. Contou ao Ernani que te havia dito que ele não poderia te acompanhar, ficaria com o Cristiano para não perder a legenda. Já é demais. São esses pequenos mexericos e intriguinhas que eu temo. Cada um te informa de acordo com seu interesse e ficas aí à mercê dos jornais orais, ainda piores que os impressos. – Não cumpriste com o que me prometeste, de guardar [e] fechar minha roupa a chave. Se esta pestezinha continuar a mexer no que é meu, faz uma trouxa que eu mando buscar. Fico tiririca cada vez que me diz – usei a tua roupa, ficou ótima em mim.

Vai ser difícil o recuo. Vais ter mesmo que topar a parada.

No almoço do ministro da Marinha, alguém disse ao Ernani que há um movimento no Estado-Maior Geral (Obino) para criar clima anticomunista. Dutra vai convocar uma reunião de oficiais com esse objetivo. Não sabemos se ficará restrito ao meio militar ou se será comunicado ao público.

Um beijo de tua filha **Alzira**

---

1. Ao referir-se ao PSD, Alzira imita a pronúncia de Dutra.

204 \ A · [Rio de Janeiro], 12 de junho

Meu querido pai

Já te havia escrito uma longa carta, quando Luthero chegou trazendo-me tua última. Disse-me que também a ele perguntaste qual era a posição do Ernani. Acabo me convencendo que quem está demais nesse brinquedo sou eu. Os outros parentes e não parentes, que ficaram no bem-bom durante esses cinco anos e que agora se apresentam quando já estamos na reta final é apenas para usufruir as sobras de teu prestígio e nome, merecem-te mais crédito do que eu. Tenho aguentado esta droga de partido, apenas com meu esforço pessoal. Devo ter errado muitas vezes, mas nunca te enganei, nem te coloquei em situação difícil.

Tenho apanhado e permitido o sacrifício inglório dos meus amigos para que as supostas ordens tuas não sejam desautorizadas e termino apanhando também de ti. Por ti acho até bonito apanhar, mas de ti considero se não injusto, pelo menos imerecido. Escrevi-te explicando a situação real do Ernani. Os pontapés que ele e seus amigos têm levado do PTB, que se colocou sob a asa protetora do Edmundo, o impedem por decência e por instinto a se colocar sob essa legenda. Dentro do PSD há um grupo de piranhas prontas a arrancar-lhe a desse, [sic] à menor demonstração de fraqueza. Para compensar isso tudo, pedi-te que falasses sério com o Matta. Como tinhas dúvidas, deste-lhe o benefício da dúvida. E o resultado está aí. Quando já for tarde, como das vezes anteriores, é provável que ceda. Mas então já o PSD estará desagregado, o Ernani já terá dado a seus correligionários liberdade de ação e renunciado a tudo, irá te acompanhar apenas com sua pessoa. Há cinco anos venho te prevenindo em pura perda contra o Pitinha, contra o Seu Soares, contra o Segadas, contra o Matta, contra o Salgado. Sou apenas fiscal, não tenho, nem desejo ter, meios de ação.

Estou agora com vários passes pessedistas em minhas mãos. Tenho medo de animá-los e depois serem levados ao desespero.

Um é o do Espírito Santo. Devido à situação de fronteiras com Minas Gerais recusam-se a apoiar um mineiro. As duas correntes pessedistas, a do Jones e a do governador Carlos Lindenberg, uniram-se novamente devido a essa encrenca. O Jones, amigo do Edson, é getulista, o Lindenberg simpatizante. Autorizei o Edson e o Buaiz, do diretório de lá, a conversarem com ambos para em troca do apoio do PTB ao governador do estado obterem um deputado federal (máximo das possibilidades atuais do partido), uma secretaria já e depois etc. Salgado, porém, resolveu protelar e o papo ficou na primeira fase.

O segundo é mais grosso, é o Nereu. Ontem conversei com o Ruy de Almeida e o Epa (o mais belo da Marinha), que é amigo íntimo e confidente do Nereu. Disse-me que este está profundamente magoado com o PSD, que não o quis por ser getulista e nunca o ter negado. Que sua situação no estado é difícil porque está entre dois fogos: uma UDN forte no vale do Itajaí e um PTB hostil no sul do estado. O Saulo Ramos, sobrinho e inimigo do Nereu, é o presidente do PTB. — Epa pleiteia um recado, um bilhete, um convite teu, enfim, ao Nereu para que este possa vir sem parecer um simples despeitado. Ele espera um pretexto dentro do PSD, talvez a escolha do vice, se recair no Cirilo, para poder se desligar decentemente. Mas deseja já ter um abrigo garantido. Não consegui ainda conversar com o Neves para que este reduza a concreto as aspirações dos barrigas-verdes. — Naturalmente Nereu, sendo vice-presidente da República, ex-governador, ex-candidato e ex-senador, não desejará se

1950 sujeitar à chefia do sobrinho. Este não há de querer renunciar em benefício do tio, a quem não aprecia. Sugeri ao Ruy lembrar como coisa dele que poderias indicá-lo para uma das nove vagas de que dispões no Diretório Nacional. Poderia depois ser eleito para a Executiva e daí se firmar. Só à noite hoje terei a resposta dele ao Ruy. Que achas?

Pela última vez te pergunto e prometo não voltar mais ao assunto. Queres lutar de verdade ou estás apenas provocando o gato? Se é a segunda hipótese diz com franqueza porque tenho meios para ajudar a pegar fogo. Se é a sério, pelo amor que tenho a meu personagem, leva a sério. Estás brincando comigo ao dizer que o Jango vai organizar a campanha, ou o Pitinha. Ainda prefiro o Danton, que pelo menos tem senso de responsabilidade. Ninguém sabe onde está o Jango. Há mais de 10 dias é esperado no Rio. Ontem tive uma vaga notícia que [se] <u>enfurnara</u> com algum anjo em São Paulo. Em todo o caso vou esperar que chegue para ver o que diz.

Faço-te esta pergunta final porque são tuas cartas que me desnorteiam. Ora pareces disposto a enfrentar, ora desanimas e preferes conciliação ou golpe. Está na hora do "sim ou não" definitivo. Podes usar o talvez para os outros, mas não tens o direito de tapear tua consciência-adjunta, senão vamos mal.

Vão junto duas fotografias para assinar e uma correspondência que o Luthero esqueceu.
Um beijo afetuoso
de tua filha **Alzira**

Getulio Vargas em campanha para as eleições presidenciais no Rio Grande do Sul. Presentes também Ernesto Dornelles, Batista Luzardo, João Goulart e Gregório Fortunato. Entre 9 de agosto e 30 de setembro, 1950.

205\A · [Rio de Janeiro], 14 de junho

Meu querido pai

São duas horas da manhã. Depois de ter recebido e conversado com uma grande turma, escrevo-te rapidamente para remeter as listas pedidas.

Custou um pouco porque tive de coligir informações em vários setores e passar a limpo um resumo que, acredito, corresponda mais ou menos à verdade. Mando-as por intermédio do Carlos, porque o Danton seguirá em companhia do Segadas.

Tenho medo que me pelo dos golpes baixos deste e das mentiras que te pregará aí e do que virá dizendo. Baeta me disse e Luthero confirmou que havias mandado ordem para adiar a convenção regional. Segadas declarou em reunião hoje que havia recebido ordem do Salgado de fazer mesmo no dia 15 e os carneiros da Executiva disseram amém. Por isso apressei-me em mandar-te por mão própria. O Carlos te dará verbalmente os complementos. Este pessoalmente deseja mais a satisfação moral de ser indicado, pois tem sido ameaçado por todo mundo. Pretende depois abrir mão visto não ter dinheiro para custear sua eleição e não querer aceitar auxílio de ninguém. Besteira de índio, orgulho de pobre.

Conforme digo no lembrete, não tenho candidatos e não prometi nada a ninguém a não ser encaminhar os pedidos. Isto no caso do Capitão Portocarrero e do Hélio Walcacer, meu colega de turma. O resto é só para teu uso. Vão também as sugestões do Luthero escritas a mão.

O Major anda agora fazendo misérias. Parece que entrou na fase de desespero e anda com delírio de grandeza. Sonha <u>apenas</u> em presidir a convenção e pretende para isso <u>comprar</u> os convencionais. O Maciel, por essa razão, quase se atracou com ele. Em São Paulo, com auxílio do Fiori, teceu uma habilíssima intriga junto ao Salgado e conseguiu que este destituísse o diretório provisório por telegrama. Fica o Newton dono e senhor do PTB. Frota e Porfírio vieram alarmados saber o que havia. Salgado respondeu que eles estavam mandando pedir procurações nos estados!!! Frota pediu que te avisasse desse novo golpe, para que o ilustre cavalheiro não vá depois se queixar aí.

Em Minas, Lúcio Bittencourt me disse que há uma grande revolta contra o Otacílio, devido a suas atuações anteriores.

Gostaria que me mandasses dizer o roteiro provável do Jango. Começo a ficar assustada. Não está aí, nem em São Paulo, nem aqui. Abri as cartas que mandaste para ele porque os portadores avisaram que se tratava de assuntos urgentes. Transmiti os recados ao Danton e ao Neves.

O negócio do Tribunal parece que vai marchando bem; Lúcio Bittencourt veio me pedir instruções para evitar o golpe, pois fora informado por alguém que já lera trechos do parecer Ribeiro da Costa. Disse-lhe para esperar um pouco e me dar tempo de pensar. Por enquanto deixasse correr.

1950   Junto vão os remédios que o Luthero te manda e uma saia de lã que prometi a D. Felícia.

Se não tiveres coragem para negar minhas roupas à Ivetinha, manda-as pelo próprio.

Toma cuidado com a língua do Pitinha, que vai para aí. Insinuou que eras candidato a sucessor do A. A.

Estou <u>bebinha</u> de sono, não aguento mais. Celina está muito aflita porque toda essa gente está querendo incomodar o "meu avô".

Beija-te com todo o carinho tua filha **Alzira**

267 \ G · [Fazenda do Itu], 16 de junho

Rapariguinha

Desabou aqui ontem uma esquadrilha de aviões, com uma [sic] de 20 pessoas. Tendo de atender toda essa gente, ler, ouvir, responder, rever manifestos etc., mal pude passar a vista em tuas três cartas. Não vou me aprofundar em tuas queixas, porque também fico amargurado. Vamos logo ao essencial. A luta política está aberta e marcharemos para a batalha das urnas, sem mais vacilações. Agora, se como em 30 "os cuscos se atravessarem na cancha", ~~será~~ a história será diferente. Não devemos porém ser os provocadores.

Quanto ao assunto do Estado do Rio, disse ao Matta, a última vez que aqui esteve, que o PTB devia apoiar a candidatura do Ernani. Ficamos assentes nisto. Na volta ele deveria entender-se com o Ernani e acertarem as cousas. O Danton irá como emissário acertar qualquer dificuldade.

Chapas do Distrito Federal. Mando-te tudo o que tenho aqui pelo Danton que acertará contigo. Não tenho tempo, nem posso fazer um juízo acertado pelas divergências de informações e desconhecimento da maioria dos pacientes.

Irão dois expedientes no mesmo envelope: os do diretório, com listas de candidatos e etc., e os papéis para o arquivo. Nessa parte dos diretórios, também há matéria para o arquivo. Parece que são esses os principais assuntos.

O que te disse sobre a recusa de registro, achei mesmo interessante. E que partido eu iria [sic] disso!

E o Jango, afinal, chegou?

Saudades a todos e beijos de teu pai **Getulio**

206 \ A · [Rio de Janeiro], 16 de junho

Meu querido pai

Aproveito o oferecimento do Ícaro Sidow para te mandar estas linhas rápidas. **1950**
A campanha de intrigas miúdas e ameaças grossas continua em recados e pela imprensa, mas já não intimida ninguém. Os anjos rebeldes estão sendo ora acariciados ora ameaçados.

O assunto do Tribunal Eleitoral já está na rua e com tendência a se realizar, apesar da entrevista ameaçadora do Danton. Estou mantendo o segredo para que eles não recuem, mas todos os outros já estão falando.

O Luzardo está levando a coisa a sério e voltou à sua antiga forma. Discursa quase diariamente na Câmara com grande sucesso.

Junto te mando uns charutos que o Martins envia, uma carta da Ivete para o tio Protasio, um jornal que o Ruy manda e um trabalho do Rafael Xavier sobre municipalismo que o Barata insiste que deves incluir em teu programa.

Realizou-se a primeira parte da convenção. Foram eleitos o Lourival por Sergipe, o Leodegário pela Bahia, o João Lima por Minas, o Naves pelo Paraná, o Zé Barbosa por São Paulo, o Vivaldo Lima Filho pelo Amazonas e o João Emílio pelo Piauí. — Levantaram o nome do Carlos Maciel e o Salgado declarou que era uma afronta pessoal a ele. Que sujeito miudinho!!!

Ernani anda em excursão política há quase uma semana, pouco fica no Rio e eu ando assoberbada com o PTB.

O Epa me telefonou hoje novamente. Parece que o Nereu está bem inclinado. Seria bom que guardasses tuas nove vagas do diretório para atender às emergências.

Os convencionais estão pingando aqui e não tenho mais tempo.

Um beijo carinhoso de tua filha **Alzira**

268 \ G · [Fazenda do Itu], 17 de junho

Rapariguinha

1950 Recebi tua carta trazida pelo Ícaro e as diversas lembranças que peço agradecer, principalmente a do Martins, um grande presente. Pretendo sair daqui já para a campanha eleitoral, levando prontos os principais discursos que devem ser objetivos tratando dos problemas próprios de cada estado, zona ou região. Faltam-me os dados. Conversei com o Neves a respeito, que me prometeu providenciar. Desejo que acompanhes isso com ele, para que não esqueça e sejam logo remetidos. E que notícias me dás do Jango, ainda não apareceu por aí? Peço que recomendes reserva ao Neves sobre esse programa de campanha, para que não venha a público e seja estragado.

Junto vai essa nota para o Salgado. É o pedido de avião para Itaqui que ele prometeu e ainda não foi entregue.

O Jobim faltou. O Protasio cristianizou-se. Pergunta ao Neves o que ocorreu em sua passagem de volta por Porto Alegre. Dou-te as notícias pelo pior para não contar com cousas duvidosas. O Mario Aprile, industrial em São Paulo que veio com o Ícaro, leva uma carta para o Jango. Desejaria que eles se encontrassem.

Saudades a todos e beijos de teu pai **Getulio**

269 \ G · [Fazenda do Itu], 17 de junho

Rapariguinha

Ai vão as trancinhas que ainda tinha sobre diretórios do PTB. Não desejo forçar situações, impugnando nomes. É preciso agir com serenidade e em entendimentos diretos.

Beijos de teu pai **Getulio**

207 \ A · [Rio de Janeiro], 19 de junho

Meu querido pai

Esta vai por intermédio do Lúcio Bittencourt, um dos bons elementos conquistados pelo PTB de Minas. Foi funcionário do DASP e trabalhou comigo e com mamãe na Legião.

Tenho tido pouco tempo para escrever e raciocinar.

Danton levará amanhã a chapa que fizemos. Esqueceste de me mandar a lista dos nomes, de modo que poderás corrigir aí o que te parecer melhor.

As coisas vão marchando bem. Creio que vamos ter uma renovação de ameaças. O discurso do Pasqualini alarmou muita gente.

Peço-te dar instruções ao Danton sobre o problema do estado-maior.

Amanhã escreverei melhor.

Um beijo de tua filha **Alzira**

1950

Getulio Vargas discursa na campanha para as eleições presidenciais no Rio Grande do Sul, vendo-se à direita, de perfil, João Goulart. Entre 9 de agosto e 30 de setembro, 1950.

208 \ A · [Rio de Janeiro], 21 de junho

Meu querido pai

1950   Recebi tuas cartas e bilhetes trazidos por Danton e Ícaro. Ordens possíveis executadas, as outras aguardam a chegada dos destinatários. Fiquei desolada com a segunda gagazada do velho Protasio, eu que já lhe havia aberto um novo crédito de confiança, por insistência tua.

1º) Fui ontem procurada pelos capitães Vergara e Queiroz Lima, que pretendiam convocar também o Capitão Andrade Queiroz, na seguinte missão. O João Duarte Filho, mau sujeito sinônimo de bom jornalista, deseja ser o diretor de um jornal queremista matutino a ser lançado nestas bases: capital inicial doado por capitalistas que desejam acender uma vela do lado de cá, para se situarem, desde que haja uma palavra favorável daí; impressão por um ano em contrato com a Saigon, manutenção por conta do Duarte; colaboradores e orientação dos capitães; objetivo a campanha. – Estão inclinados a fornecer o capital inicial Oswaldo Costa e Mario de Almeida. *O Radical* não penetra certas camadas que seriam atingidas pelo novo jornal. Se o negócio se concretizar, Vergara e Queiroz irão até aí. Já estás avisado.

2º) Cardim anteontem, no Palácio do Catete, fazia um *meeting* pró-negação de teu registro pelo Tribunal. Cirilo interpelou-o dizendo: – o que vocês querem é que o Dr. Getulio se queime e venha em represália a apoiar o Eduardo, em detrimento do PSD. – Cardim refutou dizendo que não e que estavam até prontos a recomeçar os entendimentos com o PSD em torno de um novo candidato para combater Getulio. Houve de fato um movimento nesse sentido, mas logo fracassou pela intransigência do Eduardo. Dutra estaria inclinado por esta solução, mas não tem fibra para se impor. – Ontem Cipriano Lage me procurou para pedir em nome do Lafayette que não se promovesse agora o teu registro, visto no momento não poder controlar o Tribunal, aconselhava a que se esperasse pelo menos uns 20 dias. Contou que tivera (Cipriano) uma longa palestra com Cardim e que este lhe dissera que havia dois meios de combater Getulio: um estava fora da alçada deles e era muito difícil: o golpe militar; o outro estava nas mãos deles promover e o estavam fazendo. Os jornalistas (Chatô, ele e J. S.[1] principalmente) através dos respectivos jornais e os políticos em suas conversas. Era a negação do registro no Tribunal. O Ribeiro da Costa e o Cunha Melo eram 100% para esta solução. Faltava obter um terceiro e provocar pelo menos o empate. Lafayette seria forçado a decidir com o governo. Acrescentou que ao Dutra cabia o papel de chamar os ministros e convencê-los da necessidade deste gesto, mas Dutra não tinha poder de persuasão nem capacidade para o fazer, por isso eles próprios haviam tomado a iniciativa. Na opinião deles o Tribunal Eleitoral é político e deve decidir politicamente. Ainda não chegaram a um acordo quanto ao fundamento jurídico ou constitucional. Alguns são por seres inimigo da democracia, ditador [que] já rasgou várias constituições e não assinou esta; outros pelas ligações com o Partido Comunista e ainda outros por constituir ameaça ao *regimen* atual. Baseiam-se para isso em três casos já ocorridos nos Estados Unidos em que foi negado registro a deputados que haviam combatido a União.

---

1. Refere-se possivelmente a Joel Silveira.

3º) O Benedito procurou o Ernani para <u>sugerir</u> que seria muito interessante para ti que não tivesses candidato ao governo de Minas. Nosso amigo Major está metendo os pés pelas mãos em Minas. Ele é excepcional na organização do Partido; quando chega à parte política de cúpula ele se estrepa e recorre a subterfúgios e mentiras. Convém ter cautela e mandar verificar por outros o que ocorre. Não é verdade que o Lodi esteja querendo vir e o Bias com todas as suas trefeguices não merece confiança; o Negrão foi muito mal recebido no Partido e os outros ainda estão saltando na bainha. O velho Bernardes está balançando num diadema cruel entre a UDN e o PSD.

1950

Continuo na mesma, quanto à organização do estado-maior político e do programa da campanha. Não tenho autoridade para fazer as costuras; só consigo alinhavar. E os cavalheiros com quem me mandas conversar sabem ainda menos do que eu.

Estamos ameaçados de perder dois combatentes, o Carlos Maciel e o Gashypo. O primeiro porque não recebeu de ti nem uma palavra de explicação pelo corte de seu nome por três vezes consecutivas do diretório. Continua disposto a trabalhar por ti mas não deseja mais ser humilhado. O segundo está desgostoso. Esperava, creio eu, uma posição no nacional ou uma promessa tua mais concreta, para o futuro. Foi o que me deu a entender. Queixou-se que sua função meramente militar já acabou e que não tem autoridade para entrar na parte política. Disse-lhe que tu o estavas reservando para São Paulo, mas o jovem quer mais. Continuarei segurando os fios, mas preciso de reforço.

Os vários casos estaduais estão pendurados à espera de solução.

Um carinhoso beijo de tua filha **Alzira**

270 \ G · [Fazenda do Itu], 22 de junho

Alzira

1950 O caso da Ivete tem um significado especial, de família. O Protasio, faltando ao compromisso assumido com o Viriato, ficou contra mim. O Viriato e família estão ao meu lado. O filho dele foi excluído da chapa de deputados e ele agora pede pela neta. Eu desejo atendê-lo, mas não me fica bem, nas vagas que me são reservadas, indicar um parente. É preciso que me compreendam e me auxiliem. Ela alega que o Segadas lhe afirmou que não fora indicada porque o Luthero lhe dissera que eu não queria. Ora, eu não disse tal cousa, nem creio que o Luthero o fizesse. Criaram-me esta situação: os diretórios ou o Partido não indicam porque eu não quero (quando é exatamente o que eu quero) e atiram para mim a responsabilidade da indicação. Não indicam a ela, mas indicam uma porção de salafrários, de traidores, de bajuladores de todos os governos.

Tu dirás – mas eu nada tenho com isso. Bem sei, mas tu és a segunda consciência e eu não posso escrever a outros o que estou escrevendo a ti. Portanto avia-te.

Dá ao Danton a cópia desse telegrama que passei ao Adhemar. Para ele saber se o destinatário recebeu. Só como meio de examinar a ~~exa~~ conduta do serviço de correios e telégrafos.

Há um homem que escreve sobre alimentação, Fulano de Tal Castro,[1] que também deseja ser deputado.

Abraço de teu pai **Getulio**

---

1. Refere-se possivelmente a Josué de Castro.

271 \ **G** · [Fazenda do Itu], 22 de junho

Minha querida filha,

Junto envio-te o plano de estado-maior para organização e direção da campanha política. Parece-me bom. Não foi feito por mim. Essa comissão diretora terá todos os elementos para agir. Deve ser composta de gente capaz, esforçada e, quanto possível, por elementos que não sejam candidatos. Deve ter representantes do PSD, PTB, PSP e outros não partidários. Estuda isso, combina e dá tua opinião. Ouve primeiramente o João Neves. Parece-me que dessa comissão devem fazer parte João Neves e Ernesto (PSD), Danton e Napoleão (PTB). Do PSP serão indicados pelo Adhemar, falar Danton.

Enfim esse é o quadro de estado-maior que estavas reclamando, coordenador da campanha política, doutrinador, técnico e sobretudo objetivo. Precisa atrair a ele, nos seus diversos departamentos, elementos que trabalhem dedicadamente – escritores, representantes de classes etc., o meu antigo gabinete, o Sr. Soares, se não estiver do outro lado ou muito assustado, o Gashypo e outros. Enfim examina isso, conversa com o Major Newton, portador desta e planejador, penetra-lhe o pensamento, chama o Neves, concerta com ele que a meu ver deve dirigir e ponham em execução. Mando mais um esquema de viagem, projeto do Epitacinho e um tanto afervantado. Mando também um temário dos discursos a pronunciar que devem ser projetados aí, pois não tenho elementos aqui.

Saudades a todos e beijos do teu pai
Getulio

1950

Diga ao Getulinho que gostei da carta dele e do retrato, e o vovô manda lembranças a todos os netos.

*Na página ao lado, Getulio, em campanha no Rio Grande do Sul,
conta com a proteção de Gregório Fortunato em meio a simpatizantes.*
Entre 9 de agosto e 30 de setembro, 1950.

272 \ G · [Fazenda do Itu], 24 de junho

Rapariguinha,

1950 Recebi tua carta trazida pelo Miguel. O Major Newton seguiu para aí, levando carta, o plano de estado-maior e outros planos. Este poderá resolver alguns assuntos de tua carta, como o do jornal. Quanto ao do registro eleitoral já te dei minha opinião. Debulha com o Newton os casos políticos, principalmente o de Minas.

Sobre o Carlos Maciel, o nome dele [sic] na lista dos membros do diretório e como candidato a vereador. Ignoro quais são as três recusas a que ele se refere. Sobre o Gashypo, o compromisso que tenho com ele é incluí-lo no diretório de São Paulo e na lista de candidatos a deputado federal no mesmo estado. Se ele pretende alguma outra cousa deve explicar-se. Na carta que te escrevi já sugeri seu nome na organização CNOPE,[1] onde também pode entrar o Maciel.

Saudades a todos e beijos do teu pai **Getulio**

PS.: Essa organização do CNOPE deve ser também submetida ao Salgado e [sic] convidado para fazer parte. Recomendo também guardar reserva para evitar, de início, explorações da imprensa.

D. Felícia ficou muito grata com o teu presente.

---

1. Conselho Nacional de Orientação Política e Eleitoral. A sigla foi idealizada por Luiz Simões Lopes para designar o comitê de propaganda da candidatura Vargas em 1950.

209 \ A · [Rio de Janeiro], 27 de junho

Meu querido pai

Recebi as várias cartas que me mandaste pelo Major, Miguel etc. e passo a respondê-las sem maiores preâmbulos, que o tempo é curto.

1º) Caso do Distrito e Ivete. Nunca sei a quantas andas com o Mestre Segadas. Danton mostrou-me o cartão que lhe escreveste e transmitiu as ordens de nós dois organizarmos a chapa. Mostrei ao Danton o prontuário policial de alguns segadistas sugerindo que fossem cortados e incluídos os novos nomes. Como na nova lei eleitoral, que está sendo votada, há um dispositivo que permite a apresentação de mais um terço do número previsto de candidatos em cada estado, lembrei que o Segadas manteria os dele e ainda teria margem para aceitar os outros. Na de deputados incluí os nomes que me havias mandado e também o da Ivete. Somos, porém, poucos cavalos e muita corrida. Danton entregou o catatau ao Segadas e foi tratar do caso da Bahia, confiando no "bom-senso" do de cujus. E o resultado foi o que se viu. No caso específico da Ivete há ainda a circunstância da jovem ser um tanto trêfega e contar com a hostilidade de quase todo o diretório. Confiada no sobrenome passou a tratar os outros do alto de suas pretensões e a invocar o "tio" por qualquer frioleira. — Andou depois querendo passar para o Adhemar, de modo que acho que a solução proposta pelo Newton é a melhor. Ela correrá na chapa do PTB em São Paulo.

2º) Gashypo quer movimento. Quando termina uma missão entra em crise, porque se considera sem autoridade para manobras. Ficou encantado em entrar para o estado-maior político e já está firme outra vez.

3º) O Carlos Maciel o caso é outro. Vai continuar a trabalhar diretamente comigo mas não quer mais nada com o PTB. Era membro do Diretório Nacional indicado por ti desde o princípio e não foi registrado. Ficou quieto a pedido do Salgado durante dois anos. Agora houve eleição no diretório, foram reconduzidos os outros dois que haviam sido deixados sem registro: o Zé Barbosa e o João Emílio, e ele foi expressamente barrado pelo Salgado, que cabalou contra ele. Da última vez que estive aí com ele tu o incluíste entre os nove nomes e na Executiva, espontaneamente, no entanto na lista do Epitácio que mandaste ultimamente foi deixado de fora. Ficou magoado porque nada lhe disseste aí: ele teria compreendido. Disse-me então que, se o Partido era pequeno demais para ele e o Salgado, era preferível que ele ficasse de fora. Como merecia uma reparação seu nome foi incluído na chapa de vereadores. Pretende renunciar. É só.

5º)[1] Hoje à noite vou conversar com o João Neves sobre os planos do estado-maior. Tivemos anteontem, antes de receber as ordens, uma primeira reunião em casa do Epitácio, sob a direção do Neves para tratar dos discursos. Compareceram o Lourival, os Queirozes, o Vergara, o Almir, o Alvim. Já convoquei o Gileno de Carli para os assuntos Sal e Açúcar e o Cassiano vai ser chamado para a Marcha para o Oeste. Como vês, já estávamos agindo. — Recebi as tuas sugestões para os temas de alguns discursos. Vou mostrá-los ao Neves. De antemão estou em desacordo com alguns deles. — Não me parece de boa política, nem de teu feitio, atacar um governo no ocaso. O que passou, passou. Em minha opinião o tom geral deve ser: Eu já fiz isto e pretendo fazer mais isto, isto e isto. Não tomar conhecimento

1950

---

1. Alzira pula de 3º para 5º.

1950 do período Dutra a não ser no tom de quem pede desculpas pela escolha errada. Atacar seria assustar sem proveito um bando de ratos, descer ao nível deles e até certo ponto decepcionar o povo que espera de ti uma campanha elevada, com coisas concretas e esperanças para o futuro. Não se pode negar que o governo atual realizou alguma coisa em matéria de estradas de rodagem no Vale do São Francisco e terminou quase todas as obras que deixaste iniciadas em benefício dos operários: hospitais, conjuntos residenciais etc. É verdade que estragou mais do que fez. Mas em nome do pouco que fez vamos prestar-lhe a homenagem do silêncio. É esta a minha proposta ao estado-maior. Concordas? Lavarás o peito depois, quando estiveres melhor informado.

Não te esqueças que muitos de nossos melhores amigos são agentes provocadores conscientes e inconscientes. Abre o olho com o Wainer.

As informações anexas já sabes de quem são. O discurso de posse do Estillac fala no apelo de Estocolmo.

O Góes, por intermédio do Pitinha, mandou encarecer que não ataques o Dutra, nem o clero, medites no caso internacional especialmente América e evites os *slogans* comunistas.

A questão do Tribunal Eleitoral amainou um pouco. Estão descambando para a solução parlamentar através de várias emendas descabidas. A última seria um pacto entre PSD e UDN para somarem os votos dos derrotados em detrimento do vencedor.

Meu querido amigo Matta perpetrou nova entrevista, desta vez no *Diário Carioca*, dizendo que o PTB tanto poderia apoiar o Ernani como o Kelly. Kelly foi lançado candidato anteontem pela UDN e pelo governador. Ontem Matta conferenciou longamente com o Kelly.

Este PTB é de amargar.

Por hoje é só. Beija-te com todo o carinho tua filha **Alzira**

273 \ **G** • [Fazenda do Itu, de 28 a 29 de junho]

Rapariguinha,

Dia 28 vou começar a escrever-te para descarregar alguns assuntos, na expectativa da chegada de algum portador. Junto vai uma conta do dentista. É para avisar-lhe que aguarde minha próxima chegada, pois irei precisar dos serviços dele. Por que será que só agora, quando estou para chegar, é que ele se apressou? Vai uma carta para entregar ao Bejo.

Estou aguardando que me mandem dizer algo sobre os planos de organização do CNOPE, plano de viagem, dados para elaboração dos béstias etc. Agradece os charutos enviados pelo Florêncio, dizendo-lhe que, ~~entre~~ no gênero nacional, são dos melhores. Vão também uns papéis para o arquivo.

Chegaram o Newton e Napoleão, um deles será o portador. E fico por aqui.

Saudades a todos e beijos do teu pai **Getulio**

1950

Como vai o Ernani de campanha política no Estado do Rio? Estou interessado pela sua vitória.

Populares saúdam Getulio durante a campanha para a presidência no Rio Grande do Sul.
Entre 9 de agosto e 30 de setembro, 1950.

210 \ A · [Rio de Janeiro, 30 de junho]

Meu querido pai

1950   Aproveito a nova ida do Miguel para te escrever. Remeto o discurso feito pelo Ruy de Almeida, no momento o único deputado do PTB que abre a boca no Parlamento para enfrentar a crise política.

Já te mandei contar nossas primeiras *démarches* para a formação do estado-maior e estou esperando tua resposta quanto ao caso dos discursos.

Estamos um tanto ou quanto amarrados pela falta de <u>fundamentos</u>. Perde-se um tempo precioso em conversas isoladas porque não temos um ponto de reunião nem a subestrutura do estado-maior. O Major disse que forneceria a primeira quota assim que chegasse e o Napoleão está invisível. Se aparecerem aí dá um apertão neles. Há muita coisa em andamento, mas é preciso começar as coisas concretas.

Não pude te escrever por intermédio do Galvão, mas ele ouviu nossa conversa aqui e te levou um recado desesperador. Tua presença é necessária para ultimarmos uma série de coisas, que a distância torna difíceis.

Agora mesmo saíram daqui o Jones Santos Neves e o Edson Cavalcanti. Como se esperava o Jones será o candidato a governador e o Carlos Lindenberg a senador. O primeiro te manda dizer que é, e sempre foi getulista, que poderá ganhar a eleição apesar da hostilidade do PTB, mas não o deseja. Tem um compromisso de esperar até 2 de agosto, prazo fatal, pela decisão do Tribunal no caso de limites com Minas, para se definir publicamente. Seja qual for a decisão ele e seus amigos te acompanharão, pessoalmente, desde já. O Partido dependerá da solução jurídica. O candidato de oposição a ele, lançado por uma coligação de partidos chefiada pela UDN, é um médico, amigo e colega de turma do Adhemar. Este estaria fazendo pressão junto ao PTB para entrar para a coligação. O atual presidente Saturnino, que é semialfabetizado, está tentado a entrar no brinquedo. Por intermédio do Edson conseguimos evitar que fosse assinado qualquer compromisso. Assegurei ao Jones que tinhas o maior interesse, caso fosses eleito, que os governadores estaduais fossem homens amigos e já conhecidos, com maior razão ele próprio, que já fora teu interventor. Não se preocupasse muito com a hostilidade do PTB, porque esta se dirigia quase que sem exceções a todos os amigos verdadeiros do cidadão Getulio Vargas. Citei-lhe os casos do Ernani, do Nonô, do Álvaro Maia etc. e em outro setor o do Adhemar. Ou era ciúme de ti, ou, o mais provável, que os outros oferecessem maiores vantagens <u>pessoais</u>.

Estou às voltas com o caso mineiro. Por intermédio do Cipriano vou entrar em contato com o Pedro Batista Martins e talvez com o Dario Magalhães, que anda solto. Depois dos alinhavos entregarei ao João Neves, conforme já combinei com ele.

Vieram ambos. Ficamos nas preliminares com alguma cerimônia por ser o primeiro contato. Ambos acham de todo o interesse continuar alimentando o velho Bernardes para o governo de Minas, sem arrematar nada. Nenhum partido ainda lançou candidato em Minas. Estão todos tateando. Há um movimento em torno do Gianetti. Nenhum partido tem força sozinho. O PR é atualmente o fiel da balança. E o PTB será o decisivo, caso o Bernardes aceite a própria candidatura.

1950

———————

A chapa do Distrito tem dado dor de cabeça por todos os lados.

———————

Ernani arranjou um fleimão no lugar de sentar e teve que sofrer uma ligeira intervenção. Já está bem e provavelmente amanhã voltará a circular. Fico aqui. Beija-te com todo o carinho tua filha **Alzira**

———

Getulio em campanha no Rio Grande do Sul, vendo-se à sua direita Ernesto Dornelles e à esquerda João Goulart e Batista Luzardo. Entre 9 de agosto e 30 de setembro, 1950.

211 \ A · [Rio de Janeiro, entre 30 de junho e 1 de julho]

Gê

1950   Estou aqui atolada de gente, de serviço e ainda por cima com o Ernani doente com quase 39 graus de febre. Se desta vez eu não quebrar o corpinho, nunca mais escrevo-te às pressas para te dizer que estou de pleno acordo com a orientação do Newton. Por razões as mais sérias, considero a melhor solução em Minas – abrir a questão estadual. O próprio Juscelino acha melhor porque poderá ter mais liberdade de ação, evitando a pressão dos irmãos do Cristiano que passarão a policiar seus comícios, evitando que desta maneira ele permita, como tem feito até agora, que teu nome seja de uma maneira ou outra lembrado de público. O Gabriel continua esperançado e uma desilusão do bloco mineiro da UDN nesta altura poderá provocar reação violenta da parte do governo.

    O Major te contará a conversa que tivemos ele e eu com o Juscelino sobre a parte financeira e eleitoral, solucionando certos assuntos prementes para ele, Major, conforme te explicará. As informações das minhas quinta-colunas em Minas são unânimes em advogar esta solução. Será melhor que a solução seja dada antes da tua volta para te evitar sobrecarga na chegada. O resto está bem.

    Um beijo afetuoso de tua filha **Alzira**

---

212 \ A · [Rio de Janeiro, 1 de julho]

Meu querido pai

    Recebi as instruções que estão sendo cumpridas na medida do possível com os teus cavalinhos de piquete.

    O portador desta, Sr. Guilherme Arinos, autor de um trabalho muito interessante, que há tempos te foi entregue pelo Piza, leva desta vez uma espécie de Bíblia eleitoral, de grande auxílio esclarecedor para as futuras combinações.

    Parece-me excelente elemento para o *team* do estado-maior. Que achas?

    Estou esperando tua resposta a minhas cartas anteriores.

    Um beijo carinhoso de tua filha **Alzira**

274 \ **G** · [Fazenda do Itu, entre 1 e 2 de julho]

Rapariguinha

Estou hoje, 1º de julho, num ambiente de repouso exterior, quase só, mas também de falta de notícias. Há uns três dias não tenho notícias de fora. No entanto parece que as cousas vão correndo com celeridade. Sei que foram publicadas as chapas do PTB no Rio Grande e no Distrito, as do PSP em São Paulo. A visita do Cristiano ao Rio Grande [sic], mas não vi os jornais, nem conversei com pessoas que estivessem presentes a esses atos. No momento três cousas me parecem urgentes: a organização do CNOPE, o preparo do material para os meus discursos e o plano de viagem. Ainda há um outro – a publicação do meu livro.

1950

Qual a tua impressão sobre a candidatura do Cristiano, está se fortalecendo com o apoio e os recursos federais? Não será ele, no momento, o candidato mais forte? São perguntas que a segunda consciência deve responder. Aí vai cartão para ser entregue ao Viriato. Parece que está zangado pela não inclusão de seus candidatos no Distrito. Não foi por falta de boa vontade minha. Parece que em São Borja o Serafim e o Protasio estão aliados politicamente. Não tenho certeza. É preciso agir com diplomacia nesse setor.

2 de julho · Estavam estas linhas escritas quando chegou tua carta trazida pelo Miguel. Concordo que os discursos tenham um tom elevado e não de retaliação. Mas é preciso não esquecer que sou um candidato de oposição e não confundir-me com o Cristiano. Na parte do discurso do Distrito está apenas autonomia. Concordo com a autonomia, mas isso é para os políticos, mais do que para o povo. A este, do Distrito, que não tem carne para comer, tem de se falar na carestia de vida, na inflação etc. Devo dar ao povo carioca a explicação da minha ausência no Senado, tão atacada pelos escribas. E me parece que esse [sic] ser o começo. Devo aparecer como uma vítima das perseguições. Fiz no Senado uma série de discursos mostrando que o governo estava seguindo uma política financeira errada, estava fabricando uma crise que não existia, negando crédito à produção etc. Esses discursos serenos, e feitos a título de colaboração, ~~Isso foi~~ foram recebidos como uma agressão. Açularam contra mim todos os escribas e validos do governo, com larga publicidade paga pelo Banco do Brasil. Além disso minha casa vivia cercada por várias espécies de polícias que me seguiam, meus telefones controlados, minha correspondência em descaminho. Minhas imunidades de senador não serviram para defender-me contra essas desconsiderações e constrangimentos. Nada adiantava permanecer nesse ambiente hostil e sem ressonância. Recolhi-me ao silêncio, isolei-me e esperei que o tempo e os acontecimentos confirmassem as minhas previsões. Aí está o que eu penso que se deve dizer, além de outras cousas. Eis por que eu tinha pressa também na publicação do livro de discursos.

Admirável o artigo do Lúcio Bittencourt – O Sentido do Trabalhismo. Esteve ele aqui, deixou-me alguns números do seu jornal. A passagem foi rápida, havia muita gente e os jornais desapareceram sem que eu os lesse. Dize-me onde ele está, o que faz e a que aspira. Ele é magro, não pesa muito, mas vale o que pesa.

Não tive tempo de terminar o exame de outros assuntos que ficarão para uma nova carta. Saudades a todos e beijos do teu pai **Getulio**

275 \ **G** · [Fazenda do Itu], 2 de julho

Rapariguinha

1950   Recebi tuas cartas de 30 e outra sem data. O Arinos será o portador. Boa ideia aproveitá-lo no comitê. Tenho toda a simpatia pelo Jones. Que é necessário para que ele tenha o apoio do PTB. Não quero meter-me nesse assunto de limites. Pode ser explorado e Minas tem eleitorado muito maior. Preciso de um delegado meu do PTB para trabalhar com o João Neves e tratarem desses casos estaduais. Quem achas bom para isso, o Danton? Manda-me um vidro de Nembutal. Gostei muito das cartas do Olegário Mariano. É um bom amigo.

Abrs. do teu pai **Getulio**

PS.: Ajuda o Neves. Mantém-te em contato com ele. Sobre fundamentos fala ao Napoleão e ao Newton.

*Aspecto da campanha presidencial
de Getulio Vargas em Santa Catarina.
Entre 9 de agosto e 30 de setembro, 1950.*

276 \ **G** · [Fazenda do Itu], 3 de julho

Rapariguinha

Aproveito o portador para escrever-te salientando os três principais que para mim são importantes e urgentes: 1º) a movimentação desse conselho misto, plano de estado-maior; 2º) os discursos para a campanha; 3º) o plano de viagem. Esse do Epitacinho não está mau, mas deve ser reduzido. Há pequenos estados do Norte onde estão marcados quatro pontos de concentração para comícios, em prejuízo de Bahia, Minas, São Paulo e outros estados, sendo que devo, no regresso, ainda fazer alguns no Rio Grande, onde devo aguardar o resultado.

E por hoje é só.

Do teu pai **Getulio**

1950

277 \ **G** · [Fazenda do Itu], 3 de julho

Alzira

Estou muito mal impressionado com as provas do último livro dos discursos que me enviaram. Gastaram tanto tempo, foram arrancados após insistentes pedidos e mandam-me uma porcaria, inteiramente contrária às instruções que dei. Disse que queria os discursos do Senado ~~prom~~ na íntegra, como foram publicados nos jornais e gravados pela Mayrink Veiga antes de pronunciados no Senado. Não quero meus discursos com os apartes de cafajestes como o Vitorino e o Arturzinho. Isso quebra-lhes a unidade e harmonia. Além disso o primeiro discurso de Porto Alegre, pronunciado em maio de 46, está incompleto, falta a parte final.

O último discurso que pronunciei em Porto Alegre, em novembro de 47, após a campanha política de São Paulo, também não consta. Suspenda isso. Assim como está prefiro que não se publique.

Já concordei com a orientação moderada da campanha, embora seja necessário um pouco de sal e pimenta. A título de sugestão à lista que me mandaste envio essa carta. É preciso que mantenhas uma constante ligação com João Neves sobre a terminação desses trabalhos da campanha e a organização do *Comité*. O Salgado levou alguns nomes para o *Comité*. Os recursos financeiros estão sendo providenciados. O Napoleão e Newton levaram credenciais para consegui-los. O que for conseguido deverá ser entregue ao *Comité*. O Luiz Simões Lopes para tesoureiro será excelente. É organizador e uma garantia de seriedade. Mando-te mais alguns papéis para o arquivo e o cartão para o Viriato que tinha esquecido.

Saudades a todos e beijos do teu pai **Getulio**

213 \ A ▪ [Rio de Janeiro], 4 de julho

Meu querido pai

1950 "Urubu" pousou na nossa sorte... Agora, que estava tudo indo tão bem: os discursos em plena confecção, os entendimentos políticos assumindo um cunho de seriedade, o estado--maior em atividade, de repente o Astral virou de pirulito. Dois jogadores fora de combate por 48 horas: João Neves e eu. Treinando para a Copa do Mundo,[1] dei um pontapé no pé da cama e fiquei capenga. E o Neves sofreu um desastre de automóvel, que podia ser muito sério. Felizmente nada fraturou e, uma vez refeito do choque, poderá voltar à atividade. Estamos com um atraso de 48 horas, para refazer. Não há de ser nada.

Vai junto uma carta do Neves que o Hugo Ramos veio me trazer ontem à meia-noite para te remeter. De passagem, que belo espécimen de malandro está a se perder no asfalto. Ainda não tinha tido o prazer de o conhecer. Deu-me a impressão de ser o dono do circo. Tu, Neves, Nereu etc. são meros artistas que trabalham para o prazer dele. A primeira pessoa do singular ficou ralinha de tanto uso. Mas como o velho Viriato, ao qual se parece até fisicamente, é melhor do lado de cá do que de lá.

Tenho me limitado agora a fazer passes magistrais para o Neves chutar em *goal*.

1º) O conselho misto está quase organizado com a indicação dos três elementos do Adhemar: Olavo de Oliveira, Gabriel Moacyr e Stevensen. Do PTB, creio que Danton e Napoleão por enquanto. Do PSD, Neves achou muito dois gaúchos, ainda mais considerando que o Ernesto terá de se dedicar ao Rio Grande, e ficou de pensar no assunto. Estamos tratando da sede, para instalação do que é essencial, e de grana para começar a funcionar.

2º) Os discursos estão em andamento, falta pouco para completar e depois receberás tudo junto.

3º) O livro está no prelo.

4º) O plano de viagem irei rediscutir com o Neves assim que o meu pé ou a cabeça dele puderem funcionar.

5º) O teste decisivo para a candidatura Cristiano será a escolha do vice. Cirilo reivindica para ele; se sair, Nereu terá o pretexto que espera para romper. Cristiano ofereceu-a ao Rio Grande, se sair o Adroaldo, o PSD gaúcho acaba de desagregar. Se sair o Pereira Lyra pelo PR é perigoso, porque aí o governo federal agirá e haverá um grande reforço em Minas. Vitorino, porém, ameaça e grita que nestas condições também quer. E como Dutra nada nega a seu valido é possível que haja estouro nesse caso.

A segunda prova de fogo para o Cristiano será a escolha dos candidatos ao governo de Minas. Bernardes tem sérias incompatibilidades passadas com o candidato pessedista federal, porém teme ainda mais o *team* udenista do Pedro Aleixo em Minas. Embora seriamente tentado a ser candidato com o apoio do PTB, tem receio de que essa divisão de forças dê a vitória em Minas ao candidato udenista desse grupo. O PSD também está indeciso. Todos temem dar o primeiro passo por causa da fusão provável dos outros partidos. Nossa

---

1. A Copa do Mundo de 1950 realizou-se no Brasil entre 24 de junho e 16 de julho.

posição em Minas se ressente da indecisão geral, portanto creio que devemos nos limitar por enquanto a animar as esperanças e alimentar as hostilidades.

1950

A candidatura Cristiano, ao contrário do que se esperava, enfraquece dia a dia. O homem não tem *glamour*.

Luthero passou por aqui e descobriu que quebrei o dedo do pé. Era só o que faltava.
Se puder escreverei depois por outro portador.
Um beijo afetuoso de tua filha **Alzira**

Chegada de Getulio a São Paulo durante a campanha para as eleições presidenciais. Entre 9 de agosto e 30 de setembro, 1950.

278 \ G · [Fazenda do Itu], 5 de julho

Rapariguinha

1950
É portador desta o jornalista Oséas Martins da *Folha Carioca*. Queria gravação, entrevista etc. Não obteve, mas prometi-lhe que na ocasião oportuna tu o avisarias. É só. Junto vai uma carta para o Neves.

Abrs. do teu pai **Getulio**

279 \ G · [Fazenda do Itu, de 5 a 6 de julho]

Rapariguinha

Começo de novo a escrever-te neste dia 5, aguardando um portador. Pensei melhor sobre o livro dos discursos. É melhor publicá-lo logo, assim como está. Peço-te que o apresses. Como vai o trabalho de preparação dos discursos. Ainda nada recebi. E como já disse, enquanto esse serviço não estiver pronto, não me movimentarei daqui. Na lista que me mandaste, algumas teses estão muito literárias. Salvador, por exemplo, diz política externa. E o petróleo? Parece-me que este é o assunto fundamental para tratar na Bahia. Já mostraste ao João Neves as minhas sugestões. Ele também está de acordo com a tua limonada?

Voltando ao assunto do livro, que hibernou tanto tempo por motivos que eu mesmo ignoro, o que estranho é a falta de segurança e de conhecimento na publicação do mesmo. Depois de me informarem que estava tudo pronto e feita a revisão, houve ainda nova demora. Queriam saber se deviam incluir no livro o programa do Partido e umas recentes entrevistas ou declarações. Respondi que não, que apressassem a publicação. Só agora, com a remessa do livro, verifiquei que não constam do mesmo os discursos de São Paulo, ao menos o da capital, pronunciado na campanha do Cirilo. Também não consta o último que pronunciei em Porto Alegre, em novembro de 47, encerrando a campanha eleitoral. Esse é que devia ser o fecho do livro. Pois não foi, e queriam incluir cousas recentes de agora, deixando esses que citei.

Chegou o Danton. Nada mais tenho a acrescentar senão correspondência para o arquivo.

Saudades a todos e beijos do teu pai **Getulio**

280 \ G · [Fazenda do Itu], 8 de julho

Rapariguinha

Recebi tua carta de 4 do corrente. Espero que teu dedinho breve esteja restaurado. Isso não impedirá que a cabeça continue trabalhando, com o corpo em repouso.

1950

Fico ciente das outras informações e não esqueças o meu Nembutal. Saudades ao Olegário Mariano. Muito apreciei sua carta. E o Ernani não esteve mais com o Grão de Bico? Talvez fosse bom não perder o contato.

Beijos do teu pai, com votos de pronto restabelecimento **Getulio**

Esta vai por intermédio do Neves para evitar-te a visita duns jornalistas abelhudos.

281 \ G · [Fazenda do Itu], 9 de julho

Rapariguinha

Nada me disseste sobre o volume dos discursos que está no prelo. Porque não entraram pelo menos dois – o pronunciado na capital de São Paulo, campanha do Cirilo, e o de Porto Alegre, em novembro de 47, encerrando a campanha política. Estou com a intenção de pedir nova licença ao Senado. A minha já terminou há mais de mês. Se tiver algum remédio bom para fígado manda-me. Ele às vezes grita.

Mas, voltando ao livro, apesar de ~~defa~~ incompleto é um roteiro para a nova campanha e deve ser lido pelos que estão preparando a outra série.

Preciso que me informes sobre a venda do meu terreno. O Newton disse-me que o mesmo estava comprado pelo Lodi. Este ia entender-se contigo e passar a escritura. Talvez já estivesse passada. Que há de verdade sobre isso?

Saudades a todos e beijos do teu pai **Getulio**

214 \ A · [Rio de Janeiro], 9 de julho

Meu querido pai

1950   Recebi os vários papagaios parecidos com cartas que me mandaste ultimamente.

1º) Somente agora por acaso tomei conhecimento da história secreta de teu livro e das razões da contínua protelação. Tanto o Queiroz como o Zé Olympio acharam o material fornecido precário e incompleto mas nenhum dos dois se animou a assumir a responsabilidade de retificar, nem de te esclarecer ou a mim. O primeiro porque temia ser mal interpretado, visto não ter sido colaborador deste último volume, e o segundo simplesmente porque não ousava. Suponho que ambos julgavam que era eu a responsável e não se atreviam a falar. Hoje o Almir me telefonou, pedindo socorro. Zé Olympio, antes de embarcar para São Paulo, entregara-lhe as provas do livro dizendo que procurasse completar o que faltava e retificar as datas, porque assim como estava ele não queria assumir a responsabilidade de publicar. Respondi ao Almir que não o podia socorrer hoje, pois, além de estar capenga, Celina passara a noite com febre alta (sarampo), e aconselhei-o a falar com Queiroz Lima, que era o encarregado desse setor. Este falou-me pouco depois e me contou então que, desde o princípio, achara os dados fornecidos pelo Epitácio muito desconchavados e incompletos, extraídos em sua maioria de jornais, com datas erradas. Como, porém, não quisera parecer espírito de porco criticando a obra dos outros, limitara-se a corrigir a parte literária. Quando te mandara consultar por intermédio do Napoleão se devia acrescentar algo ou deixar assim mesmo, era na esperança de que o autorizasses a mexer em tudo. Ele ignorava que tu também não conhecias o material coletado, o que só agora sabes pelas provas que te mandei. De modo que estão explicadas assim as hesitações passadas e a pequena demora que ainda se irá verificar. Combinei com Almir e Queiroz fazermos juntos um reexame para que possa sair coisa decente.

2º) Mando-te como amostras os três discursos feitos pelo Almir de Andrade (Ceará, Minas, Maranhão) ainda não revistos, nem alterados pelo Neves. Essa cópia é minha e poderás ir meditando sobre eles. Achei-os muito benfeitos, em linhas gerais, faltando apenas o toque getuliano. O resto da "limonada" é feito no mesmo tom elevado e, conforme as zonas, faz cipoadas impessoais mas eficientes. Lamento não poder assumir a paternidade da limonada, que foi feita pelo Neves e não por mim. Fiz questão apenas do diapasão, não escolhi os temas que estão citados apenas em forma de lembrete. A tese geral foi explicada oralmente durante a reunião e o petróleo está incluso. Entreguei ao Neves a lista das tuas sugestões, que serão aproveitadas com todo o carinho, visto seres tu mesmo o pai da criança. Ponderei apenas que fossem excluídas as teses de ataque direto e violento a um governo em decomposição. É claro que és candidato de oposição, mas não és um candidato comum que necessite destruir os outros para surgir. És um estadista com um passado a zelar, com uma grande bagagem de serviços prestados que pode e deve ser atacado e discutido, pois só os que produzem o são. Atacar é trabalho para quem quer subir vulgarmente, não para ti.

Acaba de chegar um portador e não posso fazê-lo esperar.

Um beijo afetuoso de tua filha **Alzira**

215\A · [Rio de Janeiro], 9 de julho

Gê

Mando-te agora os cinco discursos produzidos pela equipe Queiroz-Vergara-Queiroz com a renovação do oferecimento deles, caso queiras que vá um para aí ajudar a fazer as revisões. Peço-te não referires ao Neves estas remessas clandestinas que estou te fazendo, porque ele ainda não lhes acrescentou o seu toque. Mando-os para que medites sobre eles, para quando chegarem aí, já com os acréscimos acadêmicos de nosso general.

1950

Não te posso mandar os do Gileno, porque minha casa está interditada pelo sarampo a quem tem criança pequena. E o Gileno tem apenas 12, por isso pedi-lhe que fizesse a entrega direta ao Neves.

Esteve agora aqui o Cipriano Lage. Ele pede toda tua atenção para o caso mineiro, que está bastante interessante para nós se soubermos agir com o coco. A posição do Otacílio absolutamente não é a que te estão informando. Não somos só nós os que conhecemos o seu "belo caráter". Minas inteiro o conhece e o povo tem muito mais memória do que se pensa. É mais fácil perdoar um inimigo leal do que um amigo sujo. Se não firmares compromisso desse lado, depois é só deixar o barco correr. O PR negociou vergonhosamente seu apoio ao PSD – ganharam a vice-presidência da República (Altino Arantes?), a vice de Minas (?), três secretarias no futuro governo, três presidências de banco, a senatoria (Arturzinho) e ainda a prefeitura de Belo Horizonte e 2 um ministério. Dizem as más línguas que há ainda por fora um negocinho do Arturzinho em curso no governo federal que dá para tirar o pé do barro. E tem mais, o PR fica com direito à escolha do governador mineiro proposto pelo PSD. São dois, Juscelino e Bias. Embora as inclinações do Bernardes sejam pelo Bias, o Benedito comprou o voto para o Juscelino pela senatoria. Será lançado em convenção por estes dias.

A UDN está indecisa entre cinco candidatos: Pedro Aleixo, Magalhães Pinto, Franzen de Lima, Gianetti e Gabriel Passos. Acha o Cipriano que poderás escolher, se o desejares, qual o candidato que a UDN deve lançar. Embora eleitoralmente não nos possam dar mais do que já temos lá, politicamente seria muito divertido entupir a boca da UDN mineira, que é a mais chatinha. Pensa sobre o assunto, porque há tempo. É cedo para assumir qualquer compromisso em Minas.

No Espírito Santo está tudo azul. O Jones está satisfeito e não há mais nada a temer. Não terás de tomar partido na questão de limites, isto é com o Tribunal. Quanto a nós, é só assegurar com o apoio do PTB a vitória do Jones e esperar os votos deles. – Estás ficando muito "utilitário" a raciocinar em votos esquecendo as razões dos mais fracos.

Estive com o Olavo de Oliveira e seu deputado Adeodato. Este quer ser o teu hospedeiro em Sobral e ambos pretendem arregaçar as mangas. Tive do primeiro magnífica impressão. Sagaz, ponderado e fiel.

1950   Rockefeller está na terra. Os americanos estão mais conformados com a ideia de tua volta. Esta vai pelo Kós e Duarte, que te vão levar os planos para o jornal dos capitães.
Um beijo da **Alzira**

282 \ **G** · [Fazenda do Itu], 11 de julho

Rapariguinha

Hoje, 11, recebi a visita do Kós e do Duarte, que me narraram a precária situação de saúde do João Neves, com um colapso, sem pulso e precisando de um repouso de 15 dias. Quando estes saíram recebi a visita do Dr. Nogueira da Gama com carta do João Neves e negou que este tivesse tido qualquer complicação *post* acidente, afirmando que no dia anterior, 10, ele estivera no banco. Fiquei em dúvida se houve exagero dos primeiros informantes ou se o segundo ignorava o acontecido. Enfim, na carta anterior, informei-te o que era preciso fazer, no caso de impedimento prolongado para o Neves. Agora, este pensa que não há urgência e que eu devo falar depois dos outros candidatos.

Quanto ao assunto do livro está agora explicado. Eu, até receber a primeira prova, ignorava o que haviam reunido. E ninguém me informava. Supunha eu até que houvesse desinteresse da parte do José Olympio. Na lista dos trabalhos que me enviaste havia sobre industrialização, São Paulo, confiada ao Maciel. Se ele quisesse encarregar-se dessa parte seria muito interessante, mas não creio. Então o PR fechou negócio! Seria um bem ou um mal? Parece-me que isso veio fortalecer o Cristiano em Minas e noutros estados.

O Maneco breve estará por aí.

Saudades a todos e beijos do teu pai **Getulio**

283 \ G • [Fazenda do Itu], 11 de julho

Minha querida filha

Recebi tua carta trazida pelo Kós e as notícias sobre a doença do Neves, o que constitui um grande transtorno. À vista disso parece mais aconselhável que comecem a trabalhar com a minha equipe Vergara, Queiroz etc. aí mesmo. Irás me remetendo os trabalhos, à medida que os forem aprontando. Não convém dispersar a equipe que está trabalhando aí. Tenho comigo um rapaz inteligente e bom datilógrafo com o qual irei fazendo a revisão dos serviços. O discurso de Porto Alegre, já pronto, enviei ao João Neves, há poucos dias e a pedido dele, para uma revisão. Por enquanto é só. Que notícias tens de Danton, Newton e Napoleão e dos recursos financeiros?

O Salgado ficou de remeter-me a lista dos nomes da executiva do Diretório Nacional do PTB, como proposta para eu examinar e responder. Isso quando esteve aqui. Até agora nada remeteu. Pergunta a ele e fala ao Danton.

Sobre política de Minas não tenho compromissos. Apenas convidei o Otacílio a voltar para o PTB.

A respeito do jornal, autorizei os signatários da carta a se entenderem com os possuidores de ações da Saigon – Napoleão, Eurico e Epitacinho.

Saudades a todos e beijos do teu pai **Getulio**

1950

Getulio em campanha no estado de São Paulo, com Lucas Nogueira Garcez, à sua direita, e Erlindo Salzano, atrás. Entre 9 de agosto e 30 de setembro, 1950.

216 \ A · [Rio de Janeiro], 12 de julho

Meu querido pai

1950 Escrevo-te num último arranco de energia, antes de naufragar num narcótico qualquer. Com um dedo do pé quebrado e a Celina indócil com sarampo atendi mais de cento e quinhentas pessoas e ouvi as coisas mais desencontradas do mundo.

Comecei pelo Frota assustado pela infiltração borghista e a tática estranha de nosso amigo Major.

Depois veio o *team* de Pernambuco com o Dep. Edgard Fernandes (ex-PSD agora Adhemar) que queria instruções para manobrar com o Oswaldo Lima. Como o Neves ainda está fora de combate, disse-lhe que fosse estudar o assunto *in loco* e comunicasse depois para as devidas providências. Estão interessados em uma mensagem tua que facilite lá o trabalho do Mariz. Junto vai a sugestão.

Depois o Baeta, muito temeroso de uma viagem do Segadas com Danton e da nova executiva que estão ameaçando – Rego Monteiro, Landulfo+Lourival, Edson–Danton+Dulcídio–Fiori. Acham que todos são novos demais e os antigos pretendem resistir. Deseja também a contemplação de amigos seus nas vagas de vereadores.

Luiz Simões descreveu a canibálica primeira reunião do estado-maior, feita sem a presença do Neves. Todos querem se apossar do Partido, principalmente o Adhemar, através dessa organização. Precisamos aguentar o Neves de qualquer maneira ou colocar o Ernesto. O Danton está demasiado insofrido.

Não pude continuar.

Estamos revendo o teu livro, Almir, Lourival, Queiroz e eu. Danton já veio buscar a carta.

O Salgado pede-me para te dizer que infelizmente não poderá deixar de continuar na vice. Deu bolo a chapa organizada sem ele e ele terá de se sacrificar.

Um beijo da **Alzira**

---

284 \ G · [Fazenda do Itu], 12 de julho

Rapariguinha

Ontem escrevi pelo Dr. Nogueira da Gama, recomendado do João Neves. Agora segue o Maneco, que é carta viva e leva várias incumbências.

No famigerado livro de discursos que está para ser publicado, falta também o que foi pronunciado no Senado a 9 de maio de 1947, exatamente o primeiro da série criticando a política financeira do governo.

Beijos do teu pai **Getulio**

217 \ **A** • [Rio de Janeiro], 13 de julho

Meu querido pai

Desta vez é apenas um bilhete para aproveitar a ida do Calafanges. Mando-te o remédio para o fígado. São em meio copo d'água tantas gotas quantos são os quilos. Tomar de uma vez só à noite ou duas vezes, antes do almoço e do jantar. Se preferires tomar em injeção avisa que eu remeterei.

1950

O caso da comissão vai ficar sério. Há uma séria oposição ao Neves, encabeçada principalmente pelos elementos ademaristas. Este declarou hoje ao Ernani que "política é negócio – toma lá, dá cá – e até hoje não levei nada nesse negócio". "Se me amolarem muito largo essa porcaria. Afinal de contas, eu me sacrifiquei para quê? Quem vai mandar nisso sou eu, porque o dr. Getulio disse que iria fundir os partidos e quem assumia a orientação política era eu."

Ainda vamos ter muita dor de cabeça. Depois escreverei. Agora estou com pressa e meio febril.

Beija-te com carinho tua filha **Alzira**

Getulio Vargas durante a campanha para as eleições presidenciais no estado de São Paulo, vendo-se ainda Adhemar de Barros e Lucas Nogueira Garcez, ambos de branco, e Gregório Fortunato.
Entre 9 de agosto e 30 de setembro, 1950.

285 \ G · [Fazenda do Itu], 14 de julho

Rapariguinha

1950   Parece que o pessoal dirigente da minha equipe anda de azar. Tu quebraste um dedo, a Celina com sarampo, o Adhemar pisou uma perna e o Neves no lastimável estado em que se encontra. Estou muito contristado e apreensivo com o estado de saúde dele. Mas, vamos aos casos.

Pelo Danton, portador desta, escrevo ao Salgado insistindo pela eleição da executiva, com o Danton para primeiro vice e o Baeta para segundo. Essa direção está muito parada, e cheia de melindres. Falei claro.

Quanto aos discursos estão faltando os do começo – São Paulo e Distrito. São Paulo, conforme foi traçado no programa, serão vários. Sobre o Distrito já te mandei palpites a respeito do prólogo. O Maneco foi encarregado de trazer alguns volumes da *Nova Política*. Vê se os consegues por aí, sem desfalcar a coleção da minha biblioteca, com encadernação especial, pois os que vierem para cá podem extraviar-se.

Dize ao Maneco que ao passar em Porto Alegre dê ao Pasqualini a seguinte resposta: eu não vou fazer campanha doutrinária de trabalhismo e sim dum programa objetivo de administração. Campanha para vencer, com aliados que não são do partido e com o povo em geral. Se vencer, ele, Pasqualini, será incumbido de rever o programa do PTB e de reorganizá-lo sob as bases doutrinárias. Se eu perder, estou velho e não contem mais comigo para atividades políticas.

Junto vai um cartãozinho para o Salgado, escrito à última hora, e que nada tem com o assunto da carta levada pelo Danton.

Saudades a todos e beijos do teu pai **Getulio**

286 \ G · [Fazenda do Itu], 15 de julho

Rapariguinha

Deves estar doente e fatigada. Retém o Maneco um pouco aí para ajudar-te. Ele tem qualidade, como se diz em linguagem de rinhedeiro. É preciso que entre em contato com o Major, que regressa hoje daqui, com o Danton, Neves e outros que for necessário. Esse *comité* precisa funcionar. Está sem dinheiro e sem força, hostilizado pelo Adhemar. O Danton precisa intervir junto ao Adhemar com mais decisão para acomodar isso e fornecer recursos. Lembrei o nome do Neves por vários motivos: é inteligente e trabalhador, não é candidato, mora no Rio, pode dedicar-se inteiramente a esse serviço. Tudo porém se pode acomodar. Se o Adhemar quiser tomar conta do brinquedo que tome, mas não se deve desgostar o Neves. Se este aceitasse a candidatura à senatoria seria uma excelente solução. Talvez insistindo ele aceite. Tenho essa desconfiança. Para nós, no Rio Grande, seria magnífico. Era um homem do PSD que viria aumentar a desagregação deste. Viria trabalhar no Rio Grande pela causa. O Ernesto poderia ir para o Rio. Entendia-se bem com o Adhemar, com Minas etc. Confere? Diz ao Maneco que o Cleberto até agora não regressou de Porto Alegre e estou precisando dele. Recebi o discurso para o Maranhão. É puramente lírico. Não trata dos problemas da terra, do que se fez, do que é preciso fazer, da política do estado, dos candidatos etc. Será por medo do Vitorino? Quem é o autor? Agora com a ida do Major pode se fazer o negócio do terreno. É preciso que o comprador e o Bejo se entendam. O negócio tem várias modalidades: 1º) passar a escritura e receber a importância total. É o melhor; 2º) passar a escritura, receber a metade e um documento do restante; 3º) o comprador entrega a metade, e obtém um recibo provisório, ficando a escritura para depois. O dinheiro deve ser depositado em meu nome, na filial do Província aí, ou antes deixados aí 200 mil cruzeiros e remetido o restante para ser creditado a mim na filial do Banco do Comércio aqui.

Saudades a todos e beijos do teu pai **Getulio**

1950

Aspecto do comício da campanha para as eleições presidenciais no estado de São Paulo. Entre 9 de agosto e 30 de setembro, 1950.

287 \ G • [Fazenda do Itu], 16 de julho

Alzira

1950 Já te havia escrito pelo Major Newton quando aqui chegaram o Maneco e o Luiz. Sobre as notas trazidas pelo último já estão sendo providenciados os assuntos. As partes mais urgentes são o plano de viagem e os discursos que devem ser pronunciados nos diferentes lugares.

É preciso apressar a remessa do Distrito. Esquema: 1º) plano de execução sem marcar as datas; 2º) discursos nos diferentes lugares; 3º) transporte; 4º) comitiva; 5º) acordos políticos.

Numa das cartas que te escrevi foi posto um cartão para o Salgado. Se ainda não o entregaste rasga-o.

Saudades a todos e beijos do teu pai **Getulio**

Getulio discursa em comício no estado de São Paulo durante a campanha para as eleições presidenciais.
Entre 9 de agosto e 30 de setembro, 1950.

288 \ G · [Fazenda do Itu, de 16 a 18 de julho]

Rapariguinha

Não estou bem impressionado com o teor de alguns modelos de discursos que me foram remetidos. Estão muito acadêmicos, muito corretos, mas não impressionam o povo. Parece que não se destinam a ele. São mais para grã-finos. Não tocam no cerne da crise social e econômica que atravessamos. O de São Paulo está bom. Mas São Paulo é o maior centro industrial e a maior concentração operária do país e o discurso não trata da questão social: a miséria, a carestia da vida, o desemprego, a baixa nos salários, a crise das indústrias, a falta de crédito bancário, as mercadorias em estoque etc. Dirão que eu posso acrescentar tudo isso. Não é fácil porque falta-me o material. Não tenho datas para ilustrar nem mesmo referir essas afirmações e teria quase de refazer esses discursos. E o tempo é escasso. Apressam-me para sair e não tenho os discursos, não tenho o plano de viagem e o *comité* não tem recursos para movimentar seus serviços.

Será que o Cristiano e o Brigadeiro aguardam que eu inicie a campanha para seguirem meu rasto? Seria curioso que eu partisse na frente fazendo discursos líricos e eles depois fazendo discursos construtivos e sérios!

Estou aborrecido pelo esboço de crise entre o Adhemar e João Neves sem que este, trabalhando com tanta dedicação e inteligência, tenha conhecimento do assunto. Despachei o Newton para falar ao Adhemar e esclarecer esse enredo. Propuseram-me a substituição do Neves pelo Ernesto em vista da doença e repouso forçado do mesmo. Mas esteve hoje, 16, aqui o Floriano, irmão do Neves, dizendo-me que este estava bem, trabalhando, e não ia fazer repouso. E agora! O Adhemar pretende que eu fique uma semana em São Paulo, para fazer primeiro a campanha de lá e depois prosseguir. Não me parece acertado. Enfim, não tenho material nem plano de viagem e pretendem levar-me como urso amestrado para mostrar-me aos curiosos, fazendo discursos de improviso!

E o discurso do Distrito, e o da Bahia e os de outros pontos de São Paulo, de Minas e do Norte?

Seria útil, se ainda houver tempo, que me enviassem alguns estudos, como sobre o problema dos transportes. Transportes ferroviários, situação das nossas estradas, principalmente a Central do Brasil, ligações ferroviárias com o Norte e Oeste, que fez o atual governo em matéria de aparelhamento e desenvolvimento de nossas estradas de ferro. Outro sobre carvão nacional, siderurgia, energia elétrica etc. É preciso recrutar alguns técnicos, à disposição do *comité*, que façam rapidamente esses trabalhos e não entregá-los a simples amadores. Bem sei que tu não és responsável, nem tal assunto está a teu cargo, embora estejas empenhada em ajudar. Mas tu és a segunda consciência e eu preciso desabafar, porque não estou sendo bem compreendido, nem ajudado.

Agradece por mim à embaixatriz Maria e à minha afilhada suas atenciosas cartas. Estou ficando um tanto rude e desajeitado para responder a essas delicadezas.

Os discursos para outros pontos de São Paulo e Minas dependem do plano de viagem, dos lugares ou zonas onde devo falar. Se o Neves está em condições de trabalhar, apressa com ele para a remessa desses trabalhos. Não lhe faças reparos ou censuras, elogia e faz sugestões.

1950   Em resumo, todos me perguntam quando estarei aí, inclusive tua mãe, e eu mesmo não sei, porque minha partida depende daí e não de mim. O estado-maior no Rio é que tem de organizar o plano de viagem e os discursos e remetê-los, com tempo para que eu examine e marque a viagem. Compreendeste? Pois é isso mesmo.

Saudades a todos e um beijo do teu pai **Getulio**

O discurso da capital de São Paulo não precisa mais tratar. Já o desdobrei e completei, como pude.

Estava com esta carta pronta quando chegou o Sr. Osvaldo Junqueira, portador desta, trazendo uma carta do Vergara com as falas de Belo Horizonte e Fortaleza que eu já tinha recebido. Mais uma prova da desorganização do *comité*. Preciso que apresses a vinda do Newton e do Danton (juntos ou separados, pouco importa) e que acuses o recebimento desta, para que eu fique certo de que chegou às tuas mãos.

289 \ G · [Fazenda do Itu], 20 de julho

Rapariguinha

Como vais? O Danton seguiu hoje com o assunto do *comité* combinado. Junto a esta vai uma cópia da nota que lhe entreguei. É preciso apressar os discursos. No Estado do Rio os meus comícios não podem limitar-se a Niterói. Deve-se fazer um em Campos e noutro ponto importante. Faltam os discursos. Ponha a equipe em movimento. Tudo bem.

Beijos do teu pai **Getulio**

1950

---

290 \ G · [Fazenda do Itu], 21 de julho

Rapariguinha

E a minha equipe, o que faz? Estão me faltando as falas da Bahia, Vitória, Juiz de Fora, Campos, interior da Bahia, Sergipe, Alagoas, Rio Grande do Norte etc. E tudo aí mudo!

O Major disse-me que o Lodi já te entregou a primeira prestação da compra do terreno. É verdade?

Beijos do teu pai **Getulio**

Junto vai essa carta para o Neves.

Getulio desfila em carro aberto na campanha para as eleições presidenciais no estado de São Paulo, vendo-se, entre outros, Batista Luzardo, Caiado de Castro, Adhemar de Barros e Gregório Fortunato. Entre 9 de agosto e 30 de setembro, 1950.

218 \ A · [Rio de Janeiro, 24 de julho]

Meu querido pai

1950   Aproveito a ida do Jesuíno para te escrever minha primeira carta *post*-vírus. Parece que andei mesmo pelas caronas porque, apesar de todas as minhas ameaças e barulhos, o Barata e o Humberto estão me mantendo ainda meio interditada e com absoluta proibição de apanhar resfriados. Estou tentando obedecer. Recomecei a tomar pé no ambiente político e tive a desoladora e lisonjeira (para mim) surpresa de verificar que nesses 10 dias em que estive totalmente segregada ninguém se mexeu. E o culpado és tu. Habituaste esse nosso *team* a ser mandado e é só o que sabem fazer. Iniciativa própria, neca; vontade de trabalhar, muita. Quando vejo essa macacada toda que eu me habituei a respeitar e acatar vir buscar orientação comigo, sinto que os afagos à minha vaidade não são suficientes para cobrir a decepção de os descobrir tão inermes.

Vamos às notícias.

1º) Gashypo, durante meu impedimento, procurou o Ernani para contar o seguinte. Fora informado pelo Oscar Passos que Adhemar havia mandado chamar o Caiado de Castro em São Paulo. Relatara-lhe a palestra que há meses tivera com o Canrobert, e que te mandei contar, insinuando uma bagunça como meio para se libertar do acordo que fizera contigo. Pediu depois a opinião do Caiado e este respondeu o mesmo que Canrobert: cumprisse o acordo e não procurasse envolver o Exército em suas maquinações.

2º) Hugo Ramos e Luzardo vieram falar comigo. Neves está fora de combate por vários dias ainda, sente muitas dores e não pode dormir à noite. Queriam que eu respondesse a todas as suas perguntas: a) havias dito ao Luzardo que desejavas como teu companheiro de chapa ao Nereu e estavas esperando a resposta que devia ser transmitida pelo Hugo, antes de sair daí. Quem havia sido incumbido de formular o convite?; b) estavas esperando a remessa dos discursos para sair daí a organização das chapas, os acordos políticos, a comitiva etc.

Respondi-lhes: a) que ignorava quem estivesse incumbido de fazer o convite ao Nereu, reputava sua aceitação de grande interesse para toda a campanha. Aconselhava no entanto que se esperasse a chegada do Danton, a quem eu incumbiria de sondar o Adhemar a respeito para não lhe dar pretexto, e depois eu preveniria o Hugo para transmitir o convite ao Nereu. E agora pergunto eu: o que há de verdade em tudo isto? Quem foi incumbido de fazer o convite. Neves não foi, Danton também não; Salgado?; b) quanto às demais reclamações tuas para vir, somente aqui poderão ser resolvidas algumas. Tua presença aqui torna-se cada vez mais premente. Sacode a preguiça, rapaz, e vem para o rinhedeiro. Assim não é possível. Está tudo cambaio.

Minha proposta em concreto é esta: já estão resolvidos os casos estaduais e locais do Rio Grande, São Paulo e Distrito, já estão também em teu poder os esqueletos desses três discursos. Sacode a leseira e despenca-te daí na próxima sexta-feira; faz o comício de Porto Alegre e chega a São Paulo no sábado; faz o comício lá e um em Santos no dia seguinte, na segunda bate papo lá com o Adhemar e vem para o Rio na terça-feira, que é teu dia de sorte também. Faz o comício no mesmo dia e vem para casa. No dia seguinte nós te enfurnamos numa fazenda cá por perto no Estado do Rio (Paulo Fernandes, Alpes Cunha ou outro qualquer). Ficas aqui uma semana para rever o motor (os médicos e dentista já estão avisados e a postos), dar uma última demão nos discursos (as fontes de informação, os escribas e o estado-maior ficam mais perto para receber orientação e fornecer trabalho), o que não se fez em um mês devido à distância se faz em 24 horas contigo aqui. Certos acordos que só tu podes fazer serão imediatamente promovidos. O plano da excursão já esboçado receberá as emendas que julgares conveniente de acordo com o que se estabelecer e a comitiva se organizará de acordo com as necessidades ocorrentes. Previno-te que tenho um convidado que está mais assanhado que noiva em véspera de casório: o Paulo Barata Ribeiro. Já pediu até licença na prefeitura para te acompanhar.

———————

A eleição pura e simples do Danton nada resolve, o impasse vai continuar. A chapa proposta não está causando muito boa impressão.

———————

Se de todo não quiseres vir já, é urgente a vinda do Ernesto para assumir a chefia do *comitê* que está agonizantezinho por falta de autoridade, de dinheiro e de quem tenha vontade de trabalhar. Todo mundo está pendurado no teu carro, mas ninguém o está empurrando. E o Maneco, que faz que me abandona!

Vou entrar no meu veneninho para os vírus e dormir que amanhã tem mais.

Um beijo muito afetuoso e virulento de tua filha **Alzira**

Aspecto da campanha de Getulio para as eleições presidenciais no Pará. Entre 9 de agosto e 30 de setembro, 1950.

291 \ G · [Fazenda do Itu, de 24 a 25 de julho]

Rapariguinha

1950 Ontem esteve aqui o Epitacinho com a tua cartinha e notícia de que estavas melhor, mas ainda incomunicável. Trouxe-me o plano de viagem e disse-me que os discursos estavam prontos, mas não foram ainda revistos pelo Neves. Disse-lhe que era preciso mandar-me tudo, para que eu fizesse a revisão aqui. Sempre tenho modificações a não fazer [sic] e só aqui terei tempo. Desde que saia não é será mais possível. M̶Terei meu tempo tomado por visitas, conferências e outras constantes interrupções. Ficou então de remeter-me o que existe. Penso que minha equipe esteja produzindo conforme as cartas a ti e ao Vergara remetidas pelo Sr. Osvaldo Junqueira. O Dr. Camillo Nogueira da Gama ficou de entregar-te uns óculos para a campanha que encomendei por ele. Reclama e guarda-os aí. Estou curioso por saber o resultado do primeiro comício do Cristiano, em Campos. Manda-me um vidro de Nembutal.

Hoje, 24, fui a São Borja. Visitei o Protasio, que estava doente, e almocei com o Periandro. Toda a tribo dele está trabalhando politicamente. Depois fui a Santos Reis buscar minha mala de viagem. Fiz as despedidas e não precisarei mais voltar, senão depois da campanha. Os jornais vivem a marcar datas da minha chegada em determinados pontos e depois dizem que adiei. A verdade porém é que eu não havia combinado nenhuma data.

Escrevi esta ao regressar das despedidas e aguardarei portador para remetê-la, com mais algum acréscimo, se for necessário.

25 de julho · Reli o discurso do Maranhão. O que tem serve. Preciso acrescentar alguma cousa do Maranhão. Deve existir aí algum maranhense, que possa informar sobre o que eu fiz: leprosários, escola técnica, fábrica ou escola para preparação, carne do tubarão etc.

Sei que o Vitorino tem recebido muito dinheiro para o Maranhão. Quanto recebeu, em que empregou? O porto de São Luís foi desobstruído, limpo etc.? Por falar em Vitorino. Talvez venha a preciso das cartas dele aí arquivadas. Colhe-as e manda reconhecer a letra e firma, tira cópia ou foto teste e guarda para quando eu chegar. Tudo em reserva. Não forneças a ninguém.

Chegou a turma de Santa Catarina, que apresentou candidato próprio, o Carlos de Oliveira. Queixam-se que o Nereu não os procurou, nem se definiu. Aginda é possível um entendimento. Aguardo o Danton para ir até lá.

Saudades a todos e beijos do teu pai **Getulio**

219\A· [Rio de Janeiro, 25 de julho]

Seu Gê

O Astral anda mesmo solto por aí e de pirulito. Cada vez que começamos a engrenar alguma coisa é teco na sinagoga. Recém-hoje, após 10 dias de febres, febrões e febrinhas, durante os quais todas as <u>inas</u> (penicilina, estreptomicina e aureomicina) vieram em socorro da Fulismina, consegui reiniciar ainda com cuidado um pouco de atividade. O resultado é isto que vai aí: um discurso e dados descosidos, coletados a esmo para que tenhas alguma coisa para mastigar. Luiz vai tentar coletar o material que está ainda na mão do Neves e o outro Luís, o Vergara, vai fazer as revisões.

Segundo as informações que temos o Neves está fora de combate até o fim do mês. Não contamos com ele. Posso tocar para frente a parte "discursos". Para o resto, excursão, programa, dinheiro, acordos, sou zero. O PTB não ajuda.

Um beijo da **Alzira**

Danton chegou agora do Norte e vai amanhã para aí.

1950

220\A· [Rio de Janeiro], 26 de julho

Meu querido pai

Aproveito a ida do Presidente Danton para mais uma vez reiterar meu apelo. Vem logo e o resto se ajeita imediatamente. Tive de assumir a responsabilidade direta de teu pedido de registro porque estava todo mundo com medo, num jogo de empurra brabo. Entrou hoje.

Foram eleitos hoje os nove membros do diretório indicados por ti. Estou desolada por teres esquecido o único candidato que tive em toda essa temporada, o único que me tem ajudado realmente e um dos mais antigos: o Carlos Maciel. E isso depois de o teres incluído aí na presença dele e minha. Já não sei o que dizer quando me pergunta. Afinal, qual é a queixa que o Dr. Getulio tem contra mim. Em que falhei, quando tantos outros que falharam são aproveitados. – Enfim, só quem chora é que mama e eu não chorei.

O velho Landulfo está arrasado, não pelo fato de ter saído da Executiva mas por ter sido substituído pelo Pitinha. E eu também. Por que será que eu sempre fico do lado que perde.

Sobre os casos de Minas e Santa Catarina, Danton te leva notícias fresquinhas e interessantes sobre as quais convém meditar. Quanto ao mais aqui fico esperando que decidas essa viagem de uma vez.

Um beijo da **Alzira**

292 \ G · [Fazenda do Itu], 27 de julho

Rapariguinha

1950   Como vais? O coco já está regulando bem? Desejo que me informes se recebeste a carta que remeti pelo Sr. Osvaldo Junqueira. Na carta eu citava o nome do portador. Era uma carta de desabafo sobre a inação do *comité*. Recebi os dados que me mandaste e irei aproveitando na medida do possível. O Epitacinho disse-me que todos os discursos da campanha estavam prontos e que só faltava a revisão do Neves, que estava doente. Respondi-lhe que me enviasse no estado em que estivessem pois eu faria a revisão aqui. Mas desconfio que é queimação do rapaz.

Recebi tua carta trazida pelo Jesuíno. Também penso que é necessário fazer a demarragem ou largar isso. Espero o Danton para falar claro e decidir. Não sei onde ele anda. Apressa seu regresso. Não há financiamento para a campanha e tudo está parado. Não quero partir daqui sem sentir que a cousa vai. Daqui é mais fácil dar o fora, se me faltar o que foi prometido. Estou só, com um secretário-datilógrafo, trabalhando nos discursos, com o material disponível. Danton, Newton, Jango, ausentes. Maneco em Porto Alegre. Todos preocupados com aspectos particulares. Só tu, doente e com poucos elementos, estás encarando o problema geral. Quanto ao Nereu, não encarreguei ninguém de convidá-lo para vice. Apenas o Danton está incumbido de conversar com ele sobre as eleições estaduais de Santa Catarina. É, porém, uma hipótese que pode ser examinada. Até agora não há compromissos. E o meu Nembutal?

Isto já estava escrito quando chegou o Danton. O Jesuíno regressou na véspera do dia marcado. Quando ele aqui esteve conversamos sobre vários assuntos e li a parte final do meu discurso no Distrito. Esqueci-me de pedir-lhe reserva e evitar entrevistas. Chama-o e previne para evitar qualquer indiscrição. O Danton regressará com a viagem combinada.

Saudades a todos e beijos do teu pai **Getulio**

293 \ G · [Fazenda do Itu], 28 de julho

Rapariguinha

Em aditamento à minha carta anterior, remetida com esta pelo mesmo portador e junto com os papéis para o arquivo, venho responder-te sobre outros assuntos esquecidos na anterior. Caso Maciel. Este rapaz já foi incluído outras vezes e sabes como foi impugnado pelo Salgado, que tem por ele verdadeira ojeriza. Além do que se conhece por alegação do mesmo, é possível que o Maciel ~~que~~ lhe tenha feito algum agravo que nós desconhecemos, ou que, pelo menos, ele esteja convencido disso, mesmo que não seja verdade.

Agora, com algum custo e forçando a nota, afastei o próprio Salgado e o Landulfo. Estes precisavam desencarnar da executiva, onde estavam inativos, e ir trabalhar pelas suas candidaturas nos respectivos estados. Depois disso tu querias que, além de forçar a saída do Salgado, eu fosse agravá-la com a imposição do nome do Maciel? Por quê, para quê? Este corre à minha sorte. Se eu for eleito ele terá sua compensação e sua desforra. Se não for, cada um tome seu rumo que eu tomarei o do exílio. Em qualquer dos casos pouco lhe adiantará fazer parte de executivas.

Quanto ao Landulfo, foi substituído pelo Lourival e não pelo Pitinha. Não esqueças de prevenir ao Jesuíno o que recomendei na outra carta. E é só. Sobre a viagem o Danton te dirá.

Beijos do teu pai **Getulio**

1950

Nas duas páginas, aspectos da visita de Alzira à Estância São Pedro, após a eleição de Vargas, vendo-se no detalhe Batista Luzardo (sem gravata). Uruguaiana, RS, entre outubro e dezembro de 1950.

221 \ A · Rio [de Janeiro], 1 de agosto

Meu querido pai

1950   Ainda estamos todos debaixo da pavorosa impressão da morte do Salgado e de tantos outros amigos dedicados. Tenho estado todas as tardes em casa dele, fazendo companhia à senhora dele que está se portando com grande coragem e resignação.

A desolação é geral, em todos os setores. Mal tenho tempo de te escrever este bilhete. Gostaria de poder te fazer companhia neste transe, se minhas condições de saúde e os compromissos que assumi para o bom êxito da campanha permitissem. Aproveito a ida do Loureiro para te mandar este material coligido e mais duas cartas do Neves.

Estamos preparando uma mensagem tua para ser lida amanhã pelo Luthero, em teu nome, no cemitério.

Pelo Danton saberás do que estamos fazendo em política. No momento, não me sinto com forças para mais.

Um beijo carinhoso de tua filha **Alzira**

---

294 \ G · [Fazenda do Itu], 2 de agosto

Rapariguinha

Estamos com a correspondência interrompida, há vários dias. Nesse tempo deu-se o trágico desaparecimento do Salgado que muito me entristeceu. O Jango seguiu hoje para Porto Alegre, tentar a articulação do nome do Ernesto.

O Danton, devido ao mau tempo reinante, foi retido vários dias, sem poder regressar ao Rio e tratar de assuntos importantes. Havíamos combinado minha partida a 9 para Porto Alegre, 10 e 11 São Paulo, 12 Rio. Isso, porém, ficou dependendo de confirmação dele. Levou a lista dos discursos a pronunciar e de que não tenho ainda os necessários elementos. Entre esses está o da Bahia que reputo muito importante: lirismo, Ruy Barbosa, história, petróleo, cacau etc. Vê se me remetes algo, com urgência. O portador desta é o Dr. Henrique de La Rocque, em quem tenho encontrado excelente colaborador. Se o Salgado trazia alguma cousa para mim é preciso repetir, porque tudo se perdeu.

Saudades a todos e beijos do teu pai **Getulio**

PS.: Procura e me remete, se ainda houver tempo, uma publicação técnica, intitulada – *Problemas de base*. Talvez o Luiz Simões te possa conseguir isso.

222 \ A · [Rio de Janeiro], 5 de agosto

Meu querido pai

Infelizmente depois de três horas de chuva ininterrupta que apanhei no cemitério por ocasião do enterro do Salgado e do filho do Jobzinho tive uma recaída e novamente perdi o pé.

Hoje estou melhor mas não pude ir à missa que mandamos rezar em teu nome também na Candelária. Ernani compareceu pela família.

Aproveito a ida do Luzardo para te mandar o discurso de Juiz de Fora (Vergara), o de Vitória (Luiz) e umas digressões democráticas e trabalhistas do Lúcio que seria interessante espalhar em Minas Gerais, Distrito e Bahia, além de outras notas.

Nada mandei pelo avião sinistrado, ignoro, porém, se o Dinarte entregou em Porto Alegre alguma coisa. Recebeste os óculos do Nogueira da Gama? O Nembutal? O discurso de Campina Grande? Foram estas as últimas coisas que te mandei.

Não esqueças de passar um telegrama ao Job (Laranjeiras 112), o coitado está em estado lastimável.

Peço-te também um cartãozinho para o Camará. Ele teve a maior decepção de sua vida por não ser incluído na chapa dos deputados do PTB que ele contava como certo, depois da carta que te escreveu e da resposta oral trazida pelo Danton. Chegou a se preparar eleitoralmente. Expliquei-lhe que não havias intervindo na chapa, que havia sido feita aqui à tua revelia etc. Conformou-se mas pediu um cartão teu, uma festinha, dizendo isso ou outra coisa qualquer, como por exemplo que continuava a merecer tua confiança. É para poder mostrar e se defender dos que o estão gozando.

Quanto aos casos políticos. O de Minas está ainda muito intrincado e não convém que te definas já, sem ouvir as duas partes. Estou cansada de ser sem-vergonha. Recebo o Juscelino num dia e o Gabriel no outro e ambos.... têm razão.

Beija-te com carinho tua filha **Alzira**

PS.: No dia do enterro do Salgado, baseada em dados do Neves, fabriquei uma mensagem tua para o Luthero ler. Saiu boazinha, podes assumir a paternidade sem susto.

295 \ **G** · [Fazenda do Itu], 5 de agosto

Rapariguinha

1950   Recebi tua carta de 1º do corrente, sobre a morte do Salgado e a assistência que tens dado à senhora dele. Fiquei realmente desolado com essa infelicidade que nos atingiu e que pode trazer complicações à sucessão governamental do Rio Grande.
Tenho escrito várias cartas com pequenas encomendas, perguntas etc. Nas tuas que recebo não falas nesses assuntos, nem acusas o recebimento, deixando-me em dúvida a respeito. Parece agora que já estou com o pé no estribo. E não há mais tempo, mas ainda falta muita coisa.
Beijos de teu pai **Getulio**

296 \ **G** · [Fazenda do Itu], 7 de agosto

Rapariguinha

Escrevo-te pelo Danton, às vésperas da minha partida. Ele leva a lista dos discursos que ainda faltam e não são poucos. Sei que o Dr. Barata vai na comitiva, com o que fico muito satisfeito. Estou me receitando umas injeções de iodine ou iodina. Aqui não há. Convém que ele leve duas caixas e o necessário material. Também não recebi o Nembutal. É preciso que aviem também os discursos.
Beijos do teu pai **Getulio**

Erlindo Salzano (2º), Adhemar de Barros, Getulio e Lucas Nogueira Garcez na Estância São Pedro, de Batista Luzardo. Uruguaiana, RS, entre outubro e dezembro de 1950.

223 \ A · [Rio de Janeiro], 23 de agosto

Meu querido pai

Aproveitando a ida do Newton quero te informar do que se está passando por aqui. Já recomeçamos a faina dos discursos, de modo que se nos puderes mandar algumas indicações sobre os temas a abordar será bom. Vais me obrigar a treinar taquigrafia para apanhar os "improvisos" extraprograma que andas espalhando por aí. O de Belém arrancou lágrimas de todos os paraenses machos e fêmeas, o do Maranhão foi lindamente demagógico e causou ótima impressão. Graças aos esforços do Rubens Berardo da Continental e à cumplicidade dos Associados, as irradiações estão sendo ótimas. Só Teresina não pôde ser retransmitido. Vai junto a modificação para o discurso de Salvador e o projeto para Campos, que depois de examinado deverá ser devolvido para o mimeógrafo e distribuição. Quanto à parte política deixamos para que sugiras o que deve ser feito. Lembro-te a situação especial lá do candidato a prefeito irmão do usineiro Pereira Pinto pelo PSD em oposição a um do PTB, sem grande expressão local. Para os fins eleitorais que visamos, parece-me que seria de bom alvitre passar pela rama, aludindo mais ao acordo federal e estadual firmado pelos dois partidos. – Estão projetando realizar, por ocasião de teu regresso, no mesmo dia um novo comício no Distrito para desmanchar o efeito desastroso do primeiro. Nesse caso, quais os temas que devemos focalizar para esse dia.

1950

———————

No Espírito Santo o Adhemar está fazendo um estropício danado, dizendo que vais apoiar o candidato dele contra o Jones, que já tem acordo firmado com o PTB. Estou segurando como posso.

———————

No Paraná o Munhoz da Rocha oferece ao PTB a presidência da Câmara, que equivale a vice, e alega contar com 80% do eleitorado petebista a seu favor. É contra apenas o presidente do PTB, que é amigo e sócio do Lupion. Este está fazendo jogo duplo com Cristiano e contigo.

———————

Paraíba. Zé rompeu as baterias com a UDN em sensacional entrevista publicada há dois dias. Mandou pedir por intermédio do Hugo Ramos que fizesses referência pública a seu nome, como ele está fazendo aqui ao teu. Não poderá estar aí por outras razões. Em compensação o Ruy foi visitar ontem o Cristiano e fez novas declarações de fidelidade pessedista. Vou pedir à sua <u>madrinha</u> para apertar-lhe a cincha.

———————

Ceará. O Olavo de Oliveira havia mandado uma contraproposta para apoiar o PTB, abrindo mão da prefeitura de Fortaleza. Parece-me porém que chegou tarde. Segundo disse o Danton já se fez acordo com a UDN e os Távoras.

1950   No Rio Grande está tudo bem e foi lançado o Ernesto para governador e Pasqualini para senador.

Em Minas continuo sem-vergonha. UDN de manhã, PSD à tarde e vice-versa.

Vai junto também o discurso de Niterói. Está longo e massudo, mas o pessoal não quis descaroçar demais por causa do João Neves, que é o pai da criança. Sugerimos fazer um resumo para ler e um grande para publicar.

Gostaria que me dissesses também quanto tempo pretendes ficar no Rio, antes de começar o segundo turno. Parece conveniente que faças logo depois Niterói, a seguir Petrópolis e Juiz de Fora pela estrada, regressando ao Rio de automóvel, e Volta Redonda indo de avião e voltando pela estrada no dia 7, conforme pedem os operários. Iniciando depois o segundo circuito por Minas, irias a Goiás, Mato Grosso, São Paulo, Paraná, Santa Catarina, Rio Grande.
A família está toda em boas condições de saúde, recauchutando os pneus para a volta.
Beija-te com todo o carinho tua filha **Alzira**

PS.: – o Alde Sampaio pleiteia em Recife uma referência ao Cleofas como foi feito no Ceará para o Arruda. – O Munhoz do Paraná esteve aqui e fez uma proposta interessante que já encaminhei ao Danton. – O Maneco está aqui. Veio em busca de dinheiro para a campanha do Ernesto no Rio Grande. – Conseguimos já um pouco. Pergunto se destes 1.500 que estão em meu poder posso adiantar-lhe algum e quanto, pois a situação deles com candidato próprio é angustiante.

297 \ G • [No avião, chegando a Recife], 27 de agosto

Rapariguinha

Recebi tua carta de informações interessantes. Os comícios têm sido de grande concorrência, vibração e entusiasmo. Se toda essa gente fosse eleitora e pudesse votar, seria realmente uma barbada. O calor desse entusiasmo e as particularidades locais tornam necessárias essas pequenas falas extras que sacodem a alma coletiva. Fico satisfeito que as irradiações estejam boas e que tenhas ouvido.

1950

Estranho que o Maneco venha buscar dinheiro aí, pois as cousas estavam encaminhadas para que fossem atendidas por lá mesmo. O que deixei aí não pode ser retirado e não e são 1.500 como supões e sim 1.050. O resto é meu e provém da venda do terreno. A sugestão do discurso em Campos está bem, com essa outra sugestão duma parte resumida para ler e outra mais desenvolvida para publicar. Esses longos discursos friamente preparados no gabinete pouco interessam a uma multidão já cansada por uma série de oradores e candidatos. Escrevo do avião.

Estamos chegando em Recife.

Beijos do teu pai **Getulio**

O jornalista Georges Galvão, Batista Luzardo, Lucas Nogueira Garcez e Getulio na Estância São Pedro. Uruguaiana, RS, entre outubro e dezembro de 1950.

224 \ A · [Rio de Janeiro], 29 de agosto

Meu querido pai

1950 Estou ficando "tiririca". Já contei até 120 e a raiva ainda não passou. Não preciso esclarecer que estive conversando com o magnífico Matta.

Como ele vai estar contigo antes de mim em Campos, preciso contar-te o que se passa, para evitar aborrecimentos maiores.

Chamei-o para dizer-lhe qual era o programa teu para o Estado do Rio. Começou por me dizer que te considerava propriedade do PTB e não admitia que ninguém mais se metesse na manifestação. Engoli esta e repliquei que devia procurar o pessoal do PSP e pessoas reconhecidamente getulistas de cada cidade, sem cor partidária, para serem incluídas na comissão que te receberia. Perguntou então se devia convidar o Edmundo e seu secretariado, com quem mantém as melhores relações. Engoli ainda e apenas achei desnecessário. Quando lhe disse, porém, que em Volta Redonda havias sido convidado pelo Savio Gama para um almoço sem cor partidária em sua fazenda, que é a melhor casa de Volta Redonda, deu um salto e declarou que isso ele não permitia porque seria desagregar o partido etc. e tal. – Perdi a bicicleta e respondi que o PTB para mim podia ir às favas, só me interessava a tua pessoa exclusivamente nessa eleição. Se ele estava interessado na eleição desse vagabundo integralista, um dos assaltantes do Guanabara em 11 de maio que se chama João Chiese e é o candidato do PTB contra o Savio, estava enganado. Depois resolvi me acalmar e ele resolveu ~~propor~~ que iria te propor terreno neutro aí. Acontece, porém, que o Savio, como antes de ir havias aceito seu convite para almoçar com ele, tomou a iniciativa de tua recepção, já gastou perto de mil contos construindo uma pérgola especial para a realização do churrasco, já solicitou licença da companhia para a realização do comício, contratou automóveis e ônibus para ir buscar o pessoal etc. – Peço-te por isso que, se pretendes ceder à argumentação do Matta, me mandes logo um aviso para prevenir o Savio. ~~das pes~~ Sabes bem o que é política de cidade pequena. Savio tem sido amigo das primeiras horas, embora esteja no PSD, o famigerado espantalho do mestre Matta, e para mim seria muito triste ter contribuído para sua desmoralização pública. Com tempo pode-se arranjar uma desculpa que não o fira.

O resto vai indo bem. Muitas saudades e um beijo afetuoso de tua filha **Alzira**

225 \ A · [Rio de Janeiro], 13 de setembro

Gê

Boa noite! Como vai esse corpinho de espanhola amassado e triturado pelas multidões? **1950**
Aproveito a boa vontade do Brigadeiro Epa, que se prontificou a ser pombo-correio, para te mandar os demais discursos, inclusive o de São Borja e a mensagem para a Bahia. Diz ao César que me informe quais os aprovados para podermos soltar as cópias mimeografadas.

O Luiz está brabo comigo porque mandei podar o seu béstia para Pelotas, que achamos grande demais e em tom de quem cobra uma conta pelas obras realizadas. Mando-te por isso também uma cópia do dele caso o prefiras. Estamos fazendo a virada final quase na última lona, mas terás tudo aí em tempo oportuno.

Amanhã em Bauru receberás, além dos nossos já prontos para Alegrete, Cachoeira, São Jerônimo, Passo Fundo, Pelotas, Rio Grande, outros levados diretamente de Porto Alegre em mão pelo Paranaguá e feitos pelo Brochado (Chico). O Epa nos trará de volta o que for aprovado e em Florianópolis receberás tudo pronto.

Vai o de São Borja feito pelo Neves e retocado por nós, para o OK final. Vai a caderneta de cheques para que assines dois em nome do Danton para remeter grana para Rio Grande e Bahia. Os outros vão indo bem.

Há uma certa inquietação no ambiente. Estamos tentando apurar as origens e o grau de infiltração na tropa. Positivo há a pressão forte que está sendo feita pelo governo, chefiada pelo Bias, em favor do candidato oficial: pressão política e financeira.

Soube que fizera uma reunião no ministério propondo o adiamento das eleições por 30 dias a pretexto de que o material eleitoral necessário não ficaria pronto em tempo, mesmo que para isso fosse necessário provocar uma greve na imprensa nacional. A razão real, porém, seria a seguinte: já haviam verificado que as possibilidades financeiras tanto do Brigadeiro como nossas não aguentariam mais de 15 dias, enquanto que as deles estariam em pleno apogeu. Não creio que levem adiante o plano, porque será o golpe. Em todo caso, fala-se.

O pessoal do Brigadeiro pede que não sejam atacados nos nossos comícios porque, caso se verifiquem as sinistras intenções governamentais, desejam ter a porta aberta para vir até nós.

A Igreja está fazendo pressão forte contra o Café, procurando os jornais te envolver no caso. O candidato do Dutra [ao] Senado é o Vitorino, segundo disse por meias palavras ao Galvão.

Esquecia do caso José Diogo, argumenta o Capitão Vergara que o caso dele é especial. Já governou o estado, era o candidato mais encarnado à sucessão Salgado, tem relevantes serviços prestados e é o grande rival do Pasqualini. Se se põe *confetti* neste não é justo que se abandone o outro. Em todo caso fica a melhor juízo. Se quiser que tire é só avisar.

Um beijo carinhoso e que tudo te corra bem **Alzira**

298 \ G · [Bauru], 17 de setembro

Alzira

1950   Recebi hoje à noite em Bauru os projetos de discursos antigos e novos. Não tive tempo de reler. Não foi preciso. Vejo que o Vergara insiste em referência especial ao nome dum dos deputados e eu insisto em não fazer. Devolvo, por isso, para as necessárias modificações. Retirei também as do senador. Basta uma referência especial ao candidato a governador e uma recomendação geral aos candidatos do Partido Trabalhista Brasileiro aos cargos de senador, deputados federais e estaduais.

Espero que tudo esteja pronto e me seja entregue em Florianópolis conforme prometes. Os outros que vieram do Rio Grande ficarão apenas como pontos de referência ou como informações. Hoje separei-me do Adhemar, com o encerramento da campanha de São Paulo. O Café incorporou-se à comitiva. Parece que pretende ir até o Paraná. O Danton está informado e acompanhando as *malas intenciones* biasfortistas? Como vai o assunto da distribuição de cédulas? O Danton deve continuar mantendo contato com o Góes, e o Zenóbio e Estillac. Só o Luzardo é que tem dado alguns talhos na UDN e Brigadeiro. Vou recomendar-lhe para que cesse.

O Jesuíno está me atendendo bem. Mas ainda não estou curado da bronquite. Apesar desta vou resistindo aos embates duma campanha esgotante.

Saudades a todos e um beijo carinhoso do teu pai **Getulio**

Junto vão os cheques (3) para o Danton.

Luiz Simões Lopes
Antunes
Adhemar[1]

---

[1]. Nomes anotados por Alzira no verso da última página.

226 \ A · [Rio de Janeiro], 19 de setembro

Gê

Vão aí todos os discursos devidamente refeitos, barbeados e banhados. Estou de figa armada para que estejam de teu agrado. Foi o melhor que pudemos fazer. As referências pessoais (Pasqualini e Brochado) foram retiradas, com exceção de Carazinho, onde o negócio era muito suave.

1950

Nada disseste quanto ao de São Borja, que deverá estar aprovado até o dia 22, quando o gravador estará à tua espera em Porto Alegre.

A distribuição de cédulas está boa e a propaganda tão boa quanto permitem os cobres.

Os golpes estão sendo aparados na medida de nossas possibilidades e o Danton tem procurado acertar o mais possível.

Os "vermelhos", tendo fracassado o grande *show* com o Cristiano e já tendo embolsado os cobres, estão agora tentando uma aproximação conosco. É possível que sejas procurado pelo Rio Grande do Sul por um emissário deles. Dizem que querem votar em ti etc. e tal. Não custa nada ouvi-los de graça.

O registro do Adhemar foi impugnado pelo Regional[1] por unanimidade por uma *démarche* do Adauto, apesar da consulta prévia feita ao Superior Tribunal. Alegam eles que consulta não faz jurisprudência. Consta, porém, que foi tudo previamente arranjado com o objetivo de obrigar o Adhemar a se enterrar e depois provocar o caso.

Nosso leal amigo te manda avisar que há no momento duas correntes no governo: uma que quer o negócio para já, outra que prefere depois das eleições.[2]

Os apressados estão [rasgado]to levando vantagem [rasgado] que te aconselha a ter[rasgado] o cavalo encilhado [rasgado] para rumar direto pa[rasgado] Alegre, Santa Maria ou São Borja. Vão começar a brincar de quatro cantos com os militares que não são 100%. Será o sinal. Ele vai tentar evitar e acha que é possível que nada aconteça, porém é melhor estar prevenido e saber com aquele teu sargento do 7º pé no chão.[3]

Ignoro em que altura anda o negócio, por isso não posso ser mais clara. Se entendeste bem manda-me dizer que já estás bom da bronquite, em caso contrário pede um remédio qualquer. Guardei comigo [rasgado] grana ~~para~~ em espe- [rasgado] uma necessidade [rasgado].

[rasgado] jornalista americano [rasgado] que deseja ir a Porto Alegre avistar-se contigo. Parece-me interessante. Se concordares é só dizer, remete a encomenda que o Egídio irá levá-lo aí.

Esquecia, as razões da pressa são o sucesso da campanha em São Paulo que fazem-nos perder as esperanças da vitória Borghi, garantia que pretendiam obter.

Beija-te com todo o carinho tua filha **Alzira**

---

1. Refere-se ao Tribunal Regional Eleitoral.
2. A partir daqui a carta se encontra danificada, com trechos rasgados.
3. Referência a um dos corpos provisórios, tropas compostas por civis criadas em momentos de instabilidade política, sob o comando da Brigada Militar gaúcha.

227 \ A · [Rio de Janeiro], 28 de setembro

Gê

1950   Preciso te escrever um relatório mas não me dão tempo. Vai um resumo.

1º) <u>Tribunal</u>. Sabemos que se prepara um faccioso em extremo com a saída do Sá Filho e do Lafayette, para as apurações. Estamos organizando: Hugo Ramos, Danton e eu, um corpo de juristas medalhões (Bento, Espínola etc.) acolitados por bons advogados para fazerem a defesa das nossas eleições. Pretendemos publicar a organização do *Comité* Jurídico logo no dia 4. "*Las intenciones*" continuam sinistras com boatos de urnas falsas, pressão etc. A primeira fase parece já estar superada, temos de nos preparar para a segunda.

2º) A LEC, num facciosismo Brigadeiro integralista evidente, lançou-se em uma campanha terrível contra o Café para te atingir indiretamente. Está sendo muito ajudada por mestre Vitorino, o qual convencido de que o Cristiano se elege e... morre espera ser o sucessor ideal do grande presidente – a esperada <u>tampa</u>.

Para obter a cobiçada <u>vice</u> S. Excia. não trepidará diante de coisa alguma. Já me mandou um emissário emoliente e pretende ter um encontro comigo. O emissário veio convencido que me oferecia muita coisa e certo de encontrar ambiente propício devido às referências elogiosas de minha "quase irmã", a D. Lavínia. Respondi-lhe que "pessoalmente" fazia as piores restrições ao Sr. Vitorino Freire, porém politicamente não era de meu feitio fazer restrições a quem quer que fosse, nem mesmo ao General Dutra, a quem o emissário acabava de anarquizar. Nessas condições estava disposta a ouvi-lo, esclarecendo desde logo que em política eu era partidária da reciprocidade. Ora, o Vitorino é partidário ferrenho da candidatura Cristiano e não iria em hipótese alguma abrir a questão presidencial a nosso favor, portanto o que ele pretendia era apenas se eleger sacrificando o Café, com os eleitores que já eram nossos e votariam em ti de qualquer maneira. Em todo o caso havia uma demonstração de boa vontade da parte do Vitorino que poderia permitir um novo exame do caso. Essa demonstração seria, já que ele tinha tanto prestígio junto à Igreja a ponto desta estar fazendo campanha franca a seu favor, amansar a dita em relação a ti. – O emissário retirou-se encantado.

3º) <u>Alguém</u> indiscreto publicou esse telegrama ao Juracy que me foi entregue. Que tal?

4º) Junto uma carta do Neves para ti. Interromperam-me tantas vezes que já perdi o fio da meada.

5º) O boato de teu encontro com o Brigadeiro habilmente explorado está dando ótimos resultados. Reina alarma nos meios governamentais e euforia entre os udenistas. Os prognósticos eleitorais, se não houver golpes baixos, são excepcionais.

6º) A chegada do Cristiano ao Rio programada e preparada pelo Mendes foi um fracasso. Deixaram fugir presos da penitenciária e contrataram caminhões para fazer número. Era de causar dó.

7º) Da parte militar saberás aí melhor que eu.

Se por acaso não concordares com o caso do Tribunal avisa, mas nós achamos da maior importância.

Tenho outros assuntos a tratar contigo mas a cabeça já não dá.

Um beijo carinhoso de tua filha **Alzira**

228 \ A · [Rio de Janeiro], 3 de outubro[1]

Gê

Cheguei agora de Niterói onde fui votar pela primeira vez. Apesar dos boatos, ameaças e prognósticos pessimistas o pleito correu normal no Distrito. Houve muita abstenção, segundo os cálculos apressados dos entendidos, mais de 30%.

1950

Aproveitando o portador mando-te charutos, sabonete, pasta, recortes da campanha e este número especial que fizemos por sugestão do Wainer e com a colaboração deste, Almir, Galvão, eu etc. em três jornais: *Radical*, *Folha* e *Diário Popular*. A que saiu melhor foi esta, por isso te mando.

Vamos agora esperar os resultados.

Beija-te com carinho tua filha **Alzira**

---

299 \ G · [Estância São Pedro / Uruguaiana], 4 de outubro

Rapariguinha

Estou a escrever-te no dia seguinte às eleições, aqui da fazenda do Luzardo, em Uruguaiana. Vim, a insistente convite dele, passar uns dias para descansar. O lugar é agradável. Talvez me demore uns oito ou 10 dias. Depois regressarei para tratar da separação da sociedade com Protasio, conforme ele deseja e eu também.

Não tenho palpite seguro sobre o resultado das eleições. Sei da força popular a meu favor. Mas também avalio a capacidade de fraude, suborno e violência que os governos, ameaçados de perda das posições, são capazes de desenvolver. Por isso minha impressão é mais pessimista que otimista. E estou preparando o espírito para o pior.

O Danton precisa estar muito vigilante nessa parte da apuração eleitoral. Tens falado com ele? E o Ernani, como se foi no seu reduto? Se tiveres oportunidade, manda-me uma caixa de charutos, um vidro de Nembutal e outro de loção lusitana. E por hoje é só.

Saudades a todos e um beijo do teu pai **Getulio**

---

1. A data foi inserida posteriormente por Alzira.

229 \ A • [Rio de Janeiro], 5 de outubro

Meu querido pai

1950 São quatro horas da tarde do dia 5 de outubro de 1950. O resultado até este momento é o seguinte
G. – 358.000
B. – 170.000
C. – 111.000
M. –   850

Estamos ganhando espetacularmente em todos os estados do Brasil. É rara a urna aberta onde não tens em média 60% da votação e mais rara ainda aquela em que não és o mais votado. Os resultados estão surpreendendo até os mais otimistas. Nos redutos mais certos dos adversários estamos derrubando todos os prognósticos. Estamos por enquanto na frente de rebenque erguido no Distrito, Ceará, Bahia, tidos como fontes udenistas, e arrastando tudo em Minas, Pernambuco, Maranhão, Rio Grande do Norte, Pará, onde Cristiano esperava vencer. Os grandes chefes mineiros estão apanhando em seus redutos natais: Sabará, terra do Cristiano, Pará de Minas do Benê, Pitangui do Capanema e Viçosa do Bernardes são praticamente nossos. Em Petrópolis o Kelly e o Brigadeiro estão apanhando. Confesso-te que até eu estou surpreendida. O pessoal da UDN está arrasado. Contavam na certa com a vitória e nestes últimos dias já contavam até os votos a mais que teriam. O espetáculo dentro do PSD ainda é mais triste: acusam-se os grandes líderes mutuamente de deslealdade, traição e desonestidades. É constrangedor, porque também eles nos últimos dias estavam confiantes e até arrogantes. A votação do Cristiano é tão ridícula tomada separadamente nos vários estados que devemos tomá-la mais como índice da repulsa ao atual governo, uma demonstração de independência do eleitorado, um verdadeiro teste da politização e esclarecimento da massa votante.

Como prevíamos, quem era udenista ficou udenista e a tua votação está sendo arrancada da carne dos pessedistas. Agamenon após vários papos meus com seu secretário, o Orlando, abriu o jogo no último dia de campanha. O pleito em geral correu normal em todo o país. Pelas notícias até agora chegadas a meu conhecimento o estado mais sacrificado foi o Estado do Rio, graças ao espírito liberal do governador Macedo Soares. Em matéria de pressão eleitoral foi um verdadeiro espetáculo e em mortes e desordens está ganhando de Alagoas. Em Campos mataram (desordeiros da polícia estadual) um fazendeiro, cabo eleitoral do Ernani; em Miracema um udenista matou o filho do turco Chicrala, o maior getulista da zona, que andava com teu retrato bordado na gravata. Somente a autoridade moral do Altivo Linhares, prefeito local, preveniu uma chacina, pois o povo indignado quis linchar o assassino. Nesse município ficou prejudicada a eleição e talvez deva-se repetir. Em São Pedro da Aldeia o secretário do Edmundo e seus capangas tentaram impedir a passagem dos caminhões com eleitores a bala. Mataram dois e feriram oito. Em Piraí e Caxias não houve conflitos mas verificou-se grande abstenção de mais de 40%, porque o povo ficou intimidado pelas ameaças. Mas, apesar de tudo, estamos ganhando, lindo. Tua votação e a do Ernani são praticamente iguais no conjunto, variando conforme os municípios onde há maior ou menor pressão cristianista. Estão ambos na casa dos 9 mil, Eduardo com 4 e Cristiano 1. Kelly está com 5.

1950

A cidade do Rio de Janeiro está transformada em verdadeiro carnaval. Há gente que não trabalha há dois dias para acompanhar a apuração. Em frente ao *Radical* verdadeira multidão passa as tardes festejando a vitória. Há um ambiente de libertação e de euforia que nos faz meditar seriamente nas responsabilidades que nos aguardam. Este corpinho parece que compreendeu que sua missão principal acabou e resolveu se entregar. Os últimos dias que precederam a eleição foram de verdadeira guerra de nervos. Ameaças de golpes, revolução etc. Amanhã vou passar uns dias em Petrópolis para descansar um pouco, refazer os ossos para poder voltar a funcionar. Não damos ainda por favas contadas, mas dificilmente, se continuarmos nesse ritmo eleitoral, alguém ousará tentar qualquer coisa contra ti. Estamos no entanto atentos a qualquer golpe de surpresa.

O Wainer deve seguir para aí amanhã ou depois, por ordem do Chatô, para fazer a primeira entrevista do futuro presidente da República.

Já te mandei por intermédio do Egydio os charutos e parte das publicações da campanha para te distraíres aí! Pelo Gentil irão agora os remédios pedidos, revistas e o resto das publicações colecionadas pelo Almir.

Celina está saindo politiqueira como a mãe. Passa o dia todo de lápis na mão ouvindo rádio e tomando nota dos resultados. Está a par de todos os movimentos políticos e indignada porque só gente de 20 anos é que pode votar.
Se me precisares avisa que irei até aí. Como futuro proprietário do maior abacaxi da atualidade ofereço-te minha solidariedade admirativa.
Beija-te com todo o carinho tua filha **Alzira**

300 \ **G** · [Estância São Pedro / Uruguaiana], 7 de outubro

Rapariguinha

1950 Estão chovendo os jornalistas ávidos de impressões e notícias. Eu porém estou reservado, contendo uma grande satisfação íntima pelo conforto moral desta votação realmente popular e impressionante. Chegam-me também os boatos de conspirações de generais, açudados por jornalistas e políticos fracassados, convencidos que a democracia é para o seu proveito pessoal. Seria conveniente que o General Estillac viesse até aqui, caso ele não repute inconveniente, no momento.

Recebi os informes jornalísticos que me remeteste. Parece uma boa documentação. Infelizmente faltam os do começo e fim da campanha. Também recebi as encomendas: charutos e Nembutal. Faltou a loção, mas vieram a mais pastas de dentes e sabonetes que não encomendei.

Estou acompanhando com satisfação a votação do Ernani. Apesar das tropelias e violências, o povo vai correspondendo.

Saudades a todos e beijos do teu pai **Getulio**

---

301 \ **G** · [Estância São Pedro / Uruguaiana], 8 de julho[1]

Rapariguinha

Então esse corpinho já vai melhor? Já repousou das fadigas e estrepolias políticas?

O Danton, quando aqui esteve, falou-me de vários assuntos. A brevidade da sua passagem e o acúmulo de visitantes não me permitiram tratar de todos os assuntos. Falou-me sobre a eleição dum novo presidente do PSD e a vinda dum emissário para tratar comigo. Não me parece que se deva <u>forçar</u> a vinda dum emissário que tenha sido vencido nas eleições no próprio estado. Agora, se for desejo de todos, nada tenho a objetar. E a minha licença no Senado, quando terminou? Devo pedir outra?

Abraços a todos e um beijo do teu pai **Getulio**

PS.: Como vai a publicação do meu livro que está com o J. Olympio? Conviria que o *Comité* organizasse os discursos da campanha política desde o primeiro comício em Porto Alegre, até o último em São Borja.

Parece-me que a aproximação com o PSD deve ser feita através do mineiro, que é o mais forte, não se devendo menosprezá-lo. A Rádio Nacional está adulterando os resultados eleitorais, diminuindo a minha votação e aumentando a dos outros dois. Não será plano?

---

1. Data inserida posteriormente por Alzira, que se equivocou ao indicar o mês de julho, já que Vargas fala das apurações das eleições de 3 de outubro.

230 \ A ▪ [Rio de Janeiro, 10 de outubro][1]

Meu querido pai

Escrevo-te hoje um pouco às pressas. Não sei ainda se vou depois de amanhã com o Neves e o Ernani para te ver. Creio que não, pois somente agora estou conseguindo retomar o controle do *team* que estava inteiramente desorientado. Um pouco por cansaço físico e um pouco para fazer média alguns estão fazendo política errada, ameaçando e dando demonstração de que sabem tudo. Há certos momentos em que devemos, pelo menos, fingir que estamos sendo tapeados pelas palavras conciliatórias dos adversários. É por essa razão que há dias te pedi que acalmasses o presidente.

Ele está naturalmente cansado e pouco paciente e parece-me que debaixo da influência de algum brigão. Só fala em ganhar de qualquer maneira, greve, tiro etc. – Ontem por ter encontrado aqui com o Newton e Frota, com os quais estava justamente acertando uma conciliação para não aparecermos brigando na vitória, estava tão irritado que nem me animei a acalmá-lo.

É evidente que concordo com ele em que se eles puderem fazer qualquer coisa, farão. Mas não somos nós que os vamos assustar. Concorda?

Um beijo afetuoso da **Alzira.**

1950

1. A data foi inserida posteriormente por Alzira.

O jornalista Georges Galvão e Getulio na Estância São Pedro, de Batista Luzardo. Uruguaiana, RS, entre outubro e dezembro de 1950.

231 \ A · [Rio de Janeiro], 11 de outubro

Gê

Esta correspondência era para ser levada pelo Napoleão, mas o Senador São Sebas anda tão algariado que esqueceu de apanhá-la. Vão duas cartas do Neves, uma para ti outra para o Luzardo, e outras que não abri por falta absoluta de tempo. Estamos aqui em grande virada atentos a todas as manobras e derramando óleo e *confetti* por todos os cantos.

Não esqueças de telegrafar ao Neves, que perdeu o irmão, e também ao turco Amim Chicrala – Miracema – Estado do Rio, cujo filho foi assassinado no dia da eleição. É um dos maiores getulistas do estado e seria para ele de grande conforto um telegrama teu, passado daí.

Os homens aqui estão alucinados, desejam impedir tua posse mas não têm forças para fazer a burrada e mantê-la. E não se arriscam a provocar a guerra civil. Minha tese no momento é essa. Para nós seria ótimo se pudessem dar um golpe e aguentar com ele, passaríamos o "abacaxi" adiante, saindo com todas as honras. Como sabemos que eles não podem, temos de impedir. O grande perigo são os três meses de espera durante os quais ficarão frente a frente um governo fraco, derrotado e desmoralizado em todos os seus ramos: Executivo, Legislativo e Judiciário, Forças Armadas e clero, classes conservadoras e plutocratas e a nova força que surge: a vontade soberana de um povo forte no seu desespero e cuja encarnação e símbolo és tu. A responsabilidade é tremenda. Tenho procurado acalmar os nossos para que sejam serenos e generosos na vitória.

Creio que assim que fique definitivamente clara tua vitória deves começar a planejar o ataque aos três problemas básicos sobre os quais o povo aguarda um milagre: barateamento do custo de vida, salário mínimo e casa popular. Já recebi alguns oferecimentos nesse sentido e já autorizei alguns que me merecem confiança a começar os estudos necessários.

Há uma grande expectativa em torno de teu ministro da Guerra. Já são 12 os candidatos na pista. Há, porém, uma quase unanimidade no temor de que o escolhido seja o Dr. Luiz,[1] isso tanto dos amigos, como dos inimigos.

Ernani já entrou em contato com os mineiros, que estão dispostos a colaborar e a se opor a qualquer manobra que te atrapalhe. Lodi declarou que foi convidado pelo Lyra e se recusou. Zé Américo está em forma e, segundo o Hugo Ramos, gostaria mais de ser ministro de Estado que governador da Paraíba. Enfim, as adesões estão vindo em massa e nossas tentativas de aproximação acolhidas com todas as honras. Até a apuração final precisamos ficar bonzinhos. Creio que por enquanto sou mais necessária aqui do que aí. No entanto, estou pronta a obedecer às ordens. Celina está indignada porque só gente de 20 anos é que pode votar.

Beija-te com todo o carinho tua filha **Alzira**

---

1. Codinome empregado por Alzira para se referir ao general Estillac Leal.

232 \ A · [Rio de Janeiro], 13 de outubro

Meu querido pai

O Wainer acaba de sair daqui eufórico com a entrevista, que está de fato espetacular. Foi irradiada, transmitida e será republicada amanhã. Achamos interessante, Danton e eu, publicar antes do resultado oficial definitivo porque facilitará muito o que temos de fazer, em matéria de aplainar caminhos. Wainer mostrou-a ao Canrobert hoje de manhã antes de publicar e pediu-lhe uma entrevista como sequência da tua. S. Excia. falando em tom amistoso fez ao jornalista várias revelações que te transmito:

1950

1º) O Exército é no momento em sua grande maioria composto de queremistas. Está nas mãos do Dr. Getulio que ele continue a sê-lo por seis meses ou seis anos. O primeiro grande problema será a escolha do ministro da Guerra. Qualquer um serve menos um, porque este significará que o Dr. Getulio quer dar futuramente um golpe e o Exército não quer golpes. É o Estillac, de quem se considera amigo, mas que por várias circunstâncias está absolutamente impossibilitado de exercer estas funções. Revelou com o maior sigilo que o Estillac deveria já ter recebido dois documentos assinados por gente do Exército e no qual ele Canrobert não tivera participação, e que o inibiam de aceitar o cargo de ministro da Guerra, se porventura tivesse sido já convidado. Um dos documentos era um apelo da família militar que se não fosse atendido viria a público com grande escândalo, o outro ele não revelou o que continha.

2º) O segundo problema do Dr. Getulio é o Adhemar, que é um canalha, crápula etc. e que estará contra ele dentro de poucos meses. Relatou as manobras do Adhemar e as referências que este teria feito ainda poucos dias antes do pleito altamente injuriosas.

3º) O terceiro problema é Café Filho, sobre o qual já estão circulando dentro do Exército as mesmas referências anteriormente sugeridas pela LEC. Pretenderia te eliminar para assumir em nome dos comunistas a presidência da República.

Wainer insinuou que ouvira de ti as melhores referências sobre ele e que talvez não estivesse fora de tuas cogitações o Ministério da Defesa Nacional. Respondeu que não falara com interesse próprio mas com o objetivo de evitar que se tornassem permanentes os casos criados pela eleição do *Club* Militar. Era amigo pessoal do Estillac mas conhecia o perigo que este representava.

Em consideração ao Wainer avisava também que convinha se pôr um paradeiro às explorações que estavam sendo feitas em relação ao Perón. O Geraldo Rocha se estava excedendo e podia criar um caso grave. Wainer respondeu que estava convencido de que isto tudo era mais uma espécie de chantagem internacional do Perón para te prender à sua política no futuro. Canrobert acalmou-se, dizendo sim, mas Dr. Getulio dá margem a que se diga isso permanecendo em casa do Luzardo à mercê das visitas argentinas etc. Quanto à entrevista prometeu pensar sobre o assunto, que ele considera de suma importância, e [disse] que na segunda-feira o chamaria. As impressões pessoais do Wainer são de que o homem está desejoso de sobreviver contigo, mas não se furtará a alguma coisa que o beneficie diretamente.

O Hugo Ramos, que vai para aí no domingo, está assustado com o rumo que vão tomando as coisas no âmbito do Tribunal Eleitoral. *Las intenciones*... Acha ele, com certa razão, que

1950 estamos muito sós. A massa de manobra é pequena. Danton, que se tem superado de uma maneira espantosa, ressente-se de sua falta de experiência em alguns setores e de tempo para deixar as coisas amadurecerem sozinhas. Qualquer precipitação agora é perigosa para o futuro. Ele próprio te explicará aí melhor o assunto. Nereu recebeu do Senado uma grande consagração que é quase uma mensagem secreta ao governo Dutra.

_____

D. Jaime está já procurando uma aproximação. Segunda ou terça devo receber um emissário de S. E. que se vem penitenciar das precipitações.

_____

Recebi hoje a imprensa americana e inglesa que estão indóceis na pista. Querem a todo o pano ir te fotografar aí.
Faço justiça ao espírito informativo do inglês, que procurou antes da eleição.

_____

Toma cuidado comigo, rapaz, estou começando a me convencer que sou um gênio político.

_____

Estou começando a receber os primeiros pedidos graúdos: Zenóbio para o Ministério da Guerra e Gileno de Carli para a Carteira de Exportação do Banco do Brasil.

_____

Junto vão várias cartas interessantes: do Job, da Patroa, do A. Queiroz e do Zé Olympio.
O portador está chegando.
Beija-te com todo o carinho tua filha **Alzira**

_____

Última hora: Quanto ao Ministério da Marinha, Ernani pede para te dizer que os nomes de melhor repercussão e que estão no momento aglutinando os interesses da classe são o Guillobel e o Aché, sendo que este último tem mais autoridade, prestígio e firmeza. Inclusive ascendência sobre os três trêfegos: Camargo, Salalino e Amorim do Valle. Em relação à Aeronáutica são três os nomes mais interessantes: Secco, Muniz e Netto dos Reis. O primeiro amigo mais do Salgado que teu, bem visto por esse grupo; o segundo ligado a ti, inteligente e realizador; o terceiro como o que reúne maior corrente principalmente da gente nova da aviação. Informações do Epa...minondas.

G · [Estância São Pedro / Uruguaiana], 15 de outubro

Rapariguinha

Recebi tua carta, bem como as outras, todas interessantes, mas não tenho tempo de responder a todas, pelo mesmo portador. Convém continuar no papel pacificador de desarmar os espíritos, receber os candidatos ou seus emissários, prometer interessar-se ou encaminhar etc. A conversa com o Canrobert e a questão do Tribunal pareceram-me as mais importantes. Sobre a primeira conviria saber que há de verdade sobre esse assunto de documentos. Sobre o outro a comissão de juristas para acompanhar a apuração parece uma boa ideia. A outra seria conhecer, cautelosamente, se apuradores, afora o que já têm, aspiram a mais alguma cousa. Também S. Exma. deve ser tranquilizada. Guarda o conselho que não se deve brigar com gente que usa saia: mulheres, padres e juízes. É preferível conciliar.

Então os homens estão um tanto alarmados com a minha proximidade da fronteira argentina! Mais ficarão quando souberem que está aqui de visita o famoso D. Miguel Miranda, que foi o autor da reforma econômica do Perón. Eu porém não chamei ninguém, mas não posso maltratar os que me visitam. Não pretendo ficar muito tempo na fazenda do Luzardo. Afinal toda hospitalidade tem limites. A verdade, porém, é que este local é magnífico tanto para o repouso, como para o trabalho.

Quanto aos jornalistas inglês e americano, se só pretendem tirar fotografias, podem vir.

Que me informas sobre o fenômeno mineiro. Ainda falta muito para apurar. Receio algum final desagradável. O Benê anda assustado ou feliz, qual foi sua atuação?

Saudades a todos e um beijo do teu pai **Getulio**

1950

Getulio e Alzira na Estância São Pedro, hóspedes de Batista Luzardo.
Uruguaiana, RS, entre outubro e dezembro de 1950.

233 \ A · [Rio de Janeiro], 15 de outubro

Meu querido pai

1950   O tempo anda cada vez mais escasso. Firmei um pacto com o Dr. Geraldo Rocha e D. Jeanne e estamos nos dando muito bem. Serão eles os portadores desta. Seu maior interesse são as obras do rio São Francisco e eu sei que também são teus.

Almocei em casa do Pedro Brando com o velho Simões Filho. Está eufórico com a vitória e encantado em seu novo namoro contigo. Fizemos boa camaradagem e ele, como "dono" do Regis Pacheco, prometeu ao Ernani toda colaboração na reorganização do PSD. Ernani te manda dizer que está esperando o resultado da eleição em Pernambuco e ter uma conversa com o Ernesto para prosseguir suas negociações. Já conversou com os mineiros, que são aliás a maior bancada, com o Raul Barbosa do Ceará, que está firme e desejoso de colaborar, e outros, todos na mesma disposição.

É sua opinião e sobre isso te consulta que não deve ser feita pelo menos já nenhuma modificação substancial que importe em fusão de partidos. Modificar apenas a direção do PSD, reintegrando os autonomistas, na base dos candidatos vencedores, nunca dos vencidos. Por ora não irá nenhum emissário aí, somente depois de ter algo concreto.

O Ernani te manda dizer também que o Estado do Rio tem duas reivindicações mínimas no teu governo: os institutos do Álcool e do Açúcar,[1] e do Sal, que nunca estiveram em mãos fluminenses. O Alberto Araújo que também vai aí te contará nosso plano para um preparo de opinião pública para o milagre. Se tiveres alguma sugestão, dá-lha que ele me transmitirá.

Mando-te uma carta do Getulinho. Mamãe pede que escrevas a Jandyra, ela anda muito queixosa porque não é mais tua mimosa.

Beija-te com todo o carinho tua filha **Alzira**

1. Refere-se ao Instituto do Açúcar e do Álcool.

234 \ A · [Rio de Janeiro], 17 de outubro

Gê

Li a reportagem do Oséas sobre tua reação quanto ao "nosso" ministério. Foi bom porque o efeito que pretendíamos já havia dado o resultado desejado. A tal lista de 30 nomes, possíveis alguns e outros absurdos, foi cautelosamente organizada para provocar certos e determinados efeitos e evitamos os que deviam ser evitados. Nestes três meses, nós os teus soldados temos que fazer muita asneira e bobagens para poder passar incólume à "terra de ninguém" que serão os três meses de espera. Depois tu nos desautorarás e aproveitarás apenas o que for aproveitável. Portanto não te espantes do que for sucedendo. O Danton já está começando a apanhar feio. Consegui segurar algumas lambadas, mas outras ele terá de levar. Em linhas gerais está agindo bem e com acerto. Aconselhei-o a se poupar um pouco quanto às entrevistas à imprensa que prejudicam mais vezes do que ajudam. Estamos jogando pontes a esmo, quem quiser que pegue e passe; depois aproveita-se quem se quiser ou puder. Ernani te manda dizer que há um trabalho dos deputados que não voltam mais e são quase 70% para votar um orçamento absurdo para 51. Acúrcio e Cirilo derrotados estão nesse número. É necessário fazer um bloco de resistência a isso para, em último caso, obstruir de forma a não dar tempo de haver nova votação e assim prorrogar o orçamento atual. O Lafer está disposto a auxiliar.

Esta vai pelo Hugo Ramos, meu cordial "adversário".

Quando tiver calma escreverei melhor.

Beija-te com carinho tua filha **Alzira**

1950

Na página ao lado, Getulio e Lucas Nogueira Garcez. Nesta página, Adhemar de Barros e Getulio. Dois momentos na Estância São Pedro, de Batista Luzardo. Uruguaiana, RS, entre outubro e dezembro de 1950.

235 \ A · [Rio de Janeiro], 17 de outubro

Meu querido pai

1950   Recebi ontem tua carta trazida pelo Zolachio e já te havia mandado outra pelo Hugo Ramos. Esta vai pelo Bejo que queria me levar com ele. Infelizmente porém esta mudança brusca de temperatura trouxe-me uma nova gripe que me impede de ir.

Dentro do papel pacificador, já recebi o emissário do D. Jayme, o diretor de seu jornal, Sr. Abner, o mesmo que se recusara a publicar ainda que como matéria paga qualquer referência a ti. O homem veio trazido pelo Coronel Coelho, manso como um cordeiro. É novo e simpático mas untuoso como costumam ser os serviçais dos padres. Trouxe-me o artigo que já escrevera sobre a legalidade do pleito e posse aos eleitos do povo. Disse-me que como são os párocos os que têm mais contato com a massa, já sabiam de antemão que todas as possibilidades de vitória estavam contigo e portanto, até por sabedoria, não iriam contra o vencedor. Haviam sido e eram contra o Café Filho e se tinham externado já previamente com o Danton para que te transmitisse. Não foram atendidos e tiveram de lutar. Nunca, porém, te envolveram diretamente etc. O cardeal queria que eu soubesse que estava em franca divergência com os doutores da Igreja de tendências esquerdistas tais como o Amoroso Lima, o Sobral Pinto e o Carlos Lacerda. A Igreja é porém um grande navio no qual todos embarcam, sem pagar passagem. Estes personagens mais amigos dos comunistas do que de Sua Eminência. batem no peito e falam em nome do clero e não se pode dizer que estão em divergência com eles etc. Aceitei tudo o que me disse, fingi que acreditei no que me disse e acomodei-o para o futuro.

Junto vai para melhores esclarecimentos o número da *Revista do Club Militar* (pag. 75) que deu origem aos documentos de que te falei na outra carta. São dois abaixo-assinados subscritos por vários oficiais superiores do Estado-Maior que percorrem o Brasil recolhendo assinaturas, nos quais, segundo me informaram, o Estillac é interpelado para que se manifeste em relação ao tal artigo indigno de um general brasileiro, e outras miudezas.

Nada disso virá a público se o homem não tiver posto de comando, mas estourará em caso positivo.

Peço-te que ouças o Carlos Maciel, portador desta. As informações que ele leva e que não desejo escrever podem te esclarecer melhor quanto a esta atitude dos militares em relação ao Estillac. Parece-me que não se deva desencarná-lo já, como pretende o Danton, nem tampouco firmar o nome do Zenóbio. Esta solução deve ser adiada porque o atual ocupante tem suas pretensões, conforme serás informado.

Estou em contato com o General da Banda através de meu ex-professor da Faculdade de Direito, o Cumplido Sant'Anna, que é seu amigo do peito.

A onda contra o Danton está se avolumando. Convém que ele se poupe um pouco e fale menos aos jornais que nada mais querem do que fazer explorações com ele.

1950

Além das informações do Maciel recebi hoje um aviso do Lafayette, através do Aprígio, para "Ficar de olhos abertos e ouvido alerta". Não esclareceu em que setor, nem para quando, mas prometeu mais esclarecimentos futuros.

Está se processando um certo movimento para que sejas convidado a visitar os Estados Unidos, antes da posse. O negócio merece um estudo cuidadoso.

Mamãe e eu agradecemos ao teu ilustre anfitrião o amável convite que nos fez. Mamãe manda dizer que pretende ir na próxima semana e eu somente depois de terminar de descascar meus abacaxis. Quanto às fotografias que me pede estou providenciando porque depois da eleição ficamos sem *stock*.

Vou terminar porque o boteco encheu de novo. Está duro de gente.
Beija-te com todo o carinho tua filha **Alzira**

Getulio, tendo à sua esquerda Ernesto Dornelles e Leonel Brizola, na Fazenda do Itu. Itaqui, RS, 1950.

303 \ G · [Estância São Pedro / Uruguaiana], 18 de outubro

Rapariguinha

1950   Recebi tuas cartas. Penso que tua permanência aí é mais necessária para atender os casos e aplainar dificuldades. Sobre entendimentos com o PSD não tenho restrições e podem ir tocando para diante. Faço exceção quanto ao Rio Grande do Sul. Aqui o caso é diferente. O Ernesto foi candidato do PTB e eleito por este. O PSD votou maciçamente no Cristiano e no Plínio Salgado, desde o teu tio de São Borja, até o alemão perrepista das colônias. Os autonomistas que entraram na chapa tiveram votação insignificante e essa mesma das sobras petebistas. O Jango e o Dinarte, que tiveram ação decisiva para que o PTB aceitasse a candidatura do Ernesto, assumiram com a direção desse partido o compromisso de que o candidato governaria com o mesmo. O PSD gaúcho, nos métodos e processos empregados, de verdadeiros reacionários, agiu muito mal, comigo e com o Ernesto.

As autoridades federais e estaduais facciosas e que abusaram de seus cargos para exercer pressão não devem permanecer nas localidades onde praticaram suas façanhas. Disso tudo deves dar conhecimento ao Ernesto, que é um homem compreensivo e leal. Ele deve saber muita cousa mas talvez não saiba de tudo. Sobre Minas Gerais fiquei intrigado com tua referência ao Dr. Luiz. Não pude decifrar a charada. Espero que me expliques quem é esse personagem.

Saudades a todos e um beijo do teu pai **Getulio**

236\A · [Rio de Janeiro], 19 de outubro

Gê:

Minha inimiga nº 1 tomou conta de mim outra vez: gripe e seu ajudante de ordens, a tosse. Vou sumir novamente por uns sete dias para recuperar e voltar à luta. Estamos atualmente em ponto morto, de modo que minha ausência não prejudicará a marcha dos acontecimentos e mais tarde pode atrapalhar.

1950

As <u>feras</u> estão no momento narcotizadas, mas podem despertar a qualquer momento, quando passar o efeito. O engraçado é que o nosso povo é que não está entendendo. Hoje compareceu aqui o *team* dos capitães com o adendo do General Firmo. Pretendiam ir até aí para te informar, levar sugestões e desfazer a onda de boatos de conciliação que se estava alastrando. Expliquei-lhes que a onda era propositada e que quem agora ia apoiar o Dutra até o fim de seu governo éramos nós para poder atravessar a "terra de ninguém", que depois tu escolherias quem te aprouvesse e nos mandavas passear. Queriam então desistir da viagem mas não deixei. O Queiroz Lima principalmente tem uma sugestão muito interessante para a formação de uma superestrutura partidária que unisse as três correntes que te apoiam, PSD-PTB e PSP. A ideia é interessante e merece um estudo, de modo que, se concordas com a ida deles, manda-me dizer. Nessa ocasião talvez eu vá com eles.

Chegou agora o Geraldo trazendo tua carta. Pensei que estavas a par do código secreto: Dr. Luiz = Estillac. – O Wainer esteve aqui pela manhã e parece que obterá a entrevista com Canrobert hoje à noite. Se puder mandarei para que a examines, conforme os termos poderás em declarações a outros jornalistas, para evitar as ciumadas, te referir ao bichão que é quem está com as rédeas na mão.

Ernani está continuando as conversas com o pessoal. Benedito está a todo o pano, já querendo prestar serviços. Cleofas já declarou que se a UDN não quiser colaborar contigo ele colaborará de qualquer maneira (governador ou deputado). Não compreende que esta tendo colaborado com Dutra se recuse a trabalhar para ti. O Coaracy Nunes, irmão do Janary do Amapá, procurou o Ernani para dizer que haviam votado no Cristiano, mas estavam prontos a colaborar, Janary não poderá continuar governador porque deve ir para o curso de Estado-Maior e Coaracy está eleito deputado. Propôs-se fazer aproximação com o Epílogo de Campos, deputado mais votado do Pará pela UDN e mentor do Zacharias.

O portador desta será o Sr. João, da Agência Keystone de Londres, que pretende fazer as fotografias de que já te falei. Estás tipo de galã de cinema.

Beija-te com todo o carinho tua filha **Alzira**

304 \ G · [Estância São Pedro / Uruguaiana], 20 de outubro

Alzira

1950 Em aditamento à minha carta anterior sobre a política do Rio Grande, talvez seja aconselhável a reorganização do PSD sob a direção da ala autonomista ou a fusão com o PTB.

Abraços do teu **Getulio**

PS.: Convém conter os nossos queremistas para evitar protestos criadores de casos, no próximo 29 de outubro.

237 \ A • [Petrópolis], 23 de outubro

Meu querido pai

Escrevo-te de Petrópolis aonde vim para descansar um pouco o espírito e os ossos. No ponto em que estão as coisas minha presença no Rio só servia como poder catalisador, centro de atenção de boatos e escritório para receber pedidos. O que podia fazer foi feito. Conseguimos desarmar os espíritos mais prevenidos, tranquilizar as forças atuantes sem quebra de dignidade: governo, Exército, Justiça e Igreja, organizar a fiscalização da apuração e o corpo jurídico para aparar os golpes e ainda moderar o entusiasmo dos nossos, convencendo-os a serem generosos na vitória. Quanto ao mais é deixar correr o barco e esperar. Se conseguirmos passar em branca nuvem sem provocações de parte a parte o 29 de outubro, teremos superado mais uma fase. Não estamos livres, é evidente, de outros perigos e é por causa disso que preciso me refazer e aguentar o último tirão.

1950

Wainer, logo após a entrevista do Canrobert que já deves conhecer, embarcou em férias para a Europa, onde passará um mês. Vai fazer-nos falta nesta fase, mas já deixou o nome de outros jornalistas que poderão seguir a linha traçada por ele em vários jornais. Quando voltar entrarei em contato com eles.

Soube que já estás inclinado a sair daí e é bom por várias razões, inclusive pessoais. Que pretendes fazer, depois. O Itu tal como está não me parece apropriado agora. Irás ser ainda mais assediado e a casa, pessoal, alimentação estão demasiado deficientes para que possas permanecer lá mais do que o tempo necessário para te juntar com o que é teu. Qualquer que seja o canto em que te metas agora serás assediado e dificilmente poderás selecionar e escolher aquelas pessoas cujo encontro realmente te interesse.

Além disso é cruel fazer voltar da porta gente que viaja oito horas ou mais para ver o Santo. – Que tal a sugestão de vires para uma fazenda qualquer dentro do Estado do Rio, que fique a menos de duas horas do Distrito, onde poderás mandar chamar quem quiseres, ter quem ouça e atenda os cacetes e interesseiros, alimentar-te melhor e realmente começar a produzir. Entre os nossos e os teus amigos existem inúmeras propriedades, as quais inclusive poderás variar, desde que se transformem em Meca. Se não quiseres tocar no Distrito poderás ir de campo a campo diretamente para a fazenda do Savio (derrotado) em Volta Redonda ou do Paulo Fernandes (não foi candidato) em Barra do Piraí. Temos ainda a ilha do Alpes, onde ficarás protegido pelo rio, a fazenda da Pedra que era do Rafael e agora é do Edmundo, que foi teu oficial de gabinete, a casa do Argemiro Machado etc. É a escolher. Pensa sobre o assunto e me diz qual a preferência para tomar as providências.

Ernani te manda, e pede devolução, essa carta do Otavio Paranaguá. Esse rapaz é atualmente uma das maiores autoridades em assuntos econômico-financeiros. Basta dizer que pelo seu próprio valor é um dos cinco membros do Fundo Monetário Internacional, sem interferência nem auxílio do governo brasileiro. Convidado para ministro do Dutra não aceitou. Nada deseja, nem pretende, oferece seus conhecimentos e serviços, independente de cargo. Ernani o conheceu durante a Conferência da Paz em 32, quando era "rato de biblioteca" em Genebra e autor das poucas coisas interessantes que o Zé Carlos produziu.

———

A outra carta é do Bouças, recentemente chegado dos Estados Unidos, e que ma entregou quase na hora de sair para cá.

———

Uma das razões essenciais pelas quais desejo te arrancar daí é a tua penúltima carta. Nela eu te sinto de marca muito quente em relação ao PSD gaúcho. Aí, estás dando ouvidos a toda essa rapaziada que lutou e sofreu durante cinco anos. É justo que os ajudes e os defendas e protejas, mas não se pode prejudicar a Causa. Mais uma vez repito minha cantilena: para poderes governar precisas do Rio Grande unido. As sujeiras eleitorais e as perseguições locais todos fizeram, inclusive nós mesmos. Quem tinha a força usava-a e como. Que se sejam alijados e impedidos os mandantes, mas a arraia-miúda que serve qualquer governo servirá mais um. Não podes ficar te detendo em questiúnculas municipais e distritais, quando tanta coisa espera por ti. Perdão pelo abelhudismo, de quem quer ajudar e está vendo mais o problema geral.

———

Ernani está continuando o trabalho de sapa junto aos elementos políticos. O Coaracy Nunes está trabalhando os nortistas, o Cleofas está em forma, os pessedistas mineiros também. Dentro da UDN somente irão incomodar os mineiros ligados ao Pedro Aleixo e Afonso Arinos, os outros estão dóceis.

E por hoje chega.

Beija-te com todo o carinho tua filha **Alzira**

———

305 \ **G** · [Estância São Pedro / Uruguaiana], 25 de outubro

———

Rapariguinha

Seria agradável que viesses até aqui, com tua mãe, passar uns dias. Isso antes que eu saia para outro ponto. Já devo estar sendo incômodo aos hospedeiros, que são muito amáveis. Dize ao Ernani que eu o felicito pela vitória. Foi brilhante e decisiva. Ele lutou contra o governo federal, contra o estadual, contra a UDN, contra os traidores do seu próprio partido e contra o cangaço do Tenório armado e protegido pelo seu parente General Newton.

Saudades a todos e beijos do teu pai **Getulio**

———

238 \ A · [Petrópolis], 27 de outubro

Meu querido pai

Escrevo-te um pouco às pressas porque o Hugo Ramos virá dentro em pouco buscar a correspondência. **1950**

Ele te contará melhor que eu o que há, bem como o Danton, pois estão dentro do teatro dos acontecimentos e eu ainda estou descascando uma bronquite em Petrópolis. Nada me respondes, quanto às sugestões de vires para cá logo após a diplomação.

Mamãe está esperando terminar um trabalho no teclado para ir. Eu continuo achando que sou mais útil aqui, no entanto apressar-me-ei a seguir, assim que o determines.

Celina escreveu-te e está reclamando resposta.

Há um preparo de sujeira com o Café, o que nos faz pensar no que seria se tu também tivesses saído com pequena diferença. Para o 29 tomamos já todas as providências sossegativas para os queremistas.

O Galvão pede para te transmitir seu SOS desesperado. Conversa com o Danton a respeito. Seu prazo de papel que era de 90 dias foi restringido para 60 e agora para 30. Para teu governo, tenho em meu poder mais de mil. O que me deixaste acrescido de outros que recebi depois.

Convém pensar em uma forma de agradecimento a todos os contribuintes grandes e pequenos.

Com um beijo muito carinhoso

tua filha fica esperando ordens **Alzira**

Aspectos da estada de Getulio na Estância São Pedro, de Batista Luzardo.
Uruguaiana, RS, entre outubro e dezembro de 1950.

306 \ **G** · [Estância São Pedro / Uruguaiana], 29 de outubro

~~Aq~~   Rapariguinha

1950
Aqui reuniram-se de ontem para hoje vários amigos, até 29 que caiu no domingo. Estou a escrever-te pela manhã, sem que ainda nada tenha acontecido. Pretendo aproximar-me daí, depois de diplomado. Só não escolhi o local. O Flávio ou o Paulo Fernandes seriam muito bons. Os lugares ~~para~~ onde residem devem ser um tanto quentes. Que dizes de Campos do Jordão, muito longe? Sobre o assunto Galvão parece que podes dar-lhe algum auxílio. Mas descobrindo a mina irá acostumar-se. Vai o trabalho, tirei cópia mas ainda não tive tempo de ler.

Abraços a todos e beijos do teu pai **Getulio**

---

307 \ **G** · [Estância São Pedro / Uruguaiana], 30 de outubro

Rapariguinha

Pus aqui em atividade o meu pessoal, por causa de uma tua carta que desapareceu. Não me recordo sua data. Mas trata-se daquela que relata a conversa do Wainer com o Canrobert. Verifica se ela não te foi ~~remetida~~ enviada na última remessa, com outras para o arquivo. Preciso tranquilizar-me, porque isso suscita dúvidas e conjecturas. Se estiver contigo, ou ~~antigo~~ ainda te recordares, remete-me uma reprodução da mesma palestra.

Informam-me que se conspira, que esse Sr. é o chefe e usufrutuário e que estão tapeando o Danton.

Junto vai outra remessa de papéis para o arquivo, pois aqui não tenho onde guardá-los, com segurança. Pode ter havido o extravio ou perda da carta, no meio duma numerosa correspondência.

Estou precisando de envelopes do tamanho desse da carta, ~~que~~ o Epitacinho levou a encomenda. Basta lembrar-lhe para que a remeta. Junto vai uma nova remessa de papéis.

E por hoje é só.

Saudades a todos e um beijo do teu pai **Getulio**

239 \ A · [Petrópolis], 1 de novembro

Meu querido pai

Passamos em paz e brancas nuvens o decantado 29 de outubro, tal qual como na história do bode e da onça. Nós com medo que eles espirrassem e eles temendo que nós sacudíssemos a barba.

1950

Está começando a surgir uma nova onda sob dois aspectos: o jurídico ou tribunalício e o militar. O primeiro serve apenas para criar ambiente de dúvidas quanto à eleição (maioria absoluta e não relativa) e se apresenta sob a forma de discursos na Câmara, entrevistas interpretativas nos jornais, crônicas reticentes etc. O segundo continua na expectativa do resultado do primeiro. Apesar de todas as afirmações em contrário a conspiração continua. O Exército busca em vão um meio de se reabilitar perante os olhos do povo. Não é de ti que têm medo, é deles próprios e do julgamento dos companheiros. É o pavor de não saberem responder amanhã a uma pergunta inocente: "afinal por que houve o 29 de outubro?" Suas consciências pesadas de remorsos e de dúvidas preferem te ver ganhar o governo por um golpe ou dentro de uma revolução do que entregar-te legalmente. Sentem que poderás mesmo dentro da Constituição fazer um grande governo e isto será para eles a suprema humilhação.

Portanto, a situação continua a mesma. Falta apenas o motivo. E é esse motivo que nós buscamos não fornecer, evitando as ondas criadas.

O pretexto militar no momento é a aproximação com a Argentina, tendo como derivativo o Estillac. Existem dois grupos ideológicos no Exército: um partidário da libertação sul-americana sob a hegemonia do Brasil, outro pela continuação da liderança dos Estados Unidos, tendo o Brasil o papel de seu representante e fiador na América Latina. – Isto não obsta a que cada oficial individualmente deseje sobreviver e aspire a ser o ministro da Guerra de teu governo, desde que, sendo um dos vinte-novistas, sinta que não lhe serão cobradas as contas. Nessa posição está o Canrobert, sem prejuízo do que te mandei dizer na carta que reclamas e que te devolvo junto porque não tenho material aqui para tirar cópia. Estão também o Góes, o Mendes e o próprio Newton.[1] O Cordeiro pensa em se reformar caso suas conspirações de algibeira não vinguem. Devido à atitude preponderante que tomou no dia e a nossas recusas de aproximação (Mamãe, Ernani, eu, Bejo etc.) nestes cinco anos é difícil restabelecer uma ponte que o acomode no momento. – O Zenóbio, como ausente, se considera o mais indicado e se diz o mais forte em palavras que põem em xeque o prestígio do atual ministro. Este, no entanto, tomou suas providências e está senhor da situação. Devido à atitude publicamente limpa que assumiu está realmente com grande autoridade. Ontem, em conversa com Gashypo, disse-lhe que achava interessante aprofundar mais suas ligações com Canrobert, acenando-lhe com a possibilidade de continuar durante alguns meses contigo. Depois ser-lhe-ia mais fácil escolher a posição que melhor conviesse a ti e a ele. – Dizem uns que ele deseja ser o presidente da [Companhia] Belgo-Mineira, outros o chefe do Estado-Maior, outros o ministro da Defesa Nacional e não quer em absoluto posto no Exterior. Disse também ao Gashypo que a família do Estillac afirma que este já foi convidado para ministro. Se se confirmar a repulsa no Exército será enorme. Junto vão

---

1. Refere-se ao General Newton Cavalcanti.

1950 as cópias de algumas das cartas dirigidas ao Estillac sobre o caso da Revista.[2] A resposta deste publicada nos jornais, um tanto debochativa, não causou bom efeito e aumentou a onda. – O Zenóbio solicitou ao Gashypo que mandasse publicar algumas dessas cópias, tomando assim atitude franca de rival. Não o foram, no entanto, por enquanto.

Ernani discorda de mim quanto à generalização que faço no início sobre a atitude do Exército. Diz ele que apenas alguns militares mais comprometidos terão remorsos e dúvidas, em bloco, porém, acham que podes e deves assumir legalmente e só legalmente governarás. De boa ou de má-fé, acreditavam que em 45 pretendias dar um golpe. Quanto ao Estillac, sua atitude é mais uma questão de decoro militar. Não o consideram com qualidades morais e pessoais para ser seu chefe. – Depois da conversa do Ernani com o Mendes, este se acomodou e pediu com grande empenho nosso apoio no Senado para vetar as medidas escandalosas tomadas pela Câmara Municipal. Diz ele que isto interessa mais ao futuro governo do que a ele próprio, pois aumentará consideravelmente as despesas do futuro orçamento. – Sexta-feira Zenóbio terá com Ernani um encontro, a pretexto do código de vencimentos e vantagens, provavelmente deseja uma maior aproximação. Está também programado um almoço com o Sena Vasconcelos, o braço direito do Canrobert. Este está fugindo a uma aproximação mais clara, temendo provocar as iras do Catete e sua demissão do ministério imediata. – O Maciel já está trabalhando, como ligação minha junto ao pessoal dele. – Ernani pretende te escrever ainda hoje sobre as aspirações fluminenses. Pretende ele o Departamento de Estradas de Rodagem e o Instituto do Álcool e do Açúcar. Não pretende lembrar usineiros pois faz a estes as mesmas restrições que tu. Continua suas ligações com o pessoal da UDN. Soares Filho ontem disse-lhe que havia prevenido ao Baleeiro que falasse em seu nome pessoal, no caso da maioria, pois a UDN não se havia pronunciado e ele era contra.

Conversei com o Carrazzoni sobre o caso da *Noite*. Ernani já está em contato com o Vitor Costa, que é atualmente quem tem mais força dentro da empresa.[3] Este se comprometeu a ajudar a atrapalhar.

O *Diario Trabalhista*, que pertence ao Mauro, Vieira de Mello e Pedroso (da Caixa), está à venda. Tem oficinas próprias, um bom título e alguma penetração. Que achas?

Os capitães, portadores desta, levam coisas interessantes para conversar contigo. Espreme-os.

---

2. Refere-se à *Revista do Club Militar*.
3. Refere-se à Superintendência das Empresas Incorporadas ao Patrimônio da União, que em março de 1940 havia encampado o jornal *A Noite* e a *Rádio Nacional*, entre outros.

Quanto à tua vinda para Campos do Jordão, é sempre melhor que continuar aí, embora ainda seja um pouco longe e tenha o inconveniente de ficares à mercê do Adhemar.

1950

Mando-te os dois memorandos do Paranaguá, que ficaram por esquecimento. Ernani vai escrever-lhe pedindo o plano que sugeres.

O João Neves obteve do Aníbal Freire a promessa de não se aposentar já e esperar teu governo.

Em carta anterior mandei-te um trabalho do Prof. Costa Carvalho, atual diretor da Faculdade de Direito e bom getulista.

Telegrafaste conforme te pedi ao Salim Chicrala, o turco que perdeu o filho em Miracema no dia da eleição?

Ainda estou em Petrópolis, desço dentro de três dias. Celina continua reclamando resposta.

Beija-te com carinho tua filha **Alzira**

Aspectos da estada de Getulio e Alzira na Estância São Pedro, de Batista Luzardo.
Uruguaiana, RS, entre outubro e dezembro de 1950.

240 \ A · [Petrópolis], 2 de novembro

Meu querido pai

1950 Em adendo à carta já entregue ao Vergara, mando-te mais estas informações que me foram enviadas pelo Carrazzoni, com quem conversei.

O Rubens Berardo (da Continental e genro do Othon L. Bezerra), outro dos meus tenentes, passou o domingo a convite do Canrobert em Jacarepaguá, como amigo. Em conversa reafirmou tudo o que já te informei anteriormente. Absolutamente contrário ao nome do Estillac, faz reservas ao Zenóbio e elogia muito o Fiúza de Castro. Perguntado se aceitaria continuar, calou e gostou. Disse ter sido procurado por elementos da UDN para topar um golpe e os repeliu. Não deseja ter maiores aproximações conosco agora porque futuramente deverá prestar ainda declarações de respeito à vontade das urnas e não deseja que isso seja interpretado como um desejo de ser aproveitado no futuro governo. — Rubens manda te oferecer a casa do sogro em Petrópolis. É a antiga casa dos Landsberg na avenida Koeler.

Galvão contou-nos que o Odilon foi perguntar ao Canrobert se, caso obtivessem a anulação do pleito, ele aceitaria ser candidato único. Foi repelido.

O Arinos[1] tem dois assuntos de certa importância para levar a teu conhecimento e ouvir a orientação. Um é sobre o caso Borghi e o outro é em relação aos ~~empréstimos~~ depósitos bancários nos institutos. Aconselhei-o a ir até aí ou a escrever um relatório.

Tudo o mais vai indo, como se pode.
Um beijo carinhoso de tua filha **Alzira**

---

1. Refere-se a Guilherme Arinos Lima Verde de Barroso Franco.

308 \ G · [Estância São Pedro / Uruguaiana], 4 de novembro

Rapariguinha

As notícias vindas daí não são muito tranquilizadoras. Após alguns dias de relativa conformidade surgem novamente os boatos através do [sic] e dos jornais. Um deputado, Aliomar Baleeiro, cupincha do Mangabeira, levantou a questão da maioria absoluta. Parece que uma parte da UDN o acompanha. Vão reunir-se para deliberar, governo incerto e mal cercado, a Copa e Cozinha chefiada pelo Newton e tendo como porta-voz o Rodanes, Tribunal Eleitoral faccioso. Tudo isso procurando explorar a vaidade dos generais para que se apresentem como salvadores. Enfim, procura-se criar uma situação de ilegalidade, dentro da legalidade. ~~Por~~ É conveniente que o Ernani intervenha no assunto e auxilie o Danton. Este está muito só – O Tribunal Eleitoral já reduziu minha votação em São Paulo a menos dum milhão. Será início duma conta de chegar? São estas as conjecturas que surgem no meu espírito, de acordo com as notícias que vão chegando.

Saudades a todos e abraços do teu pai **Getulio**

Aspectos da estada de Getulio na Estância São Pedro, de Batista Luzardo. Uruguaiana, RS, entre outubro e dezembro de 1950.

Adhemar de Barros e Getulio na Estância São Pedro.
Uruguaiana, RS, entre outubro e dezembro de 1950.

1950

241 \ A · [Rio de Janeiro], 7 de novembro

Meu querido pai

Voltei ontem de Petrópolis e apanhei uma surra tremenda. Recebi gente das 14 às 24 horas. Encontrei tudo desarvorado e inquieto. Positivamente ainda não posso descansar, nem me afastar.

Hoje pela manhã fui ao enterro do Pedro Batista Martins, que faleceu repentinamente na rua, do coração. Foi nestes últimos tempos um bom amigo e grande trabalhador. Se quiseres telegrafar à família o endereço é Eurico Cruz – 47.

Vamos direto aos assuntos que não há tempo a perder.

1º) La Rocque telefonou-me de São Paulo para que te transmitisse o resultado da conversa com o Chatô. Aceitou com entusiasmo a resposta, deseja te visitar assim que te aproximes mais e já começou o trabalho prometido, com um excelente editorial no "*Jornal*". – Disse-me também que o havias convidado para dirigir o Instituto do Álcool e do Açúcar. Como essa era uma das reivindicações do Ernani para o Estado do Rio, conforme te transmiti, nada lhe disse e te peço que em tua próxima carta respondas qualquer coisa, que era um batalhador teu que precisavas premiar ou coisa parecida, mas que não te esquecerás de seu outro pedido, que é o Departamento de Estradas de Rodagem.

2º) O Arinos nos trouxe a tua resposta quanto aos casos Borghi, retirada do dinheiro dos institutos e convocação da Assembleia. Quanto ao primeiro, estamos todos de acordo; quanto ao segundo, além da reunião dos governadores lembrada pelo Ernani e que seria uma reunião partidária, pois seriam os governadores pessedistas do Amazonas, Ceará, Bahia, Minas, Pernambuco, Estado do Rio etc., há ainda uma chance de evitar que se faça o estouro, por um recuo do Ministério do Trabalho. Chamei o Helvécio Xavier, que tem alguma influência no Marcial, e ele me prometeu trabalhar o espírito do homem e me trazer uma solução na sexta-feira. Quanto ao terceiro, convocação da Assembleia, juridicamente é impossível, no entanto politicamente eles podem promover, jogando com o interesse financeiro dos congressistas que não voltam mais. Ernani vai promover a convocação até 31 de janeiro. Segundo um estudo feito a meu pedido pelo Jaime Lionel, poderá haver antecipação da convocação da Assembleia nova de 15 de março para 1º de fevereiro. Esta convocação tanto poderá ser feita pelo presidente da República como pelos 2/3 de senadores que poderão continuar convocados. Serão então os novos diplomados e não mais aqueles cujos mandatos estão terminados. Helvécio prometeu trazer-me um trabalho sobre as atividades da Cexim[1] e verificar a missão levada pelo tal Coronel Ibsen aos Estados Unidos. Acredita ele que seja apenas para ganhar comissão.

Quanto ao caso da "maioria" absoluta é apenas chicana e não creio que venha a ter algum resultado. Apenas devido à nossa falta de coordenação, devido em parte à minha ausência e em parte ao espírito escoteiro do Danton, que não se adapta a trabalhar em equipe, ficamos na defensiva e os golpistas tomaram a ofensiva. São os promotores disto os

---

1. Refere-se à Carteira de Exportação e Importação do Banco do Brasil.

1950   irredutíveis mineiros (Afonso Arinos e Odilon), os baianos do Mangabeira e também do Juracy, o Duvivier e a Copa e Cozinha.

3º) O Arinos manda-te consultar sobre o caso de Mato Grosso, onde perdemos a senatoria para o Júlio e o Filinto perdeu o governo. Vão ser realizadas novas eleições em alguns distritos ou municípios num total de 5.000 votos que poderão modificar o aspecto total. Se o PSD votar no Júlio em troca dos votos do PTB para o Filinto, ambos poderão ser eleitos. A diferença entre o Júlio e o Senador da UDN é de mais ou menos 3.000, que poderão ser recuperados nessas urnas. O Senador do PSD não tendo mais chances, a eles interessa votar no Júlio, mas em troca da votação para o Filinto que poderá vencer o Fernando, ou não. A manobra só será feita se te interessar a troca. O Danton vai aí e poderá receber instruções.

4º) O Neves já te escreveu sobre as manobras internacionais que está fazendo e como ele irá aí em breve, deixo este assunto para ele.

5º) O Alberto Araujo informou que o Estillac chega hoje e pretende meter o peito no caso da Revista, que ele ignorava totalmente. Irá dar um golpe seco no grupo comunista. Disse ao Alberto que o aconselhasse a agir com prudência, porque o negócio é mais sério do que parece.

6º) Tive uma longa conferência com Gashypo e o Carlos Maciel. Chegamos à conclusão de que existem cinco grupos diferentes e por motivos diversos interessados em que não tomes posse. Enquanto esses grupos não se juntarem não há perigo algum.

I – o grupo comunista, com os olhos voltados para a situação internacional que se está agravando, espera criar confusão no decorrer do mês de sdezembro. Não importa a eles quem lucre com a confusão, porque sempre tirarão alguma vantagem. Estão gozando de algumas imunidades e procuram criar a qualquer preço o caso Estillac.

II – o grupo Copa e Cozinha, com a ignorância ou complacência do Dutra, pretende a continuação do *status quo*, pela simples perpetuação ou pelo aproveitamento de algum do grupo que os abrigue sobre a asa protetora (Flores, Lyra, Newton, Duvivier etc.).

III – o grupo UDN, irredutível caso não possa aproveitar para um deles, gostaria até de um novo militar [Canrobert], contanto que não seja para ti.

IV – o grupo militar que deixou o rabo grande no Ministério da Guerra, mais os vinte-novistas que não foram a Canossa,[2] temem a devassa que o Estillac poderia fazer e estão criando o caso, auxiliados pelo mau nome de que este goza entre os oficiais superiores. A solução continuação do Canrobert (muito bem recebida por este) durante alguns meses teria o efeito de acalmar inteiramente os ânimos se não houvesse o perigo da reação do grupo Estillac.

V – Que não se pode esquecer o Adhemar. Ele não é bobo e sabe que ele desaparece no teu governo, quer colabore, quer não. Se aparecer uma chance dentro da confusão que o aproveite, ele não a desprezará.

Naturalmente dentro desses quadros há varias nuances que não podem ser desprezadas, para se levar o barco a porto seguro. Uma das chaves é o assunto:

---

2. A expressão "ir a Canossa" significa dar uma demonstração pública de arrependimento.

7º) Danton. Ainda não consegui me avistar com ele desde que cheguei. Mas tudo o que soube me obriga a te pedir que o aconselhes, quando ele aí chegar depois de amanhã. Não há a menor dúvida de que existem as conspirações, não há a menor dúvida de que os juízes são facciosos, que o governo não está contente etc. Mas não somos nós os vitoriosos e muito menos ele com a responsabilidade de presidente de Partido que vamos passar o recibo em cheque falso. – As entrevistas em termos ameaçadores (greves preparadas, responderemos a bala, gente venal etc.) e os contatos que está fazendo com publicidade estão criando um ambiente de intranquilidade no meio do povo.

Danton esteve aqui agora. Explicou-me que as entrevistas eram necessárias para desmascarar o jogo do Bias. Embora continuo no meu ponto de vista de que ele deve se guardar um pouco mais, não se expor tanto às criticas e ataques que está sofrendo, porque isso prejudica mais do que a ele próprio, ao Partido e à causa. É o velho *panache* de gaúcho.[3]

Tenho outros assuntos, mas já perdi um portador (o Teles) e não quero perder outro (o Gentil).

Mandarei o resto depois.

Beija-te com todo o carinho tua filha **Alzira**

Mando-te recortes da França e da Holanda para veres que estamos ficando muito importantes.

309 \ **G** · [Estância São Pedro / Uruguaiana], 7 de novembro

Rapariguinha

Aproveito a vinda do Napoleão para enviar-te alguma correspondência arquivável que aqui se está acumulando.

Tenho um problema, o do meu futuro secretário. Ainda não me decidi e penduro esse problema no teu trapézio cerebral, esperando alguns palpites.

Abrs. do teu pai **Getulio**

---

3. "Panache" é o lenço de pescoço usado pelo gaúcho, associado a seu brio, orgulho e honra.

G · [Fazenda do Itu], 9 de novembro

Rapariguinha

1950   Estou aqui no Itu, com o Maneco, contando os gados para a separação da sociedade. Pretendo regressar a São Pedro. Enquanto não se decidirem essas chicanas em discussão, ou antes, enquanto eu não for diplomado pelo STE, não me afastarei daqui. Quando tiveres portador manda-me uma ou duas bisnagas de creme de barbear – Williams.

Sobre os dois pedidos do Ernani, em tese podem ser aceitos. Depende dos candidatos. Quanto ao La Rocque realmente ofereci, porém ele não se mostrou interessado. Só se depois mudou.

Quanto ao Danton, recebi uma carta informativa e vou responder-lhe, aconselhando que converse contigo. Outra encomenda: um lápis tinteiro. Já estou reduzido à tinta verde que deve ser a do Plínio Salgado.

Tua carta tem vários itens que pressupõem meu conhecimento prévio do assunto. Não me recordo deles. São os nº 2. Sobre o caso de Mato Grosso, o Júlio foi derrotado porque recusou o apoio da UDN para seu nome, segundo me informou o Lutz. Mais não sei, nem desejo intervir. Conversem com o Danton.

Saudades a todos e um beijo do teu pai **Getulio**

Recomendo-te que leias e me digas algo sobre a entrevista que dei ao *Correio do Povo* de 7 do corrente.

Aspecto da estada de Getulio na Estância São Pedro, de Batista Luzardo.
Uruguaiana, RS, entre outubro e dezembro de 1950.

242 \ A · [Rio de Janeiro], 12 de novembro

Gê

Além das coisas que o Ernani conversará contigo vão os seguintes objetos e lembretes: duas dúzias de fotos grã-finas para autografares e dedicares a determinados elementos que te ajudaram desinteressadamente na campanha; a pasta de barba e a caneta (presente do Gentil); um pacote que te manda o Barbosa, barbeiro, que se oferece para ir até aí, quando quiseres; várias cartas e informações e amostras do que estamos fazendo em vários setores, principalmente no judiciário.

1950

Estive ontem com o Prof. Gandarelli, já alijado pelo Adhemar. É espiritualista. Disse-me em resumo. Irás para o poder de qualquer maneira, pelos votos ou pela força. Melhor pelos votos e é possível evitar a força. Basta que nós tenhamos bom-senso e saibamos oferecer a todos paz e segurança. Danton precisa ser acalmado para não ferir suscetibilidades. É provável o rompimento do Adhemar ainda antes da posse, mas não tem importância, não oferece perigo. Quanto à tua preocupação maior, economia brasileira, já estão estudando para te ajudar. Depois da posse mais nenhum perigo. Haverá guerra, mas Brasil não entra. Único obstáculo real é Canrobert. Aconselha oferecer até sua continuação na pasta para garantir a ordem, até a posse.

Sugestões para a Secretaria: parece-me que o melhor nome é o Lourival Fontes. Goza de excelente situação junto ao pessoal de imprensa, quer nacional, quer estrangeiro. Do ponto de vista social é benquisto. Inteligente, fiel, dedicado, tem bom-senso e não quebra a tradição porque também é meio surdo. Outros nomes mais fracos: José Lionel de São Paulo, Cardoso de Miranda de Petrópolis (a pedido do próprio), o autor de *Sagarana*, do Itamaraty, não sei de quê Rosa,[1] que foi secretário do João Neves, o Oscar Stevenson, o Ubirajara, o Helvécio, o Vital etc. A meu ver nenhum dos que lembrei espremendo o coco reúne as qualidades do Louro. — Para oficiais de gabinete já tenho vários pedidos: o Mozart Antunes Maciel, cuja irmã, a Déa, se julga com grande prestígio junto a ti; o Mauro de Freitas, o Roberto de Vicq (bom menino) etc.

Soube que o Loureiro está se preparando para voltar a seu lugar na Carteira Agrícola do Banco do Brasil. Não sei se esqueci de te prevenir que foi a única coisa que os pecuaristas de Minas, Goiás, Mato Grosso, Estado do Rio e Paraíba pediram: a garantia de que o Loureiro não voltaria.

Deve ir aí te procurar na próxima semana o Gileno de Carli, candidato à Carteira de Exportação e Importação (vai junto um relatório do Helvécio) pelas classes conservadoras. Conhece o assunto, é inteligente e capaz. Nada sei quanto à parte honestidade.

Os outros assuntos Ernani conversará contigo. Entre os candidatos a retrato há um americano amigo do tio Florêncio que me pede há muito tempo. O nome dele vai no cartão junto.

Um beijo da **Alzira**

---

1. Refere-se a João Guimarães Rosa, diplomata e escritor.

311 \ G · [Estância São Pedro / Uruguaiana], 15 de novembro

Rapariguinha

1950   Hoje partiram daqui tua mãe, Ernani e vários. Não tive tempo de escrever por eles, nem de ler o que eles trouxeram. Só agora, após as primeiras leituras, começo a escrever-te, aguardando portador.

Recebi as encomendas. Quanto ao secretário, o da tua preferência era também o que estava mais cotado no meu exame. A consulta à segunda consciência deu bom resultado. Não é ainda definitivo, mas ficou reforçado com o teu palpite. Quanto ao Danton é necessário acalmá-lo. Ele deve tomar suas medidas preventivas, mas não dar tanta importância ostensiva e pública ao caso.

Recebo agora tantos papéis e cartas, sugestões, relatórios, que não tenho tempo de examinar a todos. Divido com o secretário. Li, porém, um trabalho sobre a atuação da Carteira de Importação e Exportação[1] do Banco do Brasil. Não sei quem foi o autor, nem o remetente. Está datilografado e na capa está escrito a mão – Cexim.

Também ignoro se essa palavra tem relação com o trabalho. Não me poderás adiantar algo sobre o autor do mesmo.

Convém conversares com o Danton e combinar uma ação conjunta sobre o assunto em foco.

Saudades a todos e beijos do teu pai **Getulio**

PS.: Conversa com a Embaixatriz Maria Martins. Recebi duas cartas dela muito interessantes. Estou de inteiro acordo sobre a colaboração americana, conversa com o Rockefeller, ponto 4 do programa etc. Terei prazer em receber o genro dela, mas não desejo dar entrevista. Peço a Carlos Martins que me auxilie com sua experiência e conhecimento do meio americano sobre essa colaboração.

Não pretendo ir aos Estados Unidos. Evite ser convidado para não ter de recusar. Não há necessidade de visita para essa colaboração. Estou muito atarefado, o tempo é escasso e ainda não estou diplomado. Parece que basta.

---

1. Refere-se à Carteira de Exportação e Importação.

243 \ A · [Rio de Janeiro, de 16 a 19] de novembro

Meu querido pai

Pelas informações que tenho recebido dos vários visitantes (Danton, Vergara, Mamãe, Ernani e outros), vejo que nossas ondas não estão sintonizando em absoluto. De modo que em vez de notícias hoje quero te falar de consciência a consciência para ver se posso continuar trabalhando, ou se é melhor largar o fio, que consegui retomar a duras penas. O que não posso, nem devo, é lutar contra tuas próprias determinações. Isso me esgota e não te ajuda. Os "eu fiz tudo e ninguém mais fez nada" que vão aí fazer média e se situar voltam fazendo as mais estapafúrdias declarações que prejudicam todo o trabalho feito. Não tenho a pretensão de ser mais esperta ou de saber mais do que eles, mas levo sobre eles duas grandes vantagens: sou formada em política getuliana, porque está dentro de mim, e nada quero de ti, porque nada podes me dar que eu deseje ou já não tenha. Prestígio? Tenho-o por direito de nascença e se não uso é porque não necessito; ambição política? se a tivesse eu a teria realizado onde e quando pretendesse; dinheiro? tendo com que viver decentemente, me basta, e isto eu tenho.

1950

Pedi-te que acalmasses o Danton. Suas entrevistas aos jornais e com determinadas pessoas estão criando um estado de alarma e desassossego, além do necessário. Consegui arrancar-lhe com jeito alguns dos meios de que se serve para esse fim, acalmei alguns setores e pedi-lhe que tivesse ponderação. Ontem me declarou quase que em desafio que não só havias aprovado todas as suas *démarches* e atitudes, como ainda o havias aconselhado a continuar no mesmo tom. Hoje o *Globo* estampa mais uma entrevista sua sancionando em teu nome tudo o que ele próprio fez. Falta-lhe um pouco de equilíbrio e de autocrítica. Em algumas missões sai-se brilhantemente, em outras se deixa embriagar pelos elogios do adversário e suas falsas promessas. A única pessoa aqui a quem ele ainda atende um pouco é a mim, mas na maioria dos casos só sei do que ele faz *a posteriori*, quando só me resta lamentar o que já houve.

O <u>Senador</u>[1] que aí foi fazer trança contra o colega eleito esqueceu-se de te dizer que, a pretexto de seu jornal, levantou muito dinheiro em São Paulo e no Rio (sei quem são as vítimas), do qual grande parte está depositada em nome da esposa; e que atualmente está pedindo em teu nome dinheiro grosso a muita gente para custear tua posse. Deu no Ceglia uma mordida de 300 contos. Como não sangrasse está fazendo campanha contra ele. Fora outras leviandades que não quero relembrar.

Quanto ao Napoleão, é possível que tenha ficado com algumas sobras, mas pelo menos não em quantidade suficiente para custear a eleição do Eurico, pelo qual se empenhava. Além de ter custeado todas as despesas da comitiva nas duas viagens, com o dinheiro que levantou, imprimiu em sua tipografia (porque a Saigon ficou propriedade do outro) a maior parte das cédulas que mandamos para o Norte, Estado do Rio e Distrito. Também tem feito suas besteirinhas, mas atende a qualquer observação que se faça. Fico danada quando vejo gente de rabo grande a rir do cotó dos outros.

Até hoje tenho me preocupado apenas em atravessarmos a terra de ninguém, não te dei ainda a ficha da turma, porque o que importa é chegar lá.

---

1. Refere-se a Epitácio Pessoa Cavalcanti de Albuquerque.

1950 19 de novembro • Nestes três dias aconteceram várias coisas notáveis, inclusive recebi a carta trazida pelo Carrazzoni. – Danton está mais calmo. Retomamos a ofensiva e ganhamos mais uma batalha e já estamos preparando para a outra: a do retardamento das apurações, para atrasar a diplomação. Mando-te cópia das declarações já publicadas do Daudt, Estillac e Zenóbio. Todas me foram submetidas antes de publicar. Outras já se seguiram e seguirão até o pronunciamento do Canrobert. Só cessarão depois dele falar. Ciro Espírito Santo, Danton Garrastazu, Americano, Falconière etc. Amanhã começamos no Senado: Lúcio Correa, Ivo de Aquino, Vivacqua etc.

Hoje te mando um material do Bouças que está aqui há tempos comigo, várias cartas, inclusive duas do Bejo.

O trabalho da Cexim, quem te mandou fui eu. É feito ou encomendado pelo Helvécio Xavier Lopes e é sinônimo de Carteira de Exportação e Importação. Dei a outra cópia que eu tinha ao Danton. Por intermédio do Helvécio estou em contato com o professor economista do Adhemar. Ele pede para manter isto em sigilo para não atrapalhar seu trabalho. Ele acha também que deves sair daí, mas não ir para o Itu a não ser por poucos dias; é ponto já estudado e visado por eles. Desaconselha também permanência longa em São Paulo, por causa do responsável. Acha ótima a vinda para território fluminense como melhor local para seus trabalhos.

Soube, por acaso aliás, que há uma marmelada qualquer na Cooperativa do Instituto do Álcool e do Açúcar de Pernambuco, e que há um movimento nos bastidores para a permanência do Fernando Pessoa para poder encobrir. O La Rocque estaria sendo instrumento inconsciente desta manobra, porque o candidato que ele te apresentou estaria dentro da combinação. – O Cleófas teme também a continuação dos Pessoa e está ~~desejand~~ preferindo a entrega do Instituto ao Estado do Rio.

O Major Gerardo Amaral, primo do Ernani, e pertencente ao estado-maior do Zenóbio, disse o seguinte: que o movimento dos generais em torno da tese do Estillac não importa em solidariedade a este, que continua malvisto pelo Exército, tanto assim que o caso da Revista vai prosseguir.

O ambiente em geral está melhor mas ainda não é seguro. Há muita gente ainda fazendo jogo duplo para nos adormecer.

O Daudt, a quem dei uma grande alegria, confessando-me vencida por seu incontestável **1950** prestígio perante as classes produtoras, pediu-me para te dizer que ele nada pleiteia. Considera o lugar em que está o mais apropriado para te prestar serviços.

Mando-te agora fotografias tipo popular para os pedidos que recebes aí. Ainda não tive tempo de fazer a lista de nomes dos que mais ajudaram na campanha para que lhes mandes como agradecimento.

Mamãe, no dia da chegada, fez uma tourada com o armário do banheiro e arranjou um olho preto e um corte na testa. Felizmente está bem e nada teve de grave.
Beija-te com todo o carinho tua filha **Alzira**

O jornalista Georges Galvão, Danton Coelho e Getulio Vargas na Estância São Pedro. Uruguaiana, RS, entre outubro e dezembro de 1950.

244 \ A · [Rio de Janeiro], 21 de novembro

Meu querido pai

1950   Entramos agora em um período de calma relativa, superada a tese da maioria absoluta e a crise militar que esteve por estourar. Todo mundo se considera o autor da vitória. A realidade é que todos colaboraram. Foi uma virada sensacional, de estourar os nervos, mas valeu a pena. Enquanto respiramos estamos nos preparando para o próximo *round*: prorrogação de mandatos e atraso da diplomação. – No entanto o maior perigo agora somos nós mesmos. Temo que os nossos, empolgados pelo triunfo e amargados pela luta, recomecem as provocações ostensivas ou ainda mais vão até as conspirações.

Peço-te que os acalmes sempre que puderes. Somos nós agora que representamos a legalidade e não podemos perder a auréola. Devemos levar com inteligência e tato os golpistas até a parede para que se confessem vencidos ou então em desespero provoquem eles a ilegalidade.

Dentro dessa minha orientação entrei em acordo com o Capitão Vergara e despachei-o com um raminho de oliveira por intermédio do Lousada para conversar com o Dutra. Só nós quatro e agora tu sabemos do fato e S. Excia. pede segredo. Vergara e eu assumimos a responsabilidade de estabelecer a cabeça de ponte, mas queremos agora tua opinião sobre se devemos prosseguir. O Capitão foi muito bem recebido entre sorrisos. S. Excia. mostrou-se magoado com o Luzardo mas não contigo. Os ataques ao governo dele eram necessários à campanha eleitoral e ele compreendia. Não era exato que estivesse intervindo na questão da maioria. Havia dado ordens ao Bias para que se abstivesse. Não chamara nem aconselhara nenhum juiz. No dia 31 passaria o governo (não disse a quem) e não ficaria mais um minuto no palácio. Estava magoado com a questão militar, indisciplina etc. Vergara respondeu chamando atenção para as declarações do Daudt. Os civis estavam temerosos de se pronunciar porque eram ameaçados com o Exército; o governo nada dizia que tranquilizasse o povo e as classes produtoras. Daí a iniciativa dos próprios militares que estavam sentindo o povo. Se o governo, através de alguma palavra autorizada, se tivesse manifestado em tempo nada teria acontecido. Ele que já fora secretário sabia que muitas vezes os fatos não chegavam ao conhecimento do presidente, por isso e porque jamais fora homem de intrigas achava-se no dever de dizer ao General o que se estava passando. O General não ignora que é este o sistema da UDN: tirar sardinha com a mão do gato, como já o fizera em 45. Lembrou ainda como meio de transmissão tranquila de mando, que assim que te aproximasses do Rio ele te visitaria e quando retribuísses a visita teriam oportunidade de combinar tudo. O homem se iluminou e disse que era uma excelente ideia. Pediu ao Vergara que o procurasse sempre que necessitasse de algum esclarecimento.

A porta está aberta. Devemos continuar?

<u>Canrobert</u>. Minha ligação com este bicho é o Rubens Berardo. Através dele conferi a entrevista do compadre Julico e tomei todas as coordenadas. Repetiu ao Rubens exatamente as mesmas palavras que disse ao Santiago, tendo ao primeiro dito que recebera um amigo do

Dr. Getulio, sem dizer o nome do segundo. Em resumo o homem, apesar da promoção, está de crista caída e se considera logrado em seus desejos de continuar na pasta. Pediu uma declaração ou entrevista tua dizendo que ainda não havias escolhido o ministro da Guerra, queixou-se muito da indisciplina que as entrevistas Estillac-Zenóbio estavam provocando e pediu para que usasse de toda a minha influência para que parassem as declarações. Afirmou ao Rubens que não se desviara de sua última conversa e que apenas trabalhava na surdina e não com espalhafato como estes mordidos pela mosca azul.

Rubens, instruído por mim, voltou a ele à noite. Disse que iria ver se obtinha de mim a promessa de conseguir uma tua entrevista para a Continental, dizendo o que ele pedira. No entanto não podia ser já, pois há menos de quatro dias o *Globo* publicara tuas declarações de que ainda não escolheras o ministério. Além disso, bem ou mal, esses generais te haviam prestado um grande serviço, enquanto que ele, Canrobert, se recusara a falar. Se agora tu os desautorasses, o que é que ele, ministro, daria em troca? Prontificou-se a ter um encontro comigo para esclarecer tudo.

Em resumo: o Danton é dono do Estillac, o Napoleão do Zenóbio e eu do Canrobert. Este se considera desprestigiado e quer por teu intermédio se refazer. Vamos esperar uns dias e ver se vale a pena refazer-lhe o cartaz ou largá-lo a roer sua própria ambição. Responde o que achares melhor. Recebi telegrama do Wainer em Paris, dizendo que só agora soube da crise e se prontificando a voltar.

O Rubens Porto me procurou com um recado do Núncio e do Cardeal. Desejavam saber como receberias um convite de Roma para ir ao Ano Santo, onde serias recebido com honras de chefe de Estado. Dei-lhes a resposta dada aos americanos. Depois te conto os detalhes.

Ernani avisa: 1º que Café, Munhoz vão até aí; 2º que a entrevista dada pelo Almirante Pinto Lima foi obtida pelo Alexandrino; 3º que o PSD se reunirá dentro de uma semana e que está tudo bem.

Nero informa que o *team* do Brigadeiro ainda continua... animado.
Beija-te com todo o carinho tua filha **Alzira**

312 \ G · [Estância São Pedro / Uruguaiana], 24 de novembro

Rapariguinha

1950 Não tenho recebido notícias tuas. N̶a̶ Com a minha última carta, enviei, por teu intermédio, outra ao Danton para que afinasse contigo sua norma de ação. A tese da maioria absoluta provocou a reação dalguns generais. Mas os partidos políticos permanecem mudos. A UDN está no jogo e parece que o Brigadeiro também. E o PSD, está com receio? Alguns governadores eleitos que anunciaram suas visitas a São Pedro ficaram mudos. Parece que há receio e atitude de espia-maré. Tenho a impressão de que o ministro da Justiça também deseja tirar a sardinha do fogo, com a mão do gato. O TSE quer fazer sujeira e só espera o resguardo militar. Essas são as minhas impressões. E o Góes e o Dutra, como estão? Talvez fosse útil o Bejo conversar com o Oswaldo. O seu De Carli esteve aqui. Fez-me uma longa exposição, empolada e um tanto confusa, sobre Xaxim.[1] Pedi-lhe que me desse por escrito. Estou esperando.

Os meus agressores mais extremados querem que eu saia daqui e vá para o Rio. Isso inclina-me a pensar que a minha permanência aqui, pelo menos até a decisão do Tribunal, é o mais acertado.

Junto vão uns palpites sobre *golf* para entregares ao mestre Bincas[2] e perguntar se confere.

Esta vai pelo sistema antigo. Levada pelo Luzardo, que vai a Porto Alegre, e entregue ao Dinarte.

Saudades a todos e beijos do teu pai **Getulio**

1. Refere-se à Cexim, possivelmente imitando a pronúncia de Dutra.
2. Refere-se, possivelmente, a Valentim Bouças.

313 \ G · [Estância São Pedro/ Uruguaiana], 25 de novembro

Minha querida filha

Entre as atribulações da minha vida, passou-se o dia de teu aniversário sem que eu te telegrafasse. Só dois ou três dias depois é que dei por isso. Apresento minhas escusas. O presente irá depois, porque nem isso tenho aqui para enviar-te. E não me fales mais no assunto, porque já bastante me aborreci comigo mesmo.

Agora vamos à tua carta do dia 21. Estiveram aqui por poucas horas o Danton, Eurico e Dulcídio. Só após o regresso deles encontrei tua carta dentro da *Fon-Fon*. As notícias são realmente interessantes. Sobre o encontro do Vergara com o Grão de Bico o Danton me falou. Sabia da visita e um tanto pela rama, do assunto tratado na mesma. Respondi que ignorava e não havia incumbido o Vergara de nenhuma missão. Só depois da partida dele, pela tua carta, é que fui informado. Não lhe perguntei como soube. Não vejo mal que continuem as palestras, mas não creio na discrição, na boa-fé, nem na palavra do Grão de Bico. Penso que a manobra da UDN estava se processando com conhecimento dele. Sem isso não se compreende as consultas aos generais feitas pelo Canrobert.

Não devemos, porém, passar recibo das sujeiras que eles estão fazendo ou tentaram fazer. Por isso aprovo as tuas manobras. O Danton está de acordo com a tua orientação, pelo que me disse, embora não aludisse a qualquer combinação contigo a respeito. Coincide pela exposição que me fez e pelo pedido que freasse um pouco o Napoleão, o que fiz por intermédio do Eurico. Também autorizei o Danton a falar-te sobre o Newton.

Essa conversa do Núncio e do Cardeal deixou-me curioso. Que houve?

Gostei dos charutos do seu Walter. Podes agradecê-los. Vieram por intermédio do Flávio. Quem são?

Então ainda ficaram dois bois na linha – o atraso da diplomação e a prorrogação do mandato! Parece que só mesmo cutucando com ponta de espada, porque vergonha...

Chegou um portador ocasional, o deputado estadual do Pará Raimundo Z. Ferreira, que será o portador desta.

Saudades a todos e beijos do teu pai **Getulio**

1950

Getulio e o jornalista Georges Galvão
na Estância São Pedro.
Uruguaiana, RS, entre outubro e dezembro de 1950.

245 \ A ▪ [Rio de Janeiro], 27 de novembro[1]

Gê

1950 Infelizmente o tempo continua curtinho para escrever. Aproveito a ida do tio Pataco para te mandar estes papéis do Gileno e cópia da carta do Brasílio. Estamos fazendo o possível para que ele a publique em forma de entrevista. Vai também uma do Queiroz.

Estamos agora atravessando por cima do fio da navalha. Qualquer balancinho pode cortar o pé. Depende agora mais de nós do que deles. O Senador Vitorino veio hoje me comunicar que seu partido vai dar uma nota oficial contra a maioria absoluta. (Agora?) A do PSD saiu hoje.

Continuamos trabalhando.

Um beijo carinhoso da **Alzira**

Estás perdoado pelo esquecimento de meu envelhecimento. Eu também me teria esquecido se não fosse a invasão de flores e telegramas.

Getulio na Estância São Pedro.
Uruguaiana, RS,
entre outubro e dezembro de 1950.

1. Data inserida posteriormente por Alzira.

314 \ G • [Estância São Pedro / Uruguaiana], 29 de novembro

Rapariguinha

Enquanto estacionamos no ponto morto de retardamento pelo TSE de reconhecimento eleitoral, vou aproveitando o tempo, frequentemente interrompido pelas visitas, para estudar alguns assuntos, de futuro governo. Entre esses o mais urgente é o de promover o barateamento da vida ou pelo menos de sustar a alta crescente. Este assunto é complexo e abrange vários setores. O melhor trabalho recebido foi o que me remeteste do autor que deve ficar ignorado, no momento. Estranhei que ele não se tivesse manifestado sobre assunto relevante e de primeira urgência que é o da CCP, se deve ser mantida como está, modificada ou extinta. Desejo que essa opinião me seja enviada com brevidade.

Também preciso que me mandes o Plano Salte completo, com todos os seus anexos. Ainda não o conheço. O estudo enviado e as referências que fez ao plano me despertaram atenção para o mesmo.

A ligação que tinhas promovido, por intermédio do Vergara, convém mantê-la com o Ruy de Almeida. Este tem mais facilidades, não atrai tanto a atenção e é mais esperto.

Pergunta ao José Olympio sobre o novo livro com os discursos da campanha eleitoral, se conseguiu todos, mesmo os que não foram escritos.

Saudades a todos e um beijo do teu pai **Getulio**

1950

Getulio na Estância São Pedro Uruguaiana, RS, entre outubro e dezembro de 1950.

315 \ **G** · [Estância São Pedro / Uruguaiana, de 29 a 30 de novembro]

Rapariguinha

1950   Dia 29. Saiu hoje daqui o Chico Negrão levando-te uma carta minha. Já estava escrita e fechada, por isso não falei no assunto de sua visita. Também não havia tempo para escrever outra. Diz o Negrão, reproduzindo as opiniões do Juscelino e Agamenon, que toda essa inquietação e incerteza sobre a solução eleitoral é causada pela atitude do Dutra. Se este tivesse uma atitude franca e leal, declarando logo que eu tinha vencido as eleições, que estas haviam decorrido lisamente, dentro da ordem e da lei, não haveria dúvidas a respeito.

Sabe-se porém da existência dum trabalho ostensivo dos elementos chegados ao governo, no sentido da anulação do pleito ou qualquer manobra protelatória para que o TSE não reconheça minha eleição.

Pronunciou no meio da tropa, em campo de manobra, um discurso político faccioso. Abordou depois o General Zenóbio, sondando sua opinião para acatar qualquer decisão do Tribunal. O ministro da Justiça aborda o Juscelino para que se mantenha em atitude discreta quanto à minha eleição, uma vez que a dele não está em causa. Os murmúrios do Cristiano, o silêncio do Brigadeiro e outros indícios levam a crer que o Chefe do Governo é o responsável por essa situação. O panorama é diferente das informações trazidas pelos nossos amigos, entre eles o Danton. Parece-me que estão sendo iludidos. Tenho a impressão que se prepara um golpe com a conivência do ministro da Guerra, que está agindo em combinação com seu chefe, de quem provavelmente será o substituto.

O Dutra bonzinho, democrata, defensor do regime, é uma burla.

Torna-se necessário preparar a reação legal contra o golpe, agindo no terreno político, judiciário e militar. É claro que não serás tu que te deves encarregar disto. Estou dando apenas uma opinião. Desejo somente que ponhas em contato o Coronel Ciro Resende com o Danton. Ele é um elemento atuante e de toda confiança. Segue para aí na próxima terça-feira. Ignora ainda o que estou a dizer-te, porque esteve aqui se despedindo, antes de minha conversa com o Negrão. Conviria que o Ernani conversasse com o Juscelino e Agamenon, sobre essas cousas.

Já conversaste com a Embaixatriz Maria,[1] conforme pedi? Não desejo passar por indelicado.

Envio-te esta carta do Casadinho.[2] Quando aqui esteve só me falou sobre esse assunto do Jockey. Nos outros parece que está fazendo tolices. Convém frear. Ninguém o levará a sério nessas tentativas de sondagens.

O Jesuíno ficou de enviar-me um pequeno aparelho de inalação para curar minha bronquite. Já vieram várias pessoas que poderiam ser aproveitadas como portadoras.

E a D. Celina, como vai?

Saudades a todos e um beijo do teu pai **Getulio**

---

1. Maria Martins.
2. Provavelmente Aristides Casado.

Estava com esta pronta quando chegou o Pataco. A tua história do fio da navalha deve ser o assunto das minhas preocupações na carta. O pronunciamento do PSD foi muito útil e oportuno.

Gostei da carta do Andrade Queiroz. Recomenda-lhe que juntamente com [sic] se aprofundem nesse assunto da sonegação, fraudes e espertezas no pagamento de impostos, principalmente da renda. Estou interessado em conhecer esses processos e reprimi-los. Não pretendo aumentar impostos, nem criar novos, mas fiscalizar os existentes. Se não for eu também vítima da fraude...

1950

---

246 \ A · [Rio de Janeiro], 30 de novembro[1]

Gê

Este trabalho foi feito a meu pedido por um dos maiores cabeças do PCB do Estado do Rio, agora em desgraça por ser divergente do Prestes.

É funcionário do Conselho de Comércio Exterior e entende do assunto. Creio que este plano é mais rápido que o do Josué. Caso dês a alguém para estudar convém não dar a origem, nem o autor. Conversei com o Júlio, ele te informará. O Bouças deseja levar aí um grupo de financistas da borracha. Se não forem tomadas medidas em tempo a crise será fabulosa. Só querem tomar depois de conversar contigo. Não desejam publicidade, nem o olho do "vizinho". Por isso preferem falar contigo no Itu. Avisa a data provável.

Um beijo da **Alzira**

---

1. Data acrescentada posteriormente por Alzira. No entanto, o bilhete deve ser anterior ao dia 30, pois em sua carta datada de 29/30 de novembro Getulio faz menção ao trabalho que ela cita (de autoria do funcionário do Conselho de Comércio Exterior).

316 \ G • [Estância São Pedro / Uruguaiana, 6 de dezembro][1]

Alzira

Dize ao Bouças que dia 8, sexta-feira, poderá, juntamente com seus companheiros, encontrar-me no Itu. Não tenho interesse algum em dar publicidade às visitas que recebo. Mas se a reserva sobre essa visita provém do receio de comprometer-se com o atual governo é melhor não virem.

Abraços do teu pai **Getulio**

---

1. Data inserida posteriormente por Alzira.

247 \ A · [Rio de Janeiro], 6 de dezembro

Meu querido pai

Não tenho tempo de te escrever porque não estás aqui e se estivesses aqui não haveria necessidade de cartas. Ficamos no círculo vicioso. Os problemas mais simples e os mais altos interesses de Estado nacionais e internacionais são despejados em meus ouvidos diariamente e eu fico impossibilitada até de raciocinar. Sentar para escrever uma carta é quase quimera. Hoje aproveito uma forte chuvarada, que obrigou minhas duas audiências matinais a cancelar [o encontro], para pelo menos fazer um retrospecto de tuas cartas.

1950

1º) O caso da Cexim, relatório feito pelo Helvécio que te remeti há tempos. Ele deseja saber se queres que ele se aprofunde mais no assunto, se convém transformar em artigos de jornal, ou se preferes deixar para mais tarde. Helvécio tem me ajudado muito, não só através de suas relações com o atual ministro do Trabalho, o Marcial, amigo e conselheiro do Newton Cavalcanti, como em vários outros setores. Pergunta se queres mais algum trabalho. Ele está atualmente no Conselho da Caixa Econômica e esteve à disposição do Adhemar há meses atrás.

2º) Dei teus recados à Maria Martins e ao Carlos. Ficaram encantados e pretendem ir até aí na próxima semana.

3º) O Bouças está esperando tua resposta sobre o caso dos americanos da borracha que querem ir aí conversar contigo. Mandei perguntar por intermédio do Júlio e não me respondeste. Os homens estão aflitos.

4º) A conversa do Núncio e do Cardeal, transmitida pelo Rubens Porto, foi no sentido de te convidar para ires a Roma, bater um papo com o Papa, onde serias recebido com honras de chefe de Estado. A Igreja não pode ficar de mal com os governos constituídos, de modo que com o convite, caso o aceitasses, pretendia desmanchar o péssimo efeito de sua campanha contra os populistas, sem precisar bater no peito. Respondi ao emissário que acreditava que não poderias ir sem ter sido diplomado, e a diplomação só se daria em janeiro de 51, quando o pretexto do Ano Santo já teria passado. Mas considerando a ele, Rubens, como um <u>amigo</u> nosso, eu não podia deixar de confessar as mágoas que eu tinha da Igreja, as quais eu não te havia informado para não te aborrecer. Ele fingiu uma grande surpresa. Não advogarei, disse-lhe, a aceitação do Patrão, antes de sentir de parte de S. Em.ᵃˢ um gesto de boa vontade que acabe com essas restrições, mas transmitirei o convite.

5º) O Newton[1] está indócil. Esteve aqui duas vezes e, apesar de já ter ~~estado~~ sido chamado por mim, não quis vir. Disse ao Frota que estava zangado comigo. Como foi para aí no dia seguinte deixei o caso passar. Quero lembrar-te uma coisa, sem que isso interfira no bom juízo que faço do César. Ele te foi levado pelo Major e quaisquer que sejam seus sentimentos atuais haverá sempre um elo entre eles. Lembro-te isto somente por causa da correspondência.

6º) Os charutos que te mandei: uma caixa é presente do Flávio Miguez de Melo, um rapaz médico, colega de turma do Luthero, ao qual conheces sem juntar talvez o nome à pessoa; a outra é do tal Seu Walter, a quem eu também não conheço. O Guilayn me remete mensalmente duas caixas. Como estás de *stock*?

---

1. Major Newton Santos, do PTB.

1950   7º) Tenho procurado apertar o mais que posso as apurações estaduais, principalmente nos estados de grande eleitorado, como Minas, Bahia, Pernambuco e Estado do Rio e Distrito.

Agora a demora já não é proposital, porém não é fácil recuperar o tempo perdido intencionalmente no início. Quando chamei a atenção do Agamenon, Juscelino, Régis e outros para a coincidência das duas manobras, prorrogação de mandatos e adiamento da diplomação, eles se assustaram e começaram a agir. Estamos ganhando terreno todos os dias e acredito que as próximas ondas sejam cada vez menores, principalmente se conseguirmos manter nosso pessoal na linha atual de calma, ponderação, tolerância e vigilância. Ainda agora, durante os dias de ausência do Danton, consegui por acaso furar uma onda que poderia ser muito séria. Ainda não passou de todo mas já está sob controle. É o caso do pessoal da reserva da Aeronáutica. Um projeto de lei, ainda do Salgado, fazia voltar pura e simplesmente para a ativa todos os reservas da FAB, caroneando perto de 300 cadetes, tenentes e capitães. Estes, devidamente insuflados, reagiram violentamente e estiveram prestes a criar o caso militar necessário para o clima de ilegalidade que se pretende. O projeto aprovado foi vetado pelo Dutra a pedido do ministro e do Eduardo. Voltando ao Congresso o veto foi derrubado e se espalhou que por ordem tua. Fui avisada pelo Nero, já sem tempo de evitar a derrubada. A rapaziada tomou o freio nos dentes e se dispunha a ir até o fechamento do Congresso ou o pedido coletivo de expulsão das fileiras, e já estava buscando a solidariedade de elementos do Exército. Ernani fez uma declaração de que o Congresso estava disposto a reexaminar a questão de modo a não prejudicar os da ativa e amparar os da reserva; entrou em entendimento com vários brigadeiros; pus os meus, o Epa e o Muniz, a trabalhar, e o Nero em cima dos eduardistas. Desafogou já um pouco a situação. Como a lei só deverá entrar em vigor a 15 de janeiro e o pessoal da ativa já sabe que há interesse nosso em que não sejam prejudicados, creio que venceremos mais esta.

8º) O autor do plano que te mandei sobre o barateamento do custo de vida ficou encantado com tua opinião e está preparando o estudo sobre a Comissão Central de Preços. Também o pai do Plano Salte (porque a mãe é o João Carlos Vital, visto que grande parte do plano é um aproveitamento do trabalho deste ainda no teu tempo), o Mário Bittencourt Sampaio, ficou feliz com o pedido de material que lhe fiz para ti. De modo que está todo mundo contente.

9º) Quanto a minhas ligações com o Catete, se não te opões, prefiro continuar com o cavalinho de casa, que é discreto e não está procurando prestar serviços. O Ruy é mais esperto, não há dúvida, mas não é muito seguro e pode avançar o sinal.

10º) Quanto ao livro, recebi o resto do material recebido pelo César e já entreguei tudo ao Almir de Andrade para conversar com o Zé Olympio. Só estava faltando a carta ao Salgado, que devia abrir o livro.

11º) As impressões que te deixaram as palestras com o Chico Negrão conferem com as minhas, porém não tenho podido expô-las direito por falta de tempo. Não consegui ainda penetrar suficientemente para descobrir a extensão e a profundidade da coisa. Duas manobras paralelas se estão processando: uma de anestesia e entorpecimento de nossa vigilância através de promessas e afirmações <u>particulares</u>. Exemplos: almoço nosso com o Bias; palestras do Dutra com Vergara e Danton; Newton Cavalcanti com Helvécio; visita do Vitorino Freire a mim. Em todas sente-se a mesma técnica. Fiquem quietos que vocês ganham um doce. – A outra é a criação de um ambiente propício de inquietação popular e de classes que facilite um golpe de força, caso não consigam o golpe branco, através da justiça.

Respondidos todos os teus assuntos agora vão os novos.

Amanhã almoço com a Justiça Eleitoral em casa do Aprígio; dentro de dois dias jantarei com o Mendes de Moraes e depois com os Larragoiti. No fim da próxima semana irei aí te ver, reacertar os relógios, conversar sobre vários assuntos e consultar sobre se já posso dar uma descansada. – O Ernani está apavorado com a soma de abacaxis que se acumulam sobre minha cabeça. Estou já com responsabilidades de governo, sem ter a proteção devida. Estamos à mercê dos interessados. – Está planejando dar um pulo até a Europa para ver vários assuntos industriais de interesse para o Estado do Rio e o Brasil. Que achas? Vai pensando no assunto.

Cada dia que passa aqui é uma nova luta.

Mando-te além das revistas costumeiras: a) uma carta do Neves insistindo sobre a conveniência de dares uma entrevista sobre o caso da Coreia. O Wainer te explicará melhor quando chegar aí. O Hugo Ramos está pretendendo ir até aí também para tratar do mesmo caso. É um assunto delicado e que precisa ser examinado com cuidado;

b) uma carta do Fernando de Azevedo, outra do Gastal;

c) informações do Talarico;

d) o discurso do Daudt;

e) um relatório sobre as atividades futuras dos comunistas durante teu governo. Assinalei as partes mais importantes, para não teres trabalho.

Mandarei pelo Luthero um recado secreto.

Seguem também mandados pelo Queiroz o estudo dos problemas da vida cara em três países.

Hoje recebi milhares de pessoas, inclusive o Estillac, o que me obriga a uma grande ginástica mental. Estou esgotada e já voltei a não saber o que escrevo.

Beija-te com todo o carinho o que sobra da Fulismina tua filha **Alzira**

317 \ G · [Fazenda do Itu], 7 de dezembro

Rapariguinha

1950 Recebi tua carta trazida pelo Dr. Araújo Góes, com 20 dias de atraso.
Tem data de 16 de 11 e foi recebida a 6 de 12. A carta é desabafo azedo de censura a mim, pelas entrevistas do Danton, pelas patifarias do senador[1] e por outras intriguinhas de bastidores.

Em tudo isso eu me considero uma vítima que ainda recebe censuras. Ignoro as entrevistas a que te referes. A última vez que o Danton aqui esteve pareceu-me bem moderado e disse-me que estava agindo em plena harmonia contigo. E agora?

Quanto aos achaques do senador, que culpa tenho? Não o autorizei a pedir dinheiro a ninguém e ignoro quem sejam as vítimas. Estas não se dirigiram a mim para perguntar, nem para queixar-se. Perguntem e eu responderei. Ou querem que eu faça uma declaração pública pelo jornal, provocando um escândalo, sem ter provas?

Mas passemos a outros assuntos.

Instituto do Álcool e do Açúcar. O La Rocque ficou de conversar aí contigo. Disse-lhe que o Ernani tinha um candidato. Antes eu prometera, ou melhor, oferecera ao próprio La Rocque, não, porém, a um candidato dele. Quanto ao atual, sei o que fez e não pretendo mantê-lo, nem, até agora, me pediram por ele.

Sei que estão tratando da publicação em livro dos discursos da minha campanha eleitoral. Desejo saber quem está tratando disso. Há discursos lidos e outros que não foram escritos. Convém que todos façam parte do livro, se for possível. Deve ser uma edição barata, em benefício do PTB e para ter maior divulgação.

O livro dos discursos anteriores, agora publicado pelo José Olympio, está sendo vendido aqui a 50 cruzeiros. É para gente de dinheiro e creio que o lucro é só do editor. Eu pedi apenas que me reservassem uns 60 volumes, para distribuir entre amigos. Não sei se os terei.

O Adhemar esteve aqui, pleiteando que eu me aproximasse mais do Rio, permanecendo em São Paulo. Penso fazê-lo em duas etapas. A segunda poderá ser no Estado do Rio, em local em que não faça calor.

Tua mãe precisa enviar-me, com urgência, outra procuração, dando poderes também para permutar bens imóveis. A anterior que me veio não dava esses poderes, embora constassem da minuta que remeti. Isso é para assinar o contrato de dissolução da sociedade com o Protasio.

Saudades a todos e beijos do teu pai **Getulio**

---

1. Refere-se a Epitácio Pessoa Cavalcanti de Albuquerque.

318 \ G · [Fazenda do Itu], 10 de dezembro

Rapariguinha

Recebi tua carta de 6, trazida pelo Bouças, e demais documentos. Esperava-o dia 8 aqui no Itu. Não chegou. Dia 9 fui a Santos Reis, assinar com Protasio o distrato social. A procuração antiga de tua mãe, que lá estava, serviu. Não foi preciso outra. Ficou o Maneco como meu procurador e incumbido de administrar os bens. Ambiente muito cordial, macio e agrfável. Regressei à tarde para o Itu e aqui encontrei o Bouças com sua comitiva. Não te escrevi por ele, porque não houve tempo. Estou a escrever-te esta para remeter de Uruguaiana. A notícia de tua vinda breve quase dispensava a resposta. Mas esse <u>breve</u> pode demorar e é melhor que tenhas algumas contestações, antes de vir.

Acho conveniente repousares um pouco. Mas esse teu repouso é no Brasil ou pretendes acompanhar o Ernani na viagem à Europa? No fim deste mês ou começo do outro pretendo deslocar-me para São Paulo e depois para o Estado do Rio. Conviria que o Carlos Martins e Maria aguardassem essa aproximação.

O problema político interno deve consistir, principalmente, em apressar a apuração eleitoral. Antes de ser diplomado não devo estar praticando atos de presidente eleito. Quando ocorreu a revolução de 30 os presidentes eleitos já estavam digerindo os costumeiros banquetes congratulatórios! Todo golpe é ainda possível, quando a ele está inclinado o próprio chefe do governo, interessado em passá-lo a outro que não a mim. Apesar dessa opinião estou encarando os acontecimentos com serenidade. Nada adianta inquietar-se.

Assunto Newton Santos não te preocupes. Carece de importância. Não me parece que possa haver alguma cousa por intermédio do César. Em todo caso fico prevenido.

Charutos: vai agradecendo por mim a todos os que mandarem. Estou bem de estoque.

Sobre o assunto da FAB chegaram até São Pedro as notícias da reação dos tenentes, após a rejeição do veto. Não tive intervenção no caso. Soube apenas que fora criado um quadro auxiliar de reserva na Aeronáutica, como no Exército e na Marinha. Não concorrem às promoções do quadro ordinário e não preterem a ninguém. Essas são as informações que chegaram a mim. Se elas não são exatas então o caso muda de aspecto. Não conheço a lei votada.

Confirmo o que disse sobre as colaborações remetidas. Quanto ao Helvécio também deve continuar seus trabalhos, já não sobre a Cexim, mas sobre a situação dos institutos, principalmente o que ele dirigiu. Dize ao Jesuíno que o trabalho por ele remetido sobre carne está excelente. Nada oponho sobre a continuidade de teu agente de ligação com o Catete. Manda preparar-me um projeto de saudação de Natal e Ano Bom e remete ou traze, quando vieres.

Tua mãe está de aniversário depois de amanhã. Se eu não puder comunicar-me com o telégrafo, representa-me no abraço de cumprimentos.

Hoje, 10, chegaram dois aviões do Rio, um com o Danton e o Brigadeiro Mello, outro com o Luthero e sua turma. Nada mais de novo. Um deles levará a carta.

Amanhã pretendo regressar a São Pedro.

Saudades a todos e um beijo do teu pai **Getulio**

1950

248 \ A · [Rio de Janeiro], 18 de dezembro[1]

Meu querido pai

1950   Fizemos uma viagem excelente e encontrei toda a tribo em perfeita paz, com exceção do comandante Peixoto, que estava na mais absoluta ebulição. Após uma conferência incandescente de 24 horas, resolvi acompanhá-lo até Paris pelas seguintes razões: 1º) para sua administração no Estado é imprescindível esta viajada; 2º) no momento os espíritos estão pacificados e não demandam maior atenção de minha parte; 3º) o setor perigoso agora é o Internacional e nesse minha função não é essencial, ainda mais considerando que o Neves já está em condições de atuar; 4º) preciso interromper, em teu próprio interesse, os contatos que estou fazendo.

Mando-te duas fórmulas para a mensagem de Natal: uma do Lourival, a outra feita em colaboração pelos capitães foi revista e alterada pelo João Neves. Acho-a um pouco longa. Tudo o mais bem.

Um beijo já saudoso de tua filha **Alzira**

Os portadores são os próprios gravadores da Tupi.

319 \ G · [Fazenda do Itu], 20 de dezembro

Rapariguinha

Depois que partiste li o trabalho do Sr. Wanick sobre o controle de preços. Pondo de parte uma dissertação teórica preliminar, suas ponderações sobre a Comissão Central de Preços e providências a tomar são boas e perfeitamente aceitáveis. Quem é este Sr. Wanick, que faz ele atualmente, que funções exerce? Parece-me um homem cujos serviços podem ser aproveitados. Desejo também saber quem é o presidente da CCP, como está ela organizada e que atribuições tem. Quanto me deixaste aqui em penúria, para despesas de custeio. Parece que misturei como o português e estou em dúvida se foram 10 ou 15.

Estava com estas linhas escritas quando chegou o deputado Roberto Silveira, que será o portador.

Que encontraste de novo, como foste nas palestras com os pretendidos *bigs*? E a viagem, como ficou? Diga a Celina que se o casal for para a Europa deixando-a, eu mando convidar para vir para o Itu.

Saudades a todos e beijos do teu pai **Getulio**

---

1. Data inserida posteriormente por Alzira.

249 \ A ▪ [Rio de Janeiro], 20 de dezembro

Meu querido pai

Comecei logo a trabalhar para te dar conhecimento, antes de minha partida, do cumprimento das missões recebidas:

1º) As mensagens de Natal seguem junto por outro portador. Wainer manda lembrar como sugestão que não fales no dia 31 de dezembro e que se espalhe a notícia de que não o fazes como uma deferência ao Dutra, para que essa data fique só deles, uma vez que é a última (pelo menos parece) que lhe cabe.

2º) Remeto-te o Vital, a quem consegui convencer a duras penas que o Cristiano perdeu e que ele não poderá ser seu ministro do Trabalho. Está furioso porque ninguém lhe deu teus recados.

3º) Remeto o regulamento da Presidência da República, conforme pediste.

4º) Vão vários papéis e documentos cuja entrega me pediram, não tive tempo de os examinar e filtrar.

5º) Hoje à tarde terei meu encontro com o Mendes, que está ansioso e já me procurou, através do Cumplido Sant'Anna

6º) Estive com o Estillac que seguiu ontem para São Paulo e de lá irá até aí te ver. Tenho a impressão de que se deixou enfraquecer muito, não querendo desgastar nenhum dos grupos; o que o elege e o que combate.

7º) Zenóbio está bem, muito mais esperançado agora em ser teu ministro por causa da luta Estillac.

8º) Meu encontro com Canorobert está sendo programado também pelo Gashypo.

9º) O Neves chegou e vai assumir o setor Internacional, que ele conhece melhor que nós. Seria interessante que tu o credenciasses para isso. Mando-te o bilhete que me escreveu ontem, de modo que compreenderás o porquê da sugestão. Tivemos anteontem uma longa conversa. Ele está preocupado com a Conferência dos Chanceleres que se realizará no dia 15 de fevereiro. Parece que a data foi marcada tão tarde por causa do Brasil. É necessário planejar tudo com antecedência e para isso o Neves terá de se entender com o atual governo, já. Aliás ele te escreverá a respeito. O embaixador americano com quem jantei ontem é amigo do Neves e fez-lhe as melhores referências.

10º) O assunto La Rocque merece um novo estudo. As informações sobre a ficha do homem são meio brabas, embora ainda não confirmadas. Disseram-me que já havia comunicado ao Agamenon e ao próprio Pessoa de Queiroz que seria seu substituto. Também que havia sido *bookmaker* do Jockey de Recife.

11º) O caso do Departamento de Estradas de Rodagem, Ernani pede que te diga que houve de fato marmelada, ordenada pelo Pestana. A única barreira encontrada pelos interessados foi justamente o Regis Bittencourt, por quem ele se responsabiliza.

12º) O caso do Nonô foi resolvido na minha ausência pelo próprio Dutra, que mandou elegê-lo justamente para a [Companhia] Siderúrgica. Ele quis recusar, porém eu transmiti teu desejo de que ele prestasse serviços nesse setor.

13º) Esqueci aí as revistas comprometedoras. Guarda-as aí ou devolve, quando puderes.

14º) Se o Senador[1] aparecer por aí, convém dar uma brecada. Já pedi ao Danton que o faça

---

1. Refere-se a Epitácio Pessoa Cavalcanti de Albuquerque.

1950 porque de mim ele foge. Está mergulhado demais no aconchego do J. E.,[2] aproveitando-se do contato que Danton estabeleceu, prometendo coisas que não deve em troca de favores perigosos. Eu sei que não podes ser babá do rapaz e que nada pode contê-lo, quando quer fazer das suas. Um puxãozinho na rédea de vez em quando, sempre o acalma um pouco.

15º) Recebi um telefonema do Maciel e a carta que segue em anexo. Quer novamente se aproximar de mim, para estabelecer a ponte de ligação. Danton me disse que chegou à conclusão de que ele é meio doido, tal o delírio egocêntrico que o domina às vezes.

16º) Ernani nestas 24 horas talvez se encontre com S. Excia. para completar os contatos.

17º) Machado Guimarães mandou me avisar que a diplomação deverá se dar nas proximidades do dia 10 de janeiro. Que está repercutindo muito bem entre os "colendos" tua atitude de retraimento e acatamento à decisão do Tribunal, não querendo se considerar eleito antes do pronunciamento deles. Para coroar isto lembrava que viesses receber pessoalmente a diplomação.

18º) O *Diário Carioca* surgiu hoje com uma notícia de que a UDN mineira iria promover a anulação das eleições em Minas sob o fundamento de que as chapas para presidente e vice não podem ser em conjunto. Não creio que vingue, em todo o caso estamos atentos. + Soube agora que é com vistas ao Café.

19º) Há dois cargos que precisas pensar em preencher já ou pelo menos credenciar alguém para agir nesses setores: Ministério do Exterior e chefia de Polícia, com vistas à Conferência dos Chanceleres e carnaval.

20º) Transmiti os recados ao Geraldo Rocha. Ficou mais sossegado.

21º) Soube pelo João Neves que o Otávio Paranaguá aceitaria ser tua ministro da Fazenda, embora não tenha aceito do Dutra. Tenho a impressão de que ficarias muito bem servido.

Estive com o Mendes. Estava indócil mas ficou encantado. Conversamos quase duas horas. Terminou dizendo que iria transmitir tudo ao Dutra e depois me falaria. Os detalhes irão pelo Danton.

Um beijo afetuoso de tua filha **Alzira**

PS.: – Está no Rio e almoçará sexta-feira com o Ernani o presidente do Export and Import Bank para a América do Sul, que vem ver a possibilidade de aumento de produção de Volta Redonda. Ernani pergunta se não achas interessante autorizar alguém para conversar com o homem em teu nome, não só como sondagem, como uma demonstração de desejo de colaboração. Teria bom efeito. Como há pouco tempo, poderias mandar responder por telegrama Western assinado pelo Roberto:[3] sim ou não e quem deve ser o emissário. **Alzira**

---

2. Refere-se possivelmente a José Eduardo de Macedo Soares.
3. Roberto Teixeira da Silveira.

250 \ A · [Rio de Janeiro], 22 de dezembro

Meu querido pai

Estes meus últimos dias aqui foram assaz produtivos. Desincumbi-me de todas as missões, inclusive a trazida pelo Roberto Silveira, e ainda fiz umas Áfricas.

1º) Deixei-te aí 15 pacotes.

2º) Incumbi o Heitor Gurgel, primo do Ernani, de te remeter a ficha do Wanick e a atual organização da CCP.

3º) O caso da Aeronáutica, que esteve novamente muito sério, está tomando feição de gente, devido à intervenção ocasional do Ernani que se meteu na Comissão de Segurança Nacional, quando um verdadeiro *team* de *cracks* (Tuiuti, Milton Santana, Trompowski, Ajalmar, Euclides etc.) chefiados pela decrepitude do velho Bernardes não chegava a uma solução. A não ser que algum espírito de porco intervenha ainda creio que a tempestade terá passado.

4º) O caso da recontagem de votos carece de importância e as apurações estão saindo mais rápidas, conforme verás pelos documentos anexos.

5º) Fui procurada pelo pessoal da Standard para restabelecer ligações contigo na base de colaboração petrolífera. Disse-me o velho de Vicq que mesmo que eles quisessem dominar o mercado brasileiro não poderiam. Desejam apenas também tomar parte. A exposição anexa é apenas uma definição de princípios básicos que podem ser alterados.

6º) Encontrei o Mendes grandemente apressado. O meu primeiro encontro com ele mandei contar pelo Danton. Hoje pela manhã telefonou-me três vezes. Havia conversado com Dutra e desejava promover meu encontro com ele. Concordei. O prefeito agora já fala em "nós" e o "nosso" lado. Pediu-me que chegasse ao encontro mais cedo pois queria informar-me de certas coisas antes. Para evitar indiscrições o encontro se deu em casa do próprio Mendes, que me considera "um grande chefe de Estado, com o aspecto agradável de uma mulher bonita". Boa tarde!

O Dutra é meio salafra e diz sempre que foi solicitado a ter conversas. Por isso disse-lhe logo que tinha acedido a me encontrar com ele porque achava necessário acabar de uma vez com essas dissensões num momento em que a única vítima seria o Brasil. Acreditava que no fundo ele ainda se lembrasse que havia trabalhado contigo sete anos (o moço retificou logo: foram nove anos) e que saberia compreender que as injunções políticas e as intriguinhas não eram fortes o bastante para destruir o que uma obra feita em comum havia construído. O homem estava sestroso e reservado no começo, com dificuldades até de pronunciar teu nome. Aos poucos, com minha habitual bisbilhotice, fui debulhando o que eu queria. Ontem ele havia dito ao Ernani que o caso da Aeronáutica estouraria na tua mão. Comecei por aí dizendo que a bomba era para ele, pois, a 18 de janeiro, ou fechava a Aeronáutica ou permitia um caso de indisciplina militar, caso não tivesse forças para fazer passar a lei harmonizadora no Congresso.

Caso *Club* Militar considera em si de pouca monta. Grave apenas o que revela, isto é, a infiltração comunista entre os oficiais superiores.

Exército considera muito indisciplinado, sem coesão, nem preparo, devido à falta de autoridade do Canrobert, a quem atacou francamente. Chamou o Trompas[1] de fraco e só elogiou

1950

---

1. Refere-se a Armando Trompowsky.

1950   o Sílvio. Não quer tomar atitudes porque afinal de contas não vai criar inimizades em fim de governo.

<u>Ministérios militares recusou citar nomes</u>. Elogiou novamente a Marinha, onde seria fácil escolher ministro, na Aeronáutica disse que um ou dois se salvavam, quanto ao Exército era muito difícil. Contra a opinião do Mendes achou o Obino fraco e displicente, não recomenda. Achou qualidades no Denys e no Fiúza como capazes de harmonizar as várias correntes do Exército sem criar incompatibilidades graves. Não atacou o Estillac, censurou sua falta de habilidade em conduzir o caso militar. Elogiou muito o discurso do Cordeiro, atacou o Zenóbio e o Americano. — Acha que teu ministro deve ser escolhido em terreno neutro, nem muito getulista, nem muito anti.

<u>Ministério da Defesa</u>, com rara sagacidade, manifestou-se contra, a não ser que desejes resolver a situação política do Góes. Diminuir a autoridade atual dos ministros militares, sobrepondo-lhes um mero intermediário, ou superministro que ficaria forte demais, pondo em xeque o próprio presidente, seria erro lamentável.

<u>Tua volta</u>. "Quem brigou foi o Dr. Getulio comigo, não fui eu com ele, por isso não posso tomar agora uma iniciativa de amigo cumprimentando-o antes da diplomação. Depois de diplomado mandarei visitá-lo e receber com todas as honras. Numa visita de cortesia do Dr. Getulio para retribuir a visita, não poderíamos conversar porque seria muito público. Se o Dr. Getulio vier antes para Petrópolis ou Teresópolis, nós poderíamos nos encontrar, conversar e combinar então todos os detalhes da passagem do governo, convites às delegações estrangeiras, entrosamento dos novos ministros com os meus para que não assumissem ignorantes do que iriam encontrar." Disse-lhe que ainda não havias escolhido nenhum auxiliar e que mesmo para a Conferência dos "Chanceleres" eu é quem havia pedido ao Dr. João Neves, como único internacionalista de nosso bloco, para que entrasse em contato com o Raul Fernandes para facilitar o trabalho futuro. Disse isso porque de início ele me declarara que o João Neves é quem havia pedido para se encontrar com ele, o que não é verdade. Em resumo tratei o homem como se tivesse a certeza de que ele havia sido bem-intencionado desde o princípio. A coisa deu resultado, porque o homem parece que se descongelou. Falei sobre o passado, 29 de outubro inclusive, com a mais absoluta neutralidade.

O Mendes, que havia ficado de fora algum tempo, não aguentou mais e entrou na sala para tomar parte no papo. Pediu-me (Mendes) que te lembrasse em uma entrevista ou fala qualquer fazer uma referência amável ao Dutra para aplainar o caminho. Como o negócio foi dito de corpo presente, creio que terás de chamá-lo "bonitinho" pelo menos.

Houve outros detalhes de menor importância porque, com parte de ser mulher, espremi o assunto o mais que pude.

À saída, Mendes, a pretexto de me acompanhar, levou-me a uma salinha no térreo e me contou que se encarregava de ir tenteando o homem até o fim. Ele também tem lá suas mágoas, de modo que o Sr. conta com mais um soldado no seu batalhão: o General Ângelo Mendes de Moraes.

Para arrebatar definitivamente o cetro do Danton, de lá fui com o Ernani jantar em casa do Gashypo com o Canrobert. **1950**

Deixou-me uma impressão pobre de homem bom, mas fraco e meio ingênuo: um excelente chefe de gabinete, como o definiu meu amigo?? Mendes. Desencarnando-o de vez da "mosca azul", talvez não seja má escolha. Ele serve bem a quem serve. – Apesar de meus esforços pouco pude aproveitar. Vendi-lhe a ideia do Queiroz Lima sobre o recrutamento universal para a lavoura e construções militares. Prometeu estudar o assunto com carinho. Está claro que vende como se tivesse lido numa revista há muito tempo. Sua preocupação maior é a situação social e econômica angustiosa dos oficiais menores por causa da falta de Vilas Militares. – Consegui obter dele a promessa de se avistar com o João Neves com vistas à Conferência dos Chanceleres. – Atacou violentamente ao Zenóbio e ao Estillac. – Chega? Posso parar de fazer imundícies em benefício da Pátria?

Os charutos que te mandei são presente do Max Leitão e as mangas são da Celina. – Arranjei uma casa super em Teresópolis para ti, tem todos os requisitos. Estarei de volta em tempo. – Até o ano que vem!

Num grande beijo todo o carinho de tua filha **Alzira**

1950

Getulio com os filhos Luthero e Maneco na Fazenda do Itu.
Itaqui, RS, dezembro de 1950.

ÍNDICE DE NOMES

A entrada dos nomes se faz pela forma como os personagens são citados na correspondência, podendo assim haver uma ou mais entradas para uma mesma pessoa. Procurou-se com isso evitar o uso de remissivas, sempre de uso desagradável para o leitor. A paginação foi colocada apenas nos casos de nomes iguais para pessoas diferentes, de modo a permitir sua identificação.

Quanto aos nomes completos, apresentam em itálico a forma consagrada, tendo sido ordenados alfabeticamente. Além disso, sempre que possível, buscou-se estabelecer os vínculos familiares no que diz respeito a membros das famílias Amaral Peixoto, Dornelles, Sarmanho e Vargas.

Outra característica do índice é não ficar restrito aos nomes. Nele foram incorporados apelidos, expressões, termos irônicos, nomes de partidos, jornais e revistas, fazendas e palácios de governo. Cabe ressaltar, contudo, que foram deixados de lado os órgãos integrantes da estrutura administrativa do Estado, como os ministérios e o Banco do Brasil.

A

A dupla Macedo Soares • *José Carlos de Macedo Soares e José Eduardo de Macedo Soares*
A Noite • Jornal carioca diário e vespertino, fundado em 18 de junho de 1911 e extinto em 27 de dezembro de 1957
A. A. • (não identificado)
A. Castilho • *Arthur Castilho*
A. Queiroz • Alberto de *Andrade Queiroz*
A. Queiroz Lima • Getulio pode estar se referindo a Alberto de Andrade Queiroz ou a José de Queiroz Lima
Abelardo Matta • *Abelardo* dos Santos *Matta*
Abilon de Souza Naves
Abner • (não identificado)
Aché • *Átila* Monteiro *Aché*
Açougueiro Humberto • *Humberto Ramos* (médico de Celina, filha de Alzira e Ernani Amaral Peixoto)
Acordo Mangabeira-Dutra • Acordo *Otávio Mangabeira-Eurico Gaspar Dutra*
Acrísio Moreira da Rocha
Acúrcio • *Acúrcio* Francisco *Torres*
Adalberto • *Adalberto Correa*
Adalberto Correa
Adão • *Adão Feliciano*
Adão Feliciano
Adão-Demóstenes • Alzira refere-se a *José Adão Alves*
Adauto • *Adauto Lúcio Cardoso*
Adauto Cardoso • *Adauto Lúcio Cardoso*
Adelmar Tavares • *Adelmar Tavares* da Silva Cavalcanti
Adelmo de Mendonça
Ademaristas • Adeptos de *Adhemar* Pereira *de Barros*

431

Adeodato • *João* Nogueira *Adeodato*
Adhemar • *Adhemar* Pereira *de Barros*
Adhemar de Barros • *Adhemar* Pereira *de Barros*
Adilia • (não identificado)
Administração Linhares • Administração *José Linhares*
Adolfo • *Adolfo* Cardoso *de Alencastro Guimarães*
Adolfo Alencastro • *Adolfo* Cardoso *de Alencastro Guimarães*
Adroaldo • *Adroaldo* Mesquita *da Costa*
Adroaldo Mesquita da Costa
Afilhada • *Nora* Yolanda *Martins* Pereira de Souza (filha de Maria e Carlos Martins Pereira e Souza)
Afonso Arinos • *Afonso Arinos* de Mello Franco
Afonso de Carvalho • Francisco *Afonso de Carvalho*
Afonso Pena • *Afonso* Augusto Moreira *Pena Júnior*
Afonso Viana • Afonso *Assunção Viana*
Agamenon • *Agamenon* Sérgio Godói de *Magalhães*
Agostinho Monteiro • *Agostinho* Menezes *Monteiro*
Aide • (não identificado)
Aimée • *Aimée Souto Maior Sá*
Ajalmar • *Ajalmar Vieira Mascarenhas*
Ajalmar Mascarenhas • *Ajalmar Vieira Mascarenhas*
Ala Milton Campos • Ala *Milton* Soares *Campos*
Alaíde • *Alaíde de Mesquita Vargas* (cunhada de Getulio; primeira mulher de Protasio Dornelles Vargas)
Alberto • *Alberto Araujo*
Alberto Araujo
Alberto de *Andrade Queiroz*
Álcio • *Álcio Souto*
Álcio Souto
Alda • *Alda Sarmanho Motta* (irmã de d. Darcy; casada com Periandro Malveiro Dornelles da Motta; mãe da Wandinha)
Alde Sampaio • *Alde* Feijó *Sampaio*
Aleixo • Renato Onofre *Pinto Aleixo*
Alencastro • *Adolfo* Cardoso de *Alencastro Guimarães* • ([de 5 a 6/5/1946]; [de 22 a 24/3/1949])
Alencastro • *Napoleão de Alencastro Guimarães* • (9/1/1946; [de 14 a 16/6/1946]; [de 23 a 25/1/1946]; [de 24 a 27/7/1949])
Alencastro Guimarães • *Adolfo* Cardoso de *Alencastro Guimarães*
Alexandre Cunha Lima
Alexandrino • (não identificado)
Alfredo Neves • *Alfredo da Silva Neves*
Aliança Getulio-Adhemar • Aliança *Getulio* Dornelles *Vargas-Adhemar* Pereira *de Barros*
Aliomar • *Aliomar* de Andrade *Baleeiro*
Aliomar Baleeiro • *Aliomar* de Andrade *Baleeiro*
Alkmin • *José Maria Alkmin*

Almir • *Almir* Bonfim *de Andrade*
Almir de Andrade • *Almir* Bonfim *de Andrade*
Aloysio • *Aloysio Spínola* e *Castro* (casado com Maria Motta Spínola e Castro; filha de Alda Sarmanho e Periandro Malveiro Dornelles da Motta) • (3/10/1947; [entre 18 e 29/10/1947]; [de 6 a 9/8/1948]; [entre 16 e 20/8/1948]; 29/8/1948; [de 25 a 27/9/1948]; [de 22 a 24/3/1949]; [de 21 a 22/4/1949]; 26/10/1949)
Aloysio • Alzira refere-se possivelmente a *Aloysio* Lopes *de Carvalho Filho* (25/11/1947)
Aloysio de Carvalho Filho • *Aloysio* Lopes *de Carvalho Filho*
Alpes • *Alpes Cunha*
Alpes Cunha
Alte. Pinto Lima • *Armando Pinto de Lima* (alte.)
Alte. Vasconcelos • (não identificado)
Altino Arantes • *Altino Arantes* Marques
Altivo Linhares • *Altivo* Mendes *Linhares*
Alvarenga • *Murilo Alvarenga*, da dupla sertaneja *Alvarenga e Ranchinho*
Álvaro Adolfo • *Álvaro Adolfo* da Silveira
Álvaro Dias
Álvaro Maia • *Álvaro* Botelho *Maia*
Álvaro Penafiel • *Álvaro* de Castilhos *Penafiel*
Álvaro Ribeiro da Costa • *Álvaro* Moutinho *Ribeiro da Costa*
Alvim • José Joaquim de *Sá Freire Alvim*
Alzirinha • Alzira Abreu e Silva Pompeu, *dita* (sobrinha de d. Darcy; filha de Wanda Sarmanho e Florêncio de Abreu e Silva; casada com Santiago Pompeu) • (23/9/1949; 29/9/1949)
Alzirinha • *Alzira Vargas do Amaral Peixoto* • ([de 11 a 17/3/1949])
Amando Fontes
Amaral • *Ernani do Amaral Peixoto* (marido de Alzira)
Amaraldo • *Amaraldo* Aranda
Amelinha • (não identificado)
América • *América Fontella Vargas* (cunhada de Getulio; casada com Spartaco Dornelles Vargas)
Americano • *Brasiliano Americano Freire* • ([de 16 a 19]/11/1950; 22/12/1950)
Amim Chicrala • Alzira refere-se a *Salim Chicrala*
Amorim do Valle • Edmundo Jordão *Amorim do Valle*
Amoroso Lima • *Alceu Amoroso Lima*
Ana Nery de Cascadura • Alusão de Alzira à pioneira da enfermagem no Brasil, *Ana* Justina Ferreira *Nery*
Anael • (entidade mística)
Andrade • (não identificado) • (possivelmente codificado)
Andrade Queiroz • Alberto de *Andrade Queiroz*
Aníbal Freire • *Aníbal Freire* da Fonseca
Aníbal Machado • Anibal Monteiro *Machado*
Anibal Vaz de Melo
Annes Dias • Heitor *Annes Dias*
Antero Leivas • *Antero* Moreira *Leivas*

Anti-Canrobert • Anti-*Canrobert Pereira da Costa*
Antonia • (não identificado)
Antoninho Barros • *Antônio* Mendes *de Barros*
Antonio • (não identificado) • (da antiga equipe do Palácio Guanabara)
Antônio Carlos • *Antônio Carlos* Ribeiro de Andrada
Antonio Carlos Abreu • Antonio Carlos Abreu e Silva (sobrinho de d. Darcy; filho de Wanda e Florêncio de Abreu e Silva)
Antonio Carlos *Lafayette de Andrada*
Antonio Chiarello
Antonio Feliciano • *Antonio* Ezequiel *Feliciano da Silva*
Antonio João • *Antonio João Dutra*
Antônio Mendes Viana • Antônio Barreto *Mendes Viana*
Antônio Próspero
Antônio Queiroz
Antonio Vieira • (padre)
Apolidoro de tal • Alzira refere-se a *Pelópidas Silveira*
Apolônio • *Apolônio* Jorge de Faria *Sales*
Aprígio • *Aprígio* de Carvalho Rodrigues *dos Anjos*
Aprígio dos Anjos • *Aprígio* de Carvalho Rodrigues *dos Anjos*
Aproximação Adhemar-Dutra • Aproximação *Adhemar* Pereira *de Barros--Eurico Gaspar Dutra*
Aquino • (não identificado)
Aracy Cortes • Zilda de Carvalho Espíndola, *dita*
Arariboia • *Armando de Sousa e Melo Arariboia*
Arcebispo de Porto Alegre • Alfredo *Vicente Scherer* (dom)
Argemiro • *Argemiro de Figueiredo*
Argemiro Machado • *Argemiro* Hungria *Machado*
Arinos • *Guilherme Arinos* Lima Verde de Barroso Franco
Aristides Casado
Arlindo • *Arlindo Rodrigues*
Arlindo Rodrigues
Armando Guttenfrend
Armando Trompowsky • *Armando* Figueira *Trompowsky* de Almeida
Arquimedes • *Arquimedes Manhães*
Arraiais ademaristas • Arraiais de *Adhemar* Pereira *de Barros*
Arruda • *Edgar Cavalcanti de Arruda* • (23/8/1950)
Arruda • Alzira refere-se a *José Américo* de Almeida, candidato da UDN à vice--presidência, em alusão à sua fama de azarento • (8/9/1946)
Arthur Caetano
Arthur Coelho Dornelles
Arthur Fischer
Artur Crespo
Artur de Souza Costa
Artur Leitão
Artur Pires
Arturzinho • *Artur* da Silva *Bernardes Filho*

Ary • *Ary* de Resende *Barroso*
Ary Barroso • *Ary* de Resende *Barroso*
Ary Franco • *Ary* de Azevedo *Franco*
Assis Chateaubriand • Francisco de *Assis Chateaubriand* Bandeira de Mello
Assunção Viana • Afonso *Assunção Viana*
Assunto Adhemar-Danton • Assunto *Adhemar* Pereira *de Barros-Danton* Coelho
Assunto Alvim • Assunto José Joaquim de *Sá Freire Alvim*
Assunto Benê-Luzardo • *Assunto Benedito Valadares* Ribeiro-João *Batista Luzardo*
Assunto Luzardo • Assunto João *Batista Luzardo*
Assunto M. • (não identificado)
Astolfo Serra • *Astolfo* de Barros *Serra*
Astral • (entidade mística)
Ataulfo • *Ataulfo* Nápoles *de Paiva*
Ataulfo de Paiva • *Ataulfo* Nápoles *de Paiva*
Átila Soares
Atitude Baeta pró-cassação • Atitude *Paulo Baeta Neves* pró-cassação
Atitude Jobim • Atitude *Walter Só Jobim*
Augusto • Alzira refere-se possivelmente a *José Augusto* Bezerra de Medeiros ("entre os dois Zé, o Augusto") • (28/3/1949)
Augusto • *José Augusto* Bezerra de Medeiros • ([de 3 a 7/2/1949])
Augusto • (não identificado) • (eletricista do palácio Rio Negro) • (17/2/1946)
Aunós • Eduardo *Aunós* Pérez
Aureliano • *Aureliano Leite*
Aureliano Leite
Auristalina • (não identificado) • (da fazenda)
Azeredo • (não identificado)

B
Babá do PTB • *Alzira Vargas do Amaral Peixoto*
Baeta • *Paulo Baeta Neves*
Baeta Neves • *Paulo Baeta Neves*
Baetão • Antonio Machado *Baeta Neves*
Baeta-Segadas • *Paulo Baeta Neves-José de Segadas Viana*
Balau • (não identificado)
Baleeiro • *Aliomar* de Andrade *Baleeiro*
Barão de Münchausen • Karl Friedrich Hieronymus von Münchausen, militar alemão cujas aventuras serviram de base para a série *Aventuras do Barão Münchausen*, escrita por Rudolph Erich Raspe (1785)
Barão do Rio Pardo • Alzira refere-se possivelmente ao ministro da Guerra, Canrobert Pereira da Costa
Barata • Joaquim de *Magalhães* Cardoso *Barata* • (18/9/1949; 29/11/1947; [de 14 a 16/7/1948]; [de 6 a 9/8/1948]; 11/8/1948; 18/11/1948; [de 22 a 24/3/1949]; 26/4/1950)

Barata • *Julio* de Carvalho *Barata* • (3/8/1949; 16/6/1950)
Barata • *Sarmento Barata* • (17/2/1946; [de 12 a 13/9/1947]; 10/12/1948; [de 4 a 6/1/1949]; 9/6/1949; 26/6/1949; 24/7/1950)
Baraúna • *Herosílio Baraúna*
Barbado • Alzira refere-se a *Washington Luiz* Pereira de Souza
Barbado do Catete • Alzira refere-se a *Eurico Gaspar Dutra*, em alusão a *Washington Luiz* Pereira de Souza
Barbicha Simões • *Ernesto Simões* da Silva Freitas *Filho*
Barbosa • Alexandre José *Barbosa Lima Sobrinho* • (16/3/1950)
Barbosa • José *Barbosa* • (1/11/1946)
Barbosa • (não identificado) • (9/1/1946; 22/5/1946; 12/11/1950)
Barbosa • *Ruy Barbosa* de Oliveira • (2/11/1949)
Barbosa Lima • Alexandre José *Barbosa Lima Sobrinho*
Barreto • Edmundo *Barreto Pinto*
Barreto Pinto • Edmundo *Barreto Pinto*
Barros do Paraná • (não identificado)
Barros Barreto • *Frederico de Barros Barreto*
Barros Vidal • *Olmio Barros Vidal*
Batista Luzardo • João *Batista Luzardo*
Baumann • (não identificado)
Bejo • *Benjamim* Dornelles *Vargas* (irmão de Getulio)
Benê • *Benedito Valadares* Ribeiro
Beneditinos • Adeptos de *Benedito Valadares* Ribeiro
Benedito • *Benedito Valadares* Ribeiro
Benedito Costa Netto
Benedito Montenegro • *Benedito* Augusto de Freitas *Montenegro*
Benedito Valadares • *Benedito Valadares* Ribeiro
Benjamim • *Benjamim* Dornelles *Vargas* (irmão de Getulio)
Benjamim do Monte • (não identificado)
Bento • Antonio *Bento de Faria*
Bento Ribeiro • José *Bento Ribeiro Dantas*
Bento Ribeiro Dantas • José *Bento Ribeiro Dantas*
Beraldo • *João Tavares Correia Beraldo*
Berenguer • Jacome Baggi de *Berenguer Cesar*
Berle • *Adolf* Augustus *Berle Junior*
Bernardes • *Artur* da Silva *Bernardes*
Bernardo Belo • *Bernardo Belo* Pimentel Barbosa
Bertho • *Bertho* Antonino *Condé*
Besanzoni • *Gabriella Besanzoni* Lage
Bias • José Francisco *Bias Fortes*
Bica • (não identificado) • ("tia" de Alzira)
Bilino • (não identificado) • (da família)
Bissexto • *Ruy da Costa Gama* (cunhado de Alzira; casado com Jandyra Sarmanho Vargas)
Bittencourt Azambuja • Antônio *Bittencourt Azambuja*
Bleysinho • João *Punaro Bley*

Bom Andrada • Antônio Carlos *Lafayette de Andrada*
Bonifácio • (não identificado)
Boquinha de Cuia • (não identificado)
Borges • Antônio Augusto *Borges de Medeiros*
Borghi • *Hugo Borghi*
Borja Magalhães • Francisco de *Borja* Batista *Magalhães*
Bouças • *Valentim* Fernandes *Bouças*
Braden • *Spruille Braden*
Braga • (não identificado) • (9/1/1946)
Braga • *Odilon* Duarte *Braga* • (10/6/1948)
Brasílio • *Brasílio* Augusto *Machado* de Oliveira *Neto*
Brenno Santos • *Brenno dos Santos*
Brenno dos Santos
Brig. Sá Earp • *Fábio de Sá Earp*
Briga Falcão-Linhares • Briga entre *Waldemar* Cromwell do Rego *Falcão-José Linhares*
Brigadeiro • *Eduardo Gomes*
Brigadeiro Epa • *Epaminondas* Gomes dos *Santos*
Brigadeiro Mello • Francisco de Assis *Correia de Mello*
Brigadeiro-Agamenon • *Eduardo Gomes-Agamenon* Sérgio Godói de *Magalhães*
Brigadeiro-Ernani • *Eduardo Gomes-Ernani do Amaral Peixoto*
Brigido Luzardo
Brizola • *Leonel* de Moura *Brizola*
Brochado • Francisco de Paula *Brochado da Rocha* • (28/3/1949, à noite; 3/7/1949; 23/9/1949; 2/11/1949; 27/3/1950)
Brochado • José Diogo *Brochado da Rocha* • (19/9/1950)
Brochado (Chico) • Francisco de Paula *Brochado da Rocha*
Brochado da Rocha • Francisco de Paula *Brochado da Rocha*
Brochado do PTB • José Diogo *Brochado da Rocha*
Broinha • Alzira refere-se a *José Junqueira*
Bromureto • Alzira refere-se a *Teodureto* Leite de Almeida *Camargo*
Bruxo de S. Borja • *Getulio* Dornelles *Vargas*
Buaiz • *Luís Buaiz*
Bugrinha do Itu • (não identificado)

C

C. C. • (não identificado)
C. C. G. • Alzira refere-se ao grupo de maior intimidade de Dutra como Copa e Cozinha do Palácio Guanabara
C. M. • *Carlos Maciel* • ([de 7 a 9/9/1949])
Cacique do Itu • *Getulio* Dornelles *Vargas*
Café • *João Café Filho*
Café Filho • *João Café Filho*
Caiado • Aguinaldo *Caiado de Castro*

Caiado de Castro • Aguinaldo *Caiado de Castro*
Caio • *Caio* Dias *Batista*
Caio Batista • *Caio* Dias *Batista*
Caio Julio Cesar
Calafanges • (não identificado)
Câmara • *Mário* Leopoldo Pereira da *Câmara*
Camará • (não identificado) • (da antiga equipe do Palácio Guanabara)
Câmara Canto • Antônio Cândido da *Câmara Canto*
Camargo • (não identificado)
Camillo Nogueira da Gama
Camilo Altilio • *Camilo Altilio* Filho
Camilo Teixeira Mercio
Campanha Pró-Cirilo • Campanha Pró-*Carlos Cirilo Junior*
Cândida • *Cândida Darcy Vargas* (filha de Luthero Vargas e de Ingeborg Anita Elizabeth ten Haeff)
Candidato ademarista • Candidato de *Adhemar* Pereira *de Barros*
Candidato Luiz Pinto
Candidatura Bias • Candidatura José Francisco *Bias Fortes*
Candidatura Brigadeiro • Candidatura *Brigadeiro* Eduardo Gomes
Candidatura C. • Candidatura *Canrobert* Pereira da Costa
Candidatura C.-J. • Candidatura *Canrobert* Pereira da Costa-*Juracy* Montenegro *Magalhães*
Candidatura C.-M. • Candidatura *Canrobert* Pereira da Costa-*Otávio Mangabeira*
Candidatura Canrobert • Candidatura *Canrobert* Pereira da Costa
Candidatura Cirilo • Candidatura *Carlos Cirilo Junior*
Candidatura Cristiano • Candidatura *Cristiano* Monteiro *Machado*
Candidatura Dutra • Candidatura *Eurico Gaspar Dutra*
Candidatura Edmundo • Candidatura *Edmundo de Macedo Soares* e Silva
Candidatura Ernesto • Candidatura *Ernesto Dornelles*
Candidatura Jobim • Candidatura *Walter Só Jobim*
Candidatura Luiz Pinto
Candidatura Matta • Candidatura *Abelardo* dos Santos *Matta*
Candidatura Nereu Ramos • Candidatura *Nereu* de Oliveira *Ramos*
Candidatura Neves • Candidatura *João Neves da Fontoura*
Candidatura P. Aleixo • Candidatura *Pedro Aleixo*
Candidatura Pinto Aleixo • Candidatura Renato Onofre *Pinto Aleixo*
Candidatura única superpartidária-militar-Canrobert • Candidatura única superpartidária-militar-*Canrobert Pereira da Costa*
Candinho Lobo • *Cândido Lobo*
Canrobert • *Canrobert Pereira da Costa*
Canrobert Pereira da Costa
Canrobert-Ernani • *Canrobert Pereira da Costa-Ernani do Amaral Peixoto*
Cantinho Cintra • Hildebrando *Cantinho Cintra*
Canuto • Joaquim *Canuto Mendes de Almeida*
Canuto Mendes de Almeida • Joaquim *Canuto Mendes de Almeida*

Capanema • *Gustavo Capanema*
Caparica • (não identificado)
Capitão • José de *Queiroz Lima* • ([de 17 a 18/1/1949])
Capitão • Alzira refere-se possivelmente a Alberto de *Andrade Queiroz*, sendo a patente uma alusão ao tempo que atuara na Casa Civil de Vargas • ([entre 4 e 6/1/1949])
Capitão *Andrade Queiroz* • A patente é atribuída por Alzira ao referir-se a Alberto de *Andrade Queiroz*, em alusão ao tempo que atuaram na Casa Civil de Vargas
Capitão ou Major Paredes • *Joaquim* Inocêncio de Oliveira *Paredes*
Capitão Portocarrero • Capitão *Heraldo* de Farias *Portocarrero*
Capitão *Queiroz* • A patente é atribuída por Alzira ao referir-se a José de *Queiroz Lima*, em alusão ao tempo que atuara na Casa Civil de Vargas
Capitão *Queiroz Lima* • A patente é atribuída por Alzira ao referir-se a José de *Queiroz Lima* em alusão ao tempo que atuara na Casa Civil de Vargas
Capitão *Vergara* • A patente é atribuída por Alzira ao referir-se a *Luís* Fernandes *Vergara* em alusão ao tempo que atuara na Casa Civil de Vargas
Capriglione • *Luiz Capriglione*
Cara-metade • *Glasfira Correia da Silva Vargas* (cunhada de Getulio; segunda mulher de Protasio Dornelles Vargas)
Cardeal • *Carlos Carmelo de Vasconcelos Mota* (dom) • ([de 21 a 22/4/1949])
Cardeal • *Jayme* de Barros *Câmara* (dom) • (17/10/1950; 21/11/1950; 25/11/1950; 6/12/1950)
Cardeal D. Alfredo *Vicente Scherer*
Cardeal D. Senado • (não identificado) • (possível código usado por Alzira)
Cardeal Senado • (não identificado) • (possível código usado por Alzira)
Cardim • *Elmano Cardim*
Cardoso • (não identificado)
Cardoso de Miranda • Mário Aluísio *Cardoso de Miranda*
Carlos • *Carlos Maciel* • (29/11/1948; 10/12/1948; 10/2/1949; 18/2/1949; 9/3/1949; [de 11 a 17/3/1949]; 1/4/1949; [de 21 a 22/4/1949]; 2/9/1949; 23/9/1949; [de 28/9 a 2/10/1949]; 5/10/1949; [de 16 a 18/10/1949]; 24/3/1950; 3/4/1950; 24/4/1950; 14/6/1950)
Carlos • *Carlos Martins* Pereira e Sousa • ([de 26 a 29/8/1949]; 6/12/1950)
Carlos Cirilo Jr. • *Carlos Cirilo Junior*
Carlos de Oliveira • *Carlos Gomes de Oliveira*
Carlos Frias
Carlos Lacerda • *Carlos* Frederico Werneck de *Lacerda*
Carlos Lindenberg • *Carlos* Fernando Monteiro *Lindenberg*
Carlos Luz • *Carlos* Coimbra da *Luz*
Carlos Maciel
Carlos Martins • *Carlos Martins* Pereira e Sousa
Carlos O. Michelet
Carlos Valdemar • *Carlos Valdemar* Acióli *Rollemberg*
Carlotices • Refere-se possivelmente a Carlota Pessoa de Queiroz, 1ª e única mulher eleita para a Assembleia Nacional Constituinte de 1934

Carmelita • *Carmelita Ulhôa Cintra Novelli*
Carmen Miranda • Maria do Carmo Miranda da Cunha, *dita*
Carneiro de Mendonça • Roberto Carlos Vasco *Carneiro de Mendonça*
Carrazzoni • *André Carrazzoni*
Cartório do Luiz • Cartório do *Luiz Simões Lopes*
Carvalho de Brito • Manuel Tomás de *Carvalho Brito*
Carvalho Neto • Manoel Cardoso de *Carvalho Neto*
Carvalho Sobrinho • José de *Carvalho Sobrinho*
Casa dos Landsberg • Casa da família de *Albert Landsberg* em Petrópolis (RJ)
Casadinho • Getulio refere-se possivelmente a *Aristides Casado*
Casal Amaral Peixoto • Casal *Alice* e *Augusto do Amaral Peixoto*, sogros de Alzira
Casal Amaraldo • Casal *Felícia* e *Amaraldo Aranda*
Casal Bley • Casal *Alzira Herondina Donat Bley* e *João Punaro Bley*
Casal Peixoto • Casal *Alzira* e *Ernani do Amaral Peixoto*
Casal *Raul Brasil*
Caso Adhemar • Caso *Adhemar* Pereira *de Barros*
Caso Adhemar-Danton • Caso *Adhemar* Pereira *de Barros-Danton Coelho*
Caso Baeta • Caso *Paulo Baeta Neves*
Caso Baeta-Epitácio • Caso *Paulo Baeta Neves-Epitácio Pessoa Cavalcanti de Albuquerque*
Caso Barreto • Caso Edmundo *Barreto Pinto*
Caso Barreto Pinto • Caso Edmundo *Barreto Pinto*
Caso Bejo-R. Marinho • Caso *Benjamim Vargas-Roberto Marinho*
Caso Borghi • Caso *Hugo Borghi*
Caso Brando-Gabriella • Caso *Pedro Brando-Gabriella Besanzoni* Lage
Caso Canrobert • Caso *Canrobert Pereira da Costa*
Caso Jobim-Luzardo • Caso *Walter Só Jobim-João Batista Luzardo*
Caso José Diogo • Caso José *Diogo Brochado da Rocha*
Caso Lage • Caso *Henrique Lage*
Caso Luzardo • Caso João *Batista Luzardo*
Caso M. • (não identificado)
Caso M. G. • (não identificado)
Caso Maciel • Caso *Carlos Maciel*
Caso Mangabeira • Caso *Otávio Mangabeira*
Caso Manoel-Gonzaga • (não identificado) • (possivelmente codificado)
Caso Novelli-Cirilo • Caso *Luís Gonzaga Novelli Junior-Carlos Cirilo Junior*
Caso Paquet • Caso *Renato Paquet*
Caso Paranaguá • Caso Nourival *Paranaguá de Andrade*
Caso Pestana • Caso *Clovis Pestana*
Caso Tito • Caso *Josip Broz Tito*
Caso Wainer-UDN • Caso *Samuel Wainer-UDN*
Cassiano • *Cassiano Ricardo* Leite
Cassio • *Cassio Ciampolini*
Cassio Ciampolini
Castro • Pedro Luís *Correa e Castro*

Castro Júnior • *João Cândido Pereira de Castro Júnior*
Catalano • *Júlio Catalano*
CCP • Comissão Central de Preços
Ceglia • *Silverio Ceglia*
Cel. *Benjamim Vargas* • *Benjamim* Dornelles *Vargas* (irmão de Getulio)
Cel. *Dantas Ribeiro* • *Jair Dantas Ribeiro*
Cel. Gashypo • *Gashypo* das *Chagas Pereira*
Cel. *Hugo Silva* • *Hugo Silva*
Cel. *Joaquim Rondon* • *Joaquim* Vicente *Rondon*
Cel. *Mário Gomes* da Silva • *Mário Gomes* da Silva
Cel. Rosa • *Oscar Rosa Nepomuceno da Silva*
Cel. Silva • *Hugo Silva*
Celina • *Celina Vargas do Amaral Peixoto* (filha de Alzira e Ernani do Amaral Peixoto)
Centauro • Alzira refere-se a João *Batista Luzardo*
César • Caio *Julio César* (imperador romano) • (8/1/1946)
César • *José César* de Oliveira *Costa* • (11/12/1947)
César • (não identificado) • (2/1/1946; 13/9/1950; 6/12/1950; 10/12/1950)
César Costa • *José César* de Oliveira *Costa*
Cesar Vergueiro • *Cesar Lacerda de Vergueiro*
Chacarian • Onig *Chacarian* (astrólogo e quiromante armênio)
Chanceler Bramuglia • *Juan* Atilio *Bramuglia*
Chapa Bias-Mangaba • Chapa José Francisco *Bias Fortes-Otávio Mangabeira*
Chapa Bias-Mangabeira • Chapa José Francisco *Bias Fortes-Otávio Mangabeira*
Chapa Canrobert • Chapa *Canrobert Pereira da Costa*
Chapa Cirilo-Salgado • Chapa *Carlos Cirilo Junior-Joaquim Pedro Salgado Filho*
Chapa de verão Eduardo-Salgado • Chapa de verão *Eduardo Gomes-Joaquim Pedro Salgado Filho*
Chapa Estillac-Salgado • Chapa *Newton Estillac Leal-Joaquim Pedro Salgado Filho*
Chapa Góes-Oswaldo • Chapa Pedro Aurélio de *Góes Monteiro-Oswaldo* Euclides de Souza *Aranha*
Chapa Góes-Salgado • Chapa Pedro Aurélio de *Góes Monteiro-Joaquim Pedro Salgado Filho*
Chapa Nereu-Salgado • Chapa *Nereu* de Oliveira *Ramos-Joaquim Pedro Salgado Filho*
Chateaubriand • Francisco de *Assis Chateaubriand* Bandeira de Mello
Chatô • Francisco de *Assis Chateaubriand* Bandeira de Mello
Chermont • *Abel* de Abreu *Chermont*
Chermont de Brito • (não identificado)
Chico • Francisco de Paula *Brochado da Rocha* • ([de 16 a 18/10/1949]; 13/9/1950)
Chico • Getulio e Alzira referem-se a *Walder* de Lima *Sarmanho* (irmão de d. Darcy; cunhado de Getulio) • (12/9/1948; 10/12/1948; [entre 4 e 6/1/1949]; [entre 17 e 18/1/1949]; 18/1/1949; [de 22 a 25/5/1949])

Chico (Walder) • *Walder* de Lima *Sarmanho* (irmão de d. Darcy; cunhado de Getulio) • (29/3/1948)
Chico Brochado • Francisco de Paula *Brochado da Rocha*
Chico Campos • *Francisco* Luís da Silva *Campos*
Chico do Rincão • (não identificado)
Chico Elísio • *Francisco Elísio* Pinheiro Guimarães (casado com Ruth de Abreu Pinheiro Guimarães, filha de Wanda e Florêncio de Abreu e Silva; sobrinha de d. Darcy)
Chico Negrão • Francisco *Negrão de Lima*
Chico Tinoco • *Francisco* de Sá *Tinoco*
Chicrala • Salim Chicrala
Chinês • *Agamenon* Sergio Godói de *Magalhães*
Ciampolini • *Cassio Ciampolini*
Cicero Prado • *Cicero* da Silva *Prado*
Cilon • Pompílio *Cilon* Fernandes da *Rosa*
Cipriano • *Cipriano Lage*
Cipriano Lage
Cirilo • *Carlos Cirilo Junior*
Cirilo Jr. • *Carlos Cirilo Junior*
Cirilo Junior • *Carlos Cirilo Junior*
Ciro • *Ciro do Espírito Santo Cardoso*
Ciro Espírito Santo • *Ciro do Espírito Santo Cardoso*
Ciro Freitas Vale • *Ciro de Freitas Vale*
Ciro Resende
Clark Gable • William *Clark Gable*
Clay • (não identificado) • (aerotelegrafista)
Clayton, Anderson • Alzira refere-se à empresa norte-americana *Anderson, Clayton and Co.*
Cleberto • (não identificado) • (piloto de Jango)
Clemente Mariani • *Clemente Mariani* Bittencourt
Cleófas • João *Cleófas* de Oliveira
Clodomir • *Clodomir* Serrão *Cardoso*
Clóvis • *Clóvis Pestana*
CNOPE • Conselho Nacional de Orientação Política e Eleitoral
Coaracy • *Coaracy* Gentil Monteiro *Nunes*
Coaracy Nunes • *Coaracy* Gentil Monteiro *Nunes*
Coelho • (não identificado) • (possivelmente codificado)
Coelho dos Reis • Antônio José *Coelho dos Reis*
Coelho Leal • José *Coelho Leal*
Cohen Monteiro • Alusão de Alzira a Góes Monteiro e ao Plano Cohen, que deu origem ao golpe do Estado Novo
Collet • *Heitor* Barcelos *Collet*
Comadre Tinoca • Vicentina Marques Goulart, *dita* (mãe de João Goulart; co-madre de Getúlio)
Comandante • *Ernani do Amaral Peixoto*
Comandante Amaral Peixoto • *Ernani do Amaral Peixoto*

Comandante Carvalho • (não identificado)
Comandante Peixoto • *Ernani* do *Amaral Peixoto*
Combinações Catetiais • Combinações internas do Palácio do Catete
Compadre Dutra • Compadre *Eurico Gaspar Dutra*
Compadre Julico • (não identificado)
Companhia • (não identificado) • (possivelmente codificado)
Conceição • *Conceição Santa Maria* • (20/8/1948)
Condestável Vitorino • *Vitorino* de Brito *Freire*
Conflito Góes-Dutra • Conflito Pedro Aurélio de *Góes Monteiro*-*Eurico Gaspar Dutra*
Conrado Veiga • *José Conrado Veiga*
Conversa Edmundo-Ernani • Conversa *Edmundo de Macedo Soares* e Silva--*Ernani do Amaral Peixoto*
Conversa Ernani-Cilon • Conversa *Ernani do Amaral Peixoto*-Pompílio *Cilon* Fernandes da *Rosa*
Conversa Ernani-Dutra • Conversa *Ernani do Amaral Peixoto*-*Eurico Gaspar Dutra*
Copa e Cozinha • Copa e Cozinha do Guanabara
Copa e Cozinha do Guanabara • Alzira refere-se ao grupo de maior intimidade de Dutra no Palácio Guanabara
Copiloto Peixoto • (não identificado)
Cordeiro • Oswaldo *Cordeiro de Farias*
Cordeiro de Farias • Oswaldo *Cordeiro de Farias*
Coriolano • *Coriolano* de Araújo *Góes* Filho
Coronel • *Hugo Silva*
Coronel *Ciro Resende*
Coronel Coelho • (não identificado)
Coronel do Ernani • Alzira refere-se a *Edmundo de Macedo Soares* e Silva
Coronel Ibsen • *Ibsen Lopes de Castro*
Coronel Marcial • *Marcial* Gonçalves *Terra*
Coronel Paredes • *Joaquim* Inocêncio de Oliveira *Paredes*
Coronel Portocarrero • *Hermenegildo Portocarrero*
Corrado • (não identificado)
Correa e Castro • Pedro Luís *Correa e Castro*
Corrêa Meyer • João Gaspar *Corrêa Meyer*
Correio da Manhã • Diário matutino carioca fundado por Edmundo Bittencourt em 15/6/1901, funcionou até 8/7/1974
Correio do Povo • Diário gaúcho criado em 1/10/1895 por Caldas Júnior, funcionou até 6/1984. Foi relançado em 31/8/1986
Corrente Novelli • Corrente *Luís Gonzaga Novelli Júnior*
Costa • *Adroaldo Mesquita* da Costa • (8/7/1949)
Costa • *Artur de Souza Costa* • (8/1/1946; 9/1/1946; 16/1/1946; 22/1/1946; [de 23 a 25/1/1946]; [de 3 a 5/2/1946]; 17/2/1946; [de 24 a 28/2/1946]; 4/3/1946; [de 14 a 22/3/1946]; [de 16 a 20/3/1946]; 22/3/1946; 24/3/1946; [de 28/3 a 5/4/1946]; 31/3/1946; [de 30/4/ a 3/5/1946]; [de 5 a 6/5/1946]; 12/5/1946; [de 13 a 17/5/1946]; 23/9/1946; 2/10/1946; 6/10/1946; 8/11/1946; 16/11/1946; [de 12 a 13/9/1947]; [de 19 a

21/9/1947]; [de 16 a 20/1/1948]; 11/2/1948; [de 14 a 16/7/1948]; [de 17 a 18/1/1949]; [de 28/1 a 6/2/1949]; 18/2/1949; [de 11 a 17/3/1949]; 28/3/1949 (à noite); [de 28 a 29/4/1949]; [de 3 a 6/5/1949]; [de 12 a 14/5/1949]; [de 12 a 15/6/1949]; [de 17 a 20/6/1949]; 31/7/1949; 8/8/1949; 22/10/1949)
Costa Netto • *Benedito Costa Netto* • (9/9/1946; 21/11/1946; [de 11 a 17/3/1949])
Costa Netto • Luiz Carlos da *Costa Netto* • (17/2/1946; [de 24 a 28/2/1946])
Costa Rego • *Pedro da Costa Rego*
Costa Ribeiro • Alzira refere-se a Álvaro Moutinho *Ribeiro da Costa*
Cox • *Dilermando* Duarte *Cox*
Crispim • *Crispim Fonseca*
Cristão novo Luzardo • Cristão novo João *Batista Luzardo*
Cristiano • *Cristiano* Monteiro *Machado*
Cristiano Machado • *Cristiano* Monteiro *Machado*
Cumplido Sant'Anna • Artur *Cumplido Sant'Anna*
Cunha • (não identificado)
Cunha Lima • *Alexandre Cunha Lima*
Cunha Melo • *Djalma Tavares da Cunha Melo* (apesar do nome, não se trata de irmão do Leopoldo, tal como se refere Alzira)
Cupim • (não identificado)

D

D. Adelaide (de São Borja) • (não identificado)
D. Alice • *Alice Monteiro do Amaral Peixoto* (mãe de Ernani do Amaral Peixoto; sogra de Alzira)
D. *Alice Tibiriçá* • D. *Alice* de Toledo Ribas *Tibiriçá*
D. *Amasilinha* • (não identificado)
D. *Astreia* • (não identificado)
D. *Camila* • (não identificado)
D. Carlota • *Maria Carlota Barreto Póvoa*
D. Carmelo • *Carlos Carmelo de Vasconcelos Mota*
D. Celina • *Celina Vargas do Amaral Peixoto* (filha de Alzira e Ernani do Amaral Peixoto)
D. Conceição • *Conceição* Saint Pastous *de Góes Monteiro* • ([de 26 a 29/8/1949])
D. Conceição • *Conceição Santa Maria* • (1/9/1947)
D. Dadá • *Darcy* Sarmanho *Vargas* (casada com Getulio)
D. Felícia • *Felícia Aranda*
D. Glasfira • *Glasfira Correia da Silva Vargas* (cunhada de Getulio; segunda mulher de Protasio Dornelles Vargas)
D. Guiomar • (não identificado)
D. *Heloisa Figueiredo*
D. Jayme • *Jayme* de Barros *Câmara*
D. Jeanne • *Jeanne Rocha* (casada com Geraldo Rocha)
D. Lavínia • *Lavínia de Abreu* e Silva *Falcão* (sobrinha de d. Darcy; filha de Wanda Sarmanho e Florêncio de Abreu e Silva; casada com Fernando Falcão)

D. Lidia • (não identificado)
D. Lúcia • *Lúcia Magalhães* (do PTB)
D. Maria Luiza • *Maria Luiza Pessoa Gonçalves Cavalcanti de Albuquerque*
D. Mercedes • (não identificado)
D. Santinha • Carmela Leite Dutra, *dita* (casada com Eurico Gaspar Dutra)
D. Senado • (não identificado) • (possível código usado por Alzira)
D. Vindinha • Delminda Benvinda Gudolle Aranha, *dita* (casada com Oswaldo Aranha)
D'Alamo Lousada • *Francisco D'Alamo Lousada*
D'Artagnan • Um dos quatro mosqueteiros celebrizados por Alexandre Dumas, Charles de Batz-Castelmore, *dito conde de*
Dafira • *Glasfira Correia da Silva Vargas* (segunda mulher de Protasio Dornelles Vargas), na linguagem infantil de Celina
Dalmo Oliveira
Dâmocles • (conselheiro da corte de Dionísio o Velho, tirano de Siracusa)
Daniel • *Daniel* Serapião *de Carvalho* • ([de 3 a 6/5/1949])
Daniel • (profeta do Antigo Testamento) • (16/11/1946)
Daniel de Carvalho • *Daniel* Serapião *de Carvalho*
Danton • *Danton Coelho*
Danton Coelho
Danton Garrastazu • Rafael *Danton Garrastazu* Bandeira *Teixeira*
Danton Jobim • *Danton* Pinheiro *Jobim*
Darcy • *Darcy* Sarmanho *Vargas* (casada com Getulio)
Dario Magalhães • *Dario* Paulo de *Almeida Magalhães*
Daudt • *João Daudt de Oliveira*
Daudt-Lodi • *João Daudt* de Oliveira-*Evaldo Lodi*
de Carli • *Gileno de Carli*
Déa • *Déa Antunes Maciel*
Décio • *Décio* Honorato de *Moura*
Décio Martins Costa • *Décio* de Almeida *Martins Costa*
Decretos linharescos • Decretos do governo *José Linhares*
Demóstenes • (orador e político grego)
Denys • *Odílio Denys*
Désirée • (não identificado)
Diário Carioca • Fundado em 17/7/1928 por José Eduardo de Macedo Soares e extinto em 31/12/1965
Diário de Notícias • Diário matutino carioca fundado por Orlando Ribeiro Dantas em 12/6/1930, tendo saído de circulação em 1974
Diário do Congresso • *Diário do Congresso Nacional*
Diário Oficial • Diário criado ainda durante o Império, em 1862, destinado à publicação dos atos governamentais. Com a República, passou a ser editado pelo Ministério da Justiça
Diário Trabalhista • Diário carioca fundado em 15/1/1946 por Eurico de Oliveira, Antônio Vieira de Melo, Mauro Renault Leite e José Pedroso Teixeira da Silva. Foi extinto em 1961
Dilermando Cox • *Dilermando* Duarte *Cox*

Dimitri Ismailovitch
Dinarte • *Dinarte* Rey *Dornelles* (primo de Getulio; filho de Maria Luiza Rey e de Modesto Francisco Dornelles)
Dinarte Dornelles • *Dinarte* Rey *Dornelles* (primo de Getulio; filho de Maria Luiza Rey e de Modesto Francisco Dornelles)
Dinastia dos Vergueiros • Alzira refere-se à tradicional família de políticos paulistas
Diniz • (não identificado)
Diógenes • (filósofo grego)
DIP • Departamento de Imprensa e Propaganda
DIP maquis • usado por Alzira para identificar grupo de resistência dentro do DIP
Dircinha Batista • Dirce Grandino de Oliveira, *dita*
Diretrizes • Revista mensal lançada em 1938 por Samuel Wainer e transformada em jornal semanal em 1941. Fechado em 7/1944, foi reaberto como diário em 1945 e definitivamente extinto em 31/3/1950
Djalma Tavares da Cunha Mello
Dodsworth • *Henrique* de Toledo *Dodsworth* Filho
Dodsworth Martins • Jorge *Dodsworth Martins*
Dois barriga-fria • *Benedito Valadares* Ribeiro e João *Batista Luzardo*
Dois mirones • *Alzira* e *Ernani do Amaral Peixoto*
Dom Boto • (não identificado)
Dom Carmelo • *Carlos Carmelo de Vasconcelos Mota* (dom)
Dom *Miguel Miranda* • *Miguel Miranda*
Dom Quixote • (personagem do livro *Don Quixote de La Mancha*, de Miguel Cervantes)
Dom *Rosalvo Costa Rego*
Dona Mercedes • (não identificado)
Dona Rosinha • *Rosinha P. de Mendonça Lima* (casada com João de Mendonça Lima)
Dona Tinoca • Vicentina Marques Goulart, *dita* (mãe de João Goulart; comadre de Vargas)
Dona Vicência • (não identificado) • (cozinheira de Alzira no Rio)
Dona Vindinha • Delminda Benvinda Gudolle Aranha, *dita* (casada com Oswaldo Euclides de Souza Aranha)
Dória • Antônio de *Sampaio Dória*
Dossier *Barreto Pinto* • Dossier Edmundo *Barreto Pinto*
Dourado (Afranio) • *Afranio Dourado*
Doutor Amaral • *Augusto do Amaral Peixoto* (pai de Ernani do Amaral Peixoto; sogro de Alzira)
Dr. Araújo de Góes • *Coriolano* de Araújo *Góes* Filho
Dr. Barata • *Sarmento Barata* (médico da família Vargas)
Dr. Barbante • Alzira refere-se a *José Linhares*
Dr. Borges • Antônio Augusto *Borges de Medeiros*
Dr. Geraldo Rocha • Antônio *Geraldo Rocha* Filho
Dr. *Henrique de La Rocque* • Henrique de la Rocque Almeida

Dr. João Neves • *João Neves da Fontoura*
Dr. Luiz • Código usado por Alzira para referir-se a Newton *Estillac Leal*
Dr. *Luiz Pinto*
Dr. Luiz Estillac • Newton *Estillac Leal*
Dr. Luthero • *Luthero* Sarmanho *Vargas* (filho mais velho de Darcy Sarmanho e Getulio Vargas)
Dr. *Manoel Correia Soares*
Dr. Mello Barreto • (não identificado)
Dr. Neves • *João Neves da Fontoura*
Dr. *Nogueira da Gama* • Camillo *Nogueira da Gama*
Dr. Otávio • *Otávio Mangabeira*
Dr. Salgado • *Joaquim Pedro Salgado Filho*
Dr. Viana • (não identificado) • (médico de Jandyra Vargas da Costa Gama)
Drault • *Drault Ernany* de Melo e Silva
Drault Ernany • *Drault Ernany* de Melo e Silva
Duarte • *João Duarte Filho* • ([de 3 a 4/2/1948]; 21/6/1950; 9/7/1950; 11/7/1950)
Duarte • *José Duarte* • ([de 3 a 8/2/1946]; 3/10/1946; 8/10/1946; 17/10/1946; 22/10/1946; 22/10/1946; 28/10/1946; 1/10/1946)
Duelo Baeta e Segadas • Duelo *Paulo Baeta Neves*-José de *Segadas Viana*
Duelo Baeta e Segadas versus Nelson • Duelo *Paulo Baeta Neves* e José de *Segadas Viana* versus *Nelson Fernandes*
Duelo Cirilo-Novelli • Duelo *Carlos Cirilo Junior-Luis Gonzaga Novelli Junior*
Duelo Novelli-Cirilo • Duelo *Luís Gonzaga Novelli Júnior-Carlos Cirilo Jr.*
Dulcídio • *Dulcídio do Espírito Santo Cardoso*
Dulcídio-Fiori • *Dulcídio do Espírito Santo Cardoso-Romeu José Fiori*
Dupla *Alvarenga e Ranchinho* • Dupla sertaneja formada por Murilo Alvarenga e Diésis dos Anjos Gaia
Dupla Juracy-Mangabeira • Dupla *Juracy* Montenegro *Magalhães-Otávio Mangabeira*
Dupla Kastrup-Michelet • Dupla *Luís F. Kastrup-Carlos O. Michelet*
Dupla Mangabeira-Jobim • Dupla *Otávio Mangabeira-Walter Só Jobim*
Dupla Nereu-Salgado • Dupla *Nereu* de Oliveira *Ramos-Joaquim Pedro Salgado Filho*
Duque Estrada • *Jorge Duque Estrada*
Duquesa • Duquesa *de La Rochefoucauld*
Duquesa *de La Rochefoucauld*
Duta • *Eurico Gaspar Dutra* (na linguagem infantil de Celina)
Dutra • *Eurico Gaspar Dutra*
Duvivier • *Eduardo Duvivier*

E

Edgard Fernandes • *Edgard* Moury *Fernandes*
Ediala • *Ediala Braga Vargas* (casada com Benjamim Dornelles Vargas)
Edith • *Edith Maria Vargas da Costa Gama* (neta de Getulio; filha de Jandyra Vargas da Costa Gama e Ruy da Costa Gama)

Edith Maria • *Edith Maria Vargas da Costa Gama* (neta de Getulio; filha de Jandyra Vargas da Costa Gama e Ruy da Costa Gama)
Editinha • *Edith Maria Vargas da Costa Gama* (neta de Getulio; filha de Jandyra Vargas da Costa Gama e Ruy da Costa Gama)
Edmilson • (não identificado)
Edmundo • *Edmundo de Macedo Soares* e Silva
Edmundo de Macedo Soares e Silva
Edmundo Macedo Soares • *Edmundo de Macedo Soares* e Silva
Edson • *Edson Cavalcanti*
Edson Cavalcanti
Edson Passos • *Edson* Junqueira *Passos*
Edson-Danton • *Edson Cavalcanti-Danton Coelho*
Edu Oliveira • *Eduardo Oliveira*
Eduardo • *Eduardo Gomes* • ([de 24 a 26/2/1946]; 18/9/1946; 9/11/1946; 11/9/1947; 27/7/1948; 27/7/1948; 10/12/1948; [de 17 a 18/1/1949]; 18/2/1949; [de 11 a 17/3/1949]; 28/3/1949; 8/8/1949; 8/11/1949; 27/4/1950; 28/4/1950; 18/5/1950; 21/6/1950; 5/10/1950; 6/12/1950)
Eduardo • *Eduardo Motta Spínola* e Castro (sobrinho neto de d. Darcy; filho de Maria Motta Spínola e Castro e Aloysio Spínola e Castro) • (3/10/1947)
Eduardo Gomes
Egrégio • Alzira refere-se a *Protasio* Dornelles *Vargas*
Egydio • *Egydio da Câmara Souza*
Egydio Câmara • *Egydio da Câmara Souza*
Elementos ademaristas • Adeptos de *Adhemar* Pereira *de Barros*
Eliane Gomes • (irmã de Eduardo Gomes)
Elza • *Elza de Góes*
Embaixador Alencastro • *Adolfo* Cardoso de *Alencastro Guimarães*
Embaixador argentino • *Juan Isaac Cooke*
Embaixador da Índia • *Minocheher Rustom Masani*
Embaixador *Moniz de Aragão* • José Joaquim de Lima e Silva *Moniz de Aragão*
Embaixador Saint-Brisson • *Mário* Savard *de Saint-Brisson* Marques
Embaixatriz Maria • *Maria* de Lourdes Alves *Martins* Pereira e Sousa
Embaixatriz *Maria Martins* • *Maria* de Lourdes Alves *Martins* Pereira e Sousa
Emílio Carlos • *Emílio Carlos* Kyrillos
Emílio Farah • Antônio *Emílio Farah*
Encomenda Alvim • Encomenda José Joaquim de *Sá Freire Alvim*
Encontro Adhemar-Benê • Encontro *Adhemar* Pereira *de Barros-Benedito Valadares* Ribeiro
Encontro Adhemar-Grão de Bico • Encontro *Adhemar* Pereira *de Barros-Eurico Gaspar Dutra*
Encontro Adhemar-Nereu • Encontro *Adhemar* Pereira *de Barros-Nereu* de Oliveira *Ramos*
Encontro Dutra-Adhemar • Encontro *Eurico Gaspar Dutra-Adhemar* Pereira *de Barros*
Encontro Ernani-Prestes • Encontro *Ernani do Amaral Peixoto-Luís Carlos Prestes*

Encontro fortuito Rosalina-Chatô-Salgado • Encontro *Rosalina Coelho Lisboa* Larragoiti-Francisco de *Assis Chateaubriand* Bandeira de Mello-Joaquim Pedro *Salgado Filho*
Encontro Góes-Ernani • Encontro Pedro Aurélio de *Góes Monteiro-Ernani do Amaral Peixoto*
Encontro Gonzaga x Andrade • (não identificado) • (possivelmente codificado)
Encontro Maciel-Góes • Encontro *José Soares Maciel Filho*-Pedro Aurélio de *Góes Monteiro*
Encontro Nereu-Adhemar • Encontro *Nereu* de Oliveira *Ramos-Adhemar* Pereira *de Barros*
Encontros Benedito e Adhemar • Encontros *Benedito Valadares* Ribeiro e *Adhemar* Pereira *de Barros*
Ene • *Ene Garcez dos Reis*
Entre os dois Zés (Zé Augusto e Zé Cândido) • Entre *José Augusto Varela*, possivelmente, e *José Cândido Ferraz*
Entrevista Dutra-Milton • Entrevista *Eurico Gaspar Dutra-Milton Soares Campos*
Entrevista Ernani-Canrobert • Entrevista *Ernani do Amaral Peixoto-Canrobert Pereira da Costa*
Entrevista Jobim • Entrevista *Walter Só Jobim*
Entrevista Nereu-Adhemar • Entrevista *Nereu* de Oliveira *Ramos-Adhemar* Pereira *de Barros*
Entrevistas Estillac-Zenóbio • Entrevistas Newton *Estillac Leal-Euclides Zenóbio da Costa*
Epa • *Epaminondas* Gomes dos *Santos*
Epa...minondas • *Epaminondas* Gomes dos *Santos*
Epaminondas • *Epaminondas* Gomes dos *Santos*
Epílogo de Campos • *Epílogo* Gonçalves *de Campos*
Epitacinho • *Epitácio Pessoa Cavalcanti de Albuquerque*
Epitácio • *Epitácio Pessoa Cavalcanti de Albuquerque*
Epitácio Pessoa Cavalcanti de Albuquerque
Equipe Queiroz-Vergara-Queiroz • Equipe José de *Queiroz Lima-Luís* Fernandes *Vergara*-Alberto de *Andrade Queiroz*
Erlindo Salzano
Ernani • *Ernani do Amaral Peixoto*
Ernani Cardoso
Ernani do Amaral Peixoto • (marido de Alzira)
Ernestinho • *Ernesto Dornelles* (primo de Getulio; filho do gen. Ernesto Francisco Dornelles e de Amélia Rodrigues)
Ernesto • *Ernesto Dornelles* (primo de Getulio; filho do gen. Ernesto Francisco Dornelles e de Amélia Rodrigues)
Ernesto Dornelles • (primo de Getulio; filho do gen. Ernesto Francisco Dornelles e de Amélia Rodrigues)
Erônides • *Erônides* Ferreira *de Carvalho*
Esperidião • (não identificado)
Espinilho • (fazenda de propriedade dos Vargas)

449

Espínola • *Eduardo Espínola* (jurista)
Esquerda Democrática • Denominação assumida por grupo de intelectuais e políticos de tendência predominantemente socialista, reunido no início de 1945 para consolidar movimento de oposição ao Estado Novo. A partir de 1947 passa a se chamar Partido Socialista Brasileiro (PSB)
Estado de S. Paulo • Diário matutino paulista fundado em 4/1/1875 com o nome de *Província de São Paulo*. A partir de 1885 passou às mãos da família Mesquita
Estado Novelli • Alzira refere-se ironicamente à ligação de Luís Gonzaga Novelli Júnior com o Estado Novo, por ser genro de Eurico Gaspar Dutra
Estância Santos Reis • Estância da família Vargas localizada no município de Itaqui (RS)
Estância São Pedro • Estância de Batista Luzardo, localizada no município de Uruguaiana (RS)
Estelita • *Romero Estelita* Cavalcanti Pessoa
Estillac • Newton *Estillac Leal*
Etchegoyen • *Alcides* Gonçalves *Etchegoyen*
Etelvino • *Etelvino Lins* de Albuquerque
Euclides • *Euclides* de Oliveira *Figueiredo* • (22/12/1950)
Euclides • (não identificado) • (motorista do Palácio Guanabara) • (9/1/1946)
Euclides Figueiredo • *Euclides* de Oliveira *Figueiredo*
Euclides Vieira
Eurico • *Eurico de Souza Gomes*
Eurico • *Eurico de Souza Gomes* (sobrinho do Napoleão de Alencastro Guimarães)
Eurico Dutra • *Eurico Gaspar Dutra*
Eurico Gaspar Dutra
Eurico Souza Leão
Euzébio • *Euzébio* Martins da *Rocha* Filho
Euzébio Rocha • *Euzébio* Martins da *Rocha* Filho
Eva • María Eva Duarte de Perón, dita *Evita Perón* • (18/8/1947)
Eva • (não identificado) • (babá de Celina) • (24/1/1946; [de 3 a 8/2/1946]; [de 12 a 14/2/1946]; 17/2/1946; [de 24 a 26/2/1946]; [de 24 a 28/2/1946]; [de 14 a 22/3/1946]; 9/9/1946; 18/9/1946; 23/9/1946; 26/9/1946)
Eva • (personagem bíblico)
Evandro Viana • *Evandro* Mendes *Viana*
Evita • María Eva Duarte de Perón, dita *Evita Perón*
Evita Perón • María Eva Duarte de Perón, *dita*
Ex-imperatriz • *Gabriella Besanzoni* Lage
Ex-padre *Astolfo Serra* • *Astolfo* de Barros *Serra*
Ezequiel de Minas • *Ezequiel* da Silva *Mendes*

F

Fabio Andrada • *Fabio Ribeiro de Andrada*
Fábrica de Motores • *Fábrica Nacional de Motores* (FNM)
Fábrica Nacional de Motores (FNM)

450

Facção Perón • Facção *Juan Domingo Perón*
Fadel • *Alberto Fadel*
Falcão • (não identificado)
Falconière • *Olímpio Falconière da Cunha*
Família Andrada • Família Andrada e Silva
Família Aranda • Família de *Amaraldo* e *Felícia Aranda*
Família Dutra • Família *Eurico Gaspar Dutra*
Família Falcão • Família *Waldemar* Cromwell do Rego *Falcão*
Família Góes • Família Pedro Aurélio de *Góes* Monteiro
Família Jango • Família *João* Belchior Marques *Goulart*
Família Linhares • Família *José Linhares*
Família Macedo Soares • Família de *José Eduardo Macedo Soares* e *Edmundo de Macedo Soares* e Silva
Família Silveira • Família de Manuel *Guilherme da Silveira* Filho
Família Viriato • Família *Viriato* Dornelles *Vargas*
Farah • *Benjamim* Miguel *Farah*
Farquhar • *Percival Farquhar*
Fausto • *Fausto de Freitas e Castro* • ([de 12 a 14/5/1949]; 27/3/1950; 3/4/1950; 12/4/1950; 22/4/1950)
Fausto • (não identificado) • (advogado de Luthero Vargas) • ([de 13 a 17/5/1946])
Fausto Freitas e Castro • *Fausto de Freitas e Castro*
Fazenda do Luzardo • *Estância São Pedro*, de João *Batista Luzardo*, localizada no município de Uruguaiana (RS)
Fazenda São Bento • De propriedade da União
Feiticeiro de S. Borja • *Getulio* Dornelles *Vargas*
Fernandes Távora • Manuel do Nascimento *Fernandes Távora*
Fernando • *Fernando* Augusto Ribeiro *Magalhães* • ([de 22 a 24/3/1949])
Fernando • *Fernando Correia da Costa* • (7/5/1950)
Fernando • *Fernando* de Souza *Costa* • ([de 12 a 14/2/1946])
Fernando • *Fernando* do Rego *Falcão* (casado com Lavínia de Abreu e Silva, filha de Wanda Sarmanho e Florêncio de Abreu e Silva; sobrinha de d. Darcy) • ([de 19 a 21/5/1950])
Fernando • *Fernando Vargas Souto* (sobrinho neto de Getulio; filho de Lígia Vargas Souto e Israel Ramiro de Souto; neto de Protasio Dornelles Vargas) • ([de 3 a 4/2/1948]; 4/7/1948)
Fernando Costa • *Fernando* de Souza *Costa*
Fernando de Azevedo
Fernando do Rego Falcão • (casado com Lavínia de Abreu e Silva, filha de Wanda Sarmanho e Florêncio de Abreu e Silva; sobrinha de d. Darcy)
Fernando Falcão • *Fernando* do Rego *Falcão* (casado com Lavínia de Abreu e Silva, filha de Wanda Sarmanho e Florêncio de Abreu e Silva; sobrinha de d. Darcy)
Fernando Pessoa • *Fernando Pessoa de Queiroz*
Fernando Souto • *Fernando Vargas Souto* (sobrinho neto de Getulio; filho de Lígia de Mesquita Vargas Souto e Israel Ramiro de Souto; neto de Protasio Dornelles Vargas)

Ferraz • *José Cândido Ferraz*
Ferraz de Cotia • (não identificado)
Ferreira de Sousa • José *Ferreira de Sousa*
Filha da Maria • *Nora* Yolanda *Martins Pereira de Souza* (filha de Carlos e Maria Martins Pereira de Souza; afilhada de casamento de Getulio)
Filha dele • *Ieda* Pereira da Costa *Machado* (filha de Canrobert Pereira da Costa)
Filha do *Viana do Castelo* • *Lina Viana do Castelo* (filha de Augusto *Viana do Castelo*)
Filhinho • Antonio Carlos *Lafayette de Andrada*
Filhinho Lafayette • Antonio Carlos *Lafayette de Andrada*
Filho do Jobzinho • Alzira refere-se a Paulo de Andrade Job (filho de Francisco de Paula Job)
Filinto • *Filinto Müller*
Fiori • *Romeu* José *Fiori*
Firmino Paim Filho
Firmo • *Firmo Freire* do Nascimento
Fischer • *Arthur Fischer*
Fiuza • Álvaro *Fiúza de Castro*
Fiuza de Castro • Álvaro *Fiúza de Castro*
Flávio • *Flávio Miguez de Melo* • (25/11/1950)
Flávio • (não identificado) • (29/10/1950)
Flávio Miguez de Melo
Fleming • *Thiers Fleming*
Flodoardo • *Flodoardo* Martins da *Silva*
Florêncio sobrinho • (não identificado)
Florêncio tio • *Florêncio de Abreu* e Silva (casado com Wanda Sarmanho, irmã de Darcy Vargas)
Florêncio de Abreu • *Florêncio de Abreu* e Silva (casado com Wanda Sarmanho, irmã de Darcy Vargas) • (14/2/1949; 23/2/49; [de 11 a 17/3/1949]; 26/4/1950; 19/11/1950)
Flores • José Antônio *Flores da Cunha*
Flores da Cunha • José Antônio *Flores da Cunha*
Floriano • *Floriano Neves da Fontoura*
Floriano de Góes • *Floriano* de Araújo *Góes* (irmão de Hildebrando de Góes)
Folha Carioca • Jornal criado em 1944, tendo Andres Guevara como diretor artístico
Folhas de São Paulo • *Folha da Manhã; Folha da Tarde; Folha da Noite,* e *Folha Agropecuária*
Fon-Fon • Revista criada no Rio de Janeiro, existiu entre 1907 e 8/1958
Fonseca • (não identificado)
Fontoura • *Oscar Carneiro da Fontoura*
Fórmula Brigadeiro-Agamenon • Fórmula Brigadeiro *Eduardo Gomes-Agamenon Magalhães*
Fórmula Canrobert-Mangabeira • Fórmula *Canrobert Pereira da Costa-Otávio Mangabeira*

Fórmula Ernesto • Fórmula *Ernesto Dornelles*
Fórmula Jobim • Fórmula *Walter* Só *Jobim*
Fórmula Nereu-Salgado • Fórmula *Nereu* de Oliveira *Ramos-Joaquim Pedro Salgado Filho*
França • *Luís Augusto de França*
Francisco Brochado • Francisco de Paula *Brochado da Rocha*
Francisco de Paula *Rocha Lagoa* Filho
Francisco Elísio • *Francisco Elísio* Pinheiro Guimarães (casado com Ruth de Abreu Pinheiro Guimarães, filha de Wanda e Florêncio de Abreu e Silva; sobrinha de d. Darcy)
Frank Garcia
Frank Rocha
Franzen de Lima • João *Franzen de Lima*
Fróes • Álvaro *Fróes da Fonseca*
Frota • José Arthur da *Frota Moreira*
Frota Aguiar • Anésio *Frota Aguiar*
Frota Moreira • José Arthur da *Frota Moreira*
Fulano de Tal Castro • *Josué* Apolônio *de Castro*
Fulano de Tal Meira • *Otávio* Augusto de *Bastos Meira*
Fulismina • Apelido dado por Maneco Vargas a Alzira
Fulvio Morganti
Fundação Anchieta • Instituição benemerente criada por Alzira, durante a interventoria de Ernani Amaral Peixoto no Estado do Rio de Janeiro.
Fundação Darcy Vargas • Instituição sem fins lucrativos (criada em 1940 por Darcy Vargas. Teve inicialmente o nome de Casa do Pequeno Jornaleiro)
Fundação de Casas Populares • Criada em 5/1946 pelo governo Dutra com a finalidade de centralizar a política habitacional. Seu projeto começou a ser gestado ainda durante o Estado Novo
Fundação Getulio Vargas • Criada em 20/12/1944 no Rio de Janeiro por Luiz Simões Lopes, com a finalidade de empreender estudos e pesquisas nas áreas de administração pública e privada
Fundação Getúlio Vargas de Marília • Getulio refere-se à Organização Getúlio Vargas, de Marília (SP)

G
G... • Pedro Aurélio de *Góes Monteiro*
Gabriel • *Gabriel* de Resende *Passos* • ([de 17 a 20/6/1949]; [entre 30/6 e 1/7/1949]; 5/8/1949)
Gabriel • *Gabriel Monteiro Silva* • (8/10/1946; 22/10/1946; [de 18 a 19/11/1946])
Gabriel • (não identificado) • (secretário de Getulio em S. Borja) • ([de 19 a 21/9/1947]; 27/9/1947; [de 12 a 14/10/1947]; [de 17 a 23/10/1947]; [de 27 a 29/11/1947]; 23/6/1948; 28/6/1948; 4/7/1948; [de 5 a 7/7/1948]; 27/8/1948; 29/8/1948; 8/12/1948; 25/12/1948; 13/2/1949; [de 23 a 25/8/1949]; 13/12/1949)
Gabriel Moacyr • *Gabriel* Pedro *Moacyr*
Gabriel Monteiro • *Gabriel Monteiro da Silva*

Gabriel Passos • *Gabriel* de Resende *Passos*
Gabriella • *Gabriella Besanzoni* Lage
Gabriella Besanzoni • *Gabriella Besanzoni* Lage
Gal. Afonseca • *Luís de Sá Afonseca*
Gal. Alexander • *Harold* Rupert Leofric George *Alexander*
Gal. Espírito Santo • *Augusto Inácio do Espirito Santo Cardoso*
Gal. Firmo • *Firmo Freire* do Nascimento
Gal. *Florêncio de Abreu Pereira* • *Florêncio* Carlos *de Abreu Pereira*
Gal. Góes • Pedro Aurélio de *Góes Monteiro*
Gal. Lott • *Henrique* Batista Duffles *Teixeira Lott*
Gal. Sampaio • *Raimundo Sampaio*
Galega • Alda Motta Trois, *dita* (sobrinha de d. Darcy; filha de Alda Sarmanho Motta e de Periandro Malveiro Dornelles da Motta; casada com Syrio Trois)
Galvão • *Georges Galvão*
Gama Filho • (não identificado)
Garnisé • Alzira e Vargas referem-se a *João Neves da Fontoura*
Gashypo • *Gashypo das Chagas Pereira*
Gasparinos • Adeptos de Eurico Gaspar Dutra
Gastal • (não identificado)
Gastão • *Gastão Fontella* (cunhado de Spartaco Dornelles Vargas)
Gastão Fontella • (cunhado de Spartaco Dornelles Vargas)
Gê • *Getulio* Dornelles *Vargas*
Gegê • *Getulio* Dornelles *Vargas*
General • *Antônio José de Lima Câmara* • (11/9/1947)
General • *Canrobert Pereira da Costa* • (3/4/1950)
General • *Eurico Gaspar Dutra* • ([de 8 a 9/12/1947]; 21/11/1950)
General • *Florêncio* Carlos *de Abreu Pereira* • (23/2/1949)
General • Renato Onofre *Pinto Aleixo* • (7/3/1950; 10/3/1950)
General *Ângelo Mendes de Moraes* • *Ângelo Mendes de Moraes*
General *Canrobert Pereira da Costa* • *Canrobert Pereira da Costa*
General da Banda • Alzira refere-se possivelmente ao gen. *Ângelo Mendes de Moraes*
General Dutra • *Eurico Gaspar Dutra*
General Estillac • Newton *Estillac Leal*
General *Estillac Leal* • Newton *Estillac Leal*
General *Eurico Gaspar Dutra* • *Eurico Gaspar Dutra*
General Firmo • *Firmo Freire* do Nascimento
General Lott • *Henrique* Batista Duffles *Teixeira Lott*
General Newton • *Newton* de Andrade *Cavalcanti*
General *Newton Cavalcanti* • *Newton* de Andrade *Cavalcanti*
General P. Góes • Pedro Aurélio de *Góes Monteiro*
General *Pedro Cavalcanti* • *Pedro* de Alcântara *Cavalcanti* de Albuquerque
General Pepito • (apelido dado pelo dep. Barreto Pinto ao gen. Góes Monteiro)
General *Pinto Aleixo* • Renato Onofre *Pinto Aleixo*
General Trujillo • *Rafael* Leónidas *Trujillo* Molina

General Zenóbio • Euclides *Zenóbio Costa*
Gentil • *Gentil Ribeiro*
Gentil Ribeiro
Georges • *Georges Galvão*
Georges Galvão
Georgino • José *Georgino* Alves de Sousa *Avelino*
Georgino Avelino • José *Georgino* Alves de Sousa *Avelino*
Geraldo • Antônio *Geraldo Rocha* Filho • (6/5/1950)
Geraldo • *Geraldo Moreira* • ([de 13 a 17/5/1946]; 9/6/1949; 19/10/1949)
Geraldo Rocha • Antônio *Geraldo Rocha* Filho
Gerardo Amaral • (primo de Ernani do Amaral Peixoto)
Gervasio Seabra
Getulinho • *Getulio* Dornelles *Vargas* • ([de 10 a 11/5/1948])
Getulinho • *Getulio Vargas da Costa Gama* (neto de Getulio; filho de Jandyra Vargas da Costa Gama e Ruy da Costa Gama) • (17/1/1946; [de 6 a 9/8/1948]; 31/8/1948; 10/12/1948; 20/12/1948; 18/2/1949; [de 11 a 17/3/1949]; 30/3/1949; 22/6/1950; 15/10/1950)
Getulinho • *Getulio Vargas Filho* (filho de Darcy e Getulio, morto em 1943) • ([entre 15 e 24/12/1948])
Getulio-Nereu • Chapa eleitoral *Getulio* Dornelles *Vargas-Nereu* de Oliveira *Ramos*
Gianetti • *Américo Renê Gianetti*
Gil Pereira
Gilberto • *Gilberto Crockatt de Sá*
Gilberto Amado • *Gilberto* de Lima Azevedo Souza Ferreira *Amado* de Faria
Gilberto Marinho
Gilberto Sá • *Gilberto Crockatt de Sá*
Gileno • *Gileno de Carli*
Gileno de Carli
Giselle • Giselle Monfort (personagem central do folhetim de David Nasser, publicado pelo jornal *Diário da Noite* em 1948)
Glasfira • *Glasfira Correia da Silva Vargas* (cunhada de Getulio; segunda mulher de Protasio Dornelles Vargas)
Glicério • *Glicério Alves* de Oliveira
Góes • Pedro Aurélio de *Góes Monteiro*
Góes Monteiro • Pedro Aurélio de *Góes Monteiro*
Golpe Góes-Oswaldo • Golpe de Pedro Aurélio de *Góes Monteiro-Oswaldo* Euclides de Souza *Aranha*
Gondim • Manuel José *Gondim da Fonseca*
Gonzaga • (não identificado) • (possivelmente codificado)
Gordo • Alzira refere-se a *Artur de Souza Costa*
Gostosão • Alzira refere-se a *Adhemar* Pereira *de Barros* • (6/5/1950)
Gostosão • Getulio e Alzira referem-se a *Ernani* do *Amaral Peixoto* • (18/2/1949; 22/2/1949; 6/3/1949; [de 11 a 17/3/1949])
Gostosão • *Getulio* Dornelles *Vargas* • (1/1/1950)
Governador do Ernani • *Edmundo de Macedo Soares* e Silva

Governador Macedo Soares • *Edmundo de Macedo Soares* e Silva
Governanta severa • *Eurico Gaspar Dutra*
Governo do Ernesto • Governo *Ernesto Dornelles*
Governo Dutra • Governo *Eurico Gaspar Dutra*
Governo Jobim • Governo *Walter Só Jobim*
Governo Linhares • Governo *José Linhares*
Governos Washington-Dutra • Governo *Washington Luiz* Pereira de Souza e Governo *Eurico Gaspar Dutra*
Grabois • *Maurício Grabois*
Graciela • *Graciela* Vargas do *Amaral Peixoto* (cunhada de Alzira; casada com Raul do Amaral Peixoto)
Granja do Jango • *Granja São Vicente*, de propriedade de *João* Belchior Marques *Goulart*
Granja São Vicente • Propriedade de *João* Belchior Marques *Goulart*
Grão de Bico • Alzira e Getulio referem-se a *Eurico Gaspar Dutra*
Gratuliano Brito • *Gratuliano* da Costa *Brito*
Gregório • *Gregório* Fortunato
Grupo anti-Baeta • Grupo *anti-Paulo Baeta Neves*
Grupo Baeta • Grupo *Paulo Baeta Neves*
Grupo Baeta-Nelson-Ciampolini • Grupo *Paulo Baeta Neves-Nelson Fernandes-Cassio Ciampolini*
Grupo Benedito • Grupo *Benedito Valadares* Ribeiro
Grupo *Carlos Luz* • Grupo *Carlos* Coimbra da *Luz*
Grupo Cirilo • Grupo *Carlos Cirilo Junior*
Grupo do Baeta • Grupo do *Paulo Baeta Neves*
Grupo do Etelvino • Grupo do *Etelvino Lins* de Albuquerque
Grupo do Góes • Grupo do Pedro Aurélio de *Góes Monteiro*
Grupo Estillac • Grupo Newton *Estillac Leal*
Grupo Euzébio • Grupo *Euzébio* Martins da *Rocha* Filho
Grupo Euzébio-Frota • Grupo *Euzébio* Martins da *Rocha* Filho-José Arthur da *Frota Moreira*
Grupo Juracy • Grupo *Juracy* Montenegro *Magalhães*
Grupo Klabin • Grupo empresarial controlado desde a década de 1930 pelos primos Wolf Klabin, Horácio Lafer e Samuel Klabin através da Klabin, Irmãos e Cia. (KIC)
Grupo Lafer • Parte do grupo empresarial Klabin, controlado pelos primos Wolf Klabin, Horácio Lafer e Samuel Klabin através da Klabin, Irmãos e Cia. (KIC)
Grupo Larragoiti • Controlado por Antonio Sanchez de Larragoiti, proprietário e presidente da Companhia Sul-América Seguros, fundada em 1895
Grupo Lodi • Grupo *Euvaldo Lodi*
Grupo Mangabeira-Juracy • Grupo *Otávio Mangabeira-Juracy* Montenegro *Magalhães*
Grupo Marcondes (do PTB) • Grupo *Alexandre Marcondes* Machado *Filho*
Grupo Nelson • Grupo *Nelson Fernandes*
Grupo Nelson-Borghi • Grupo *Nelson Fernandes-Hugo Borghi*

Grupo Nereu • Grupo *Nereu* de Oliveira *Ramos*
Grupo paimsista • Grupo de adeptos de *Firmino Paim Filho*
Grupo salgadista • Grupo de adeptos de *João Pedro Salgado Filho*
Grupo Salgado • Grupo de adeptos de *Joaquim Pedro Salgado Filho*
Grupo Simonsen • Conglomerado de empresas controladas por Mário *Wallace Simonsen*, entre elas a Comal e a Wasim Trading Co.
Grupo Zé • Grupo liderado por *José Eduardo de Macedo Soares*
Guaracy • *Guaracy Frota*
Guaracy Frota
Gudin • *Eugenio Gudin* Filho
Guilayn • *Martin Guilayn*
Guilhem • Henrique *Aristides Guilhem*
Guilherme Arinos • *Guilherme Arinos* Lima Verde de Barroso Franco
Guilherme da Silveira • Manuel *Guilherme da Silveira* Filho
Guillobel • *Renato* de Almeida *Guillobel*
Gulizia • *Salvador Gulizia*
Gurgel • Francisco *Gurgel do Amaral* Valente
Gurgel do Amaral • Francisco *Gurgel do Amaral* Valente
Gurizada • netos de Vargas: *Getulio Vargas da Costa Gama, Edith Maria Vargas da Costa Gama, Cândida Darcy Vargas* e *Celina Vargas do Amaral Peixoto*
Gustavo • *Gustavo* Dodt *Barroso* • (17/3/1948)
Gustavo • *Gustavo de Matos*, rei momo • ([de 11 a 17/3/1949])
Gustavo Barroso • *Gustavo* Dodt *Barroso*
Gustavo Gordo • *Gustavo de Matos*, rei momo
Guttenfrend • *Armando Guttenfrend*

H
Hamilton • *Hamilton* de Lacerda *Nogueira*
Hamilton Leal
Hamilton Nogueira • *Hamilton* de Lacerda *Nogueira*
Hamilton Xavier
Heckel • (não identificado)
Heitor Gurgel • *Heitor* Luiz do Amaral *Gurgel*
Helena Maria • *Helena Maria Brasil*
Hélio • *Hélio de Macedo Soares* e Silva
Hélio da Morena • Hélio Leães, dito (casado com Maria de Lurdes, a Morena, sobrinha de d. Darcy; filha de Alda Sarmanho e Periandro Malveiro Dornelles da Motta)
Hélio Macedo Soares • *Hélio de Macedo Soares* e Silva
Hélio Walcacer • Helio Lins *Walcacer*
Helvécio • *Helvécio Xavier Lopes*
Helvécio Xavier • *Helvécio Xavier Lopes*
Helvécio Xavier Lopes
Henrique • *Henrique* de Toledo *Dodsworth* Filho

Henrique Dodsworth • Henrique de Toledo *Dodsworth* Filho
Henrique Lage
Henrique Novais • *Henrique* de *Novais*
Heráclides • *Heráclides* Fontenelle de Oliveira
Herbert Levy • *Herbert* Vítor *Levy*
Hermes • *Hermes* Lima
Hermes Lima
Hidal • Emílio *Hidal*
Hilda • *Hilda* Maciel
Hildebrando • *Hildebrando* de Araújo *Góes*
Hildebrando Góes • *Hildebrando* de Araújo *Góes*
Hildebrando Jr. • *Hildebrando* de Araújo *Góes Junior*
Hilton Santos
Himalaia Virgulino • Honorato *Himalaia Virgulino*
Hime • *Francis* Walter *Hime*
Homem das notinhas • Gentil Ribeiro
Homem do Barata • Homem de Joaquim de *Magalhães* Cardoso *Barata*
Honório Monteiro • *Honorio* Fernandes *Monteiro*
Horácio • Quinto *Horácio* Flaco (pensador romano)
Horácio Lafer
Horta • Oscar *Pedroso Horta*
Hugo • *Hugo* de Oliveira *Ramos*
Hugo Borghi
Hugo Ramos • *Hugo* de Oliveira *Ramos*
Hugo Silva
Humberto • *Humberto* Ramos
Humberto Ramos

I
Ícaro • *Ícaro Sidow*
Ícaro Sidow
Ilacir • *Ilacir Pereira Lima*
Ilacir-Ataíde-Próspero • *Ilacir Pereira Lima*-Walter Geraldo de Azevedo *Ataíde*-Antônio *Próspero*
Ilka • *Ilka Labarthe* Hidal
Ilka Labarthe • *Ilka Labarthe* Hidal
Imbassahy • Augusto *Imbassahy*
Infiltração ademarista • Infiltração de *Adhemar* Pereira *de Barros*
Inge • *Ingeborg* Anita Elizabeth ten *Haef* (ex-mulher de Luthero Sarmanho Vargas)
Ingeborg • *Ingeborg* Anita Elizabeth ten *Haef* (ex-mulher de Luthero Sarmanho Vargas)
Iris Valls • *Iris* Ferrari *Valls*, também chamado na correspondência por Lírio do Vale
Irmão do Leopoldo • (não identificado) • Irmão de *Leopoldo Tavares da Cunha Melo*

Irmão do Neves • *Floriano Neves da Fontoura*
Irmão do usineiro Pereira Pinto • (não identificado) • Irmão de *Jorge Pereira Pinto*
Irmãos do Góes • *Ismar* e *Silvestre Péricles de Góes Monteiro*, irmãos de Pedro Aurélio de *Góes Monteiro*
Irmãos Ismar e Péricles • *Ismar* e *Silvestre Péricles de Góes Monteiro*
Irmãos Leonel • *Jaime* e *José Ataliba Leonel*
Irmãs Batista • Linda e Dircinha Batista, *ditas*
Isa • *Isa Fernandes*
Isabel • (não identificado) • (babá de Celina)
Ismar • *Ismar de Góes Monteiro*
Ismar Góes • *Ismar de Góes Monteiro*
Ismar Góes Monteiro • *Ismar de Góes Monteiro*
Ismenia dos Santos
Isnard • *Isnard de Castro Neves*
Isnard Castro Neves • *Isnard de Castro Neves*
Israel • *Israel Pinheiro* da Silva • ([de 14 a 16/7/1948]; [de 21 a 22/4/1949]; 2/9/1949)
Israel • *Israel Ramiro de Souto* (casado com Lígia Vargas Souto, sobrinha de Vargas, filha de Protasio Dornelles Vargas e Alaíde de Mesquita Vargas) • ([de 10 a 11/5/1948]; 29/8/1948; 18/11/1948; [de 12 a 14/8/1949]; e 21/9/1949)
Itu • Fazenda do Itu, de propriedade de Getulio, situada no município de Itaqui (RS)
Ivair • *Ivair Nogueira* Itagiba
Ivete • Cândida *Ivete Vargas* Martins (filha de Newton Barbosa Tatsch e de Cândida Vargas Tatsch; e neta de Viriato Dornelles Vargas)
Ivetinha • Cândida *Ivete Vargas* Martins (filha de Newton Barbosa Tatsch e de Cândida Vargas Tatsch; e neta de Viriato Dornelles Vargas)
Ivo Arruda
Ivo d'Aquino • *Ivo d'Aquino* Fonseca
Ivo de Aquino • *Ivo d'Aquino* Fonseca

J
J. • Alzira e Getulio referem-se possivelmente a *Jesuíno* Carlos de *Albuquerque*
J. C. Ferraz • *José Cândido Ferraz*
J. Co. S. Paulo • (não identificado) • (Anotação de Alzira ao final de uma carta do pai)
J. E. • Alzira refere-se possivelmente a *José Eduardo de Macedo Soares*
J. Guimarães • *João Guimarães*
J. Neves • *João Neves da Fontoura*
J. Olympio • *José Olympio* Pereira Filho
J. P. • (não identificado)
J. S. • Alzira refere-se possivelmente a *Joel Silveira*
Jacques Offenbach
Jaime Ataliba Leonel
Jaime Leonel • *Jaime Ataliba Leonel*

Jan • *Jandyra Vargas da Costa Gama*
Janary • *Janary* Gentil *Nunes*
Jandyra • *Jandyra Vargas da Costa Gama* (filha de Darcy Sarmanho e Getulio Vargas; casada com Ruy da Costa Gama)
Jango • *João* Belchior Marques *Goulart*
Jean Manzon
Jefferson Santiago
Jesuíno • *Jesuíno* Carlos de *Albuquerque*
Jesuíno de Albuquerque • *Jesuíno* Carlos de *Albuquerque*
Joana • (não identificado) • Dita Joaninha do Itu
Joaninha do Itu • (não identificado)
João • *João Alberto* Lins de Barros • ([de 18 a 29/12/1947]; [de 3 a 6/5/1949])
João • *João Neves da Fontoura* • (17/1/1946)
João • *João Zaratini* • (9/1/1946)
João • (não identificado) • (da Agência Keystone) • (19/10/1950)
João Adão Alves
João Alberto • *João Alberto* Lins de Barros
João Borges
João Carlos Vital
João Chiese
João Daudt • *João Daudt* de Oliveira
João Duarte • *João Duarte* Filho
João Duarte Filho
João Emílio • *João Emílio* Falcão Costa
João Goulart • *João* Belchior Marques *Goulart*
João Guimarães • *João* Antônio de Oliveira *Guimarães*
João Guimarães Rosa
João Lescarlato
João Lima • *João Lima* Guimarães
João Luiz • *João Luiz* de Carvalho
João Luiz de Carvalho
João Machado
João Neves • *João Neves* da Fontoura
João Pessoa • *João Pessoa* Cavalcanti de Albuquerque
João Pinto
João Zaratini
Joaquim • (não identificado) • (membro da equipe do Palácio Guanabara) • (17/1/1946)
Joaquim • *Joaquim* de Oliveira *Ramos* • ([de 6 a 9/8/1948])
Joaquim Pedro Salgado Filho
Joaquim Ramos • *Joaquim* de Oliveira *Ramos*
Job • *Francisco de Paula Job*
Jobim • *Walter* Só *Jobim*
Jobim candidato • *Walter* Só *Jobim* candidato
Jobim-Barbosa Lima • *Walter* Só *Jobim*-Alexandre José *Barbosa Lima* Sobrinho
Jobzinho • *Francisco de Paula Job*

Joel • *Joel Presídio* de Figueiredo
Joel Presídio • *Joel Presídio* de Figueiredo
Joel Silveira
Johnson • (não identificado)
Jones • *Jones* dos Santos *Neves*
Jones Santos Neves • *Jones* dos Santos *Neves*
Jorge Acosta
Jorge de Lima
Jorge Santos
Jorge Vidal
Jório • *Jório Pessoa* Cavalcanti de Albuquerque
Jório Pessoa • *Jório Pessoa* Cavalcanti de Albuquerque
Jornal dos capitães • Jornal de *Luís* Fernandes *Vergara*, Alberto de *Andrade Queiroz* e José de *Queiroz Lima*
José • *José Ataliba Leonel* • ([de 11 a 17/3/1949])
José • (não identificado) • (possivelmente codificado) • ([de 20 a 21/8/1947]; 2/1/1948)
José • Getulio refere-se possivelmente a José Diogo *Brochado da Rocha* • (4/1/1948)
José Adão Alves
José Augusto • *José Augusto Varela*
José Azeredo
José Barbosa
José Carlos • *José Carlos de Macedo Soares*
José Carlos de Macedo Soares
José Carlos Macedo Soares • *José Carlos de Macedo Soares*
José Carlos P. Pinto • José Carlos *Pereira Pinto*
José Conrado Veiga
José Diogo • José Diogo *Brochado da Rocha*
José do Egito • (personagem bíblico)
José Duarte
José Eduardo • *José Eduardo de Macedo Soares*
José Eduardo de Macedo Soares
José Leonel • *José Ataliba Leonel*
José Linhares
José Luiz do Prado
José Maria Belo
José Olympio • *José Olympio* Pereira Filho
José Pessoa • *José Pessoa* Cavalcanti de Albuquerque
José Vicente Linhares
Josué • *Josué* Apolônio *de Castro*
Josué de Castro • *Josué* Apolônio *de Castro*
Jovens Silveiras • Grupo do Banco do Brasil, ligado a Manuel *Guilherme da Silveira* Filho
Juarez • *Juarez* do Nascimento Fernandes *Távora*
Juca B. Cintra • Alzira refere-se possivelmente a José Pinheiro de *Ulhoa Cintra* (enteado de Eurico Gaspar Dutra)

Juca Burro • Alzira refere-se possivelmente a José Pinheiro de *Ulhoa Cintra* (enteado de Eurico Gaspar Dutra)
Júlio • *Júlio Santiago* • ([de 1 a 7/2/1948]; 11/2/1948; 19/2/1948; 4/3/1948; 17/3/1948; 24/3/1948; 29/3/1948; 2/4/1948; 2/6/1949; 9/6/1949; 26/6/1949; [de 16 a 18/10/1949]; 22/10/1949; 8/12/1949; 30/11/1950; 6/12/1950)
Júlio • *Júlio* Strubing *Müller* • (7/11/1950; 9/11/1950)
Júlio Barata • Júlio de Carvalho *Barata* • ([de 14 a 22/3/1946])
Julio Barbosa
Julio Mesquita • *Julio de Mesquita* Filho
Júlio Müller • *Júlio* Strubing *Müller*
Júlio Santiago
Júlio Soares
Junqueira • *José Junqueira*
Junqueirinha • *José Junqueira*
Juracy • *Juracy* Montenegro *Magalhães*
Juscelino • *Juscelino Kubitschek* de Oliveira
Juvenil • (não identificado)

K
Kastrup • *Luís F. Kastrup*
Kelly • José Eduardo *Prado Kelly*
Knox • *Frank Knox*
Kós • (não identificado)

L
L. • (não identificado) • (11/9/1947)
L... • Getulio refere-se a João *Batista Luzardo* • (29/8/1949)
[L. L.?] • (não identificado) • ([de 14 a 15/8/1948])
La Rocque • Henrique de *La Rocque* Almeida
Ladislau • *Ladislau Abreu*
Lafayette • Antonio Carlos *Lafayette de Andrada*
Lafer • *Horácio Lafer*
Lago • *Luís Lago* de Araújo
Lamartine Babo • *Lamartine* de Azeredo *Babo*
Lameira • João Guilherme *Lameira Bittencourt*
Lameira Bittencourt • João Guilherme *Lameira Bittencourt*
Lana Turner • Julia Jean Mildred Frances Turner, *dita* (atriz cinematográfica)
Landulfo • *Landulfo Alves* de Almeida
Landulfo Alves • *Landulfo Alves* de Almeida
Landulfo-Lourival • *Landulfo Alves* de Almeida-*Lourival Fontes*
Larragoiti • *Antônio Sanchez de Larragoiti*
Laudelino • *Laudelino* de Oliveira *Freire*
Laudo de Camargo • *Laudo* Ferreira *de Camargo*
Lavínia • *Lavínia* de Abreu e Silva *Falcão* (sobrinha de d. Darcy; filha de

Wanda Sarmanho e Florêncio de Abreu e Silva; casada com Fernando Falcão)
LEC • Liga Eleitoral Católica
Lee • *Robert Lee*
Leila Cunha
Leivas Otero • *Augusto Leivas Otero*
Lemos • (não identificado)
Leodegario • *Leodegario Ludgero de Souza*
Leone Machado
Leonel • *José Ataliba Leonel*
Leonel Brizola • *Leonel* de Moura *Brizola*
Leonidas • (não identificado)
Leopoldo • *Leopoldo Tavares da Cunha Melo*
Levy Carneiro • *Levy* Fernandes *Carneiro*
Levy Neves
Licurgo • *Licurgo Ramos da Costa*
Lígia • *Lígia* de Mesquita *Vargas Souto* (sobrinha de Getulio; filha de Protasio Dornelles Vargas; casada com Israel Ramiro de Souto)
Lima • *João Lima Guimarães*
Lima Câmara • *Antônio José de Lima Câmara*
Lima Cavalcanti • *Carlos de Lima Cavalcanti*
Lima Figueiredo • *José de Lima Figueiredo*
Lincoln Feliciano • *Lincoln Feliciano da Silva*
Lindenberg • *Carlos* Fernando Monteiro *Lindenberg*
Linhares • *José Linhares*
Lino da local • (não identificado)
Lino Machado • *Lino* Rodrigues *Machado*
Lins • Alzira refere-se possivelmente a *Etelvino Lins* de Albuquerque • (11/8/1948)
Lírio • Getulio e Alzira referem-se a *Iris* Ferrari *Valls*
Lírio do Vale • Getulio refere-se a *Iris* Ferrari *Valls*
Livraria Francisco Alves (Rio de Janeiro)
Livraria José Olympio (Rio de Janeiro)
Lodi • *Euvaldo Lodi*
Lopes • (não identificado)
Lorena • Eduardo *Vergueiro de Lorena*
Lourdes • *Lourdes Junqueira*
Lourdes Lima • (filha de Waldomiro Castilho de Lima; prima de d. Darcy)
Lourdes Praia Grande
Lourdes R. • Maria de *Lourdes Rosemburg*
Loureiro • *José Loureiro da Silva*
Lourenço • Manoel Bergstron *Lourenço Filho*
Lourenço Jorge • Álvaro *Lourenço Jorge*
Lourival • *Lourival Fontes*
Lourival Fontes
Lourival Maciel • *Lourival Antunes Maciel*
Louro • Alzira refere-se a *Lourival Fontes*

Lousada • *Francisco D'Alamo Lousada*
Lucas Nogueira Garcez
Lucia • *Lucia Magalhães* (do PTB)
Lucia Magalhães • Maria *Lucia* de Andrade *Magalhães* (proprietária do Colégio São Fernando) • ([de 22 a 24/3/1949])
Lucia Magalhães (do PTB) • (27/3/1950)
Lúcio • Carlos Alberto *Lúcio Bittencourt* • (5/8/1950)
Lúcio • *Lúcio* Martins *Meira* • ([de 12 a 14/2/1946])
Lúcio Bittencourt • Carlos Alberto *Lúcio Bittencourt*
Lúcio Correa
Lúcio Meira • *Lúcio* Martins *Meira*
Ludovico • *Pedro Ludovico* Teixeira
Luís F. Kastrup
Luís Paes Leme • *Luís* Pinheiro *Paes Leme*
Luiz • *Luiz Simões Lopes*
Luiz Pinto
Luiz Simões • *Luiz Simões Lopes*
Luiz Simões Lopes
Luiz Viana • *Luís Viana Filho*
Luiz Vieira
Lulu Aranha • *Luiz* de Freitas Vale *Aranha*
Lupion • *Moisés Lupion* de Troya
Lupo [?] • (não identificado)
Lura [?] • (não identificado)
Lurdes • (não identificado)
Luta Adhemar-Novelli • Luta *Adhemar* Pereira de *Barros-Luís Gonzaga Novelli Júnior*
Luta Correa e Castro x Guilherme da Silveira • Luta Pedro Luís *Correa e Castro* x Manuel *Guilherme da Silveira* Filho
Luta Estillac • Luta de Newton *Estillac* Leal
Luthero • *Luthero* Sarmanho *Vargas* (filho mais velho de Darcy Sarmanho e Getulio Vargas)
Lutz • *Marinho Lutz*
Luz • *Carlos* Coimbra da *Luz*
Luzardo • João *Batista Luzardo*
Lyra • *José Pereira Lyra*

M
M. • Alzira refere-se a *João Mangabeira* • (5/10/1950)
M. • Getulio refere-se a *Maria* de Lourdes Alves *Martins* Pereira e Sousa • ([de 7 a 9/9/1949])
M. • (não identificado) • (27/1/1946; [de 3 a 5/2/1946])
M. • Getulio refere-se possivelmente a *José Carlos de Macedo Soares* • (24/1/1946)
M. N. • Getulio refere-se possivelmente ao major *Newton* de Feliciano *Santos*
M. N. Santos • major *Newton* de Feliciano *Santos*

Mac[ilegível] • (não identificado)
Macedo • *Edmundo de Macedo Soares* e Silva • (24/10/1946)
Macedo • *José Carlos de Macedo Soares* • ([de 12 a 14/2/1946]; [de 28/3 a 5/4/1946])
Macedo • *José Eduardo de Macedo Soares* • ([de 12 a 14/2/1946]; 18/9/1946; [de 1 a 5/8/1947]; 29/12/1948)
Macedo Soares • *José Carlos de Macedo Soares* • (24/1/1946; 17/2/1946)
Macedo Soares • (não identificado) • ([de 10 a 11/5/1948])
Machado Coelho • José *Machado Coelho* de Castro
Machado Guimarães • Alfredo *Machado Guimarães* Filho
Maciel • *Carlos Maciel* • (7/12/1948; 8/12/1948; [de 21 a 22/4/1949]; [de 28 a 29/4/1949]; [de 3 a 6/5/1949]; [de 22 a 25/5/1949]; 25/5/1949; [de 26 a 29/8/1949]; 16/3/1950; [de 22 a 23/3/1950]; 23/4/1950; 24/6/1950; 28/7/1950; 17/10/1950; 1/11/1950)
Maciel • *José Soares Maciel Filho* • (9/1/1946; [de 13 a 15/1/1946]; 17/1/1946; [de 23 a 25/1/1946]; 1/2/1946; [de 3 a 8/2/1946]; [de 3 a 5/2/1946]; [de 12 a 14/2/1946]; [de 24 a 28/2/1946]; [de 14 a 22/3/1946]; [de 16 a 20/3/1946]; [de 28/3 a 5/4/1946]; 31/3/1946; [de 30/4 a 3/5/1946]; [de 5 a 6/5/1946]; 12/5/1946; [de 13 a 17/5/1946]; 10/9/1946; 19/9/1946; 23/9/1946; 3/10/1946; 14/10/1946; 15/10/1946; 17/10/1946; 22/10/1946; 22/10/1946; 28/10/1946; 28/10/1946; [entre out.-nov./1946]; [entre out.-nov./1946]; [entre out.-nov./1946]; 1/11/1946; 8/11/1946; 8/11/1946; 9/11/1946; 16/11/1946; [de 18 a 19/11/1946]; 21/11/1946; 22/11/1946; 23/11/1946; 23/11/1946; 7/7/1947; 9/7/1947; 15/7/1947; 16/7/1947; [de 17 a 18/7/1947]; 22/7/1947; [de 1 a 5/8/1947]; 3/8/1947; 5/8/1947; 7/8/1947; 11/8/1947; 18/8/1947; [de 20 a 21/8/1947]; 1/9/1947; 4/9/1947; 13/9/1947; [de 19 a 21/9/1947]; 27/9/1947; 2/10/1947; 3/10/1947; 8/10/1947; [de 12 a 14/10/1947]; [de 17 a 23/10/1947]; [de 18 a 23/10/1947]; [entre 18 e 29/10/1947]; 24/10/1947; 21/11/1947; 25/11/1947; [de 27 a 29/11/1947]; 29/11/1947; 30/11/1947; 6/12/1947; [de 8 a 9/12/1947]; 11/12/1947; 13/12/1947; [de 18 a 29/12/1947]; 24/12/1947; [de 4 a 9/1/1948]; [de 7 a 10/1/1948]; 15/1/1948; [de 16 a 20/1/1948]; 27/1/1948; [de 1 a 7/2/1948]; 19/2/1948; [de 8 a 11/5/1948]; [de 10 a 11/5/1948]; 31/5/1948; 10/6/1948; 13/6/1948; 15/6/1948; 16/6/1948; 23/6/1948; 28/6/1948; [de 5 a 7/7/1948]; [de 14 a 16/7/1948]; 17/7/1948; 28/7/1948; 2/8/1948; 7/8/1948; 20/8/1948; 12/9/1948; [de 2 a 3/10/1948]; 27/11/1948; 20/12/1948; 25/12/1948; 29/12/1948; 3/1/1949; [de 17 a 18/1/1949]; 14/2/1949; 21/2/1949; 28/2/1949; [de 11 a 17/3/1949]; 17/3/1949; [de 3 a 6/5/1949]; 16/5/1949; [de 8 a 19/7/1949]; 31/7/1949; [de 5 a 6/9/1949]; [de 28/9 a 2/10/1949]; [de 16 a 18/10/1949]; 22/10/1949; 7/3/1950; 10/3/1950; 27/3/1950; 12/4/1950; 13/4/1950; [de 14 a 15/4/1950]; 18/4/1950; 10/5/1950; 6/6/1950; 14/6/1950; 11/7/1950; 20/12/1950)
Maciel • Alzira e Getulio referem-se possivelmente a *Carlos Maciel* • (11/9/1947; 29/1/1949; 28/3/1950)
Maciel • Alzira e Getulio referem-se possivelmente a *José Soares Maciel Filho* • ([de 13 a 15/1/1946]; 11/9/1947; [de 3 a 6/5/1949]; [de 16 a 18/10/1949]; 22/10/1949)
Maciel (Carlos) • *Carlos Maciel* • (1/4/1949)
Maciel Filho • *José Soares Maciel Filho* • (9/9/1946; 16/4/1950)
Magalhães Castro • Luiz Gonzaga de *Magalhães Castro*
Magalhães Pinto • José de *Magalhães Pinto*
Magalhães Pinto, o outro • *Valdomiro de Magalhães Pinto*

Major • *Newton* de Feliciano *Santos*
Major da PM • (não identificado)
Major Newton • *Newton* de Feliciano *Santos*
Major Newton ou Nilton • *Newton* de Feliciano *Santos*
Major Newton Santos • *Newton* de Feliciano *Santos*
Major Nilton • *Newton* de Feliciano *Santos*
Major ou coronel Costa Leite • (não identificado)
Malasartes • Alzira refere-se a Edmundo *Barreto Pinto*
Mamãe • *Darcy* Sarmanho *Vargas*
Maneco • *Manoel Antônio* Sarmanho *Vargas* (filho de Darcy Sarmanho e Getulio Vargas)
Manequinho • (não identificado)
Mangaba • *Otávio Mangabeira*
Mangabeira • Alzira refere-se possivelmente a *João Mangabeira* • ([de 12 a 13/9/1947])
Mangabeira • *Otávio Mangabeira* • ([de 3 a 8/2/1946]; 6/2/1946; [de 12 a 14/2/1946]; 19/2/1946; [de 24 a 26/2/1946]; [de 14 a 22/3/1946]; [de 28/3 a 5/4/1946]; [de 5 a 6/5/1946]; 12/5/1946; 29/5/1946 (à noite); 9/9/1946; 18/9/1946; 23/9/1946; 22/10/1946; [de 17 a 18/7/1947]; [de 1 a 5/8/1947]; 25/11/1947; 11/12/1947; [de 7 a 10/1/1948]; 17/3/1948; 20/8/1948; 29/8/1948; [de 3 a 7/2/1949]; 18/2/1949; 8/3/1949; 28/3/1949 (à noite); 7/4/1949; [de 12 a 14/5/1949]; 9/6/1949; [de 17 a 20/6/1949]; 8/7/1949; 19/7/1949; [de 24 a 27/7/1949]; 3/8/1949; 8/8/1949; 4/11/1950; 7/11/1950)
Mangabeira e Cia. • *Otávio Mangabeira* e Cia.
Manhães • Alzira e Getulio referem-se possivelmente a *Arquimedes Manhães*
Manhães Barreto • Benedito *Manhães Barreto*
Mano José Eduardo • *José Eduardo* de Macedo Soares
Mano Zé Carlos • *José Carlos* de Macedo Soares
Manobras beneditinas • Manobras de *Benedito Valadares* Ribeiro
Manoel • (não identificado) • (possivelmente codificado)
Manoel da Venda • (não identificado)
Manzon • *Jean Manzon*
Maquinações Chatô-Góes • Maquinações Francisco de *Assis Chateaubriand* Bandeira de Mello-Pedro Aurélio de *Góes Monteiro*
Marback • *Guilherme Carneiro da Rocha Marback*
Marc (joalheiro) • (não identificado)
Marcial • *Marcial Dias Pequeno* • (7/11/1950; 6/12/1950)
Marcial • *Marcial* Gonçalves *Terra* • (8/8/1949; 5/10/1949; 26/11/1949; 3/3/1950; 4/3/1950; 7/3/1950)
Marcial Terra • *Marcial* Gonçalves *Terra*
Marciano Dutra
Márcio Alves • *Márcio* de Melo Franco *Alves*
Marcondes • Alexandre *Marcondes* Machado *Filho*
Marechal Floriano • *Floriano* Vieira *Peixoto*
Margarida Hirschmann
Maria • *Maria* de Lourdes Alves *Martins* Pereira e Sousa • ([19 a 21/9/1947]; 17/3/1948; 29/3/1948; 7/1/1949; 18/2/1949; 22/2/1949; 17/3/1949; [de 22 a 24/3/1949];

30/3/1949; 21/8/1949; 4/9/1949; 23/9/1949; 16/4/1950; 10/12/1950)
Maria • *Maria Maciel* • (18/8/1947; [de 17 a 23/10/1947])
Maria • *Maria Motta Spínola* e Castro (sobrinha de Darcy; filha de Alda Sarmanho e Periandro Malveiro Dornelles da Motta; casada com Aloysio Spínola e Castro) • (3/10/1947; [de 6 a 9/8/1948]; 29/8/1948; 31/8/1948; 12/9/1948; [de 25 a 27/9/1948]; 3/12/1948; 1/4/1949)
Maria Alencastro • *Maria Luzia Moreira Guimarães*
Maria do João • (não identificado)
Maria Luiza • *Maria Luiza* Pereira Pinto do *Amaral Peixoto* (casada com Augusto Amaral Peixoto Jr.; cunhada de Alzira)
Maria Luiza Amaral Peixoto • *Maria Luiza* Pereira Pinto do *Amaral Peixoto* (cunhada de Alzira; casada com Augusto do Amaral Peixoto Jr.)
Maria Martins • *Maria* de Lourdes Alves *Martins* Pereira e Sousa
Maria Motta • *Maria Motta Spínola* e Castro (sobrinha de d. Darcy; filha de Alda Sarmanho e Periandro Malveiro Dornelles da Motta; casada com Aloysio Spínola e Castro)
Mariani • *Clemente Mariani* Bittencourt
Mariante • *Álvaro Guilherme Mariante*
Mario Aprile
Mário Bittencourt Sampaio
Mário Câmara • *Mário* Leopoldo Pereira da *Câmara*
Mario de Almeida
Mario Fonseca
Mário Ramos • *Mário de Andrade Ramos*
Mário Tavares
Mariz • *Severino* Barbosa *Mariz*
Marques dos Reis • João *Marques dos Reis*
Marrey • *José Adriano Marrey Junior*
Marshall • *George* Catlett *Marshall* Jr.
Marte • (não identificado) • (possivelmente codificado, ligado a Dutra ou ao Ministério da Guerra)
Martinelli • Giuseppe Martinelli, dito *José Martinelli*
Martins • *Carlos Martins* Pereira e Sousa
Marx • *Karl* Heinrich *Marx*
Mascarenhas • João Batista *Mascarenhas de Moraes*
Mascarenhas de Moraes • João Batista *Mascarenhas de Moraes*
Massena • *Nestor Massena*
Matarazzo • *Francisco Matarazzo Jr.*
Match Nereu x Canrobert • *Match Nereu* de Oliveira *Ramos* x *Canrobert Pereira da Costa*
Matinha • (não identificado)
Matta • *Abelardo* dos Santos *Matta*
Mauro • *Mauro Renault Leite*
Mauro de Freitas
Mauro Renault • *Mauro Renault Leite*
Max Leitão

467

Máximo Linhares
Maynard • *Augusto Maynard Gomes*
Medeiros • (não identificado) • (possivelmente codificado)
Medeiros Netto • Antônio de Garcia *Medeiros Netto*
Medina • (não identificado) • (da antiga equipe do Palácio Guanabara)
Meira • *Lúcio* Martins *Meira*
Melo Viana • Fernando de *Melo Viana*
Mello Barreto • (não identificado)
Mendes • *Ângelo Mendes de Moraes*
Mendes de Moraes • *Ângelo Mendes de Moraes*
Mendonça • João de *Mendonça Lima*
Mendonça Lima • João de *Mendonça Lima*
Meneses Pimentel • Francisco *Meneses Pimentel*
Mercio • *Camilo Teixeira Mercio*
Mergulhão • *Benedito* Mansos *Mergulhão*
Mestre Ataulfo • *Ataulfo* Nápoles *de Paiva*
Mestre Bincas • Getulio refere-se possivelmente a Valentim Bouças
Mestre Epitácio • *Epitácio Pessoa Cavalcanti de Albuquerque*
Mestre Junqueira • *José Junqueira*
Mestre Kelly • José Eduardo *Prado Kelly*
Mestre Mangaba • *Otávio Mangabeira*
Mestre Segadas • José de *Segadas Viana*
Mestre Vergara • *Luís* Fernandes *Vergara*
Mestre Vitorino • *Vitorino* de Brito *Freire*
Meu suplente • Getúlio refere-se a *Camilo Teixeira Mercio*
Michelet • *Carlos O. Michelet*
Miguel • *Miguel Teixeira*
Miguel Couto • *Miguel Couto Filho*
Miguel Miranda
Miguel Reale
Miguel Teixeira
Milliet • *José Milliet Filho*
Milton • *Milton Soares Campos*
Milton Campos • *Milton Soares Campos*
Milton de Carvalho
Milton Santana • *Milton Soares de Santana*
Milton versus Benedito • *Milton Soares Campos versus Benedito Valadares Ribeiro*
Mimi Bilontra • Apelido dado ao gen. Góes Monteiro pelo dep. Barreto Pinto em suas memórias
Ministro Orosimbo do STF • *Orosimbo Nonato da Silva*
Miranda • (não identificado)
Missão Alvim • Missão José Joaquim de *Sá Freire Alvim*
Missão Benedito • Missão *Benedito Valadares* Ribeiro
Missão Brochado • Missão Francisco de Paula *Brochado da Rocha*
Missão João Alberto • Missão *João Alberto* Lins de Barros

Missão Salgado • Missão *Joaquim Pedro Salgado Filho*
Missão Souza Costa • Missão *Artur de Souza Costa*
Mme. Pompadour • Jeanne-Antoinette Poisson, marquesa de Pompadour, *dita*
Mme. Viana do Castelo • *Mme. Carmem Viana do Castelo*
Moleque Medeiros • Antônio de Garcia *Medeiros Netto*
Moleque *Melo Viana* • Fernando de *Melo Viana*
Montesquieu • Charles-Louis de Secondat, barão de La Brède e de *Montesquieu*, *dito*
Morato • *Francisco* Antonio de Almeida *Morato*
Morena • Maria de Lourdes Motta Leães, *dita* (sobrinha de d. Darcy; filha de Alda Sarmanho e Periandro Malveiro Dornelles da Motta) • (21/8/1949)
Morena • Palmarina Taisses Sarmanho, *dita* (cunhada de d. Darcy; primeira mulher de Walder de Lima Sarmanho) • (4/8/1949; [de 26 a 29/8/1949]; [de 28/9 a 2/10/1949]; 29/9/1949)
Moreira da Rocha • Crisanto *Moreira da Rocha*
Morinigo • *Higinio Morinigo*
Morvan • *Morvan Dias de Figueiredo*
Moses • *Herbert Moses*
Moura Andrade • *Auro* Soares de *Moura Andrade*
Moura Brasil • Nelson *Moura Brasil* do Amaral • ([de 26 a 27/10/1949])
Moura Brasil • Oswaldo *Moura Brasil* do Amaral • ([de 3 a 6/5/1949])
Mozart Antunes Maciel
Mozart Lago • *Mozart* Brasileiro Pereira do *Lago*
Mr. Truman • *Harry S. Truman*
Munhoz • Bento *Munhoz da Rocha* Neto
Munhoz da Rocha • Bento *Munhoz da Rocha* Neto
Munhoz do Paraná • Bento *Munhoz da Rocha* Neto
Muniz • *Antonio Guedes Muniz*

N
Naná • Iná Rey Dornelles Vargas, *dita* (casada com Omar Mesquita Vargas, sobrinho de Getulio)
Não sei o quê Rosa • *João Guimarães Rosa*
Napoleão • *Napoleão de Alencastro Guimarães*
Narcélio de Queiroz
Negrão • Francisco *Negrão de Lima* • ([de 29 a 30/11/1950]; 6/12/1950)
Negrão • Otacílio *Negrão de Lima* • (8/1/1946; 17/1/1946; 23/9/1946)
Negrão • (não identificado) • (9/6/1950; 21/6/1950)
Negrão de Lima • Francisco *Negrão de Lima* • (2/8/1948)
Negrão de Lima • Otacílio *Negrão de Lima* • (29/11/1947)
Nehemias Gueiros
Nello • (não identificado)
Nelson • *Nelson de Mello* • ([de 3 a 8/2/1946])
Nelson • *Nelson Fernandes* • (17/1/1946; [de 23 a 25/1/1946]; [de 28/3 a 5/4/1946]; 7/8/1947; 1/9/1947; [de 17 a 23/10/1947]; 25/11/1947; 29/11/1947; 11/12/1947; [de 3

a 4/2/1948]; 26/5/1948; 3/7/1948; [de 5 a 7/7/1948]; [de 6 a 9/8/1948]; 20/8/1948; 29/8/1948)
Nélson de Aquino
Nelson de Mello
Nelson Fernandes
Nelson Hungria • *Nelson* Guimarães Hoffbauer *Hungria*
Nelson Moura Brasil • Nélson *Moura Brasil* do Amaral
Nelson Rego
Nenette Castro • Claudinetti Seraphine Tissier de Castro, *dita*
Nereu • *Nereu* de Oliveira *Ramos*
Nereu Ramos • *Nereu* de Oliveira *Ramos*
Nereu-Agamenon • *Nereu* de Oliveira *Ramos-Agamenon* Sérgio Godói de *Magalhães*
Nereusistas • Adeptos de *Nereu* de Oliveira *Ramos*
Nero • *Nero Moura*
Neto Campelo • Manuel *Neto* Carneiro *Campelo* Júnior
Netto dos Reis • *Luís Leal Netto dos Reis*
Neusa • *Neusa Goulart Brizola*
Neves • *Alfredo da Silva Neves*. (18/9/1946; 3/10/1946; 21/11/1946; [de 16 a 20/1/1948]; [de 28 a 29/2/1948]; 18/2/1949; [de 3 a 6/5/1949]; 6/6/1950; 10/6/1950)
Neves • *João Neves da Fontoura* • (5/1/1946; 8/1/1946; [de 13 a 15/1/1946]; [de 23 a 25/1/1946]; 1/2/1946; [de 3 a 8/2/1946]; [de 12 a 14/2/1946]; 17/2/1946; [de 24 a 26/2/1946]; [de 14 a 22/3/1946]; [de 16 a 20/3/1946]; [de 28/3 a 5/4/1946]; [de 30/4 a 3/5/1946]; [de 5 a 6/5/1946]; 29/5/1946 (p/ ler na viagem)]; 18/9/1946; 8/11/1946; 8/3/1949; 9/3/1949; [de 11 a 17/3/1949]; [de 22 a 24/3/1949]; 28/3/1949 (à noite); [de 28/ a 29/4/1949]; [de 12 a 14/5/1949]; [de 25 a 27/5/1949]; 4/6/1949; [de 6 a 8/6/1949]; 12/6/1949; [de 12 a 15/6/1949]; [de 17 a 20/6/1949]; 24/6/1949; 26/6/1949; 26/6/1949; [de 26 a 29/6/1949]; 3/7/1949; 5/7/1949; [de 8 a 19/7/1949]; 8/7/1949; 19/7/1949; 23/7/1949; [de 24 a 27/7/1949]; 31/7/1949; 3/8/1949; 3/8/1949; [de 12 a 14/8/1949]; 21/8/1949; [de 7 a 9/9/1949]; 5/10/1949; 26/11/1949; 6/3/1950; 7/3/1950; 11/3/1950; 14/3/1950; 16/3/1950; 31/3/1950; 2/4/1950; 3/4/1950; 24/4/1950; 26/4/1950; 27/4/1950; 6/5/1950; 15/6/1950; 18/5/1950; [de 19 a 21/5/1950]; [de 3 a 5/6/1950]; 6/6/1950; 9/6/1950; 10/6/1950; 12/6/1950; 14/6/1950; 17/6/1950; 22/6/1950; 27/6/1950; 2/7/1950; 4/7/1950; 5/7/1950; 8/7/1950; 9/7/1950; 11/7/1950; 12/7/1950; 13/7/1950; 14/7/1950; 15/7/1950; [de 16 a 18/7/1950]; 21/7/1950; 24/7/1950; [de 24 a 25/7/1950]; 25/7/1950; 27/7/1950; 1/8/1950; 5/8/1950; 13/8/1950; 28/9/1950; 10/10/1950; 11/10/1950; 7/11/1950; 6/12/1950; 18/12/1950; 20/12/1950)
New York Times • Diário norte-americano fundado em 18/9/1851
Newton • *Newton* de Andrade *Cavalcanti*. (3/4/1950; 29/5/1950; 1/11/1950; 4/11/1950; 7/11/1950)
Newton • *Newton* de Feliciano *Santos* • ([de 6 a 9/8/1948]; 20/8/1948; 29/8/1948; 25/5/1949; [de 25 a 27/5/1949]; [de 17 a 19/10/1949]; 2/11/1949; 5/4/1950; 18/4/1950; 14/6/1950; 24/6/1950; 27/6/1950; [de 28 a 29/6/1950]; [entre 30/6 e 1/7/1950]; 2/7/1950; 3/7/1950; 9/7/1950; 11/7/1950; [de 16 a 18/7/1950]; 27/7/1950; 23/8/1950; 10/10/1950; 25/11/1950; 6/12/1950)

Newton Cavalcanti • *Newton* de Andrade *Cavalcanti*
Newton Santos • *Newton* de Feliciano *Santos*
Nico • (não identificado)
Niemeyer • *Oscar* Ribeiro de Almeida *Niemeyer* Soares Filho
No tempo do Linhares • No tempo de *José Linhares*
Nobre • *Fernando* de Almeida *Nobre* Filho
Noé • (não identificado) • (empregado da fazenda)
Nogueira da Gama • Camillo *Nogueira da Gama*
Nonô • *Augusto* do Amaral *Peixoto* Junior (cunhado de Alzira)
Nora • *Nora* Yolanda *Martins Pereira de Souza* (filha de Carlos e Maria Martins Pereira de Souza; afilhada de casamento de Getulio)
Nora Martins • *Nora* Yolanda *Martins Pereira de Souza* (filha de Carlos e Maria Martins Pereira de Souza; afilhada de casamento de Getulio)
Noraldino • *Noraldino* Lima
Norat • *Frederico Norat*
Norweb • *R. Henry Norweb*
Nosso amigo Soares • Alzira refere-se possivelmente a *José Soares Maciel Filho*
Nosso Big • Alzira refere-se possivelmente a *Joaquim Pedro Salgado Filho*
Novais • Antonio de *Novais* Filho • (12/5/1946; [de 18 a 19/11/1946]; [de 12 a 14/5/1949]; 10/5/1950)
Novais • *Manuel* Cavalcanti de *Novais* • (30/9/1946)
Novelinho • *Luís Gonzaga Novelli Junior*
Novelli • *Luís Gonzaga Novelli Júnior*
Novo patrão • *Eurico Gaspar Dutra* • (22/5/1946; 9/7/1947)
Núncio • *Carlo Chiarlo* (dom)

O

O Calamitoso • Alzira refere-se a *Artur* da Silva *Bernardes*
O Garoto • Alzira refere-se a *Epitácio Pessoa Cavalcanti de Albuquerque*
O Girafa • Alzira refere-se possivelmente ao gen. *Ângelo Mendes de Moraes*
O Globo • Jornal carioca fundado por *Irineu Marinho* Coelho de Barros em 29/7/1925
O Glorioso • Alzira refere-se possivelmente ao PTB
O governador • *Edmundo de Macedo Soares* e Silva
O Imparcial • Diário matutino carioca lançado em 28/5/1935 por *José Soares Maciel Filho*. Deixou de circular em 14/2/1942
O Lago da Bahia • *Luís Lago* de Araújo
O Majoritário • Partido Social Democrático (*PSD*)
O Marechal • João Batista *Mascarenhas de Moraes*
O Mundo • Diário matutino carioca fundado por Antonio *Geraldo Rocha* em 9/1947 e extinto em 10/1957
O Outro Luiz (o Vergara) • *Luiz* Fernandes *Vergara*
O Partido • Partido Trabalhista Brasileiro (*PTB*)
O Piolho • Alzira refere-se a sua filha Celina
O Radical • Diário matutino carioca fundado em 1/6/1932 e extinto em 19/10/1954

O teu general • Alzira refere-se a *Eurico Gaspar Dutra*
O. da Rocha Melo
Obino • *Salvador César* Obino
Odette • *Odette* Pinto *Valadares*
Odilon • *Odilon* Duarte *Braga*
Odilon Batista • *Odilon* Duarte *Batista*
Odilon Braga • *Odilon* Duarte *Braga*
Olavo de Oliveira
Olegário • *Olegário Mariano* Carneiro da Cunha
Olegário Mariano • *Olegário Mariano* Carneiro da Cunha
Olinto Fonseca • *Olinto Fonseca* Filho
Oliveira • (não identificado) • ([de 12 a 14/2/1946]; 4/3/1946)
Omar • *Omar Dornelles* (primo de Getulio; filho de Ernesto Francisco Dornelles; irmão de Ernesto Dornelles) • (27/1/48)
Omar • *Omar Mesquita Vargas* (sobrinho de Getulio; filho de Protasio Dornelles Vargas e Alaíde Mesquita Vargas) • ([de 1 a 7/2/1948]; [de 10 a 11/5/1948])
Omar Dornelles • (primo de Getulio; filho de Ernesto Francisco Dornelles; e irmão de Ernesto Dornelles)
Ondina • *Ondina* Correia da Silva *Vargas* (cunhada de Getulio; primeira mulher de Benjamim Dornelles Vargas; irmã de Glasfira Correia da Silva Vargas)
Ordens líricas • Ordens referentes a *José Pereira Lyra*
Organização Lage • Conjunto de empresas controladas por Henrique Lage e incorporadas ao patrimônio da União após seu falecimento.
Orlando • *Orlando Leite Ribeiro* • ([de 30/4 a 3/5/1946])
Orlando • (não identificado) • (secretário de Agamenon Magalhães) • (5/10/1950)
Orlando Leite Ribeiro
Ornellas • (não identificado)
Os ademaristas • Adeptos de *Adhemar* Pereira *de Barros*
Os associados • (não identificado) • (possivelmente codificado)
Os Borghi • Adeptos de *Hugo Borghi*
Os Cordeiros • Oswaldo *Cordeiro de Farias* e Gustavo *Cordeiro de Farias*
Os de Vicq • Família *de Vicq* de Cumptich
Os dois manos Macedo Soares • *José Carlos de Macedo Soares* e *José Eduardo de Macedo Soares*
Os dois S. S. • Joaquim Pedro *Salgado Filho* e José de *Segadas Viana*
Os irmãos Ismar e Péricles • *Ismar de Góes Monteiro* e *Silvestre Péricles de Góes Monteiro*
Os Larragoiti • Antonio Sanchez de Larragoiti Jr. e Rosalina Coelho Lisboa
Os Maquis • *Nereu* de Oliveira *Ramos*, *Agamemnon* Sérgio Godói de *Magalhães*, *Carlos Cirilo Junior*, João *Batista Luzardo*, *Ernani* do *Amaral Peixoto*
Os Peixoto • Ernani do Amaral Peixoto, Alzira e Celina • (23/12/1948)
Os Pessoa • Alzira refere-se a *José* e *Fernando Pessoa de Queiroz*
Os Queirozes • Alberto de *Andrade Queiroz* e José de *Queiroz Lima*
Os Távora • Alzira refere-se à família Nascimento Távora (Juarez, Fernandes Távora e outros) e seus adeptos dentro da UDN
Os Velhos • Alice e Augusto do Amaral Peixoto, pais de Ernani

Os Vergueiro • Tradicional família da política paulista
Os Vitorinos • Partidários de *Vitorino* de Brito *Freire*
Osa • (não identificado) • Tia Rosa (na linguagem infantil de Celina)
Oscar • (não identificado)
Oscar Costa
Oscar Passos
Oscar Stevenson • *Oscar* Penteado *Stevenson*
Oséas • *Oséas Martins*
Oséas Martins
Osmar • (não identificado)
Osvaldo Junqueira • *Osvaldo Junqueira* Ortiz Monteiro
Oswaldo • *Oswaldo* Euclides de Souza *Aranha*
Oswaldo Aranha • *Oswaldo* Euclides de Souza *Aranha*
Oswaldo Cordeiro • Oswaldo *Cordeiro* de Farias
Oswaldo Costa
Oswaldo Furst
Oswaldo Lima • *Oswaldo* Cavalcanti da Costa *Lima*
Otacílio • *Otacílio Negrão de Lima*
Otacílio Negrão de Lima
Otávio • *Otávio Rodrigues Maia* • (3/7/1948)
Otávio • (não identificado) • ([de 24 a 26/2/1946])
Otávio Mangabeira
Otávio Paranaguá
Otávio Silveira
Otavio Sousa Dantas
Otelo • (não identificado)
Otero • *Augusto Leivas Otero*
Othelo Rosa • *Othelo* Rodrigues *Rosa*
Othon • *Othon* Lynch *Bezerra de Mello*
Othon Bezerra de Mello • *Othon* Lynch *Bezerra de Mello*
Othon L. Bezerra • *Othon* Lynch *Bezerra de Mello*
Otto • *Otto Bezerra de Mello*
Otto Bezerra de Mello
Ovídio • *Ovídio* Xavier *de Abreu*
Ovídio Abreu • *Ovídio* Xavier *de Abreu*
Ovídio de Abreu • *Ovídio* Xavier *de Abreu*

P
P. Aleixo • *Pedro Aleixo*
P. E. • *Polícia Especial*
Pablo Palitos • Pedro Pablo Seguer, *dito*
Pacheco • (não identificado) • (empregado da família Vargas-Amaral Peixoto) • ([de 18 a 29/12/1947])
Pacheco • (não identificado) • (repórter de *O Globo* e de *Diretrizes*) • (20/4/1949; 7/5/1949; 14/5/1949; 2/6/1949)

Padre • Antônio Ribeiro Pinto (padre) • (25/11/1947)
Padre • Olímpio de Melo • (8/1/1946; 9/1/1946; 17/1/1946)
Padre • (não identificado) • (23/3/1948)
Padre Olímpio • Olímpio de Melo
Padre Olímpio de Melo
Padre Pedron • João Pedron
Padre Pinto • Antônio Ribeiro Pinto
Pai de santo • Alzira refere-se possivelmente ao professor Menotti Carnicelli
Paim • Firmino Paim Filho
Pajé • (não identificado) • (possivelmente codificado)
Palestra Dutra-Ernani • Palestra Eurico Gaspar Dutra-Ernani do Amaral Peixoto
Palhaço da Constituinte • Edmundo Barreto Pinto
Palmeiro • (não identificado)
Palombo • (não identificado)
Pandiá • (não identificado)
Pangloss • (personagem da peça Cândido ou O Otimista, de Voltaire)
Papaizinho • Newton Barbosa Tatsch (casado com Cândida Dornelles Vargas, filha de Viriato Dornelles Vargas, e pai de Cândida Ivete Vargas Tatsch)
Paquet • Renato Paquet
Paranaguá • Nourival Paranaguá de Andrade • (1/2/1946; [de 28/3/ a 5/4/1946]; [de 30/4 a 3/5/1946]; 13/9/1950)
Paranaguá • Otávio Paranaguá • (1/11/1950)
Paranaguá de Andrade • Nourival Paranaguá de Andrade
Paranhos • Daruiz Rosés Paranhos de Oliveira
Paredes • Joaquim Inocêncio de Oliveira Paredes
Partido C.C.G. • Alzira refere-se ao grupo de maior intimidade do presidente Dutra como Copa e Cozinha do Palácio Guanabara
Partido Comunista • Então Partido Comunista do Brasil (PCB)
Partido do Vitorino • Partido Social Trabalhista (PST)
Partido Orientador Trabalhista (POT)
Partido Trabalhista • Partido Trabalhista Brasileiro (PTB)
Pasqualini • Alberto Pasqualini
Pataco (tio) • Spartaco Dornelles Vargas (irmão de Getulio) • (na linguagem infantil de Celina)
Patrão • Getulio Dornelles Vargas • ([de 28/3/ a 5/4/1946]; 21/11/1946; [de 11 a 17/3/1949]; [de 20 a 21/4/1949]; 6/12/1950)
Patrão • (não identificado) • (possivelmente codificado) • (7/6/1949)
Patroa • Darcy Sarmanho Vargas
Paulina • (não identificado) • (empregada da Fazenda do Itu)
Paulito Nogueira • Paulo Nogueira Filho
Paulo • Paulo da Silva Fernandes • (4/9/1947; [de 19 a 21/9/1947]; 27/9/1947; 8/10/1947; [de 12 a 14/10/1947])
Paulo • Paulo Pinheiro • ([de 22 a 25/5/1949])
Paulo Baeta Neves
Paulo Barata Ribeiro

Paulo Bittencourt
Paulo de Almeida Lima
Paulo Fernandes • Paulo da Silva *Fernandes*
Paulo Lira
Pavão • Alzira refere-se possivelmente a *Nereu* de Oliveira *Ramos*
Pawley • *William* Douglas *Pawley*
PC • Então Partido Comunista do Brasil
PCB • Partido Comunista do Brasil
Pearson • Andrew Russel Pearson, dito *Drew Pearson*
Pedro • *Pedro Brando*
Pedro Aleixo
Pedro Aurélio • Pedro Aurélio de *Góes Monteiro*
Pedro Batista • *Pedro Batista Martins*
Pedro Batista Martins
Pedro Brando
Pedro Ernesto • *Pedro Ernesto* Batista
Pedro Firmeza • *Pedro* de Brito *Firmeza*
Pedro Melo • (casado com Zulmira Motta Melo, filha de Alda Sarmanho e Periandro Malveiro Dornelles da Motta, sobrinha de d. Darcy)
Pedro Pomar • *Pedro* Ventura de Araújo *Pomar*
Pedro Raymundo
Pedroso • *José* Correia *Pedroso Júnior* • (19/11/1946; 11/9/1947; [de 17 a 23/10/1947]; 29/11/1947; 11/12/1947)
Pedroso • *José Pedroso* Teixeira da Silva • (1/11/1950)
Pedroso • Oscar *Pedroso Horta* • ([de 28 /3 a 5/4/1946]; 9/11/1946)
Pedroso Horta • Oscar *Pedroso Horta*
Pedroso Júnior • *José* Correia *Pedroso Júnior* • (25/11/1947; 29/11/1947; [de 16 a 20/1/1948])
Peixoto • (não identificado) • (copiloto) • (7/7/1947)
Peixoto • *Ernani* do *Amaral Peixoto* (marido de Alzira) • (18/2/1949; 13/7/1949; 3/10/1949; 2/11/1949; 11/11/1949; [de 19 a 21/12/1949]; 1/1/1950; 3/4/1950; 23/4/1950)
Pereira Lyra • *José Pereira Lyra*
Periandro (tio) • *Periandro Malveiro Dornelles da Motta* (casado com Alda Sarmanho, irmã de d. Darcy)
Perón • *Juan Domingo Perón*
Pessoa • *José Pessoa* Cavalcanti de Albuquerque
Pessoa de Queiroz • *Fernando Pessoa de Queiroz*
Pessoal Dutra • Pessoal de *Eurico Gaspar Dutra*
Pestana • *Clóvis Pestana*
Piano de Cauda • Alzira e Getulio referem-se a *José Carlos de Macedo Soares*
Píffero • *Jorge Haroldo* Monteiro *Píffero*
Pilla • *Raul Pilla*
Pimentel Brandão • *Mário de Pimentel Brandão*
Pimpinela • (não identificado)
Pinóquio • (não identificado)
Pinto • (não identificado) • (envia mudas e sementes) • ([de 11 a 17/3/1949];

30/3/1949; 7/4/1949; 18/4/1949; 20/4/1949; [de 21 a 22/4/1949]; 22/4/1949; [de 28 a 29/4/1949]; [de 23 a 25/9/1949])

Pinto • (não identificado) • ([de 4 a 9/1/1948])

Pinto • (não identificado) • (portador de cartas) • ([de 23 a 25/1/1946]; 26/1/1946; 1/2/1946; [de 3 a 5/2/1946]; [de 3 a 8/2/1946]; 17/2/1946; 2/6/1949)

Pinto • (não identificado) • (vem para o Rio na comitiva de Getulio) • ([de 13 a 17/5/1946]; 29/5/1946)

Pinto Aleixo • Renato Onofre *Pinto Aleixo*

Pinto Lima • *Armando Pinto de Lima*

Piolhada • (netos de Getulio e Darcy Vargas: *Getulio Vargas da Costa Gama*; *Edith Maria da Costa Gama*, *Cândida Darcy Vargas* e *Celina Vargas do Amaral Peixoto*)

Pires do Rio • José *Pires do Rio*

Pitinha • Alzira refere-se a *Epitácio Pessoa Cavalcanti de Albuquerque*

Piza • *Wladimir de Toledo Piza*

Plano Guilhermino • Plano de Manuel *Guilherme da Silveira* Filho

Plano Maciel • Plano de *José Soares Maciel Filho*

Plano Marshall • Plano norte-americano para a reconstrução de países europeus após a Segunda Guerra Mundial

Plínio • *Plínio Salgado*

Plínio Barreto

Plínio Cavalcanti • *Plínio Cavalcanti* de Albuquerque

Plínio Salgado

Polichinelo do Estado do Rio • Getulio refere-se a *Hugo Silva*

Pombo • (não identificado)

Pompadour da República • (não identificado)

Porfírio • José *Porfírio da Paz*

Porfírio Paz • José *Porfírio da Paz*

POT • Partido Orientador Trabalhista

PR • Partido Republicano

Prado Kelly • José Eduardo *Prado Kelly*

Prefeito • *Ângelo Mendes de Moraes*

Presidente Danton • Presidente *Danton Coelho*

Presidente do Uruguai • *Luís* Conrado *Batlle* Berres

Presidente uruguaio • *Luís* Conrado *Batlle* Berres

Presídio • *Joel Presídio* de Figueiredo

Prestes • *Luís Carlos Prestes*

Prestes Maia • Francisco *Prestes Maia*

Primeiro vice • Primeiro vice do PSD-RJ, *Alfredo da Silva Neves* • (6/6/1950)

Primeiro vice • Primeiro vice do PTB, *Danton Coelho* • (14/7/1950)

Primo do Baeta • primo do *Paulo Baeta Neves*, Antonio Machado Baeta Neves

Pró-Adhemar • Pró-*Adhemar* Pereira *de Barros*

Pró-*Artur Pires*

Pró-Brigadeiro • Pró-Brigadeiro *Eduardo Gomes*

Pró-Canrobert • Pró-*Canrobert* Pereira *da Costa*

Pró-Cirilo • Pró-*Carlos Cirilo Junior*

Pró-Cirilo Jr. • Pró-*Carlos Cirilo Junior*

Pró-Cristiano • Pró-*Cristiano* Monteiro *Machado*
Pró-Macedo Soares • Pró-*Edmundo de Macedo Soares* e Silva
Pró-Nereu • Pró-*Nereu* de Oliveira *Ramos*
Pró-Ovídio • Pró-*Ovídio* Xavier *de Abreu*
Pró-Pedroso Horta • Pró-Oscar *Pedroso Horta*
Pró-Salgado • Pró-*Joaquim Pedro Salgado Filho*
Prof. Costa Carvalho • (não identificado)
Prof. Gandarelli • (não identificado)
Prof. Lyra • *José Pereira Lyra*
Professor • *Menotti Carnicelli*
Professor Carne-seca • Alzira refere-se a *Menotti Carnicelli*
Professor Fróes • Álvaro *Fróes da Fonseca*
Professor Pereira Light • Alzira refere-se a *José* Pereira *Lyra*
Proposta Benê • Proposta de *Benedito Valadares* Ribeiro
Proposta Marcial • Proposta de *Marcial* Gonçalves *Terra*
Protasio (tio) • *Protasio* Dornelles *Vargas* (irmão de Getulio)
PRP • Partido de Representação Popular
PSD • Partido Social Democrático
PSP • Partido Social Progressista
PST • Partido Social Trabalhista
PTB • Partido Trabalhista Brasileiro
PTN • Partido Trabalhista Nacional

Q
Queiroz • Alberto de *Andrade Queiroz* • (18/2/1949)
Queiroz • José de *Queiroz Lima* • ([de 13 a 17/5/1946]; 7/7/1947; 4/8/1949; 21/6/1950; 9/7/1950; 11/7/1950; 12/7/1950; 6/12/1950)
Queiroz Lima • José de *Queiroz Lima*
Queremistas • Adeptos de *Getulio* Dornelles *Vargas*
Quitandinha • *Hotel Quitandinha*

R
Rafael Xavier • *Rafael* da Silva *Xavier*
Raimundo Z. Ferreira
Rapariguinha • Getulio refere-se a sua filha Alzira
Rapazinho • Alzira refere-se a *Epitácio Pessoa Cavalcanti de Albuquerque* • (31/7/1949; 8/8/1949)
Rapazinho • Alzira refere-se ao marido, *Ernani do Amaral Peixoto* • (17/3/1948)
Rapazinho • Alzira refere-se ao pai, *Getulio* • ([de 28/3 a 5/4/1946]; 10/5/1950)
Raul • *Raul do Amaral Peixoto* (cunhado de Alzira)
Raul Albuquerque
Raul Amaral Peixoto • *Raul do Amaral Peixoto* (cunhado de Alzira)
Raul Barbosa
Raul Brasil

Raul Fernandes
Raul Gomes de Mattos
Raulino • Silvio *Raulino de Oliveira*
Rebento Andradino • Alzira refere-se a Antônio Carlos *Lafayette de Andrada*
Regina • *Regina* Resende de *Castro Neves* (amiga de Alzira) • ([de 13 a 15/1/1946]; 21/2/1949; [de 22 a 24/3/1949]; [de 3 a 6/5/1949]; [de 18 a 20/5/1949]; [de 19 a 21/12/1949]; 12/4/1950)
Regina • *Regina Taisses Sarmanho* (sobrinha de d. Darcy; filha de Palmarina Taisses, *dita Morena*, e *Walder* de Lima *Sarmanho*) • (4/8/1949; [de 26 a 29/8/1949] e 29/9/1949)
Regina Castro Neves • *Regina* Resende de *Castro Neves*
Regina e Isnard • *Regina* Resende de *Castro Neves* e *Isnard Castro Neves*
Regininha • *Regina Taisses Sarmanho* (sobrinha de d. Darcy; filha de Palmarina Taisses, *dita Morena*, e *Walder* de Lima *Sarmanho*)
Régis • Luis *Régis Pacheco* Pereira
Regis Bittencourt • Edmundo *Regis Bittencourt*
Régis Pacheco • Luis *Régis Pacheco* Pereira
Rego Monteiro • Luís Augusto do *Rego Monteiro*
Rei Gaspar • Alzira refere-se a *Eurico Gaspar Dutra*
Relações Dutra-Linhares • Relações *Eurico Gaspar Dutra-José Linhares*
Renato • (não identificado)
Renato Feio • *Renato de Azevedo Feio*
Representante da Companhia • (não identificado) • (possivelmente codificado)
Revista • *Revista do Clube Militar*, criada em 15/11/1926, na administração do gen. João de Deus *Mena Barreto*, tendo deixado de circular em 1950 (por seis meses) e em 1964 (por cinco anos)
Revista da Semana • Semanário fundado por Álvaro de Teffé, com enfoque político, circulou entre 1900 e 1962
Ribeiro • *João* Batista *Ribeiro* de Andrade Fernandes • ([de 12 a 14/5/1949])
Ribeiro • (não identificado) • (possivelmente codificado) • ([de 20 a 21/8/1947])
Ribeiro Pena • José *Ribeiro Pena*
Ribeiro da Costa • *Álvaro* Moutinho *Ribeiro da Costa*
Rio Pardo • *Escola Militar de Rio Pardo*
Roberto • *Roberto Alves* • (27/8/1949; [entre 15 e 21/9/1949]; 13/12/1949; 9/6/1950)
Roberto • *Roberto* Teixeira da *Silveira* • (20/12/1950)
Roberto • (não identificado) • (da antiga equipe do Palácio Guanabara) • (17/1/1946)
Roberto Alves
Roberto Azul Marinho • Alzira refere-se a *Roberto Marinho*
Roberto Carneiro de Mendonça • Roberto Carlos Vasco *Carneiro de Mendonça*
Roberto de Vicq • *Roberto de Vicq* de Cumptich
Roberto Silveira • *Roberto* Teixeira da *Silveira*
Roberto Simonsen • *Roberto* Cochrane *Simonsen*
Rocha Lagoa • Francisco de Paula *Rocha Lagoa* Filho
Rockefeller • *Nelson* Aldrich *Rockefeller*
Rodanes • Alzira refere-se a *José Eduardo de Macedo Soares* invertendo a palavra senador

Rodolfo Valentino • Rudolfo Alfonso Raffaello Pierre Filibert Guglielmi di Valentina D'Antonguolla, *dito* • (ator cinematográfico)
Rolinha • Alzira refere-se a *Artur* da Silva *Bernardes*
Rolla • *Joaquim Rolla*
Romero • *Sílvio* Vasconcelos da Silveira Ramos *Romero*
Romero Estelita • *Romero Estelita* Cavalcanti Pessoa
Rompimento Novelli-Ademar • Rompimento *Luís Gonzaga Novelli Júnior--Adhemar* Pereira *de Barros*
Roosevelt • *Franklin Delano Roosevelt*
Rosa • (não identificado) • Tia Rosa (empregada da fazenda) • (23/11/1947; [de 26 a 29/8/1949])
Rosalina • *Rosalina Coelho Lisboa* Larragoiti
Ruben Berta • *Ruben* Martin *Berta*
Rubem Rosa • *Rubem* Machado da *Rosa*
Rubens • *Rubens Berardo* Carneiro da Cunha • (2/11/1950; 21/11/1950)
Rubens • *Rubens Antunes Maciel* • (17/3/1948)
Rubens • *Rubens Porto* • (6/12/1950)
Rubens Berardo • *Rubens Berardo* Carneiro da Cunha
Rubens Porto
Rubens Vidal de Araújo
Ruth • *Ruth de Abreu Pinheiro Guimarães* (sobrinha de d. Darcy; filha de Wanda Sarmanho e Florêncio de Abreu e Silva; casada com Francisco Elísio Pinheiro Guimarães)
Ruy • *Ruy Barbosa* de Oliveira • (2/11/1949)
Ruy • *Ruy Carneiro* • (17/2/1946; 23/8/1950)
Ruy • *Ruy da Costa Gama* (casado com Jandyra Vargas da Costa Gama) • ([de 24 a 28/2/1946]; 22/3/1946; 24/3/1946; [de 28/3 a 5/4/1946]; 31/3/1946; [de 3 a 4/2/1948]; 18/11/1948; 10/12/1948; [de 17 a 18/1/1949]; [de 28/1 a 6/2/1949]; [de 3 a 7/2/1949]; 21/2/1949; [de 11 a 17/3/1949]; 17/5/1949; [de 18 a 20/5/1949]; 4/6/1949; 16/8/1949)
Ruy • *Ruy de Cruz Almeida* • (22/7/1947; 18/8/1947; [de 12 a 13/9/1947]; 16/9/1947; [de 19 a 21/9/1947]; [de 17 a 23/10/1947]; 29/11/1947; [entre 5 e 6/12/1947]; 11/12/1947; [de 18 a 29/12/1947]; [de 16 a 20/1/1948]; 26/5/1948; 10/6/1948; 20/8/1948; 23/5/1949; 9/6/1949; 3/3/1950; 16/4/1950; 16/6/1950; 23/8/1950; 29/11/1950; 6/12/1950)
Ruy Almeida • *Ruy* de Cruz *Almeida*
Ruy Carneiro
Ruy de Almeida • *Ruy* de Cruz *Almeida*

S

S. E. • *Jayme* de Barros *Câmara* (dom)
S. Excia. • *Canrobert Pereira da Costa* • (3/4/1950; 13/10/1950)
S. Excia. • *Celina Vargas do Amaral Peixoto* (filha de Alzira e Ernani do Amaral Peixoto) • (8/11/1946; [de 1 a 5/8/1947]; [de 16 a 20/1/1948]; 19/2/1948; [de 28 a 29/2/1948]; 2/4/1948)
S. Excia. • *Epitácio Pessoa Cavalcanti de Albuquerque* • (23/2/1949)

S. Excia. • *Eurico Gaspar Dutra* • (2/10/1946; 3/10/1946; [de 17 a 18/7/1947]; 3/9/1947; [de 17 a 23/10/1947]; [de 3 a 4/2/1948]; [de 28 a 29/2/1948]; 17/3/1948; [de 14 a 16/7/1948]; [de 6 a 9/8/1948]; 11/8/1948; 29/8/1948; 29/11/1948; [de 17 a 18/1/1949]; [de 28/1 a 6/2/1949]; 18/2/1949; [de 11 a 17/3/1949]; [de 22 a 24/3/1949]; 28/3/1949 (à noite); 1/4/1949; 7/4/1949; [de 3 a 6/5/1949]; [de 12 a 14/5/1949]; 17/5/1949; [de 17 a 20/6/1949]; 1/7/1949; 8/7/1949; 19/7/1949; 3/8/1949; 21/8/1949; 2/9/1949; 12/9/1949; 23/9/1949; [de 28/9 a 2/10/1949]; 26/10/1949; 11/11/1949; [de 19 a 21/12/1949]; 2/3/1950; 3/3/1950; 7/3/1950; 13/4/1950; 18/4/1950; 24/4/1950; 6/5/1950; 10/5/1950; 21/11/1950; 20/12/1950)

S. Excia. • *Vitorino* de Brito *Freire* • (28/9/1950)

S. Excia. • (não identificado) • (7/8/1947)

S. Exma. • *Jayme* de Barros *Câmara* (dom)

S. Majestade • *Gustavo de Matos* (rei momo)

Sá Earp • *Fábio de Sá Earp*

Sá Filho • *Francisco Sá Filho*

Saddock • (não identificado)

Sagramor • *Sagramor De Scuvero* Martins

Salalino • *Salalino Coelho*

Salgado • *Joaquim Pedro Salgado Filho*

Salgado Filho • *Joaquim Pedro Salgado Filho*

Salim Chicrala

Salo Brand

Salzano • *Erlindo Salzano*

Sampaio • Antônio de *Sampaio Dória* • (16/1/1946)

Sampaio • *Raimundo Sampaio* • ([de 23 a 25/1/1946])

Sampaio Dória • Antônio de *Sampaio Dória*

Samuel • *Samuel* Vital *Duarte*

Samuel Wainer

Sancho • *Sancho Panza* (personagem do livro *Don Quixote de La Mancha*, de Miguel Cervantes)

Sancho Panza • (personagem do livro *Don Quixote de La Mancha*, de Miguel Cervantes)

Santiago • *Júlio Santiago* • ([de 28/3/ a 5/4/46]; 7/3/1948; 14/3/1948; [de 12 a 15/6/1949]; [de 23 a 25/9/1949]; [de 28/9 a 2/10/1949]; [de 17 a 19/10/1949]; 21/11/1950)

Santiago • *Santiago Pompeu* (casado com Alzira Sarmanho de Abreu e Silva, sobrinha de d. Darcy) • (29/9/1949)

Santiago Pompeu • (casado com Alzira Sarmanho de Abreu e Silva, sobrinha de d. Darcy)

Santos Reis • *Estância Santos Reis* (estância da família Vargas localizada no município de Itaqui, RS)

São Borja • (município do Rio Grande do Sul)

São Pedro • (apóstolo)

Sarmanho • *Walder* de Lima *Sarmanho* (irmão de d. Darcy; cunhado de Getulio)

Sarmento Barata • (não identificado) • ([de 14 a 22/3/1946])

Saturnino • *Saturnino Rangel Mauro*
Saturnino Braga • Francisco *Saturnino Braga*
Saulo Ramos • *Saulo* Saul *Ramos*
Savio • *Savio* Cotta de Almeida *Gama*
Savio Gama • *Savio* Cotta de Almeida *Gama*
Scarcela • José *Scarcela Portela*
Scarcela Portela • José *Scarcela Portela*
Scarpia gaúcho • (alusão a Vitellio Scarpia, personagem da ópera *Tosca*, de Giacomo Pucini)
Sebastião • *Sebastião de Castro Costa*
Sebastião de Castro Costa
Sebastião Leão
Secco • *Vasco Alves Secco*
Segadas • José de *Segadas Viana*
Segadas Viana • José de *Segadas Viana*
Segadas-Baeta • *José de Segadas Viana-Paulo Baeta Neves*
Segunda consciência • Getulio refere-se à filha Alzira
Sena Vasconcelos • José Carlos de *Sena Vasconcelos*
Senador • *Epitácio Pessoa Cavalcanti de Albuquerque* • (27/1/1948; 7/12/1950; 20/12/1950)
Senador • *Ernesto Dornelles* (filho do gen. Ernesto Francisco Dornelles, tio de Getulio, e de Amélia Rodrigues) • (14/3/1948; [de 2 a 3/10/1948])
Senador • *Getulio* Dornelles *Vargas* • ([de 17 a 23/10/1947]; 11/12/1947)
Senador • *José Eduardo de Macedo Soares* • (28/1/1949)
Senador • (não identificado) • (17/9/1950)
Senador da UDN • (não identificado)
Senador do PSD • *Filinto Müller*
Senador Ernesto • *Ernesto Dornelles* (filho do gen. Ernesto Francisco Dornelles, tio de Getulio, e de Amélia Rodrigues)
Senador *Góes Monteiro* • Pedro Aurélio de *Góes Monteiro*
Senador José Carlos P. Pinto • José Carlos *Pereira Pinto*
Senador pechisbeque • Alzira refere-se a *Vitorino* de Brito *Freyre*
Senador Salgado • *Joaquim Pedro Salgado Filho*
Senador São Sebas • Alzira refere-se possivelmente a *Napoleão de Alencastro Guimarães*
Senador Vitorino • *Vitorino* de Brito *Freyre*
Sepe • (não identificado)
Serafim • *Serafim Dornelles Vargas* (sobrinho de Getulio; filho de Viriato Dornelles Vargas e de Maria Balbina Nunes)
Sergio • (não identificado) • (filho da Auristalina)
Seu Fagundes • (não identificado)
Severino • *Severino Góis*
Severino Góis
Silva • (não identificado) • (da antiga equipe do Palácio Guanabara) • (9/1/1946; 17/1/1946)
Silva • *Antônio José da Silva* • (21/11/1946; 20/8/1948)

Silvestre • *Silvestre Péricles de Góes Monteiro*
Silvina • *Silvina Aguirre*
Silvio • *Silvio de Noronha*
Silvio Noronha • *Silvio de Noronha*
Silvio Pereira
Simões • *Luiz Simões Lopes*
Simões Filho • *Ernesto Simões* da Silva Freitas *Filho*
Simonsen • *Roberto* Cochrane *Simonsen*
Sinval • *Sinval Siqueira*
Siqueira • (não identificado) • (possivelmente trata-se de código usado por Alzira)
Sistema ademarista • Sistema de *Adhemar* Pereira *de Barros*
Snyder • *John Wesley Snyder*
Soares • *José Soares Maciel Filho* • (out./1946; 10/5/1950)
Soares • possivelmente *José Soares Maciel Filho* • (19/11/1946; [entre 20 e 21/8/1947]; [de 27 a 29/11/1947]; 2/1/1948; 4/1/1948; [de 16 a 20/1/1948]; 19/2/1948; [de 14 a 16/7/1948]; 28/7/1948; 2/8/1948; 11/8/1948; [de 14 a 15/8/1948]; 20/8/1948; 29/8/1948; 31/8/1948; 12/9/1948; [de 22 a 23/9/1948]; 7/12/1948; 10/12/1948; 21/1/1949; [de 28 a 29/4/1949]; [de 3 a 6/5/1949]; [de 18 a 20/5/1949]; [de 25 a 27/5/1949]; [de 6 a 8/6/1949]; 9/6/1949; 25/9/1949; 29/9/1949; [de 17 a 19/10/1949]; 17/11/1949; 16/3/1950; 18/3/1950; 24/3/1950; 27/3/1950; 31/3/1950; 2/4/1950; 5/4/1950; 16/4/1950; 23/4/1950; 24/4/1950; 28/4/1950; 5/5/1950; 10/5/1950; [de 19 a 21/5/1950]; 27/5/1950; 29/5/1950; 9/6/1950; 10/6/1950; 12/6/1950; 22/6/1950)
Soares Fº • *José Monteiro Soares Filho* • (1/11/1950)
Soares Sampaio • José *Soares Sampaio*
Sobral Pinto • Heráclito Fontoura *Sobral Pinto*
Sobrinho de Napoleão • *Eurico de Souza Gomes*
Solitário do Itu • *Getulio* Dornelles *Vargas*
Solução Cristiano • Solução *Cristiano* Monteiro *Machado*
Solução Dornelles • Solução *Ernesto Dornelles*
Solução Edmundo • Solução *Edmundo de Macedo Soares* e Silva
Souza Costa • *Artur de Souza Costa*
Souza Leão • *Eurico Souza Leão*
Spartaco Dornelles *Vargas* • (irmão de Getulio)
Sr. de Barros • *Adhemar* Pereira *de Barros*
Sr. Tercius • Pedro Aurélio de *Góes Monteiro*
Sra. Bley • *Alzira* Herondina Donat *Bley*
Sra. Perón • María *Eva* Duarte de *Perón*, dita *Evita Perón*
Sra. Salgado Filho • *Berthe Grandmasson Salgado*
Stalin • *Josef* Vissarionovitch *Stalin*
Stevensen • (não identificado) • (representante de *Adhemar* Pereira *de Barros*)
Sua Eminência • *Jayme* de Barros *Câmara* (dom)
Sucessão Jobim • Sucessão *Walter Só Jobim*
Sugestão Góes-Luzardo • Sugestão Pedro Aurélio de *Góes Monteiro*-João Batista *Luzardo*
Sumner Welles • Benjamim *Sumner Welles*
Syla Goulart

Sylvio *Bastos Tavares*
Syrio • *Syrio Trois* (casado com Alda Motta Trois, dita *Galega*, sobrinha de d. Darcy)

T
Taina • (não identificado) • (na linguagem infantil de Celina)
Talarico • *José* Gomes *Talarico*
Tasio • (não identificado)
Távora • Manuel do Nascimento *Fernandes Távora*
Tche-Tche • (não identificado)
Teixeira • (não identificado) • (possivelmente codificado)
Teles • *Lourival Teles* Menezes
Tenente Kastrup • *Luís F. Kastrup* (tenente)
Tenório • Natalício *Tenório Cavalcanti* de Albuquerque
Tertius Monteiro • alusão a Pedro Aurélio de *Góes Monteiro*
Tinoco • *Francisco* de Sá *Tinoco* • ([de 28 a 29/2/1948]; 29/5/1950)
Tinoco • *Tasso* de Oliveira *Tinoco* • ([de 14 a 22/3/1946]; [de 28/3 a 5/4/1946]; 9/11/1946; 11/9/1947; 23/6/1948)
Tio • *Getulio* Dornelles *Vargas* • ([de 26 a 29/8/1949]; 27/6/1950)
Tio • *Nereu* de Oliveira *Ramos* • (12/6/1950)
Tio de S. Borja • *Protasio* Dornelles *Vargas* • (18/10/1950)
Tio do Maneco • *Protasio* Dornelles *Vargas* • ([de 30/4 a 3/5/1946])
Tito Lívio • *Tito Lívio* de Santana
Tó Amaral • (não identificado)
Tobias • *Tobias Barreto* de Menezes
Tom Mix • Thomas Hezikiah Mix, *dito* (ator cinematográfico)
Trabalho Vergara-Queiroz • Trabalho de *Luís* Fernandes *Vergara*-José de *Queiroz* Lima
Três Bigs • PSD, UDN e PTB
Três mosqueteiros de SP • Danton Coelho, Wladimir de Toledo Piza e Oscar *Pedroso* Horta
Triângulo Getulio-Adhemar-Catete • Triângulo *Getulio* Dornelles *Vargas*-*Adhemar* Pereira *de Barros*-Palácio do Catete
Tribuna Popular • Diário carioca vinculado ao PCB criado em 22/5/1945 e fechado em 12/1947
Trifino • André *Trifino* Correia
Trinca Segadas-Junqueira-Nélson • Trinca José de *Segadas* Viana-José *Junqueira*-*Nelson* Fernandes
Trio Góes-Oswaldo-João Alberto • Trio Pedro Aurélio de *Góes Monteiro*-*Oswaldo* Euclides de Souza *Aranha*-*João Alberto* Lins de Barros
Tristão de Ataíde • Alceu Amoroso Lima
Triunvirato • *Alzira Vargas do Amaral Peixoto, Paulo Baeta Neves* e *José Soares Maciel* Filho
Trompas • Alzira refere-se a *Armando* Figueira *Trompowsky* de Almeida
Trompowsky • *Armando* Figueira *Trompowsky* de Almeida

Truman • *Harry S. Truman*
Tuiuti • *Osório Tuiuti* de Oliveira Freitas
Tyrone Power • *Tyrone* Edmund *Power* Jr. (ator cinematográfico)

U
Ubirajara • (não identificado)
UDN • União Democrática Nacional
Umbelina • (não identificado) • (babá de Celina)
Umbelino • *Umbelino* Dornelles *Vargas* (sobrinho de Getulio; filho de Viriato Dornelles Vargas e Maria Balbina Nunes Vargas)
Usineiro *Pereira Pinto* • José Carlos *Pereira Pinto*

V
Valdetaro • *João Valdetaro* de Amorim e Mello
Valentim Bouças • *Valentim* Fernandes *Bouças*
Van Zeeland • *Paul van Zeeland*
Varela • (não identificado) • (possivelmente codificado por Alzira)
Vargas Netto • *Manoel do Nascimento Vargas Netto* (filho de Viriato Dornelles Vargas e de Maria Balbina Nunes Vargas)
Vasconcelos • (não identificado)
Vavá • *Oswaldo* Euclides de Souza *Aranha*
Vavau • *Oswaldo Gudolle Aranha*
Vecchio • *José Vecchio*
Veiga • (não identificado) • (possivelmente codificado)
Velho Amaral • *Augusto do Amaral Peixoto* (pai de Ernani do Amaral Peixoto; sogro de Alzira)
Velho Bernardes • *Artur* da Silva *Bernardes*
Velho Vargas • *Getulio* Dornelles *Vargas* • ([de 28 a 29/2/1948])
Velho Vargas • *Manoel* do Nascimento *Vargas* (pai de Getulio) • ([de 5 a 7/7/1948])
Veloso Borges • *Virgínio Veloso Borges*
Vera • *Vera Souto Maior Sá*
Véras • *Francisco Martins Véras*
Vergara • *Luiz* Fernandes *Vergara*
Vergueiro • *Cesar Lacerda de Vergueiro*
Vergueiro de Lorena • *Eduardo Vergueiro de Lorena*
Viana • *Afonso Assunção Viana*
Viana do Castelo • *Augusto Viana do Castelo*
Vicente Rao • *Vicente* Paulo Francisco *Rao*
Victoria • Maria *Victoria* Faria Alves *Bocayuva Cunha*
Victoria Bocayuva • Maria *Victoria* Faria Alves *Bocayuva Cunha*
Vidigal • *Gastão* da Costa Carvalho *Vidigal*
Vidigal-Matarazzo • *Gastão* da Costa Carvalho *Vidigal*-*Francisco Matarazzo* Jr.
Vieira • Alzira refere-se possivelmente a Antônio *Vieira de Mello*

484

Vieira de Mello • Antônio *Vieira de Mello*
Vignoli • *Jaime Vignoli*
Vilasboas • *João Vilasboas*
Virgilinho • *Virgílio* Alvim *de Melo Franco*
Virgílio • *Virgílio* Alvim *de Melo Franco* • ([de 28/3 a 5/4/1946]; 4/9/1947; 14/11/1948; 29/11/1948; 18/2/1949; [de 22 a 24/3/1949]; 8/8/1949)
Virgílio • Públio *Virgílio* Maro (poeta romano) • (13/9/1947)
Viriato • *Viriato* Dornelles *Vargas* (irmão de Getulio)
Vital • *João Carlos Vital*
Vitor Costa
Vitorino • *Vitorino* de Brito *Freire*
Vitorino Freire • *Vitorino* de Brito *Freire*
Viúva de Henrique Lage • *Gabriella Besanzoni* Lage
Vivacqua • *Atílio Vivacqua*
Vivaldo Lima Filho • *Vivaldo de Palma Lima Filho*
Volpato • (não identificado)
Vovô Gituio • Getulio na linguagem infantil de Celina
Vovô Otú • Getulio na linguagem infantil de Celina
Vovô Otúlio • Getulio na linguagem infantil de Celina
Vovô Sábója • Getulio na linguagem infantil de Celina
Vovô Tulio • Getulio na linguagem infantil de Celina
Vulto ou Fantasma • Alzira refere-se a Getulio

W

Wainer • *Samuel Wainer*
Waldemar • *Waldemar* Cromwell do Rego *Falcão*
Waldemar Falcão • *Waldemar* Cromwell do Rego *Falcão*
Walder • *Walder* de Lima *Sarmanho* (irmão de d. Darcy; cunhado de Getulio)
Waldy • *Waldy Rodrigues*
Waldy Lisboa
Waldy Rodrigues
Wallace Simonsen • Mario *Wallace Simonsen*
Walter • (não identificado) • (25/11/1950; 6/12/1950)
Walter • *Walter Só Jobim* • ([de 24 a 26/2/1946])
Walter Ataíde • *Walter* Geraldo de Azevedo *Ataíde*
Wanda • *Wanda Sarmanho Motta* (sobrinha de d. Darcy; filha de Alda Sarmanho Motta e Periando Malveiro Dornelles da Motta) • ([de 30/4 a 3/5/1946]; [de 1 a 5/8/1947]; [de 12 a 13/9/1947]; [de 6 a 9/8/1948]; 1/4/1949)
Wanda (tia) • *Wanda Sarmanho de Abreu e Silva* (irmã de d. Darcy; casada com Florêncio de Abreu e Silva) • (9/1/1946)
Wanderley • *Vergniaud Wanderley*
Wandinha • *Wanda Sarmanho Motta* (sobrinha de d. Darcy; filha de Alda Sarmanho e Periando Malveiro Dornelles da Motta)
Wanick • *Waldir Wanick* de Sousa
Washington Luiz • *Washington Luiz* Pereira de Souza

Wenceslau • *Wenceslau Brás* Pereira Gomes
Whitaker • *José Maria Whitaker*
Wiener • *Paul Lester Wiener* (arquiteto e urbanista alemão, naturalizado norte-americano, casado com Ingeborg ten Haeff)
Wladimir Piza • *Wladimir* de Toledo *Piza*

X

Xangô • (orixá do candomblé)
Xavier da Rocha • Antonio *Xavier da Rocha*
Xico • *Francisco* de Sá *Tinoco* • ([de 28 a 29/2/1948])
Xico • *Walder* de Lima *Sarmanho* (irmão de d. Darcy; cunhado de Getulio) • (19/2/1948; 17/3/1948; 23/3/1948; [de 5 a 7/7/1948]; 29/11/1948)
Xico Brochado • Francisco *Brochado da Rocha*
Xico Elísio • *Francisco Elísio* Pinheiro Guimarães (casado com Ruth Pinheiro Guimarães, filha de Wanda e Florêncio Carlos de Abreu e Silva; sobrinha de d. Darcy)
Xico Figueira de Melo • *Francisco* Lisboa *Figueira de Melo*
Xico Sarmanho • *Walder* de Lima *Sarmanho* (irmão de d. Darcy; cunhado de Getulio)
Xico Tinoco • *Francisco* de Sá *Tinoco*

Y

Yara • *Yara* Lopes *Vargas* (sobrinha de Getulio, filha adotiva de Spartaco Dornelles Vargas e América Fontella Vargas)
Yvens de Araújo

Z

Z. • (não identificado)
Zacharias • *Alexandre Zacharias de Assunção*
Zaratini • *João Zaratini* (mordomo do Palácio Guanabara)
Zé • (não identificado) • (7/3/1950)
Zé • *José Américo* de Almeida • ([de 17 a 18/7/1947]; [de 20 a 21/8/1947]; 11/12/1947; [de 3 a 7/2/1949]; [de 3 a 6/5/1949]; [de 12 a 14/5/1949]; 9/6/1949; [de 12 a 15/6/1949]; set./1949; [de 16 a 18/10/1949]; 29/10/1949; 2/11/1949; 2/3/1950; 26/4/1950; 18/5/1950; 23/8/1950)
Zé Américo • *José Américo* de Almeida
Zé Armando Afonseca • *José Armando* de Macedo Soares *Afonseca*
Zé Arruda • Alzira refere-se a *José Américo* de Almeida, em alusão à sua fama de azarento
Zé Augusto • *José Augusto* Bezerra de Medeiros • ([de 3 a 7/2/1949])
Zé Augusto • Alzira refere-se possivelmente a *José Augusto Varela* • (28/3/1949)
Zé Barbosa • *José Barbosa*
Zé Broinha • Alzira refere-se a *José Junqueira*

Zé Cândido • *José Cândido Ferraz*
Zé Cândido Ferraz • *José Cândido Ferraz*
Zé Carlos • *José Carlos de Macedo Soares*
Zé Diogo • José Diogo *Brochado da Rocha*
Zé Domingues • *José Domingues da Silva*
Zé Eduardo • *José Eduardo de Macedo Soares*
Zé Eugênio Müller • *José Eugênio Müller*
Zé Linhares • *José Linhares*
Zé Lyra • *José Pereira Lyra*
Zé Müller • *José Eugenio Müller*
Zé Olympio • *José Olympio* Pereira Filho
Zé Pessoa • *José Pessoa* Cavalcanti de Albuquerque
Zé-Macaco • (não identificado)
Zenóbio • Euclides *Zenóbio Costa*
Zilah • *Zilah Gomes Vargas* (casada com Umbelino Dornelles Vargas, sobrinho de Getulio)
Zita • (não identificado)
Zita Catão • Luiza Amélia Torres Bocayúva Catão, *dita*
Zolachio • *Zolachio Diniz*
Zulmira • *Zulmira Motta Melo* (filha de Alda Sarmanho e Periando Malveiro Dornelles da Motta; casada com Pedro Melo)

ICONOGRAFIA

1949

AVAPFOTO067_1 · **p. 7** / AVAPFOTO011_83 · **p. 8** / AVAPFOTO011_82 · **p. 14** / AVAPFOTO011_80 · **p. 15** / AVAPFOTO011_78 · **p. 16-17** / AVAPFOTO011_79 · **p. 18** / AVAPFOTO011_86 · **p. 23** / AVAPFOTO067_21 · **p. 26** / AVAPFOTO067_6 · **p. 27** / EAPFOTO453_2 · **p. 28** / EAPFOTO453_1 · **p. 28** / AVAPFOTO004_95 · **p. 31** / AVAPFOTO070_25 · **p. 42** / AVAPFOTO070_24 · **p. 45** / AVAPFOTO070_116 · **p. 46-47** / AVAPFOTO011_73 · **p. 53** / AVAPFOTO011_74 · **p. 54** / AVAPFOTO004_123 · **p. 58** / AVAPFOTO011_71 · **p. 59** / AVAPFOTO011_72 · **p. 60** / AVAPFOTO004_88 · **p. 62** / AVAPFOTO004_90 · **p. 66** / AVAPFOTO067_10 · **p. 71** / AVAPFOTO004_48 · **p. 79** / AVAPFOTO004_106 · **p. 81** / AVAPFOTO004_100 · **p. 83** / AVAPFOTO004_121 · **p. 86** / GVFOTO167_3 · **p. 99** / GVFOTO167_2 · **p. 102** / GVFOTO167_1 · **p. 103** / AVAPFOTO067_22 · **p. 107** / AVAPFOTO067_8 · **p. 109** / AVAPFOTO067_3 · **p. 110** /AVAPFOTO067_12 · **p. 118** / AVAPFOTO067_15 · **p. 119** / AVAPFOTO067_14 · **p. 119** / AVAPFOTO070_23 · **p. 124** / AVAPFOTO038_103 · **p. 127** / AVAPFOTO038_139 · **p. 129** / AVAPFOTO004_89 · **p. 131** / AVAPFOTO070_21 · **p. 138** / GVFOTO160_2 · **p. 143** / GVFOTO160_1 · **p. 168** / AVAPFOTO004_122 · **p. 187** / GVFOTO186 · **p. 191** / GVFOTO166 · **p. 199** / CDAVARGASEBNFOTO2 · **p. 218**

1950

AVAPFOTO089_160 · **p. 221** / GVFOTO415 · **p. 222** / GVFOTO177_28 · **p. 224** / GVFOTO177_1 · **p. 226** / GVFOTO177_2 · **p. 226** / GVFOTO177_3 · **p. 226** / GVFOTO177_4 · **p. 226** / GVFOTO177_6 · **p. 227** / GVFOTO177_11 · **p. 229** / GVFOTO174_3 · **p. 230** / GVFOTO174_2 · **p. 231** / GVFOTO174_21 · **p. 232** / GVFOTO174_4 · **p. 236** / AVAPFOTO023_27 · **p. 238** / AVAPFOTO023_28 · **p. 239** / GVFOTO174_27 · **p. 247** / GVFOTO417 · **p. 248** / GVFOTO175_3 · **p. 251** / GVFOTO175_5 · **p. 252** / GVFOTO175_2 · **p. 254** / GVFOTO175_4 · **p. 256** / GVFOTO175_1 · **p. 259** / ECAFOTO008_2 · **p. 262** / ECAFOTO008_5 · **p. 263** / GVFOTO327 · **p. 265** / GVFOTO169_3 · **p. 268** / GVFOTO169_5 · **p. 269** / GVFOTO169_7 · **p. 269** / GVFOTO326_3 · **p. 270** / GVFOTO176_1 ·

p. 272 / GVFOTO176_4 · p. 275 / ECAFOTO019 · p. 277 / GVFOTO173_10 · p. 280 / GVFOTO173_13 · p. 280 / GVFOTO173_20 · p. 285 / GVFOTO331_1 · p. 286 / ECAFOTO008_8 · p. 289 / GVFOTO178_41 · p. 291 / GVFOTO178_9 · p. 295 / GVFOTO178_16 · p. 296 / GVFOTO178_53 · p. 299 / GVFOTO178_1 · p. 301 / GVFOTO178_10 · p. 302 / GVFOTO169_4 · p. 307 / GVFOTO178_25 · p. 314 / GVFOTO178_39 · p. 316 / GVFOTO178_54 · p. 322 / GVFOTO178_26 · p. 322 / GVFOTO178_70 · p. 327 / GVFOTO178_29 · p. 330 / GVFOTO178_20 · p. 335 / GVFOTO178_60 · p. 337 / GVFOTO179_1 · p. 340 / GVFOTO180_26 · p. 343 / GVFOTO180_27 · p. 349 / GVFOTO180_17 · p. 351 / GVFOTO180_35 · p. 352 / GVFOTO180_24 · p. 354 / GVFOTO180_6 · p. 356 / GVFOTO330_1 · p. 359 / AVAPFOTO067_85 · p. 362 / AVAPFOTO067_89 · p. 363 / AVAPFOTO067_84 · p. 363 / AVAPFOTO067_87 · p. 363 / AVAPFOTO067_29 · p. 366 / AVAPFOTO067_33 · p. 369 / AVAPFOTO067_53 · p. 379 / AVAPFOTO067_94 · p. 383 / AVAPFOTO067_58 · p. 384 / AVAPFOTO067_59 · p. 385 / GVFOTO185 · p. 387 / AVAPFOTO067_82 · p. 393 / AVAPFOTO067_43 · p. 393 / AVAPFOTO067_92 · p. 397 / AVAPFOTO067_41 · p. 397 / AVAPFOTO067_79 · p. 399 / AVAPFOTO067_80 · p. 399 / AVAPFOTO067_36 · p. 400 / AVAPFOTO067_71 · p. 404 / AVAPFOTO067_64 · p. 409 / AVAPFOTO067_74 · p. 412 / AVAPFOTO067_77 · p. 414 / AVAPFOTO067_78 · p. 415 / AVAPFOTO004_76 · p. 430

As cartas integram o dossiê AVAP vpu e 1946.01.02, ordenadas cronologicamente.

Fundação Getulio Vargas (FGV)

Presidente
Carlos Ivan Simonsen Leal

Vice-presidente
Sergio Franklin Quintella

FGV Editora

Diretora Executiva
Marieta de Moraes Ferreira

Coordenadora Editorial
Gabriela Klam

CPDOC Escola de Ciências Sociais

Diretor
Celso Castro

Pesquisadoras Responsáveis
Adelina Novaes e Cruz
Regina da Luz Moreira

Todos os documentos integrantes dessa publicação pertencem ao acervo de arquivos pessoais doados ao CPDOC.

Editora Responsável
Ana Luisa Escorel

Gerência de Projeto
Ana Luisa Escorel | **Erica Leal** | Ouro sobre Azul

Projeto Gráfico e Edição de Imagens
Ana Luisa Escorel | Ouro sobre Azul

Preparação dos Originais para Impressão
Erica Leal | Ouro sobre Azul

Estabelecimento e Fixação de Texto
Dora Rocha

Revisão e Padronização de Texto
Fatima Caroni

Tratamento de Imagens
Inês Coimbra | Ô de Casa

A transcrição das cartas bem como a feitura
das notas é da responsabilidade de Regina da Luz Moreira.
A conferência de fidelidade e a elaboração
do índice de nomes foram realizadas por Adelina Novaes e Cruz
e Regina da Luz Moreira.
A pesquisa iconográfica coube a Adelina Novaes e Cruz,
Ana Luisa Escorel e Regina da Luz Moreira.

Impressão e Acabamento
Cromosete Gráfica e Editora Ltda.

Os textos foram compostos
em Minion Pro Regular c 10.5/c 13.78
e Conduit Light ITC c.10.7/c.13.78.
O miolo foi impresso em papel Couché 115 g/m²
e a capa em papel Cartão Extrakot 250 g/m²,
ambos de fabricação Suzano.

Copyrigth © 2018 organização, prefácio e notas
by Adelina Novaes e Cruz e Regina da Luz Moreira.

Copyrigth © 2018 *Prós e contras* by Ana Luisa Escorel,
Laura de Mello e Souza e Marina de Mello e Souza.

Direitos desta edição reservados à
FGV Editora
Rua Jornalista Orlando Dantas 37
22231 010 Rio de Janeiro RJ Brasil
T 0800 021 7777 | 21 3799 4427
Fax 21 3799 443
editora@fgv.br | pedidoseditora@fgv.br
www.fgv.br/editora
e a **Ouro sobre Azul Design e Editora Ltda.**
ourosobreazul@ourosobreazul.com.br
www.ourosobreazul.com.br

FICHA CATALOGRÁFICA ELABORADA PELA BIBLIOTECA MARIO HENRIQUE SIMONSEN/FGV

Volta ao poder: a correspondência entre Getulio Vargas e a filha Alzira, v.2: 1949 a 1950 / Organizadoras Adelina Novaes e Cruz, Regina da Luz Moreira.
Rio de Janeiro : FGV Editora : Ouro sobre Azul, 2018.
492 p.

Inclui índice.
ISBN: 978 85 225 2070 1 (FGV Editora)
ISBN: 978 85 88777 86 6 (Ouro sobre Azul)

1. Vargas, Getulio, 1883-1954 - Correspondência. 2. Peixoto, Alzira Vargas do Amaral, 1914-1992 - Correspondência. 3. Presidentes - Brasil – Correspondência. 4. Brasil –História.
I. Cruz, Adelina Maria Alves Novaes e. II. Moreira, Regina da Luz. III. Fundação Getulio Vargas.

CDD – 981